Sarah Harrison

De paardenheuvel

Van Holkema & Warendorf

Oorspronkelijke titel: *The Grass Memorial*
Copyright © 2001 Sarah Harrison
Oorspronkelijke uitgave: Hodder & Stoughton
Copyright Nederlandse vertaling:
© 2002 Unieboek bv, Postbus 97, 3990 DB Houten
Nederlandse vertaling: Fien Volders
Omslagontwerp: Studio Eric Wondergem BNO
Opmaak binnenwerk: ZetSpiegel, Best

www.unieboek.nl

ISBN 90 269 8258 5/ NUR 340

Alle vlees is gras, en al zijn schoonheid als een bloem des velds.
Het gras verdort, de bloem valt af, als de adem des Heren daarover waait.
Voorwaar, het volk is gras.

Het boek Jesaja

SLAPEND

Harry 1854

Lang voordat hij zijn ogen opendeed wist hij dat het ochtend was –
een vroege ochtend in Engeland, teer en helder. De zon op zijn blote hoofd, de prikkelende geur van het gras en het
patroon van de stengels onder zijn wang schilderden een plaatje van
zijn omgeving dat even duidelijk was als de schilderijen aan de muren
van Bells. Hij zag, als de dageraad die in het duister van zijn geestes-
oog oprees, de zachte, opgaande curven van de heuvels met hun ruige
vacht van verbleekt gras, met op de flank het scherpere wit van het
primitieve paard geprint, duizenden jaren oud. Hij zag de geaquarel-
leerde luchten die 's zomers leken te trillen door het gezang van onzichtbare leeuweriken, en de vervallen daken van de dorpshuizen die
knus rond hun parochiekerk gegroepeerd stonden. Nu hoorde hij ook
de klokken van die kerk en van andere kerken beieren, op goed geluk
harmoniërend en dissonerend, soms gelijk, soms contrapuntisch,
zoals de hoeven van paarden in draf. De geur van paarden dreef zijn
hoofd binnen; warm, naar haver geurend, met een vleug leer en
zweet. Een geur die op een aangrijpende manier uit het verleden naar
boven kwam, en tranen van onder zijn oogleden deed druppelen.

Het beeld werd scherper; het werd compact en nauwkeurig, omgaf hem zoals hij daar in het weiland lag, terwijl de zon opkwam en
hij het trage grazen van de paarden opving dat als een ritselende,
onregelmatige hartslag door het gras trok.

Verleden en heden versmolten. Moeizaam, zonder zijn hoofd op
te tillen, opende hij zijn ogen.

Wat hij zag was vreemd: hetzelfde, maar nauw merkbaar, op sto-
rende wijze anders, alsof de werkelijkheid in zijn hoofd zat, en dit
een soort bedrieglijke droom was. Zijn blik werd vertroebeld, niet
zozeer door tranen als door een prikkend waas van zweet. Alle andere gewaarwordingen werden genadeloos versterkt. Het licht, geen
warme gouden gloed, maar bleek en dreigend, hamerde tegen de zijkant van zijn hoofd. De stank van de grond en van zijn eigen lijf was
ranzig. Hij leek zich in een vacuüm van stilte te bevinden, waarin
nog net het geschreeuw van dieren in de verte hoorbaar was. Door

het geluid kwam zijn maag in opstand. Hij was nat onder zijn dikke kleding, en niet alleen van het zweet. Hij wist dat zijn zeepbel van stilte breekbaar was, dat de stilte zelf een illusie was en dat hij zich moest bewegen. Zijn lichaam voelde zwaar en log aan, een slepende last die niet wilde, of misschien niet kon reageren. Met enorme krachtsinspanning perste hij zijn linkerarm onder zich en gebruikte die om zijn bovenlijf van de grond op te duwen.

Een misselijkmakende stroom hete vloeistof gutste naar buiten. Geschrokken greep hij zijn lichaam beet en viel voorover, in de verwachting dat de stroom tot stilstand werd gebracht. Het verleden keerde terug; het recente verleden, fluitend en geselend als een woedende stormwind. Onontkoombaar verschrikkelijk, en werkelijk.

Met een kreun van angst draaide hij zijn hoofd opzij, en schramde daarbij zijn wang aan een stekelig plantje. Dat was de enige pijn die hij voelde, ofschoon hij nu wist dat er gapende gaten in hem zaten waaruit zijn leven wegvloeide en in de buitenlandse bodem sijpelde. Aan de grens van zijn gezichtsveld zag hij waarnaar hij zocht: de hoekige, ruige, bruine massa van de merrie. Ze leek op haar zij te liggen, van hem af gedraaid; hij zag haar achterhand en de zadelknop, wonderbaarlijk genoeg nog op zijn plaats en glimmend van het poetswerk.

'Clemmie...' Hij bracht nauwelijks geluid uit. Hij probeerde te slikken, maar zijn keel was uitgedroogd.

'Clemmie...'

Ze bewoog zich bijna niet. Hij herinnerde zich dat hij als jongen naar de wei ging en zag dat de paarden nog sliepen, op hun zij in het lange zomergras gelegen, en zijn kinderlijke angst dat ze niet sliepen maar dood waren. Hij zag dat ze ademde, maar zijn opluchting was van korte duur. Bij elke uitademing werd ze geteisterd door een lange siddering.

'Clemmie...' Hij stootte het woord uit, maar het was nog steeds niet meer dan een schor gefluister. Zijn inspanning bracht weer een golf bloed naar buiten, en daarmee het lichte steken van de terugkerende pijn.

De merrie reageerde niet op zijn stem. Terwijl hij zich inspande om te kijken streek een grote vlieg op haar lijf neer. Haar vacht trilde heftig om hem af te schudden. De vlieg was al na enkele seconden terug. Plotseling werd het van doorslaggevend belang voor hem, op wiens gezicht en nek de vliegen ook neerstreken, om Clemmie tegen hun gulzige belangstelling te beschermen.

Hij begon op zijn zij naar haar toe te schuifelen, met zijn linkerarm tegen zijn middenrif geklemd. Hij probeerde elke kleine beweging zo soepel mogelijk te houden, om nog meer pijn of bloedverlies

8

te voorkomen. Desondanks voelde hij tijdens dit martelend langzame voortkruipen hoe hij langzaam van zijn borstbeen tot aan zijn buik openscheurde. Hij zei bij zichzelf dat hij, als hij maar bij de merrie kon komen, tegen haar aan kon leunen en haar tegen de vliegen kon beschermen, een soort vrede zou vinden, en dat het bereiken van dat doel hen beiden zou beschutten tegen de gruwelen die werden aangedragen op de adem van dat verre geschreeuw.

Hij kwam bij haar aan, en liet uitgeput zijn wang tegen haar schoft rusten. Zijn onverwachte aanraking deed haar schrikken. Ze verkrampte en brieste van angst, terwijl haar benen hulpeloos door de lucht maaiden. Hij liet zijn arm over haar hals glijden en zei nogmaals haar naam, waarop ze kalmeerde, ofschoon ze nog steeds sidderde bij elke ademhaling. Zachtjes streelde hij haar hals, zich niet langer van zijn eigen pijn bewust, en ging met zijn hand over de krachtige zwelling van de spiermassa onder haar manen. Haar oren bewogen zich iets naar voren als blijk van erkentelijkheid. Hij bedacht dat hij zich haar zo zou herinneren, met gebogen hals, gespitste oren, in haar dierlijke argeloosheid tot alles bereid.

Nu zag hij wat ze had doorstaan. De schuimige zweetlaag om de buikriem en de voorste zadelboog, en waar de teugels op haar hals lagen; de uitpuilende, rode groef van een sabelhouw op haar lende, waaraan vliegen zich buiten zijn bereik te goed deden, en de kleinere, hem zelfs met nog meer ontzetting vervullende littekens van zijn eigen sporen, toegebracht in een koortsachtige uitbarsting van paniek en bravoure, om een merrie aan te drijven die geen greintje agressie of angst in haar lijf had en hem alleen maar met al haar kracht en vertrouwen had gediend.

Nog erger was het zich de schade voor te stellen die hij niet kon zien. Want Clemmie was duidelijk niet in staat om op te staan. Ze was even hulpeloos en kwetsbaar als een zeester die door het getij is achtergelaten, en hij kon niets doen om haar te beschermen. Hij had zelfs niet de kracht of de middelen om haar uit haar lijden te verlossen. Ze had alles gedaan wat van haar was gevraagd, en moest nu net als hij, in dit droge dal ver van huis, op het einde liggen wachten. Het leven sijpelde uit hen beiden weg, terwijl de zon hoog naar de hemel klom. In wanhoop deed hij zijn ogen weer dicht.

Koortsig nu, zag hij andere beelden. Beelden van Hugo op Piper: onstuimig, levend, die als een wildeman zonder zadel tussen de bomen op Bells door joeg, joelend en wuivend, wegduikend om takken te omzeilen; het nauwelijks getemde, éénjarige paard vurig en bezweet van opwinding, met neusgaten als twee karmijnrode rozen, getekend door een witte ster in elke ooghoek... Beelden van de jeugd in al haar vermetele glorie.

Hij zag ze in levendige kleuren, bewegend, alsof het voor zijn ogen plaatsvond. Het volgende beeld stond echter stil, en was in zwart-wit, donker omlijst: Hugo en Rachel op hun trouwdag. Hij ongebruikelijk plechtig, nauwelijks in staat zijn geluk te bevatten, met een dreigende blik die iedereen uitdaagde die iets op hem als echtgenoot zou durven aanmerken; de bruid slank, kalm van geest en gemoed, met een rustige blik de toekomst tegemoet ziend. En toen was er Rachel alleen en helemaal in het zwart, gekleed in de troosteloze waardigheid van jong weduwschap, die met haar schrikbarende magerte Hugo's kostbare erfenis droeg.

Weer hoorde hij het geluid van de kar waarin de mannen Hugo naar de kerk hadden gebracht. Omdat er op die dag geen werkpaarden waren, hadden ze zich langs de lamoenstokken opgesteld en de kar zelf getrokken. Rachel was met hem meegelopen, met haar gehandschoende hand op de zijkant rustend. Colin Bartlemas voerde Piper, ongezadeld met alleen een hoofdstel, mee achter hen aan. De jonge hengst, zich niet bewust van de ernst van de gelegenheid en opgehitst door het lompe geratel van de wielen, had gerend en gedanst, zijn hoofd wild op en neer werpend, met zijn manen als zwarte vlammen. Hij, en volgens hem ook Rachel, was ervan overtuigd dat Piper de bewaarder was van Hugo's geest, de herinnering aan het leven dat nu voorbij was.

Nu wist hij zeker dat hij het gehots van die wielen en het kraken van het verweerde hout en dichterbij hoorde komen. Pijn en een vreselijke moeheid drukten hem neer; hij kon geen onderscheid meer maken tussen het hier en nu en de beelden in zijn hoofd. Maar Clemmie bespeurde ook iets. Ze schokte zwakjes. Hij wilde niet zien wat het was dat boven hen opdoemde. Vriend of vijand, het kon alleen maar bevrijding betekenen. Hij wilde bidden, maar kon geen woorden vinden.

De wielen hielden stil. Hij hoorde voetstappen over het natte gras knerpen. Er was een scherpe, vreemde, chemische lucht die door zijn verdoofde zintuigen sneed. De koelte van een schaduw viel even over hem heen; hij zou hebben gezworen dat hij het geluid van ademhalen hoorde, zacht en geconcentreerd. Hij hield zijn adem in; het trillen van de merrie was opgehouden, alsof ze beiden wisten dat dit het einde was.

Er klonken nog meer geluiden, op enige afstand en niet thuis te brengen, maar waarvan hij veronderstelde dat het voorbereidingen waren. Zijn vlees leek met het trage stromen van zijn bloed in de grond weg te zinken, met elke seconde zijn persoonlijke, kenmerkende details te verliezen, en alleen maar stof te worden. De pijn stak niet langer, maar klopte een gedempte roffel, op het ritme van zijn verzwakkende hart.

Een leemte. Zelfs geen geritsel van gras. Het geschreeuw in de verte stierf weg, met zijn bewustzijn.

Het laatste geluid dat hij hoorde was het gelui van klokken, beëindigd door een doffe, korte explosie. Clemmie bewoog zich niet, want ze was al heengegaan.

1

1997

Spencer was zich aan het aankleden. Vanuit zijn raam kon hij het Witte Paard zien. Wat een logo, bedacht hij. Duizenden jaren oud en zo goed als nieuw, als een banier tegen de heuvelflank uitgerold. Het vestigde niet alleen de aandacht op het fort uit het bronzen tijdperk, maar ook op het schaamteloze zelfvertrouwen van de bezetters. Dat moest je ze nageven.

Die ochtend, Spencers laatste in Engeland, was de mooiste sinds hij twee weken daarvoor was aangekomen. Niet dat hij zich beklaagde; hij had sinds de oorlog een voorliefde voor het Engelse weer. Zacht, grillig, flirtend, vrouwelijk weer, in tegenstelling tot het brallende machismo van de elementen thuis. De zon had, zelfs als hij tevoorschijn kwam, een schroomvallig karakter. En wat de winter betrof: alleen een natie die dat speciale soort grijze, ijzige nattigheid gewend was, kon de substantiële heerlijkheden van brood met braadvet, broodpap, beschuitbollen en dat stroopkleurige bier hebben uitgevonden (tegenwoordig minder in zwang, merkte hij) met de temperatuur van lichaamssappen, waarin de hop nog steeds scheen te groeien... God weet dat er voor de Britten destijds weinig te genieten viel. Het was geen wonder dat hij en de zijnen als redders waren verwelkomd. Je kon de luchtoorlog boven Europa vergeten, het was helemaal te gek toen de Yanks kwamen aanzetten.

Met een licht gekreun van inspanning zette hij zijn rechtervoet op de rand van een stoel om zijn veters vast te maken. Nu hij als oude man aan de vooravond van een nieuwe eeuw was teruggekomen, kon hij voor het eerst inschatten hoe beroerd de situatie destijds was geweest. Het kleine, landelijke hotel waar hij logeerde verschilde materieel gezien niet veel in periode en ontwerp van de Seven Stars in Church Norton, of van de Scratching Cat, of de Pipe and Bowl, of van de vele andere pubs die hij zich herinnerde, maar het was uit zijn lethargie ontwaakt en had drie sterren in de gids veroverd door een opgevoerde versie van een Engelse droomherberg te creëren, het soort dat behalve in de verbeelding van Amerikanen nooit had bestaan. Moeizaam verwisselde hij van voet. Hij moest toegeven dat ze het goed hadden gedaan. De ouderwetse, vrijstaande badkuipen waren splinternieuw, met een jacuzzileiding. De koperen mengkraan leverde geluidloos water op de juiste temperatuur en onder ongeveer de juiste druk, niet alleen voor het bad zelf, maar ook voor de douche. Het tweepersoonsledikant was van koper, met een boxspring matras en een kingsize dekbed met een weelde van theerozen. Het ontbijt was smakelijk, het diner nog beter, maar de beroemde Britse middagthee (hij zuchtte diep, terwijl hij zijn overhemd dichtknoopte) scheen te zijn afgeschaft. Er was telefoon met voice-mail op de kamers, en je kon bij de receptie faxen en e-mails ontvangen. De oude wereld met hi-tech: een Engeland in vredestijd, met rijkdom en luxe.

Hij borstelde zijn haar, en zakte daarbij iets door zijn knieën om in de spiegel te kijken. Er was iets verloren gegaan, bedacht hij, maar het was welhaast zeker dat hij het was die iets miste en niet het Britse volk. Je kon niet terugkeren, je kon het verleden niet opnieuw beleven, of die speciale mengeling aan ervaringen terugvinden die je hart op je twintigste sneller had doen kloppen... Hij pakte zijn kamersleutel.

Evengoed was er beneden in de eetzaal een serveerster in de tienerleeftijd naar wie hij had zitten kijken. Dat deed hij ook nu, nadat hij haar zijn bestelling had opgegeven en de fruitsalade opat die zijn geweten moest sussen vanwege de worstjes en eieren. Ze was niet het gewone soort serveerster, waarschijnlijk een studente. Een van die afstandelijke Engelse meisjes: koel, intelligent en terughoudend, haar vaalbruine haren naar achteren getrokken in een paardenstaart. Haar lange dunne benen waren in een niet bij het seizoen passende, zwarte panty gestoken. Niet bepaald een schoonheid, maar toch!

Eigenlijk net als Rosie.

En vermoedelijk niet veel ouder dan zij toen was – achttien, negentien? Moeilijk te zeggen. De meisjes leken hem vandaag de dag wereldwijzer, maar hadden een langere jeugd. Ze gingen door met spelen en experimenteren en ronddazen zolang ze wilden; ze gingen het huis uit, kwamen terug, woonden samen met jongens en woonden alleen. Er was geen patroon.

Hij at het fruit op, wierp een blik op zijn opgevouwen krant en liet zijn ogen langs dezelfde kolom tekst op en neer gaan totdat ze te-

13

rugkwam. Toen ze terug kwam aarzelde ze, omdat ze hem niet wilde storen bij het lezen door het bord neer te zetten. Hij keek op en glimlachte, waardoor ze gered was.

'Is dat mijn ontbijt?'

'Ja.'

'Kom op dan.' Hij trommelde op zijn placemat. 'Ik kan nauwelijks wachten.'

Licht blozend zette ze het bord voor hem neer. Ze kreeg snel een kleur, maar haar hele houding straalde uit dat hij, mocht hij zich iets in het hoofd halen, nergens op hoefde te rekenen. Wat hij ook geen moment van plan was geweest.

'Dankjewel. Ik zal het missen.'

'O? Gaat u weg?'

'Later op de dag.'

'En heeft u geen lekker ontbijt in Amerika?' Een zweem ironie.

'We hebben een heerlijk ontbijt, maar op het gebied van worstjes winnen jullie het.'

'Echt waar? Ik geloof u op uw woord. Ik ben vegetariër.'

'Je weet niet wat je mist.'

'O, maar dat weet ik heel goed, dat is het hem juist.'

In elk geval geen voltijd-serveerster. Hij keek haar na toen ze weer wegliep. Ze had de karakteristieke manier van lopen van een bepaald type Engelse meisjes, met lange, soepele passen, die was bedoeld om elke suggestie van seksuele aantrekkingskracht uit te bannen, maar die in feite verdomd sexy was.

Toen hij de eetzaal verliet zei ze: 'Goede reis.'

In de hal riep de receptionist hem aan. 'Meneer McColl, een e-mail voor u.'

'Bedankt.'

Hij was een bericht van Hannah.

Gewoon om je te laten weten dat ik popel om je overmorgen weer te zien – is het echt pas een week? Ik kreeg ineens het rare idee dat je niet naar huis zou willen, al die oude herinneringen, al die schilderachtige oude charme... Denk eraan dat ik ook schilderachtige oude charme heb.

Kom snel terug, schat, ik hou van je. XXX Je ouwetje.

'Kan ik direct antwoorden?'

'Natuurlijk. Het kantoor is om de hoek.'

Zijn bericht was kort.

Rustig maar, ouwetje. Hou de pijp en de pantoffels klaar, ik kom eraan. XXX Spence.

Terug op zijn kamer, waar hij de laatste spullen in zijn tas deed en zich klaarmaakte om te vertrekken, moest hij stiekem toegeven dat Hannah's ingeving nog zo gek niet was. Er was geen speciaal moment geweest dat hij had overwogen te blijven, maar hij verlangde ook niet zo erg om terug te gaan als eigenlijk had gemoeten.

Beneden rekende hij af, bestelde alvast een taxi, liet zijn bagage bij de receptie achter en ging te voet op weg naar het Witte Paard. De afgelopen dagen was het verleden zijn magnetische noorden geworden.

Het was gemakkelijk om in slaap te vallen en miserabel om wakker te worden. Dat haalde met één klap het gezegde van Stella's moeder onderuit dat de dingen er 's morgens beter uitzagen. Toen zij een kind was was het absoluut waar geweest. Stella was de tel kwijt van de kwellende zorgen, angsten en dreigende gevaren die boven een bord havermout met bruine suiker tot hun normale proporties waren teruggekeerd, onder het gekabbel van het nieuws op haar vaders radio en het gereutel van de waterleidingbuizen op de vroege ochtend. De nacht was zwart en eeuwig, een kleurloze afgrond waarin de afzonderlijke problemen samensmolten tot het ene grote onoverkomelijke probleem van Jezelf Zijn (nog zo'n uitspraak van Stella's moeder). Maar destijds liet die goeie beste dag licht schijnen op de duistere zaken.

Nu niet. Godallemachtig... De achterbank van de auto, vijf uur geleden nog zo grieflijk, voelde aan als een middeleeuws martelwerktuig, dat het menselijk skelet verkilde, verdraaide en samendrukte tot het snerpende pijn deed.

Ze had de stad in het noorden van het land de avond daarvoor om elf uur verlaten, nog opgewonden door de voorstelling. Ze bruiste van de adrenaline. Zelfs haar hartzeer – het viel niet te ontkennen – haar verscheurde, bloedende hart, dat maandenlang haar vaste metgezel was geweest, was opgegaan in de pure eenvoud van haar beslissing: ze ging naar huis.

Ze hoefde alleen maar in haar auto te stappen, de motor aan te zetten en naar het zuiden te koersen. Van A naar B gaan was het enige wat ervoor nodig was.

Ze – de directie, de producer en zelfs Derek – dachten dat ze gek geworden was, dat ze niet terug zou komen. Ze las het in hun bleke, geschrokken gezichten toen ze haar een goede reis wensten. Er hing altijd al een beetje een wantrouwende sfeer; niet dat ze dachten dat ze hen opzettelijk zou laten zitten, maar dat ze een risicofactor was, die de situatie niet in de hand had. En dat ondanks twintig jaar in het vak zonder ooit een afgelaste voorstelling (de grote afscheiding niet meegerekend) of, zo vleide ze zichzelf, een waardeloze. Maar natuurlijk hadden ze het bij het rechte eind, zonder te beseffen hoezeer.

15

Alleen Stella wist hoeveel kleine overwinningen er nodig waren voor de uitvoering van één echt goed liedje. Haar toneelpersoonlijkheid was geen ontsnapping maar haar normale manier van overleven.

Hoe het ook zij, weg met hen. Het was zaterdagavond, ze had zesendertig uur, ze wilde naar huis. Ze had op de automatische piloot gereden, eerst met Miss Luba, toen met Billie Holliday en ten slotte Brahms om haar gezelschap te houden. Ze had niets gedronken sinds het einde van de voorstelling, haar hoofd was helder en de witte lijn bleef enkel, maar toch wist ze dat haar reactievermogen niet honderd procent was. Ze knalde op de M6 bij Wolverhampton op een haar na tegen een grote vrachtwagen die op de middenbaan voor haar invoegde. De chauffeur had ruimschoots op tijd richting aangegeven, ze had in alle rust van rijbaan kunnen wisselen, maar haar geest had verzuimd het knipperlicht te registreren, totdat ze het hysterische gejank van de claxon hoorde en verblind werd door het sterke schijnsel van het groot licht door haar achterruit.

Toen was het zweet haar aan alle kanten uitgebroken. Daarna had ze een halfuur lang honderdzestig gereden, om tijd en afstand tussen haar en het incident te scheppen, bang dat de wraakzuchtige (en ze wist zeker misogyne) vrachtwagen haar net als in de Spielbergfilm zou achtervolgen.

Tegen halfdrie 's nachts, met nog maar een paar kilometer te gaan, werd ze ineens door uitputting geveld. Ze had de snelweg verlaten en reed op de provinciale weg, die er in de kleine uurtjes verlaten bij lag, toen ze knikkebolde en een fractie van een seconde sliep. De auto slingerde vervaarlijk. Ze raakte gedesoriënteerd, en slingerde drie keer over de weg heen en weer voordat ze de auto weer onder controle had. Als er anderen hadden gereden, in beide richtingen, waren ze allemaal dood geweest. Wat haarzelf betrof geen groot verlies, was ze soms geneigd te denken. Maar dat was verkeerd. En die andere mensen dan?

Geschrokken en beschaamd was ze een landweggetje ingedraaid, dat vanuit de beschutte aardplooi van het dal om de flank van een heuvel heen kroop, tot plotseling het Witte Paard voor haar opdoemde, groot en bizar, een creatie van aarde en lucht. Het sprong op naar de hemel als het magische hobbelpaard uit een kinderboek. Ze stopte, want ze kende de plek en vertrouwde erop dat ze alleen was op het smalle weggetje. Ooit was het een pad geweest naar het fort toe; de mensen sjokten, renden, reden en zwoegden al tweeduizend jaar dit weggetje op. Al wat er tussen hun weg en de hare lag was een dun laagje asfalt.

Ze had de lichten uitgedaan en de motor afgezet en was uit de auto gestapt. Ze liep een eindje de grassige helling op, vertrouwend op haar instinct totdat haar ogen gewend waren aan het donker. Toen stond ze stil, ademend in de geheime diepte van de heuvelflank, de wilde, tot stilstand gekomen vlucht van het Witte Paard, en het getwinkel van ontelbare sterren.

Voor het eerst in weken, in maanden, voelde ze de stekelige uiteinden van haar geest verzachten en zich uitrekken, zoals de tentakels van een zeeanemoon bij vloed. Kleine spiertjes in haar hals en gezicht ontspanden zich enigszins, iets van de tranen losmakend die ze tot dusver niet had kunnen vergieten.

Na een paar minuten ging ze terug naar de auto, schuifelend en strompelend als een dronkaard, door vermoeidheid nauwelijks in staat te lopen. Ze pakte haar papieren zakdoekjes uit het handschoenenvak en snoot haar neus, de spanning verbrekend met luid, prozaïsch getoeter. Toen klom ze op de achterbank, maakte de veters van haar schoenen los en krulde zich op, met haar armen om haar gezicht geslagen. Ze had niets om zich mee te bedekken, want het was zomer en ze had niets meegenomen. Ze was ontspannen. Als een kind viel ze in slaap.

Maar vanochtend was haar lichaam in elk geval dat van een volwassene. Een verrekte Methusalem, tweeënveertig jaar oud, met pijnlijke gewrichten, koude handen en voeten, een lege maag, en ogen die geïrriteerd waren door de schmink van de avond ervoor. Een mond als het kruis van een langeafstandsloper, en een adem – ze probeerde het voorzichtig uit in haar komvormige handpalm – als een autobotsing. Ze haalde een gekreukeld stukje kauwgum uit de verpakking en knielde neer om zich in het autospiegeltje te bekijken. Haar spiegelbeeld deed haar terugdeinzen. De enige keer dat ze in een spiegel keek was vóór en na een voorstelling, als haar gezicht, genadeloos verlicht, niet meer dan een product was, een maagdelijk doek waarop ze Stella Carlyle, zangeres, schilderde. Jezelf zijn? Wat was dat in godsnaam? Haar framboosrode haar stond in woeste plukken om haar schrale, fletse huid, erfenis van twee decennia mishandeling. De helende tranen van de avond ervoor hadden slakkensporen van opgedroogde mascara op haar wangen achtergelaten. Ze pakte een schoon zakdoekje, spuugde erop en boende haar gezicht en haar oogkassen schoon. Wie van enig belang of die het iets kon schelen zou haar trouwens te zien krijgen?

Er lag een halfvolle fles lauwe Spa op de vloer bij de passagiersstoel, tussen de gebruikelijke berg oude kranten, hamburgerverpakkingen, wegenkaarten en verwelkte bloemen. Ze stapte uit, raapte hem op, haalde de kauwgum uit haar mond en slokte het water naar binnen, terwijl ze de omgeving in zich opnam.

Het was tien uur. Nu het daglicht de details en het formaat van haar omgeving duidelijker weergaf, leek het Witte Paard verder weg. Zelfs om deze tijd op zondagochtend was er een wandelaar, die met een slakkengang omhoog liep langs de achterkant van het Paard. Ze keek verder weg en zag ongeveer vijf kilometer verderop in het dal aan haar rechterhand de bomenrij van de Maydenwaterloop. Ze kon ook de kegelvormige kerktoren van Fort Mayden onderscheiden. Daarboven, naar achteren, lag de heuvel met zijn schoudermantel van oude bebosssing die het grote landhuis beschutte. Aan haar linkerhand, in het westen, waren de gladde, maankleurige contouren van de heuvels te zien die afliepen naar Salisbury, vijfenzestig kilometer verderop.

Tussen waar ze zich bevond en de hoofdweg lag een uitgestrekt, vlak stuk ruig grasland, eenvoudig omheind met palen en draad. Binnen de afrastering liepen drie paarden; twee grote, kwieke dieren en een derde dat op zijn zij lag te slapen. Toen ze op ze afliep begonnen de levendige exemplaren te draven en vervolgens met gestrekte hals te galopperen, te bokken, hun kunsten te vertonen, kortom, in het rond te dollen. Stella was al haar hele leven bang voor paarden, maar deze ongekunstelde *braggadoccio* was betoverend. Op een gegeven ogenblik schenen ze op het hek af te stormen en erover te willen springen. Ze deed verschrikt een paar passen achteruit, maar op het laatste moment keerden ze om en galoppeerden in westelijke richting langs het broze draad, met wapperende staart, hun hals voorwaarts gestrekt en hun oren plat in de nek, alsof ze een wedstrijd liepen.

Terwijl ze wegstoven werd Stella's blik naar het derde paard getrokken, dat nog steeds onbeweeglijk in het gras lag. Het lag met zijn hoofd naar haar toegekeerd en had zelfs nog geen spiertje verroerd. Ze wist niets van paarden af, maar werd desondanks getroffen door iets stijfs en onnatuurlijks in zijn houding; iets in de manier waarop het zijn benen hield. Bijziend kneep ze haar ogen halfdicht. Was het arme dier misschien dood?

Ze liep naar de Ford Ka terug en pakte haar bril van het dashboard. Toen ze weer keek waren de twee opscheppers tot stilstand gekomen en liepen een paar honderd meter verderop, nog steeds met speels wuivende staarten, te grazen bij de noordwestelijke hoek van het veld in de luwte van de gladde grafheuvel die bekend stond als de Knights Hill. Het derde paard lag nog steeds in die vreemde, verstarde houding. Stella voelde hoe de moed haar in de schoenen zonk. Ze had nauwelijks geslapen, ze was afgepeigerd en uitgehongerd, haar ogen voelden aan alsof ze waren gezandstraald en ze was bang van paarden. Maar haar ellendige geweten knaagde. Nu wegrijden, met het knusse vooruitzicht van een hartelijke omhelzing en huiselijke geneugten, terwijl ze niet wist of het dier nog leefde of dood was... Was dat wat een fatsoenlijk mens zou doen?

Met de tegenzin van een atheïst biddend dat de afrastering niet onder stroom stond, bukte ze zich en glipte behoedzaam tussen de bovenste stukken draad door. Ze zette een paar passen en stond stil. De twee dartele paarden hadden haar op hun radar gekregen en hieven het hoofd om naar haar te kijken. Eén beweging mijn kant op, zei ze bij zichzelf, eentje maar, en ik ben hier weg. Maar ze gingen weer vredig verder met grazen.

Heel langzaam, om niet nogmaals hun aandacht te trekken, liep ze naar voren. Onwillekeurig kwam de gedachte in haar op dat Vitelio trots op haar zou zijn geweest.

De avond daarvoor had Robert zich hals over kop met woeste, opgekropte energie in een snelheidsavontuur gestort. Hij wist dat hij daarvoor een prijs zou moeten betalen, maar niets kon zijn vaste besluit nog in de weg staan. Dit was een klein land, wat tijd of afstand betrof lag er geen enkele plaats echt veraf, en hij had een klasseauto tot zijn beschikking waarvan hij de waanzinnige capaciteit zelden volledig benutte. Deze ene keer zou hij plankgas rijden en er alles uithalen. Hij had niet gedronken; als hij werd gepakt voor te hard rijden had hij pech gehad. Voor deze ene keer was er maar één oplossing: zich overgeven. De prijs kon nooit te hoog zijn.

De verkeersaders die Londen uit liepen waren praktisch leeg, donker en hol als rioolbuizen. Op vervuilde stukken bouwvallig trottoir trokken hier en daar troepen jongeren van de ene club naar de andere; ze blokkeerden de stoep, bekken trekkend, gebarend, zinderend van seks en drugs. In de onaantrekkelijke noordelijke buitenwijken stonden rijen rustige, nette, met hout beschoten huizen geduldig en stoïcijns op de terugkeer van de tieners te wachten. Verderop, op provinciale parkeerplaatsen, waren vrachtwagens en hun chauffeurs in slaap, met keurige gordijntjes voor de cabineramen. Anderen denderden voort, vertrouwelijk met hun richtingaanwijzers knipperend om hem voorbij te laten; geen competitie op dit uur, ze waren allemaal koning van de weg.

Het kostte hem maar drie uur om Manchester te bereiken en twintig minuten om het hotel te vinden. De nachtportier was eerst het toonbeeld van onverzettelijkheid, maar gaf toe onder invloed van een briefje van vijftig pond.

Het betreffende gezelschap was teruggekeerd uit het theater, maar hij wist niet of miss Carlyle erbij was. Zou u dan, had Robert met ongebruikelijk beleefdheid gevraagd, misschien, als een grote gunst, de kamer van meneer Jackman willen bellen en zeggen dat meneer Vitelio er is, een oude vriend van miss Carlyle?

De portier verklaarde dat het één uur in de ochtend was. Nu was het Roberts beurt om onverzettelijk te doen. Het was van het grootste belang.

Jackman kwam aan de lijn, en klonk gezien het late uur verrassend wakker.

'Meneer Vitelio? Bent u wie ik denk dat u bent?'

Robert dacht: hoe kan ik dat weten? 'Mogelijk.'

'Blijf waar u bent, ik kom naar beneden.'

Robert verplaatste de hoorn en wendde zich tot de portier. 'Hij komt eraan.'

In tegenstelling tot de meeste artiesten bleek Derek Jackman buiten het podium groter en steviger dan Robert had verwacht. Hij zag er verfomfaaid uit, maar droeg een zwarte broek en een denim overhemd met openstaande kraag. Hij stak een hand ter grootte van een theeblad uit.

'Hoe maakt u het. Wat kan ik voor u doen?'

'Ik wil Stella zien.'

'Zullen we gaan zitten?' Jackman ging hem voor naar een groepje zitbanken in de hoek van de foyer. 'Wilt u iets gebruiken, zal ik de portier iets laten brengen?'

'Nee, dank u.' Robert streek op de rand van de bank neer. 'Ik wil Stella spreken.'

'Ze is naar huis.'

'Wat?' Hij zakte achterover. 'Naar Londen?'

Jackman schudde zijn hoofd. 'Dacht ik niet. Naar het zuiden, haar moeder en zus opzoeken... Stapelgek, na de week die we achter de rug hebben, maar ze wilde niet naar ons luisteren. Ze is er – wanneer was het? – een paar uur geleden vandoor gegaan.'

'Jezus!' Robert drukte zijn handen op zijn ogen in een poging zich te beheersen.

'Weet u zeker dat u niet iets wilt drinken?'

Hij schudde zijn hoofd. Liet zijn handen zakken en legde ze met gespreide vingers op zijn knieën.

'Wat een kaffer ben ik om haar niet eerst te bellen.'

'Dat had weinig uitgemaakt; ze heeft op het laatste moment beslist en dat was dat. Typisch Stella.'

'Ja.'

'Ik zal u wat vertellen.' Jackman keek hem recht aan, van man tot man. 'U bent pas echt een kaffer als u haar dit keer laat gaan.'

Onder andere omstandigheden zou Robert boos geworden zijn om deze aanmatigende woorden, maar nu was hij te uitgeput om te protesteren.

'Dat weet ik.'

'Haar zus woont in een verbouwde schuur bij een huis dat Bells heet, bij een dorp, Fort Mayden genaamd. Daar is het Witte Paard, als dat u iets zegt. Dat is alles wat ik weet.'

'Bedankt.'

'Waar wacht u nog op?' Ze stonden op, schudden elkaar de hand. 'Succes.'

Hij ging direct de weg weer op, en nam zelfs niet de tijd voor een broodje of een sigaret. Hij wilde snel en naadloos het lange lint van de snelweg terugspoelen, om zichzelf wijs te maken dat het afleggen van die vijfhonderd kilometer geen ijdel vermaak was geweest, maar het middel om een doel te bereiken.

Bij het eerstvolgende benzinestation dat de hele nacht open was stopte hij om te tanken. Hij kocht ook twee grote plakken pure chocolade, maakte er een open en brak de inhoud in stukken. Die spreidde hij op het zilverpapier uit op de passagiersstoel; een infuus van kunstmatige energie.

Tegen dat hij door de westelijke buitenwijken van Londen reed begon het leven van alledag te ontwaken. Hij raakte geïrriteerd door de lichter wordende lucht en de eerste stroom plaatselijk autoverkeer, dat gewetensvol met een gangetje van honderd kilometer per uur voortsukkelde. Met het vrachtverkeer was het nu ook menens; de camaraderie van de kleine uurtjes behoorde tot het verleden, het was nu ieder voor zich en de duivel op de middenbaan. Toen hij de stad eenmaal door was reed hij tegen het heersende getij op weg naar het werk in, en kon hij zich in elk geval in een naargeestig soort *Schadenfreude* verheugen bij de aanblik van die arme drommels die de stad in kropen.

Hij herinnerde zich dat Stella het Witte Paard had genoemd. Hij zou daarheen moeten en het verder vragen. Voorbij Oxford werd er aan de weg gewerkt; er waren golvende rijen kegels, smalle doorgangen, talloze tegenliggers en een verrekte omleiding. Dat alles, plus de chocola en de slapeloze nacht, bezorgde hem een daverende hoofdpijn boven zijn rechteroog. Toen het vrije wegdek zich weer voor hem ontrolde en hij dichter bij zijn doel raakte, voelde hij de neiging om te vechten of om te vluchten, hij kon niet zeggen welke van de twee. Zijn enige doel was geweest te gaan naar waar zij was. Maar nu hij op een paar kilometer afstand van die plek was, realiseerde hij zich dat hij er geen notie van had wat hij zou doen. Mentaal had hij nog geen woord of gebaar gerepeteerd; hij vertrouwde er blindelings op dat zijn intuïtie hem de weg zou wijzen.

Een onderdeel van een seconde overwoog hij te stoppen om zijn hersens bij elkaar te krijgen, om vervolgens bij zichzelf te zeggen dat de onderneming, gezien het impulsieve karakter ervan, door nu strak te gaan plannen alleen maar in het water kon vallen. Hij was verbaasd te merken dat hij bang was: bang om na te denken en te aarzelen, bang om zwak te worden, pijnlijk bang om te falen.

Het huis was niet moeilijk te vinden; de eerste de beste boerenarbeider die hij aanschoot wist precies waar het stond. Hij kwam er om halftien aan, en naderde het verbouwde stallencomplex. Een hoogzwangere vrouw in een zakkige joggingbroek en een sweatshirt met het opschrift SKI COLORADO deed de deur open.

'Goedemorgen!'

'U kent me niet...'

'Godzijdank, ik dacht al dat mijn geheugen het liet afweten.'

Hij bespeurde iets bekends in die opmerking – hij was aan het juiste adres.

'Neem me niet kwalijk dat ik zo onverwachts op de stoep sta. Ik probeer in contact te komen met Stella Carlyle, en iemand zei me dat ze misschien hier was.'

'O ja?' Een klein meisje verscheen, en de vrouw drukte het hoofd van het kind afwezig tegen haar dijbeen. 'Nu, ik ben haar dierbare zus – Georgina Travis tussen haakjes – dus die mogelijkheid bestaat inderdaad, maar het is voor het eerst dat ik ervan hoor.'

Zijn gezicht moest een open boek zijn, want op het hare zag hij eerst sympathie, en daarna begon het haar te dagen.

'U bent toch niet toevallig Robert Vitelio?'

'Ik vrees van wel.' Hij had geen idee welk effect deze informatie zou sorteren. Hoe zag Stella's familie hem? Was hij de man die haar had verlaten? Of een proleet, een rotzak, een paria?

'Ik zou het zo willen stellen...' Ze stak haar hand uit. 'U bent de enige man op wie mijn zuster echt gek is.'

'Dat is wederkerig.'

'Kijk mij nou, ik laat u maar op de stoep staan. Kom binnen.' Ze deed een stap opzij, maar hij bewoog zich niet. 'Mijn man is vandaag de kinderen van school halen. Dit is Zoe.'

'Hallo.'

'Als we de baby krijgen,' deelde Zoe hem mee, 'krijg ik een pony.'

'Niet uit dezelfde bron, neem ik aan.'

Het kind keek hem wantrouwend aan, maar Georgina lachte en zei weer: 'Kom binnen, toe maar.'

Hij schudde zijn hoofd. 'Nee, dank u.'

'Ook goed. Wie heeft u verteld dat ze hier was?'

'Derek Jackman.'

'Nu, dat is een tamelijk betrouwbare bron. Maar zitten ze niet in Manchester? Ik herinner me dat ze zei hoe vreselijk het was dat ze regelrecht van de Parade naar het noorden moesten, zonder onderbreking.'

'Daar zijn ze inderdaad, maar Jackman zei me dat ze gisteravond hierheen is gereden.'

'Dan zijn we nog geen stap verder.' Georgina sloeg haar armen over elkaar en fronste haar wenkbrauwen. 'Heeft u haar nummer in Londen geprobeerd?'

Hij schudde zijn hoofd. 'Jackman scheen er zeker van te zijn dat ze hierheen is gegaan.'

'Goed... Wat wilt u doen?'

'Hij had het over uw ouders; kan het zijn dat ze daarheen is?'

'Dat betwijfel ik, niet als eerste in elk geval. Paps heeft Alzheimer, ze zijn pas op zijn vroegst om tien uur klaar om bezoek te ontvangen. Wilt u dat ik ze bel om het te vragen?'

'Nee, nee, val ze niet lastig. Misschien dat ik – hij pijnigde zijn hersens terwijl zij bemoedigend tegen hem glimlachte – dat ik even de benen ga strekken, het is een prachtige morgen, en dat ik dan wat later terugkom.'

'Prima, als dat is wat u wilt. U weet ons te vinden.'

'Bedankt.'

Hij draaide zich om en toen hij wegliep riep ze hem achterna: 'Stella zal dolblij zijn!'

Hij startte de auto en reed met veel geraas de oprit af, terwijl hij zijn emoties trachtte te bedwingen. Desondanks prikten zijn ogen en waren de contouren van het Witte Paard aan de andere kant van het dal wazig.

Dat zou hij doen, hij zou een wandeling gaan maken. Frisse lucht en lichaamsbeweging waren de versterkende middelen die hij zijn patiënten dikwijls adviseerde na een operatie, een advies dat hij zelf zelden ter harte nam. Wat ruimte om hem heen en in zijn kop. Hij nam de weg naar beneden, het dal in, en sloeg af naar het westen, weg van het dorp. Na een halfuur kwam hij bij een groen voetgangersbord dat naar het zuiden wees, naar het fort op de heuvel. Hij parkeerde en stapte uit de auto. Hij zag het pad door het eerste weiland slingeren, achter het hek, maar daarachter was er geen spoor van een hekje of een bord met verboden toegang te bekennen.

Maar als het was toegestaan...

Hij was een stadsrat, gewend aan de verdovende anonimiteit van drukke straten. Toen hij over het hobbelige pad begon te lopen voelde hij zich bekeken, met zijn zwarte schoenen en modieuze, soepelvallende kostuum. Als concessie aan het platteland deed hij zijn stropdas af en stopte hem in zijn zak.

In weerwil van hemzelf moest hij toegeven dat het een schitterende ochtend was, met die stralende, versgeperste kwaliteit van de zon die je alleen in Engeland aantrof, waar zulke dagen zeldzaam waren. Het weiland waar hij doorheen liep was leeg, maar er waren aanwijzingen (hij omzeilde ze behoedzaam) dat het was gebruikt voor vee. De lage, warrige haag aan zijn rechterhand was doorvlochten met hondsrozen. Heraldisch uitziende distels sproten op tussen de koeienvlaaien.

Aan de overkant van het veld liep het pad vaag op niets uit; stoutmoediger wandelaars dan hij waren hier klaarblijkelijk voorbijgekomen en hadden het voor gezien gehouden, maar hij was vastbesloten zich niet van zijn plan te laten afbrengen. Een wandeling vereiste een doel. Hij wilde de heuvel beklimmen tot een punt waar hij uitzicht had. Er zat het vage idee aan vast dat hij, als hij zijn omgeving kon overzien, een rustiger perspectief voor zijn problemen zou hebben. In een hoek van de wei ontdekte hij een plek waar een gat in de haag zat. Hij kroop erdoorheen, waarbij stekels van de sleedoorn aan zijn mouwen bleven hangen, en klauterde de helling op.

Hij hijgde zwaar en hield zijn blik op zijn voeten gericht. Hij was niet fit. In combinatie met het slaapgebrek putte de klim hem uit. Voor de zoveelste keer bedacht hij dat het tijd werd dat hij gezonder ging leven en in praktijk brengen wat hij preekte: roken en het drinken van whisky opgeven. Seks mocht blijven. Als hij dan nog leefde – godallemachtig.

Hij begon te zweten, en trok zijn jasje uit en rolde zijn hemdsmouwen op. Zijn pezige armen zagen onheilspellend bleek – echte stadsarmen – maar zijn stompe handen met de korte nagels zagen er meer uit als die van een grondwerker dan van een oogarts. Werkhanden, daar was niet zo veel verschil in. Hij zou nooit een prijs winnen voor matigheid en rein leven, maar hij bedacht dat hij in staat was mensen het gezichtsvermogen, hun ziende leven terug te geven, dat ze verder naar believen naar de kloten mochten helpen.

Zoals gewoonlijk monterde die gedachte hem op, terwijl hij voortploeterde. Zijn werk was altijd het gewicht dat hij aan de andere kant van de weegschaal plaatste en dat alle troep en rotzooi in balans hield. Hij geloofde dat hij goed werk deed, in beide betekenissen: goed uitgevoerd en zinvol; en het werd goed betaald, wat mooi meegenomen was. De gedachte het kwijt te raken was onverdraaglijk. Hij gunde zich een blik langs de heuvel omhoog en was blij dat hij een flink stuk opgeschoten bleek te zijn. Er was nog maar één weiland, met een vreemd heuveltje aan de rechterkant, voordat hij bij de open helling van het Witte Paard kwam.

Hij stond stil. Een fractie van een seconde scheen zijn hele systeem uit te vallen in een mini-dood, als een geluidloze nies. In de aquareltinten van de omgeving was de roze auto even opvallend als een ruimteschip. Felroze, het knallende roze van een zuurstok, van een suikerspin en hoerige lippenstift.

Een tel daarna ging zijn systeem van stilstand over op snelheid. Zijn hart bonkte vervaarlijk en zijn longen zwoegden om lucht binnen te halen. Een paar meter voor hem uit was een draadafrastering. Hij strompelde erheen, greep een van de paaltjes beet en steunde er met beide handen op om tot rust te komen.

Het moest de hare zijn. Maar zijzelf... Bij zijn nadering begon een stel paarden die bij de grafheuvel aan het grazen waren in het rond te draven, met opgeheven hoofd en staarten als vlaggen, aangevuurd door een atavistisch kudde- en verdedigingsinstinct.

Speurend keek hij naar links.

Daar was ze.

Hij was zo op haar afgestemd, hij kende haar zo goed. Zelfs op een afstand van enkele honderden meters kon hij aan de stand van haar hoofd de uitdrukking op haar gezicht aflezen. Ze was ongerust, en boos omdat ze ongerust was. Ze had haar armen om haar smalle middel geslagen en haar handen onder haar oksels gestopt. Terwijl hij toekeek zette ze haar bril af en veegde met de binnenkant van dezelfde pols haar gezicht en de bovenkant van haar hoofd af, waardoor haar haren nog meer overeind gingen staan. Op deze afstand en in deze omgeving leek ze een nogal extravagante vogelverschrikker. Zijn allerliefste vogelverschrikker.

Aan haar voeten lag een groot voorwerp. Hij dacht dat ze misschien iets de heuvel had opgesjouwd dat ze had moeten neerleggen, wat de uitdrukking van frustratie en verslagenheid verklaarde – ze haatte het om verslagen te worden.

Maar nu zonk ze op haar knieën, als in gebed, en terwijl ze dat deed begreep hij met verbazing wat er in het gras lag.

Spencer was bij de top van het Witte Paard aangekomen. Hij had voor zijn leeftijd niet eens zo'n slechte conditie, was niet te dik, en zijn heup hield zich goed.

Bij het hoofd van het paard ging hij zitten en liet zijn armen op zijn knieën rusten. Hemel, wat was het mooi. Gods kleine akker. Of liever: die van de mens; het was allemaal historie, archeologie en aanpassing. Er was maar weinig overgebleven van wat de strijders uit de bronstijd, laat staan de Almachtige, vanaf dit punt hadden aanschouwd. Hij zag een paar oriëntatiepunten die hij herkende: het dorp Fort Mayden en het grote landhuis op de tegenoverliggende heuvel, maar aan alle kanten leek de horizon maar een paar kilometer ver. Vanaf de bergweg achter zijn huis in Moose Draw, Wyoming, kon hij op een heldere dag zestig tot tachtig kilometer ver kijken. Toch had deze plek haar eigen charme, en hij was er gevoelig voor. Hij stelde zijn blik op dichterbij in en keek naar het witte spul bij zijn voeten. Hij had erover gelezen. Het monument was niet, zoals algemeen werd aangenomen, ontworpen door eenvoudigweg de turflaag te verwijderen, maar het was een diepe kuil die was gevuld met kalkpuin. Die oude Britten hadden niet opgezien tegen een beetje zwaar werk: deze plek, Stonehenge, bizarre cirkels, talloze verdomd grote forten en kastelen... En ik mag hangen als... Er lag een sigarettenpeukje op het kalkoppervlak. Ontstemd strekte hij zijn ene been uit en schraapte het met de punt van zijn schoen naar zich toe. Daarna krabde hij met de vingers van zijn ene hand een kuiltje en legde het erin, bracht de grond weer op zijn plaats en streek hem netjes glad, als de bovenkant van een graf.

Ongeveer achthonderd meter vanwaar hij zat stond onder hem een kleine, roze auto langs de weg geparkeerd; hij had hem al gezien toen hij aan zijn klim begon. Er was iemand, hij dacht een jongeman, uitgestapt, waarschijnlijk om een plas te doen. Nu zag hij die persoon beneden in de wei achter de weg waar de paarden liepen. De gestalte was op het dier af gelopen dat op de grond lag te slapen, en bestudeerde het. Keek toen op, spiedde naarstig in het rond. Hij zag nu dat het een magere vrouw was, aan de manier waarop ze haar hoofd hield, hetgeen de roze auto kon verklaren. Ze zag er ongerust en bezorgd uit. Vermoedelijk wist ze niets van paarden af; hij herinnerde zich dat hij als kind altijd dacht dat ze dood waren als ze er zo bij lagen. Ze kon hem hierboven zien, zelfs roepen als ze hulp nodig had, en dus zwaaide hij niet. Anderzijds werd het tijd dat hij aan de afdaling begon. Met moeite kwam hij overeind – knieën, voeten, rug, kalmpjes aan – waardoor die dwaze grijns van zijn gezicht werd geveegd. Het was niet het wandelen, maar het pauze nemen dat je elke keer opbrak.

Het hoofd kwam al tevoorschijn, glibberig van het vocht, met vliezen bedekt, nog dampend van de warme holte van de baarmoeder. Stella keek met een soort ontzag naar dit proces, dat ze haar hele leven zowel als deelnemer als helper had getracht te vermijden. Dit was de ware betekenis van barensnood. Het lijf van de merrie golfde en verkrampte, onderworpen aan die barbaarse natuurwet, met haar hoofd gestrekt in ondraaglijke pijn en haar starende, nietsziende blik op de geboorte gericht.

Moest ze iets doen om te helpen? Haar met rust laten? Blijven, weggaan, iemand roepen? En zo ja, wie dan? Haar angst en onwetendheid bezorgden haar een gevoel van totale hulpeloosheid.

Op dat moment kwam het hoofd van het veulen een stukje verder naar buiten en draaide een fractie. De beweging deed Stella denken aan de maaiende benen, nog binnen in de merrie. Ze knipperde met haar ogen. Was dat allemaal normaal? De vage herinnering aan een film die ze als kind had gezien zei haar dat een veulen met zijn benen eerst werd geboren, wat bij de menselijke geboorte een stuitligging werd genoemd... Of had de film het fout? De merrie snoof heftig en snakte naar adem. Haar instinct won het van haar weerzin. Kreunend van angst knielde Stella neer, rolde haar mouwen op en maakte zich op voor de deelname aan zaken van leven en dood.

Robert moest weer stilstaan. Hij was te kortademig om te roepen, en zij leek te druk bezig om iemand anders op te merken. Bovendien bedacht hij dat hij de laatste was die ze verwachtte te zien; ze zou hem niet herkennen. Halverwege was nog een eenzame wandelaar bezig met kleine, voorzichtige stapjes de heuvel af te dalen langs de ruglijn van het Witte Paard. Een wat oudere kerel, nam Robert aan, zuinig op zijn gewrichten. Maar die ouwe knar was daar in elk geval zonder attaque gekomen.

Spencer beschutte zijn ogen en keek nogmaals naar de vrouw in het weiland. Ze lag op haar knieën bij het paard. Er was iets mis. Hij maakte een holletje van zijn handen en zette ze aan zijn mond om te roepen, maar bedacht zich. Er was een vent dichter bij haar in de buurt die ze om hulp kon vragen als dat nodig was. Spencer was oud, met nog een flinke wandeling voor de boeg, en hij moest een vliegtuig halen. Als hij bij de weg kwam en een aanbod om te helpen op zijn plaats leek, zou hij het doen. Anders zou hij zich, net als in Rome, met zijn eigen zaken bemoeien.

Stella wist dat ze haar teergevoeligheid moest overwinnen en brute kracht gebruiken. De andere optie was terugrennen – heuvelopwaarts, bedacht ze – naar de auto, en proberen of haar mobiele telefoon het deed. Maar toen ze onderweg pogingen deed om George te bellen was het signaal zwak, en zelfs al kreeg ze door Inlichtingen te bellen een dierenarts te pakken, wat was dan het landelijk protocol *vis à vis* het eenzijdig inroepen van hulp voor andermans paard? Ze kreeg een visioen van een man met een pet en beenkappen die een geweer droeg en haar vroeg wat voor den drommel haar het recht gaf zich ermee te bemoeien.

Ze was draaierig en misselijk van angst toen ze het hoofd van het veulen beetpakte. Maar het voelde verrassend stevig aan, een echt miniatuurpaardje, en niet het slijmerige, vormeloze ding waar ze bang voor was. Ook tot haar verbazing verzette het zich niet tegen haar greep, ofschoon ze vanuit haar ooghoeken zag dat de merrie gealarmeerd haar hoofd optilde, alvorens het deemoedig weer te laten zakken.

Intuïtief wist Stella dat ze haar eigen kracht in samenwerking met die van de merrie moest gebruiken. Het was net als met zingen, je haalde diep adem en daarop liet je je stem naar buiten rollen. Wat ze niet moest doen was de natuur tegenwerken; ze moest met de stroom meegaan. Toen de merrie weer een wee had, trok Stella aan het hoofd van het veulen om te proberen het er wat verder uit te krijgen, waarbij ze de hoek voelde waaronder de rest van het lijf lag. De eerste keer gebeurde er niets. De tweede keer was er geglibber en kwam er een golf vocht, en verschenen de opgevouwen voorbenen, gevolgd door een achterbeen. Stella voelde de druk in haar eigen lichaam verminderen.

Ik heb het gedaan, bedacht ze. We doen het samen.

'Goed zo.'

Die stem, zo vertrouwd, waarnaar ze zo had verlangd, en die ze zich zo dikwijls had voorgesteld, dat ze nu dacht dat ze het zich inbeeldde.

'Niet gek voor een amateur.'

'Klootzak.' Geliefde.

'Daar gaan we weer. Alle hens aan dek.'

Ze had nauwelijks een blik op zijn gezicht geworpen, en dat hoefde ook niet. Zijn handen voegden zich bij de hare, en hand over hand, schouder aan schouder, werkten ze samen.

2

Back to the front,
Back to the old campaign
Out to the bad old fight once more
Off to the war again...

Terug naar het front,
terug naar het oude slagveld,
Nogmaals eropuit naar die kwaaie oude strijd,
Weer naar de oorlog terug...

Stella Carlyle, 'Back to the Front'

Stella 1990

Gordon Fellowes was geduldig, royaal, weinig eisend en smoorverliefd. Met andere woorden: het was een door en door aardige man, en Stella begon een hekel aan hem te krijgen.

Bijna tien jaar lang had Gordon haar voorstellingen bijgewoond. Zijn rayon besloeg alles ten zuiden van Birmingham. Als ze de eerste avond aankwam was er het briefje, waren er de bloemen, de vriendelijke uitnodiging om te gaan dineren, allemaal heel beleefd en keurig; de dekmantel voor zijn allesoverheersende, brandende behoefte aan seks met haar.

Hij was nooit opdringerig. Ze had zich gedurende de acht jaar van hun periodieke omgang nooit ook maar in het minst bedreigd gevoeld door zijn attenties. Zijn toewijding was tragisch onzelfzuchtig. Als hij haar liefkoosde was dat met handen die, hoewel niet meer klam van ontzag, behoedzaam en vragend waren. Ze vond die tederheid zowel ontroerend als irritant, een spanningsveld dat haar tegen complete onverschilligheid ten aanzien van zijn liefdesspel behoedde, zodat ze er nooit toe kwam hem ronduit te zeggen dat hij moest ophoepelen. Op dagelijks niveau was hij toegeeflijk ten aanzien van fouten, hij uitte nooit een klacht als ze hem weigerde, en liet het nooit afweten als zij veeleisend was. Gordon was bedeesd als een schooljongen en ontuchtig als een sater, en door de combinatie van dienstbaarheid en hartstocht kon hij net zijn plek in Stella's leven behouden.

De club waarvan hij lid was, was niet bepaald exclusief, hoewel hij de status van seniorlid had. Stella had legio aanbidders; de meesten gingen uit van haar theaterpersoonlijkheid. Zoals ze in haar eentje in het voetlicht stond, met gesloten ogen, blootsvoets en opgebrand, met de stof van haar rok in haar magere hand geklemd, en deinend op het ritme haar liederen van vergeefse hartstocht en laaghartig verraad in de microfoon kermde, wekte ze bij elke weekhartige vent de neiging om haar te willen redden. Ze was het stoute kleine meisje met het grote, gebroken hart dat op de sprookjesprins wachtte die haar veilig in zijn armen zou sluiten. Het was dat imago dat de montere, hardwerkende vrouwen van haar fans van de echtelijke aandacht beroofde waarop ze na de voorstelling recht hadden, terwijl hun mannen, door haar gefascineerd, met wijdopen ogen in het donker lagen te staren.

De meeste kerels waren tamelijk snel genezen. Ze kwamen niet bij de deur naar het podium, en na een paar dagen keerden ze tot de werkelijkheid terug en zagen ze weer hoe aantrekkelijk en bewonderenswaardig – om maar te zwijgen van hoe trouw – de vrouwen waren met wie ze waren getrouwd. Degenen die het nog steeds van haar te pakken hadden probeerden dat te verbergen. 'Stella Carlyle wel eens live zien optreden?' vroegen ze dan als ze met hun collega's in de Fish and Ferret aan de rode huiswijn met *fajitas* zaten. 'Als je de kans hebt moet je een kaartje zien te krijgen, ze is echt, nou, ik wil je niet beïnvloeden, kijk zelf maar, het is echt een belevenis...'

Een enkeling was dapperder, of viel, net als Gordon, gewoon meer op sterren. Ze hielden zich voor dat ze weliswaar een beroemde zangeres was, maar dat ze ook maar een mens was, en dat het op tournee een verdomd eenzaam bestaan was als je de documentaires moest geloven. Geen enkele vrouw kon er toch bezwaar tegen hebben als een keurig nette vent, die haar bewonderde en tot over zijn oren verliefd op haar was, haar een lekker etentje aanbood. Het ergste dat hem kon gebeuren was dat ze hem afwees. Wie niet waagt die niet wint.

Deze stoutmoedige types waren verbaasd en gevleid dat ze veel meer kregen dan waar ze op gerekend hadden. Na de voorstelling kwamen ze opgewonden en opgenaaid op Stella af, met hun libido in de hoogste versnelling en hun verstand (ook al vond ze dat minder geslaagd) op nul. Ze at hun dineetjes, rookte waar ze bijzaten, dronk buitensporig veel, neukte ze helemaal suf en zonk vervolgens uitgeput weg in een soort doodsslaap, bottig en verhit tegen hun nog nahijgende borstkas opgekruld. Ze moesten wel geloven dat ze iets voor haar betekenden. In feite waren ze meestal zo geschokt door het hele gebeuren dat ze, net als mensen die hun omgang met het koningshuis geheim moeten houden, er nooit over opschepten. Ze waren gebruikt, opgevreten en uitgespuwd, en voelden zich bevoorrecht. Vanaf dat ogenblik waren ze tot haar beschikking als ze optrad binnen redelijke afstand van waar ze woonden. Ieder van hen wist dat hij niet de enige was, maar ook dat hij heel bijzonder was.

Gordons aanspraak op bijzonderheid, naast zijn volharding, was dat hij daar niet mee bezig was. Bescheiden en realistisch erkende hij dat Stella de enige bijzondere persoon was, en dat hij slechts een domme, gonzende, verblinde mot was. Het was als in een van de weinige liedjes die ze niet zelf had geschreven, 'Falling in Love again', de Engelse versie van Dietrichs oude nummer 'Ich bin von Kopf bis Fuss auf Liebe eingestellt'. Haar publiek kon wel huilen van medelijden. Ze wilden haar redden van het vreselijke lot te veel te worden begeerd, een vlinder die is gekwetst maar alsnog ongebroken voortfladdert op een golf van bewieroking.

Het strekte Gordon tot eer dat hij zijn plaats wist, en Stella hield hem daar.

Bij de gelegenheid in kwestie werd hij echter slechter behandeld dan hij verdiende of kon hebben voorzien. Hij had er geen notie van dat hij op die ijskoude avond voor Kerstmis in een addernest was gestapt.

De confrontatie zat er al een poos aan te komen, had de band al maandenlang als een roofdier achtervolgd, en zelfs hun opgetogen ogenblikken bedreigd. Als ze feestvierden was het met een koortsachtig tintje. Als ze lachten, leek hun lach iets te verhullen. Als ze tegen elkaar zeiden hoe fantastisch ze waren, leek het alsof ze afscheid namen. Als er een aanvaring was, was die kort en heftig, en werd die snel weer onderdrukt, als de flits van een stiletto. De vrouwen waren bang van hun vermogen om te kwetsen, en terecht.

De voorstelling die hun laatste zou worden was de derde van een reeks van drie in een verbouwd Victoriaans pand aan de Kilburn High Road. De Curfew was een van hun geliefkoosde podia, een plek waar het nooit twijfel leed dat ze voor eigen volk optraden, mensen die al van Soririty hielden toen dat nog niets voorstelde, en die hun huidige succes met welwillendheid en een zekere voldoening bezagen omdat zij fans van het eerste uur waren. De samenstelling van het publiek was tijdens de tien jaar van hun bestaan nauwelijks veranderd. Hun stijl was in tien jaar iets veranderd en ze waren goedgeconserveerd ouder geworden, maar verder was het nog hetzelfde beschaafde zijde-met-spijkerbroekpubliek dat het al die tijd was geweest. De meeste stelletjes door wederzijdse verplichtingen, zo niet door het huwelijk met elkaar verbonden, met kinderen die nu de eindexamenleeftijd hadden. Ze lachten bereidwillig, met een bezitterig gevoel. Sorority was hun band.

Stella was altijd van mening geweest dat die gezapigheid bestreden diende te worden.

'De pot op met het warme nestje,' was haar motto. 'Ze zijn op ons gevallen omdat we anders waren, dus dat moeten we nu ook zijn.'

Ze drong erop aan dat ze voor de Curfew nieuw materiaal zouden gebruiken, en ongeacht het voetengestamp maar één toegift zouden geven. Ze besliste dat het iets ongebruikelijks moest zijn, geen gouwe ouwe. Meestal werd er eerst halfhartig over het onderwerp geruzied voordat ze het pleit won, maar het had nooit een serieus punt van onenigheid gevormd. Het publiek reageerde altijd positief, misschien door het besef dat ze als klankbord werden gebruikt. Ze kregen het respect dat ze verdienden, en dat beantwoordden ze.

Sorority bestond uit vier leden, van wie Stella de leider was. Zij was het wier felle, hunkerende talent en visie de anderen had aangetrokken en de eerste twee moeilijke jaren bijeen had gehouden. Het was Stella die de geblutste kampeerbus van het ene zaaltje naar het andere had gereden, het land door zigzaggend als een muskiet in een papieren zak. Zingend, vloekend, soebattend en tierend, kreeg ze hen op de plek van bestemming en in de benen voor de voorstelling. Ze creëerde een rol voor zichzelf waarbij ze deels voor slavendrijver, deels voor akela speelde, en deels voor de strenge generaal, de excellente legeraanvoerder voor wie iedereen door het vuur ging. Ze was zelf een berucht drankorgel, maar ze verbood drank voor de voorstelling, en ze had haar wagen niet vol houten koppen. Zelfs echte ziekte moest wel bijzonder ernstig zijn voordat ze die serieus nam. Zelf gaf ze het goede voorbeeld. Een griepaanval die een sterke kerel rillend onder het dekbed had gehouden liet ze in haar voordeel werken, door een vertolking van *Bloody but Unbowed* en andere smartlappen te geven waar nog steeds over gepraat werd, en een portie door de koorts veroorzaakt zweet te produceren dat als een fontein over de voorste rij sproeide.

In die dagen wás zij de band: ze vertegenwoordigde het initiatief, de inspiratie, het zelfvertrouwen. Ze was de ster, de manager en de sjouwer. Op een dag, toen het enthousiasme en de financiën een historisch dieptepunt hadden bereikt, liep ze een supermarkt binnen en kwam eruit met een fles Jack Daniels en een zak chips. Een halfuur daarna, toen ze op een parkeerplaats bij de A1 stonden, reageerden de anderen met ontzetting en bewondering op de onthulling dat de spullen gestolen waren.

'En als ze je nu snappen?' vroeg Mimi.

'Als ze me snappen,' zei Stella, 'ben ik de pineut.'

'En wij ook.'

Stella wierp haar een zijdelingse, dreigende blik toe. 'Laten we dan maar hopen dat ik niet gesnapt word, hè?'

Je kreeg Stella nooit zover dat ze zich ergens voor verontschuldigde. Als je eropuit was haar klein te krijgen of in het stof te laten kruipen was je aan het verkeerde adres. Mimi was degene die daar de meeste moeite mee had. Zij was tien jaar ouder dan de anderen, een weelderig gevormde zangeres, die iets te lang in de rangen van net niet goed genoeg was blijven hangen en zich uit opportunisme, nogal wanhopig, bij de onzekere koers van Sorority had aangesloten. Mimi hield haar leeftijd op veertig, en was een artieste van de oude stempel, met een hart van goud en ijzeren stembanden, hardwerkend en filosofisch. Voor haar vertegenwoordigde Sorority niet zozeer een nieuw, opwindend concept als wel haar beste kans op een maaltijd in de van de haaien krioelende wateren van wat ze, zonder sarcasme, aanduidde als *showbizz*. Ze bewonderde Stella's gotspe en energie, maar was bijzonder op haar hoede voor haar buitensporige natuur. Mimi had van haar moeder leren zingen; haar professionele kant had ze van haar vader, een saxofonist met een dansorkest. Volgens haar boekje kwam je op tijd, zag je er goed uit, nam je je muziek door, deed je nummer en ging je weer af. Geen vertoning van temperament, tranen of kwade luimen, en zeker geen egotripperij. Talent vond zijn weg, dat geloofde je, en dat moest je geloven. Toen dat niet het geval bleek, was ze bereid haar kans te wagen met Sorority, maar ze kon zich niet zo erg vinden in de werkwijze van hun leidster.

Faith echter deed haar naam eer aan. Dat was deels te danken aan haar leeftijd, deels aan haar temperament. Ze was midden twintig, niet veel ouder dan de oudste kinderen van het publiek van Sorority, het product van een particuliere kostschool en Cambridge, lang en aristocratisch, met een stem als een tenorsax en met het bijbehorende zelfvertrouwen. Na het vertrek van een van de leden van het eerste uur naar de cast van een al lang lopende musical, had Stella Faith opgepikt op een productiefeestje, waar ze haar overhaalde *Ain't Misbehavin'* te zingen bij de piano. Het was een van die schijnbaar grillige, maar wel degelijk berekende gebaren waar Stella een meester in was, en het stond garant voor een paar artikelen in de bladen. Faiths schoonheid en sociaal-economische status zouden een nieuw publiek voor de band aantrekken. Alleen beging Faith een keer de fout met die status te geuren door te laten doorschemeren dat haar vader, een baronet in zaken, misschien wel in de band wilde investeren, en was ze bijna weggevaagd in de thermonucleaire explosie van Stella's verachting.

'Zwaai niet met je zilveren lepel naar me, schatje. We doen dit op eigen verdienste, of niet, begrepen?'

'Maar ik bedoelde niet...'

'Mooi zo.'

Vanaf dat ogenblik was Faith gestrikt. Ze aanbad Stella met een passie die te heftig was om niet te bekoelen. In haar zag ze de *sine qua non* van geloofwaardigheid; iemand die knap was, agressief, principieel, en totaal verdorven.

Helen, het vierde lid, ging haar eigen gang, en daar was ze heel goed toe in staat. Naast een hoofd voor cijfers en een verbouwde boerderij in de buurt van Cheltenham had ze een reuze aardige man die hen nu en dan technisch terzijde stond. Ze was een begaafd amateur-zangeres die haar lidmaatschap van Equity, de artiestenvakbond, met hard werken had verdiend, en ze was niet van plan om haar nek uit te steken door openlijk haar afkeuring voor Stella's levenswandel te laten blijken. Dientengevolge vertrouwde Stella haar voor geen cent.

Ten tijde van de noodlottige voorstelling in de Curfew had Sorority ook een impresario, Teresa, die zich wat laat realiseerde dat haar baan iets weghad van een gifbeker. Ze regelde niet zozeer, maar bemiddelde tussen Stella en andere organisaties, tussen Stella en het agentschap en tussen Stella en haar medeartiesten. Ze was verstandig genoeg om te weten dat bemiddelen een noodzakelijk onderdeel van haar baan vormde, maar ervaren genoeg om te beseffen dat het niet de hele inhoud ervan moest uitmaken.

Stella zelf zag de voorstellingen in de Curfew als een noodzakelijk kwaad. Ze hield niet van de wat zelfgenoegzame sfeer van bevoogding die het publiek uitstraalde, het idee dat zij hun op de een of andere manier iets was verschuldigd, terwijl ze hun geen ene moer verschuldigd was. Die glimlachende meute had gewoon de mazzel gehad in de zaal te zitten toen Sorority hun pad kruiste. Ze had toen nergens op ingespeeld en was ook absoluut niet van plan dat nu te doen, nu de band een gevestigde naam in het circuit had.

Ongelukkigerwijs was dat het moment dat Teresa besliste dat bepaalde concessies niet alleen wenselijk, maar ook commercieel raadzaam waren. Bij een drankje in het onaantrekkelijke stamcafé van de Curfew legde ze dat idee voor.

'Ik vind dat we ze een beetje meer moeten geven wat ze willen.'

'Ze willen waar we goed in zijn,' antwoordde Stella, angstaanjagend redelijk, zonder haar aan te kijken.

'Natuurlijk, maar ze willen ook een paar gouwe ouwen horen.'

'Bekijk het maar, ik ben Max Bygraves niet.'

'Godzijdank, maar je hebt liedjes geschreven die een plaats in het hart van het publiek hebben veroverd, jouw publiek...'

'Teresa. Alsjeblieft zeg.'

'Nee, ik meen het. Er zijn een paar nummers bij waar de mensen echt iets mee hebben...'

'Een paar maar?'

Teresa haalde diep adem. 'Veel dan, maar een paar die ze nog kennen en die ze dolgraag nog eens zouden horen...'

'Ik zou niet weten waarom ik ze stroop om de mond moet smeren.'

'Laat ik het anders...'

'Het meest complimenteuze dat ik kan doen is ze als kritische volwassenen behandelen.'

'Dat doe je ook,' ging Teresa door. 'Dat doe je ook. Voortdurend. Maar laat ik het anders stellen...'

'Moet dat nou echt?'

Teresa deed even haar ogen dicht. 'Een paar succesnummers herhalen is toegeven dat je beroemd bent, toch? Het is als het delen van herinneringen. Het haalt het nieuwe materiaal niet omlaag, het voegt juist iets toe.'

Stella roerde met haar wijsvinger de ijsblokjes door haar glas. 'Flauwekul. Sorry, maar dat is volslagen flauwekul.'

Op dat kritieke ogenblik, toen de onderhandelingen in het gevoeligste, meest explosieve stadium verkeerden, maakte Teresa, gekwetst, haar cruciale fout.

'Ik vermoed dat een paar van de anderen het met me eens zijn.'

'Werkelijk?'

Langzaam, bijna dromerig, duwde Stella met de rug van haar hand tegen haar glas en veegde het over de tafelrand. Het brak niet eens op de vloerbedekking, maar lag daar in een hoopje ijs en vocht. Het was in alle opzichten een leeg gebaar, maar daarom niet minder schokkend.

'Sorry,' zei Teresa automatisch, alsof zij het had gedaan.

'Geeft niets.'

'Ik vind gewoon dat het iets is dat we moeten overwegen, dat is alles.'

'En je hebt het er al met de anderen over gehad.'

'Alleen heel globaal.'

'Aha.'

Teresa bukte zich om het glas op te pakken en grabbelde met haar andere hand de ijsblokjes bij elkaar. 'Het is geen samenzwering of iets dergelijks.'

'Vertel mij wat. Je hebt het verknald.'

Teresa, wederom verkeerd ingeseind, nam het als een geintje op. 'Misschien heb je gelijk. Laat ik een ander glas voor je halen.'

Stella haalde haar schouders op. Teresa vatte dat op als instemming en liep naar de bar. Maar toen ze terugkwam was Stella verdwenen.

Stella liep terug naar haar flat, vijf kilometer door de straten van Londen, stak over zonder op te letten, ongevoelig voor loeiende claxons, gierende remmen en de verwensingen van woedende chauffeurs. Het was eind november, nat en guur, en ze droeg de verkeerde schoenen voor een dergelijke onderneming, maar ze nam onder geen beding een taxi. Dit was wat ze altijd al had verwacht, maar nu het gebeurde was ze verbaasd en overweldigd door haar eigen woede.

Thuisgekomen stapte ze uit haar doorweekte pumps, trok met een ruk haar kleren uit, waarbij ze met genoegen sluitingen hoorde knappen en naden scheuren, en ging onder de douche. Ze waste zich niet, maar liet het hete water op haar hoofd neerkletteren. Toen ze eronderuit kwam en zichzelf in de spiegel zag gaf haar lelijkheid haar een zekere voldoening: de natte rattenstaarten van het dunne haar, de overdreven oogmake-up die langs haar wangen omlaagkroop, de skeletachtig uitspringende jukbeenderen. Eigen schuld, bottige heks, dacht ze, het zat eraan te komen.

Ze had altijd geweten dat dit de enig mogelijke afloop zou zijn. Niemand kon zich zo totaal inzetten, zoveel op zich nemen, zoveel investeren zonder het vroeg of laat voor zijn kiezen te krijgen. Het had met territorium te maken. Sinds het begin van deze tournee had er verraad in de lucht gehangen maar wat haar de das om deed, haar bloed deed koken en haar geest deed sidderen was de melige manier waarop het zich manifesteerde. Dat ze het achter haar rug om met Teresa eens waren... En hoe haalde Teresa het in haar hoofd het met hen te bespreken? Sorority was Stella's kindje! Nu kon ze ervaren dat de ondankbaarheid van een kind erger was dan een slangenbeet. Was Faith, vroeg ze zich af, ook naar het andere kamp overgegaan? Natuurlijk. Keer al die stralende heldenverering binnenstebuiten, en je trof jaloezie aan, week en verrot...

Ze boende haar gezicht af met een tissue en wreef met hetzelfde geweld met een handdoek door haar haren. Toen trok ze haar Schots geruite kamerjas en pluizige wandelsokken aan, schonk een glas whisky in en ging op haar bed naar het invallende duister liggen kijken.

Een en al redelijkheid vroeg ze hun welke nummers volgens hen geschikt waren. Geschrokken en behoedzaam deden ze een voorstel. Ze voegde ze in tijdens de laatste dagen van de repetities. Omzichtig hielden ze haar in de gaten. Ze beging geen enkele fout. Teresa bleef bij haar uit de buurt.

De reactie van het publiek bij de eerste voorstelling was uitzinnig enthousiast, wild en bewonderend. Ze zag hoeveel wederzijdse voldoening het geheel gaf. De anderen zeiden niets, maar dat hoefde ook niet. Ze dachten dat ze het bij het rechte eind hadden, maar Stella wist dat zij gelijk had.

Precies op het juiste moment was Gordon er aan het eind van de voorstelling. Ze noodde hem in de krappe artiestenfoyer, samen met de andere gasten: Helens echtgenoot, Faiths kinloze neef met zijn verloofde, wat belegen oude vriendinnen van Mimi, Teresa, de in een zwart t-shirt geklede toneelhulpen, de obligate groep lesbische vrouwen.

Gordon droeg een driedelig pak met een gestreept overhemd. Hij kamde de scheiding in zijn haar iets te laag, zodat de lange kant dreigde om te klappen, een typisch trekje van zijn generatie mannen uit de hogere middenklasse, bedacht Stella.

'Absoluut briljant,' zei hij. Hij kuste haar op beide wangen en drukte haar een bosje fresia's in de hand. De stelen voelden dun en stug aan als plastic draden. Ooit, een eeuwigheid geleden, had ze gezegd dat ze van fresia's hield, en dus bracht hij die altijd voor haar mee. Ze vroeg zich af wat hij zou doen als ze zei dat ze dol was op kerstrozen.

'Dank je.' Ze rook er plichtmatig even aan alvorens Teresa ze overnam om ze in een van de bierglazen van de Curfew te zetten.

'Je was vanavond anders,' verklaarde Gordon, blozend op een manier die ze vroeger roerend vond, maar die haar nu voornamelijk irriteerde.

'O ja? Hoezo?'

'Wat... zachter. Minder strijdlustig. Je hebt een paar oude nummers gezongen. Die heb je niet gedaan toen ik je in Watford zag optreden.'

'Nee.'

'Wat dat... om strategische redenen?'

'Misschien.' Stella voelde Mimi stralend en gloeiend bij haar elleboog verschijnen. 'Gordon, wil je nu gaan?'

'Natuurlijk!' Hij was van zijn stuk gebracht, gekwetst, een en al consternatie. Het was pijnlijk om aan te zien. 'Meteen, neem me niet kwalijk, ik dacht...'

'Nee, Gordon.' Ze legde haar hand op zijn schouder. 'Ik bedoel: zullen we gaan? Wij tweeën.'

'O!' Hij was zo verward door dit voorstel dat hij nog roder werd. 'Waar wil je heen... wat wil je doen?'

'We gaan met zijn allen naar de Sixth Happiness,' zei Faith, sprankelend en enthousiast, en walgelijk opgelucht.

Gordon wierp een wanhopige blik op Stella, niet langer in staat haar te volgen en bij te vallen. Ze keek niemand aan toen ze haar versleten leren jas oppakte en naar de deur liep.

'Wij dus niet.'

Ze nam Gordon mee naar de leukste van de twee Franse cafés in de buurt van haar flat. Hij was met de auto, maar ze gingen per taxi; zij had de leiding.

Onder het eten trok hij weer bij. Hij was altijd meer op zijn gemak als hij met haar alleen was. Zich blijkbaar niet bewust van haar onzekere stemming taterde hij erop los, accepteerde haar uitnodiging om de wijn te kiezen en suggesties te doen voor het menu. Want Stella was een streep aan de balk van het restaurant, waar Gordon door zijn vriendschap ook profijt van had. Ze dronk en rookte nonstop, observeerde hem, en liet hem begaan. Gebruikte hem.

'Dat 'Return to the Front' vind ik bijzonder goed,' zei hij enthousiast terwijl hij zijn uiensoep verorberde. 'Dat draai ik altijd in de auto.'

Stella, die geen voorgerecht nam, zat met haar ellebogen op tafel, waarbij ze haar glas tegen haar bovenlip liet rusten. Het was vreemd te bedenken dat ze zelfs na zo'n lange, onderbroken verhouding zo'n intieme plaats in het leven van deze man innam, dat haar stem hem vergezelde als hij naar zijn werk ging, naar de tandarts, naar huis aan het einde van de dag.

'Hoewel er natuurlijk toen je het vanavond deed een verschil was in de stemming. Het was interessant om te horen hoe je erop varieert bij een live optreden.'

Ze maakte een neutraal geluid, instemmend, als reactie op zijn opmerkzaamheid, iets om hem aan het woord te laten blijven. De wijn gleed soepel door haar aderen, verwarmde haar, maakte dat ze weer helder kon denken.

Gordon maakte zijn soepkom leeg en veegde omstandig zijn mond af. 'En hoe vind je dat de tournee verloopt?'

'Niet slecht.'

'Ik ben in Warton en Guildford geweest, zoals je weet. Haalde Brighton niet, wat ik jammer vond.'

'Brighton is altijd leuk.'

'Al die nichten?' informeerde hij.

Soms nam Stella aanstoot aan de veronderstelde status van homoseksueel idool, soms niet. Vanavond kon het haar niets schelen. Ze blies rook over haar schouder.

'Kan zijn.'

Gordon boog zich naar voren en klonk met zijn glas tegen het hare. 'Toch was je vanavond ook fantastisch.'

'Dank je.'

Hij fronste zijn wenkbrauwen. 'Alles goed met je?'

'Best.'

'Alleen ben je anders altijd zo bruisend na een voorstelling. Je lijkt een beetje mat.'

'Maak je geen zorgen,' zei ze droog. 'Ik bruis vanbinnen.'

'Goed zo!' Dat leek afdoende voor hem. 'Als het maar goed met je gaat. Een betalend toehoorder als ik vergeet maar al te makkelijk hoe uitputtend een tournee is. Hoe vaak moet je nog?'

'Eh...' Ze zweeg, en drukte haar sigaret uit toen de *foie de veau* werd opgediend. 'Glasgow, Wolverhampton, Sheffield, Belfast... en dan nog een stuk of zes.'

'En daarna? Welverdiende rust? Een vakantie?'

'Ik heb nog niets geregeld.'

Zijn handen zweefden boven zijn mes en vork als een dirigent die klaar is om een orkest te gaan dirigeren. Stella zag tot haar ontzetting dat zijn kleur weer donkerder was geworden.

'Ik vraag me af...' begon hij. Ze schudde haar hoofd. 'Of ik... sorry?'

'Nee, Gordon.'

'Je weet niet wat ik wilde zeggen.'

'Ik denk dat ik het wel kan raden.'

Hij was begonnen, dus ging hij ook door. 'Ik wilde je vragen of je goedvindt dat ik je ergens mee naar toe neem voor een ontspannen weekend.'

'Nee.'

'Je mag kiezen. Het maakt niet uit wat het kost.'

'Vergeet het maar.'

'Dat kan ik niet,' zei hij teleurgesteld. 'Wil je het echt niet?'

Ze schudde haar hoofd. 'Neem je vrouw mee uit.'

Dat was onder de gordel, maar ze wist dat ze wreed was uit aardigheid.

'Daar gaat het niet om,' mompelde hij ellendig.

'Het gaat erom,' zei ze, 'dat ik niet een weekend met jou weg wil, maar zij waarschijnlijk wel.'

Gekwetst protesteerde Gordon: 'Ik neem haar mee uit... Natuurlijk doe ik dat.'

Plotseling werd Stella getroffen door het potsierlijke van zijn positie: dat deze aanbidder, deze overspelige getrouwde man, haar losse, altijd bereidwillige scharrel, zo prat ging op zijn geloofsbrieven als zorgzaam, plichtgetrouw echtgenoot.

De lach welde al op uit haar borst toen ze zei: 'Ik ben blij dat te

horen, Gordon, echt waar...' En toen barstte ze los in een reeks pie-
pende, explosieve schaterlachen waardoor de andere gasten haar
kant op keken en bedeesd glimlachten, terwijl Gordon er met neergeslagen ogen bij zat, met een vuurrode kop van verlegenheid.

'Goed, wat wilde je zeggen?' vroeg hij toen ze was uitgelachen en
ze een tweede fles wijn hadden aangebroken. 'Soms begrijp ik je
niet, Stella.'

Hij begreep haar nooit, bedacht ze. Godzijdank. De dag dat Gordon haar begreep zou ze het voor gezien houden.

Ze liet hem afrekenen. Toen de jonge ober, met een donkere kin en
borstelig haar, terugkwam met het reçu van de creditcard overhandigde hij Stella een roos.

'Het is een eer dat u hier bent. U bent fantastisch.'

'Dankjewel. Heb je de voorstelling gezien?'

'Deze keer niet, ik kon er niet in. Vorig jaar wel.'

'We staan drie avonden in de Curfew. Ik laat morgenavond op de
deur een kaartje voor je achter, als je vrij bent.'

'Reken maar!' Hij straalde, en liet zich haar gunsten aanleunen.
'Daar zorg ik wel voor, al moest ik mijn ontslag indienen!'

'Je bent zo aardig tegen iedereen,' zei Gordon toen ze naar buiten
liepen. 'Te aardig.'

'Eén kaartje maakt nog geen heilige van me.'

'Je weet best wat ik bedoel.'

'Het heet pr en God weet dat ik daar weinig aan doe. Zullen we
lopen?'

Toen ze het vroeg was ze al op weg, en hij moest een paar grote,
snelle passen nemen om haar bij te houden. Bijna struikelde hij op
de rijbaan van het tegemoetkomend verkeer toen hij zijn plaats aan
de buitenkant innam.

'Sorry! Ik moet mijn zwaardarm vrijhouden.'

Ze schonk geen aandacht aan het gestruikel, noch aan het excuus,
maar bleef er de pas inzetten, vlak langs de rand van het trottoir,
zodat Gordon met zijn ene voet in de goot bleef lopen. Hij hinkte op
en neer als een eigentijdse kapitein Long John Silver.

Na een paar honderd meter kwamen ze bij het kruispunt van de
Alma Road, de afslag naar de Victoria Mansions. Ze legde haar hand
op zijn mouw.

'Wacht even.'

'Wat?'

Ze gaf geen antwoord, maar keek naar boven, zodat hij hetzelfde
deed. De menigte van de late avond druiste ongeduldig om hen
heen over het bevuilde trottoir; het verkeer stroomde en stagneerde.

Verlichte etalages, cafés en restaurants pulseerden van een hectische energie. Maar boven hen droomden de daken, en vormden Disney-achtige zwarte silhouetten tegen de zwavelgele nachtelijke stadslucht, met daarachter een vaag getwinkel van sterren dat op afstand werd gehouden door de luchtvervuiling, en het regelmatige geknipper van een vliegtuig op weg naar de landingsbaan op Heathrow.

'Aardig,' zei Gordon.

En dat is hij ook, dacht Stella. Des te tragischer.

Ook al had hij het gewild, of al had Stella het toegelaten, Gordons geregelde bezoeken aan de Victoria Mansions lieten er geen enkel spoor achter. Zijn koffertje bevatte onder andere een tandenborstel en een scheerapparaat, en een boxershort. In het begin ook een pakje Featherlites, maar Stella had net zo'n hekel aan condooms als aan rekenen.

'Maar hoe moet het dan met safe sex?' had Gordon voorzichtig gevraagd.

'We zijn veel te oud om ons daar zorgen over te maken. En veilig is wel het laatste dat seks zou moeten zijn,' zei ze.

Op dit punt, zoals op de meeste, was Gordon het niet met haar eens. Hij vond haar nogal onverstandig, maar zijn begeerte naar haar won het met vele lengtes van zijn neiging tot verstandigheid.

Vanavond gebood ze hem te doen alsof hij thuis was, terwijl zij een bad nam. Het was een instructie waaraan hij onmogelijk kon voldoen. Hij had zich op Victoria Mansions 21 nog nooit op zijn gemak gevoeld, behalve als hij tussen Stella's dunne benen lag ingeklemd, en werd overmeesterd door haar onverzadigbare, energieke lichaam.

Hij zette zijn koffertje neer en zocht in de keuken naar de fles Jack Daniels. Hij dronk geen sterkedrank, maar het was het enige wat ze in huis had en dus nam hij die maar. Met een glas in zijn hand keerde hij terug naar de woonkamer en ging op de vensterbank van het erkerraam zitten. Je kon Stella's flat niet omschrijven als minimalistisch, omdat de leegte geen onderdeel van het ontwerp was. Ze had de ruimte wit laten verven en overal mooie beuken vloeren laten leggen, en het er vervolgens bij laten zitten. Zodoende lag haar kleine verzameling studentikoze bezittingen, opgefleurd door een paar in een opwelling aangeschafte stukken, links en rechts door de grote, negentiende-eeuwse ruimte verspreid als zwervers in een kathedraal. Boeken lagen op wankele, ongelijke stapels. Muziek en tijdschriften slingerden links en rechts in het rond. In de Japanse keuken stonden twee enorme, gietijzeren braadpannen, een melkpan en een magnetron. In de slaapkamer stond een koperen ledikant en een vurenhouten ladekast met een nummer van *Spotlight* om een ontbrekende balpoot te vervangen. De kamer waar Gordon zat was spelonkachtig, met een plafond van drieëneenhalve meter hoogte, een open haard (Stella had die met pijnappels gevuld, maar het effect bedorven door er snoeppapiertjes in te gooien) en twee erkerramen die op het zuiden uitzagen op Lord's en het vrolijke lichtbaken van de Post Office Tower. Je kon het geen woonkamer noemen, of zitkamer. De flat was een werkplek, met ruimte voor basisfuncties aan de buitenkant. Het enige meubilair bestond uit een gammele sofa met een William Morris-foulard, een witte, ovale tafel met een paar stoelen eromheen en op de ereplaats een piano. Er waren tientallen wandversieringen: schilderijen, foto's, prenten, posters en programma's, maar slechts enkele hadden hun weg naar de muur gevonden. Dit was geen plek om je thuis te voelen, zoals Gordons eigen huis in Hatfield, dat een zachte textuur had, en geluidloos was door vaste vloerbedekking, met kussens gestoffeerde contouren, door muurkandelaars verlichte wanden, vaste boekenkasten en familie-aquarellen.

Maar het verschil beviel hem, in zoverre dat het een metafoor was; hij kon net zo min deel worden van deze omgeving als hij ook maar een stukje van Stella zou kunnen bezitten. Hij was een buitenstaander, en daar had hij vrede mee. Heel af en toe had hij een droom waarin Stella plotseling verklaarde dat ze geheel en al de zijne was, bereid om zijn leven te delen. Die schokte hem tot in het diepst van zijn ziel, want Gordon kende zijn beperkingen. In het totaal onwaarschijnlijke geval dat deze weg zou komen open te staan, vreesde hij dat hij zich zou omkeren en weglopen, ook al was elke stap een kwelling.

Stella kwam terug in haar ochtendjas. Het was het soort ochtendjas dat Gordon bezat toen hij op kostschool zat, tot en met het koord met kwasten (er zaten net zulke kwasten aan de gordijnen thuis). Soms vroeg hij zich af of Stella's jongensachtigheid een deel van haar heftige aantrekkingskracht op hem uitmaakte: haar knokige handen, de achterkant van haar hals, haar smalle heupen en de fragiele ribbenkast, waarop haar kleine borsten lagen als een paar vlezige regendruppels op een vensterruit.

'Je hebt een drankje.' Dat was een vaststelling, terwijl ze naar de keuken liep. Ze kwam terug met een glas halfvol whisky, zonder water, zonder ijs. Midden op de vlakte van gepolitoerd beuken stond ze stil, en maakte het koord van haar ochtendjas los.

Zomaar uit het niets, tegen de verwachtingen van de avond in, voelde ze de drang hem te verwennen. Ze werd door een zoete tederheid bevangen, een gewoonlijk verborgen deel van haarzelf dat nu in de schemerige slaapkamer opbloeide als de stralende, langverwachte bloem van een woestijncactus. Ze streelde en fluisterde, likte en kuste met de lichtheid van een bloemblad, bewoog zich met zijden soepelheid over en om hem heen, zodat hij nauwelijks wist waar ze was of welk deel van hem ze aanraakte. Ze bespeelde en verleidde hem tot hij als was in haar handen lag en geheel tot haar beschikking, en gaf ze zich op haar beurt aan hem, om te worden opgetild en gedragen op de vulkanische uitbarsting van zijn begeerte.

Na afloop was hij in tranen van dankbaarheid.

'God, Stella, dat was buitengewoon... Je hebt geen idee hoeveel... hoe...'

Ze streek zijn vochtige haar van zijn voorhoofd weg. 'Ja, ik weet het wel.'

'Ik wou dat ik je meer te bieden had.'

Ze had een gloeiende hekel aan slappe beuzelpraat en trok ongeduldig haar hand terug. 'Het is geen zakelijk contract, Gordon.'

'Maar dan nog.'

Ja, overwoog ze, terwijl ze het dekbed tot haar oksels optrok en naar het plafond staarde, dan nog. Want hij stond op het punt aan het kortste eind van de overeenkomst te trekken.

Gordon vertrok om één uur in de ochtend. Hij bleef nooit overnachten, dat hoorde bij de deal. Hij poetste zijn tanden, trok schoon ondergoed aan, verfriste zich en zei de half bewusteloze Stella gedag alvorens de deur achter zich dicht te trekken. Maar zijn hart was wonderbaarlijk licht toen de lift naar de parterre zakte, en het verbaasde hem niet dat er bijna onmiddellijk een lege taxi in Alma Road opdook.

Toen hij weer in zijn eigen auto zat en noordwaarts op Finchley Road reed, in de richting van zijn afspraak van die dag in Luton, zette hij een bandje van Sorority op. Het was een oud bandje, van voor de komst van de cd. Hij luisterde naar Stella terwijl hij aan haar dacht.

Voor de eerste keer stond hij zich toe te geloven dat ze echt om hem gaf. Dat ze misschien op haar stekelige, agressieve manier zelfs van hem hield. Tijdens alle jaren van hun verhouding had hij nooit iets van haar gevraagd, had hij haar de koers laten bepalen, was hij uitsluitend positief en hartstochtelijk geweest, zonder te klagen. Hij had met ijzeren discipline zijn geheim bewaard en verdedigd – zijn vrouw wist van niets. Stella was een ongewoon iemand, haar liefde zou niet de vorm van de liefde van andere vrouwen aannemen. Ze zou hem niet inpakken en strikken (ofschoon hij zich met alle genoegen had laten strikken en inpakken) en er niets voor terug eisen. Daar kon hij mee leven. Vanavond was ze onvoorstelbaar anders geweest, ze waren allebei in vervoering geraakt. Als seks de communicatie tussen twee zielen was, waren vanavond de zoetste, zinvolste woorden gesproken. Hij voelde zich licht en schoon, alsof de oude, vermoeide moleculen waaruit zijn lichaam bestond op geheimzinnige wijze opnieuw waren gerangschikt. Tijdens de rit naar het noorden leek hij te vliegen. Zijn reactievermogen was messcherp en er leek een verhoogd waarnemingsveld van driehonderdzestig graden om hem heen te liggen. Hij flitste andere auto's voorbij, maar overschreed nergens de maximumsnelheid, haalde alle stoplichten zonder door rood te rijden, en baande zich met wonderbaarlijk gemak een weg tussen rijstroken door en over rotondes heen.

Er zou niets veranderen, hield hij zich voor, alleen hield ze nu echt van hem.

'Back to the Front,' zong ze, met die dappere snik in haar stem die onmiddellijk haar gezicht opriep. 'Back to the old campaign... Cover the scars, and back to the war again.'

Om vier uur in de ochtend werd Stella wakker. Dat gebeurde dikwijls als er een man was vertrokken, als de heerlijke rust van haar flat, die weer helemaal van haar was, zachtjes om haar heen kabbelde.

Het was vreemd te bedenken dat dit haar laatste keer met Gordon was geweest. Ze zocht in haar hart en geest naar een andere, emotionelere reactie. Maar die was er niet. Ze wenste hem het beste, maar ze stond op het punt een sprong in het onbekende te wagen, en zelfs de kleinste ballast zou haar als een baksteen doen neerstorten.

De tweede avond in de Curfew, de vrijdag, werd zo mogelijk nog beter ontvangen. Het vrijdagavondpubliek reageerde gewoonlijk directer, was nog alert genoeg van de werkweek om de details op te merken, en licht van gemoed bij het vooruitzicht van het komende weekend, een sensatie die werd getemperd door de huiselijke realiteit die hen in zijn greep had gekregen op zaterdagavond. Sorority voerde hetzelfde repertoire uit en werd door de toehoorders in het hart gesloten.

Niemand haalde het in zijn hoofd om te zeggen: 'Ik heb het je voorspeld,' maar Helen benaderde Stella met kalme blik en bedankte haar voor de concessie die ze had gedaan ten aanzien van het sentiment.

'Het is nauwelijks een concessie,' verklaarde Stella poeslief. 'Ik schrijf liedjes die stelletjes doen huilen, weet je nog?'

'Evengoed bedankt,' zei Helen, die te verstandig was om te redetwisten.

Die zaterdag nam Stella haar petekind Jamie, die binnenkort achttien werd, mee uit lunchen in de Six Bells bij Regent's Park. Ze ging op hartstochtelijke, zij het uitsluitend wereldlijke wijze in haar rol van petemoei op.

'Ik verheug me op het feestje,' zei ze. 'Wat zal ik aantrekken?'

'Kom maar gewoon zoals je bent,' zei Jamie.

Stella keek liefhebbend toe hoe hij zijn knoflookbrood naar binnen schrokte. 'Weet je het zeker?'

'Ja. Het maakt niet uit.'

Hij was stevig gebouwd, een natuurtalent van de voorhoede van het rugbyteam van school, en donker, met bruine ogen, een slordige stoppelbaard en kleren waarin hij leek te hebben geslapen. Om zijn linkerpols, boven zijn horloge, droeg hij een zwarte armband van olifantshaar. Schattig.

'Hoe staat het met je liefdesleven?' vroeg ze.

'Best hoor.'

'Iemand in het bijzonder?'

'Ik probeer het te verdelen.' Hij wierp haar een hitsige blik toe vanonder fluwelige, koolzwarte wimpers. 'Je weet wel, als een bewegend doelwit. Maar in een club in Manchester heb ik een vrouw ontmoet...'

'Aardig?'

'Reuze aardig, maar we doen het rustig aan.'

Hij begon aan zijn lasagna. Dat was een van de grote genoegens van hem mee uit eten nemen, zijn eeuwig onverzadigbare eetlust die je het gevoel gaf een machtige machine van brandstof te voorzien. Stella's bijdrage ging niet verder dan een aanval op de dubbele portie frieten.

'Bezwaar als ik rook?'

Hij schudde zijn hoofd. 'Ik doe zo mee. Hoe staat het met het jouwe?'

'Liefdesleven? Afwezig.'

'Ik heb altijd gedacht dat beroemde mensen seks op bestelling konden krijgen als ze daar behoefte aan hadden.'

'Zelfs als dat waar was zou het nog geen liefdesleven kunnen vervangen, of wel?'

Hij trok een quasi-medelijdend gezicht. 'Ik vergeet steeds dat je romantisch bent ingesteld.'

'Dat is de enige manier.'

'Dacht je dat?'

Ze tikte de as af. 'Hoe heet die vrouw eigenlijk?'

'Ingrid.'

'Is ze Scandinavisch?'

'Nee, maar ze ziet er wel zo uit. Lang, blond, en de rest. Net zoals de jongere, sexy zus van Ulrike.'

'Geen wonder dat je op haar valt. En ze woont in Manchester?'

'Roehampton.'

'Nog op school?'

'Ze is schoonheidsspecialiste.'

'Juist, ja.' Stella knikte terwijl ze deze informatie verwerkte.

Jamie wierp haar een blik toe waaruit kalme trots sprak. 'Ja, ze is drieëntwintig.'

'Een oudere vrouw!' Stella boog haar hoofd achterover en lachte op haar krassende manier. 'Brave knul, Jamie-lief. Weet ze dat ze een baby als vriendje heeft?'

Hij begon ook te lachen. 'Ze vindt het prima.'

'En komt ze ook op het feest? Ik wil haar leren kennen.'

'Het is een stoere tante. Ik weet het nog niet.'

'Je moet om je reputatie denken.'

'Lazer op. Ik houd rekening met haar gevoelens. Ik weet niet goed wat ze van mijn familieleden kan verwachten.'

Stella boog zich naar voren en prikte met een friet in de lucht. 'Zo is het wel weer mooi geweest.'

'Jij bent geen familielid. Ze heeft trouwens van je gehoord.'

'Ik ben blij dat te horen.'

Ze besefte dat ze in de val liep toen de grijns zich over zijn gezicht verspreidde. 'Haar ouders zijn naar een van je optredens geweest.'

Na de lunch verklaarde Jamie dat hij een afspraak met zijn kamergenoot en het nieuwste kassucces op Leicester Square had, en Stella liep naar de top van Primrose Hill. De lucht was blauw, maar de wind was ijzig koud. Ze wikkelde haar dr. Who-sjaal een paar keer om haar hoofd en over de onderkant van haar gezicht. Boven op de heuvel ging ze op een bank zitten. In haar kleding weggedoken, was ze het stille middelpunt van een weekendnetwerk van paartjes, kinderen, wandelwagens, rolschaatsen, vliegers en honden.

Ze had Jamies ouders gewaarschuwd dat haar rol in het leven van hun zoon die van de schrikbarende petemoei zou zijn. Ze had het geaccepteerd onder een voorwaarde: dat er een stel godsdienstige peetouders zou komen, zodat zij in feite reserve stond, en vrij was om haar eigen scenario te schrijven. Dat was heel eenvoudig: ze zou zich nooit anders voordoen dan ze was en haar petekind ook nooit vragen zich anders voor te doen dan hij was. Vanuit deze acceptatie zouden ze een wederzijds opvoedkundige, voldoening schenkende relatie opbouwen.

In deze geest van openheid wist Stella alleen wat ze dacht als ze hoorde wat ze zei. Zoals de bevestiging dat ze romantisch was. Niemand die getuige was geweest van haar gedrag van de afgelopen dagen had dat geloofd, en toch had ze toen ze het zei beseft dat het waar was. Een romantische instelling was geen excuus voor haar gedrag, maar het was er een reden voor. Haar heftige verlangen dat de band precies zou stroken met haar oorspronkelijke opzet was de oorzaak van haar woede om de huidige tekortkomingen. En de achteloze manier waarop ze met de mannen in haar leven omging had zijn oorzaak in het feit dat ze de man nog moest vinden die haar hart sneller deed kloppen als ze hem alleen maar zag. Er waren er een paar – zelfs Gordon de vorige avond, maar niet om de juiste redenen – met wie ze die staat voornamelijk door haar eigen inzet kon bereiken, maar nog geen een die de hartslag versnelde zonder wederzijdse inspanning.

Ze was tweeëndertig, nog jong, wist ze, in een tijd waarin vijftigers als de nieuwe dertigers werden gezien, en dertigers de wereld regeerden met hun briljante carrières, dikke inkomens en afstandelijk seksconsumentisme. Maar meestal voelde ze zich stokoud. En was ze wellicht ook ouderwets? Ze wilde geen huisje-boompje-beestje, met een cake in de oven, een baby aan de borst en een op komst, maar ze verlangde hartstochtelijk naar een vrije, gelijkwaardige, allesverterende liefde.

Dat was alles, zei ze spottend bij zichzelf. Maar dat was niet zo'n slecht voorbeeld om over te dragen op een petekind, zolang hij haar maar niet als treurig en gefrustreerd ging beschouwen, en daar was op dit moment geen kans op. Wereldvreemd misschien, maar niet treurig. Het idee van Jamie met die oudere vrouw stond haar wel aan, en ze waardeerde het, dat hij haar in bescherming nam, en niet zichzelf of zijn vrienden en familie. Misschien was het niet echt zo, maar het gaf blijk van de juiste instelling.

Na ongeveer een halfuur begon de lucht te betrekken en kreeg ze het koud. Maar haar lunch met Jamie en haar zelfreflectie maakten haar, terwijl ze de heuvel afdaalde, rustiger dan ze zich in dagen had gevoeld.

De zaterdagavond begon met het knusse sfeertje waar Stella zo op neerkeek. Het iets minder ontvankelijke publiek was sentimenteler; het probeerde zelfs een paar keer mee te zingen. Stella voelde de andere vrouwen gloeien van voldoening, ze genoten. Als een van hen het meezingen ook maar een fractie van een seconde had aangemoedigd was ze van het podium weggelopen, maar ze wisten dat ze een roemrijke overwinning hadden behaald en bleven loyaal. God zou ze straffen.

Ze verzamelden zich achter de tafel in de foyer om cassettebandjes en gesigneerde programma's te verkopen, iets waarbij ze gewoonlijk de kleding van het optreden aanhielden met het hele ratjetoe aan veren, nepdiamanten en bloot. Stella boende haar gezicht en kleedde zich om in haar antieke moefti van de markt: een zak met botten en een sliert haar tussen het geglitter.

Het gekwek was dweepziek, er was een grote menigte fans op de been. 'Het klinkt klef,' zei een vrouw. 'Maar ik zeg het toch: je hebt me vanavond aan het huilen gemaakt.'

'Mooi zo.'

'Dat is ook de bedoeling, neem ik aan,' zei de in een denim shirt gehulde echtgenoot van de vrouw, terwijl hij steels naar Stella glimlachte om te laten blijken hoe weinig klef hij was en hoe goed hij de professionele entertainer begreep. De klootzak, dacht Stella. Ze had de truc altijd door.

'Zeker,' beaamde ze. 'Wilt u dat ik hier iets op schrijf?'

'Graag. Roger en Pat.' De vrouw hield haar hoofd scheef om te kijken wat ze schreef, alsof ze het verkeerd zou spellen. 'We zijn al fans vanaf het begin.'

'Echt waar?'

'Ja!' zei Roger. 'We kunnen in alle eerlijkheid zeggen dat we je al kenden toen je nog niemand was.'

Ik ben nooit niemand geweest, schat, dacht ze terwijl ze over zijn schouder naar de volgende klant keek. Maar jij zult het altijd blijven.

Na afloop voelde ze zich niet bij de feestelijkheden betrokken. Maar als ze er al erg in hadden gaven ze daar geen blijk van; ze waren gewend aan haar stemmingen. Ze meden echter haar blik. Ze leken naar haar te kijken terwijl ze enthousiaste kreten slaakten, kusten, praatten en dronken, maar hun brede, dwaze glimlach gleed over haar heen alsof ze onzichtbaar was en liet slechts een dun spoortje medelijden achter. Medelijden! Stomme trutten, dacht ze, bewaar je medelijden maar voor jezelf.

Rupert, de manager van de Curfew, kwam op haar af. Ze mocht hem wel, hij deed haar aan Jamie denken, en met een speels gebaar sloeg ze haar arm om zijn middel.

'Wat kan ik voor je doen, jongeman?'

'Vraag me niet wat je voor mij kunt doen, schat, je vriendje staat buiten.'

'Vriendje? Welk vriendje? Ik heb geen vriendje.'

'Je vriendje Gordon.'

Ze wierp een zijdelingse blik op Ruperts gezicht. 'Je maakt een geintje.'

'Om eerst je reactie te kunnen peilen heb ik hem in de wacht gezet tot ik met je had gesproken.'

'Maar hij was er donderdag nog.'

'Dat weet ik. Wat heb je tegen hem gezegd om hem aan te moedigen?'

Stella liep naar de gang. Gordon stond een paar meter verderop met zijn gezicht de andere kant op, zijn koffertje in de hand en zijn andere hand in zijn zak. Als hij losgeld in zijn zak had om mee te rinkelen deed hij dat nu. Ze haalde diep adem.

'Gordon?'

'O, Stella!' Ze zag aan zijn verschrikte blik welke gedachten hij in zijn hoofd had. 'Ik hoop dat je het niet erg vindt na laatst, ik móést je gewoon weer zien.'

'Geen goed idee, Gordon.'

De eerste degenstoot, maar het staal was zo scherp en snel dat hij er nauwelijks erg in had. 'Ik begrijp dat je vanavond bij de anderen wilt zijn. Maar misschien, ik weet niet...'

'Nee.'

'Goed.' Ze stonden nog op vijf meter afstand van elkaar, maar hij liep op haar toe en maakte zijn koffertje open als een vertegenwoordiger die op het punt staat zijn waar uit te stallen. Een van de potige jonge vrouwelijke toneelknechten kwam de gang door gestormd met een bierflesje in haar hand en botste tegen hem op, waardoor hij wankelde.

'Oeps, kijk uit. Goed gedaan, Stella.'

'Dank je.

'Hier.' Hij overhandigde Stella een envelop. 'Ik ben echt alleen gekomen om je dit te geven.'

Ze keek ernaar zonder hem aan te pakken. 'Wat is dat?'

'Alles wat ik niet goed in woorden kan uitdrukken.'

'Dat hoeft niet.'

'O, jawel. De laatste keer...'

'Vergeet het maar.'

'Dat kan ik niet.' Zijn gezicht was vuurrood. 'Het was zo anders. Jij was zo anders.'

Nee, dat was ik niet, bedacht ze, maar nu wel.

'Je hebt gelijk, Gordon,' zei ze. 'Alles is veranderd. Ik wil je niet meer zien.' Die hardvochtige woorden klonken zo kinderlijk eenvoudig dat ze ze bijna wilde gaan toelichten, uitleggen, in gemeenplaatsen verpakken, alleen maar vanwege de manier waarop ze klonken en hij ze zou onthouden. Maar ze slaagde erin het niet te doen.

Hij zag er diep geschokt, totaal verslagen uit. Zo wit weggetrokken dat ze bang was dat hij zou flauwvallen.

'Ik geloof je niet.'

'Ik kan er niets aan doen.'

'Waar was je dan mee bezig?'

Het werd zonder agressie gezegd; hij had geen greintje boosaardigheid in zich, en ze begreep precies wat hij bedoelde.

'Met afscheid nemen.'

Terwijl de woorden zich in haar mond vormden wist ze dat het de waarheid was, en dat hij die waarheid herkende.

'Neem dan tenminste dit aan,' zei hij, haar de brief toestekend.

'Nee.'

'Als herinnering?'

'Ik blijf heus wel aan je denken, Gordon.' Tot ik je vergeet.

Ze liet hem staan met de brief in zijn hand, ging terug naar de artiestenfoyer en deed de deur achter zich dicht. Het gedruis van geglimlach en lichamen en de totale euforie in een wolk sigarettenrook was absurd. Ging dat gewoon door terwijl zij zojuist het hart van een man had gebroken?

'Arme, ouwe Gordon,' zei Rupert, en hij vouwde haar vingers om een glas heen. 'Altijd zo braaf bij de artiestenuitgang staan wachten.'

'Lazer op, Rupert.'

Hij legde een meelevende hand op haar schouder. 'Onderschat de veerkracht van het mannelijk ego niet. Hij zal de hele episode omdraaien in zijn voordeel.'

Ze wierp hem een verhitte, gekwelde blik toe als dank voor zijn sympathie. 'Misschien.'

'Maak je geen illusies, dame.'

Hij liet haar staan, om direct te worden opgevolgd door Teresa.

'Nou, zeg! Een daverend succes, zou ik zeggen.'

'Het ging wel.'

'Ging wel?' zei Teresa. 'Ging wel? Ze gingen uit hun dak.' Onderzoekend hield ze haar hoofd scheef. 'Weet je, Stella, je mag best blij zijn.'

'Wat?' Stella gooide haar hoofd naar voren en kneep ongelovig haar ogen halfdicht.

'Je mag best in je nopjes zijn. Tevreden over jezelf. Je hebt ze ingepakt. Je hebt een prachtprestatie geleverd.'

'Dat had niets met mij te maken.'

Teresa lachte uitgelaten. 'Bespaar me je valse bescheidenheid, Stella, die past je niet.'

'Dat klopt. Evenmin als mezelf associëren met zelfgenoegzame, benepen, hoerige shit.'

'Neem me niet...'

'Hetgeen de reden is dat ik er geen seconde langer meer aan meedoe.'

'Ik ben bang dat...'

'Wees maar bang,' zei Stella, die op dreef kwam, terwijl het hele vertrek meeluisterde. 'Wees maar goed bang, schat. Want vanaf nu sta je er alleen voor.'

Iedereen gaapte haar aan. Het was verrukkelijk.

'Hoe bedoel je?' vroeg Teresa.

'Ik bedoel dat ik vertrek.' Ze zette haar glas neer en ging de gezichten langs, gaf de voorstelling van haar leven. 'Luister goed wat ik zeg. Ik vertrek.'

'Dat kun je niet maken!' zei Faith met een hoog, hees, meisjesachtig stemmetje.

'Let maar eens op.'

'Maar waarom in godsnaam?' Dat was Mimi, op de toon van iemand die er echt geen chocola van kon maken. Op wat voor planeet leefden die vrouwen?

'Omdat we elkaar niet meer recht in de ogen kunnen kijken,' zei ze. 'En er zijn er meer zoals jij, en dus trek ik ertussenuit.'

Teresa snoof. 'Dat is volkomen onredelijk.'

Stella deed de deur open. 'Tabee, het allerbeste. God zal jullie kraken.'

'Maar wat ga je doen?'

'Ik dacht niet dat dat jullie iets aanging.'

'En wij dan?' Helen liep op haar toe en posteerde zich voor haar. 'Er zijn wettelijke en financiële consequenties. Hoe moet het dan met ons?'

'Mmm, eens kijken...' zei Stella glimlachend, een en al redelijkheid. 'Jullie kunnen de pot op.'

Ze sloot de deur met een korte, droge klik, hoorde hoe het even rustig was, gevolgd door tumult en het openen van de deur. Maar ze stond niet stil. Ze ging zelfs niet naar haar kleedkamer terug. Haar spullen werden wel nagestuurd, en zo niet dan kocht ze nieuwe. Het belangrijkste was dat ze nu de kans van haar leven had om weg te komen. Iemand riep haar naam, iemand anders zei: laat haar maar gaan, ze komt er wel op terug, en een derde rende haar achterna en pakte haar bij de arm, maar ze schudde haar af en liep door.

Toen ze bij de hoofdingang van de Curfew kwam, goot het van de regen. Niet zo'n gewone, Engelse, druilerige najaarsregen, maar een wolkbreuk, die in zulke grote hoeveelheden en zo heftig neerkwam dat het water als een sissende fontein van de grond opspatte. Een zwaar kralengordijn van water kletterde in dikke stralen vanaf de kroonlijst boven de deur naar omlaag. De stoep was met een laag water bedekt, en de goot was een donkere beek, die een rondtollende hoop rotzooi meevoerde. Het verkeer op de hoofdweg kwam nauwelijks vooruit, de opeengehoopte koplampen vormden vage vlekken en leken te smelten onder de hevige regenval. Sommige auto's hadden het opgegeven en waren gestopt.

Stella bleef staan, maar slechts een seconde. Aarzeling zou haar misschien niet fataal worden, maar paste niet bij haar roekeloze stemming. Ze stapte de plensbui in.

Binnen enkele tellen was ze doorweekt, was haar huid gevoelloos en stroomde het water als een beekje langs haar haren in haar hals. Het was perfect. Ze slaakte een kreet en gooide haar armen in de lucht terwijl ze met grote passen door de kolkende massa naar de hoofdweg liep, dronken van opluchting en dolzinnig van het gevoel van vrijheid.

De Rolls was vermoedelijk de enige auto die harder dan vijftien kilometer per uur reed, en wel op de busbaan. Hij zwenkte heftig om haar te ontwijken, waarbij het water breed opwaaierde en een fractie van een seconde later op haar neersloeg. Ze zag het woedende gezicht van de chauffeur, met ontblote tanden, en hoorde het dreunende lawaai van de bassen die op volle sterkte uit de geluidsinstallatie kwamen. Ze verroerde geen vin, maar bleef daar doorweekt en wraaklustig staan, terwijl het overige verkeer traag om hen heen circuleerde, en hij uitstapte en het portier dichtsmeet.

'Mevrouw,' snauwde hij met een Schots accent, op haar aflopend tot zijn drijfnatte gezicht op een paar centimeter afstand van het hare was. 'Help me eens. Bent u gek of ben ik het?'

De vrouw was geschift, daar twijfelde hij geen moment aan. Ondervoed, armoedig gekleed, zelfs geen handtas, met ogen die uit haar hoofd puilden, en kennelijk lachte ze hem in zijn gezicht uit toen ze naar hem terugschreeuwde: 'Wat is dat voor vraag?'

'Pardon?'

Ze bracht haar koude lippen bij zijn oor. 'Als ik gek was, hoe kon ik dat dan weten?'

'Mankeert u niets?' Hij perste die vraag tussen opeengeklemde tanden door. Om hen heen klonk door het geroffel van de regen heen het kabaal van een koor van claxons, als een orkest dat aan het stemmen was. Als antwoord hief ze haar armen hoog in de lucht en voerde een rondedans uit, waarbij haar knieën als zuigerstangen op en neer gingen en haar voeten door het water plonsden, als een wilde, vrouwelijke Fagin, uit het verhaal van Dickens.

'Ik moet de auto verplaatsen!' brulde hij, zijn geduld verliezend.

Ze gilde iets terug, en voordat hij haar kon tegenhouden was ze naar het andere portier gelopen en had zichzelf binnengelaten.

'Waar ben je verdomme mee bezig?' vroeg hij terwijl hij de motor startte en aan het stuur draaide.

Ze bedekte haar gezicht met haar handen, lange, magere handen waar de botten doorheen staken, maar die er toch sterk uitzagen. Ze leek te schudden – van het lachen? Huilen? Woede? Misselijkheid? De auto schoot vooruit, waarbij de slippende banden nog meer water opwierpen, en ze als een lappenpop naar voren sloeg.

'Doe die verrekte gordel om, mens!'

Ze zat nog steeds met haar handen over haar gezicht, dus reikte hij langs haar heen, de wagen met zijn ene hand sturend, en rukte de riem over haar heen, om haar armen, om alles heen, en klikte hem in het slot. Waar ben ik in godsnaam mee bezig, vroeg hij zich af. Ik heb haar niet uitgenodigd, ik moet haar niet, ze loopt kennelijk te tippelen en ze maakt een puinhoop van mijn bekleding.

'Zo!'

Hij reed honderd meter door, sloeg de eerste de beste zijstraat in, parkeerde onder een straatlantaarn en liet de motor en de verwarming aanstaan. De regen werd minder. Hij haalde zijn sigaretten tevoorschijn.

'Gaat het een beetje?'

Nu wipte ze achterover, met haar hoofd tegen de neksteun, en tot zijn grote opluchting zag hij dat ze een uitdrukking van bijna extatisch geluk op het gezicht had. Daar waren de arme drommels die Jeanne d'Arc moesten verhoren mee opgescheept, met deze gekmakende verwarring. Hij bood een sigaret aan.

'Roken?'

Ze tastte naar het pakje, haalde er een sigaret uit en stak die zo tussen haar lippen dat hij onder een zwierige hoek omhoogstak. Hij stak hem aan, en ze inhaleerde een paar keer diep en geroutineerd alvorens hem tussen twee vingers te nemen, de middelste en de derde, die licht trilden, maar of het van kou of emotie was, of door drugsgebruik kwam wist hij in de verste verte niet.

Hij stak de zijne aan. 'En, waar ga je heen? Waar kan ik je afzetten?'

Ze haalde haar schouders op, en het schouderophalen ging over in geluidloos schudden van de lach. Zo gek als een deur.

'We hebben allebei geweldig veel geluk gehad dat we nog leven,' verklaarde hij.

Hij hield die opmerking met opzet open. Geef geen fouten toe, ga niet in discussie, hou het neutraal. Dus was hij verbaasd dat ze met een volkomen vaste, normale stem zei: 'Ja, het spijt me van daarnet.'

Hij wachtte even voordat hij voorzichtig toegaf: 'Een kans van een op zes.'

Ze draaide haar hoofd om en staarde hem langs de sigaret grijnzend aan. Tot zijn schrik, in aanmerking genomen dat ze zo op het oog een van de minst verleidelijke vrouwen was die hij ooit had ontmoet, bespeurde hij een flinke stroomstoot in zijn maagkuiltje. Iets dat rechtstreeks naar de edele delen doorschoot.

'O, nee hoor,' zei ze. 'Dat dacht ik niet.'

'Nu, laat ik me dan verontschuldigen voor mijn aandeel in het incident, dat ik niet de beleefdste bijna-aanrijder ben die je ooit hebt gehad.'

'Prima.' Weer en profil. Het kon haar geen donder schelen.

Er viel een lange stilte. De regen tikte inmiddels zachtjes boven het warme gesuis van de verwarming uit.

'Je moet zowat bevroren zijn,' merkte hij op. 'Ik zal je naar huis brengen.'

'Bedankt. En ik zal het je terugbetalen.'

'Dat is echt niet nodig.' Hij greep naar de handrem en voelde haar hand, koud en vochtig, over de zijne. Toen hij naar haar keek ontmoette hij nogmaals haar blik, die heen en weer ging over zijn gezicht.

'Goed, grote knul,' zei ze, met een stem die zijn pik leek te strelen. 'Zin in de neukpartij van je leven?'

3

Een hengst met uitpuilende ogen – kwaadaardig –
wordt apart gehouden in de achterwei,
Niet getemd of opgezadeld, een wild paard,
afgesneden van al zijn merries,
Met littekens van de hoeven van andere paarden en striemen
van poemaklauwen van een kwaadaardige kat-aanval,
Met kromgegroeide hoeven siddert hij in zijn slaap
als hij in dromen elk litteken herbeleeft.

Elizabeth Read, *The Captive*

Spencer 1931-1936

Het eerste van de drie incidenten die het toekomstige leven van Spencer McColl vormgaven vond plaats op zijn elfde verjaardag, op 25 mei 1931, in Moose Draw, Wyoming.

Ofschoon het voorjaarsvakantie was, had Mack hem een dag vrij gegeven van de winkel, en dus was hij vroeg wakker geworden. Het was alsof iets in je hoofd aangaf wanneer je de volle vierentwintig uur ter beschikking had om te doen wat je wilde, en ergens opgewonden van raakte, zodat je er niets van wilde missen.

Spencer was geen moederskindje, maar een van de beste kanten van het vroege opstaan en het ontbreken van werk was het gezelschap van zijn moeder, Caroline. Mack noemde haar 'Cairlahn', maar ze was haar Engelse accent nooit kwijtgeraakt. Spencer imiteerde haar uitspraak en gaf elke lettergreep zijn complete, ronde waarde, als het drie keer slaan van een klok.

Er waren veel Engelsen in de omgeving, voornamelijk rijk of aristocratisch of allebei, die in de ruime, chique huizen in de omgeving van Moose Draw woonden. Caroline zei dat zij alleen geld hadden, en deed veel moeite om uit te leggen dat zijzelf 'van heel gewone komaf' was (alsof dat veel eervoller was) uit een ten noorden van iets gelegen stadje dat Oxford heette. Ondanks dat gaf Spencer er de voorkeur aan te geloven dat zijn moeder boven de gewone bewoners van Moose Draw stond. In elk geval zag ze eruit en sprak ze zoals het hoorde: niet arrogant en bekakt, maar juist het tegenovergestelde, altijd beleefd, elegant en zacht, en was ze kritischer op haar persoon en kleding dan een winkeliersechtgenote betaamde. Spencer hoorde een keer dat een klant haar aanduidde als 'een elegante dame' en hij beschouwde dat als een heel passende omschrijving. Op een illustratie in de kinderbijbel op school stond de Maagd Maria afgebeeld, bleek en in het lichtblauw gekleed, terwijl ze ernstig en aandachtig naar de woorden van de aartsengel Gabriël luisterde, die sprekend leek op Caroline als ze met een lastige klant bezig was. Maria werd ook in meerdere versies beschreven als 'onbevlekt', hetgeen volkomen leek te kloppen.

Mack was Carolines tweede man. Hoewel Spencer uit eerbied voor de doden had geleerd hem bij zijn voornaam te noemen, had het evengoed 'pa' of 'paps' kunnen zijn, want dat had het voor hen allebei betekend. Mack was lang en tanig, met een droefgeestig, Buster Keaton-achtig gezicht. Vanaf het moment dat Spencer in staat was dergelijke indrukken te bevatten voelde hij aan dat Mack niet op dezelfde manier van Caroline hield als de vaders van zijn vriendjes van hun vrouw hielden. Het was alsof de zwijgzame, hardwerkende Mack, die de kostbare erfenis van een andere man had gekregen, zijn geluk niet kon opkon en perplex stond van zijn mazzel en de verantwoordelijkheden die het een en ander meebracht. Soms betrapte Spencer Mack erop dat hij op zo'n pijnlijk open, kwetsbare manier naar zijn moeder keek dat hij zich geneerde het te hebben gezien, alsof hij een volwassen man op huilen had betrapt.

Wat zijn echte vader, Jack Royle, betrof, de man die de Engelse roos had geplukt en haar naar cowboyland had overgeplant; van hem wist Spencer eigenlijk nauwelijks iets. Ze hadden hem al vroeg over zijn bestaan verteld, en hem een foto laten zien die zijn moeder bewaarde onderin een blik met oude sleutels en kapotte potloden, met een koning op de deksel. Als de foto klopte was Jack lang, breed en knap, met donker golvend haar, een piratensnor en een air van opschepperig zelfvertrouwen. Alles wat Caroline over hem zei was dat hij bij een tragisch ongeluk was omgekomen; 'in de bloei van zijn leven', zoals ze het uitdrukte.

Uit al deze gegevens had Spencer een beeld opgebouwd van een blitse avonturier, en een roerende liefdesgeschiedenis die op het hoogtepunt van haar bloei was afgesneden. Op school was hij het enige kind met een stiefouder, en dan nog een die zijn stiefvader bij zijn voornaam aansprak. Spencer had de gewoonte zich een paar onschuldige vrijheden ten aanzien van de familiegeschiedenis te veroorloven. Hij beschouwde dat niet als leugens vertellen; aangezien hij de waarheid niet kende was dat ook niet mogelijk. Maar hij improviseerde op een vindingrijke manier wat de feiten betrof. In uiteenlopende versies was de overleden Jack een Engelse graaf, een rodeorijder, een autocoureur en een oorlogsheld, en soms een combinatie van dat alles. Op een dag kwam mevrouw Horowitz, de lerares, met opgestoken zeilen op hem af in een hoek van de speelplaats en maakte abrupt een eind aan zijn monoloog.

'Zo is het mooi geweest, Spencer, niemand wil die onzin horen.'

'O ja, mevrouw, juist wel!' riep Spencers aanhang in koor, zowel uit oprechte belangstelling als uit een goed ontwikkelde intuïtie voor waar het werkelijke drama zich afspeelde. 'Alstublieft, mevrouw!'

Mevrouw Horowitz was jong en aantrekkelijk, maar desalniettemin streng. Toen ze handen opstak om stilte, kreeg ze die. 'Jullie horen rond te rennen,' verklaarde ze, 'en niet naar verhaaltjes te zitten luisteren. Die hoor je wel in de klas,' voegde ze er in een vlaag inspiratie aan toe.

'Maar mevrouw, het zijn geen verhaaltjes,' protesteerde Judy Phelan. 'Het gaat over Spencers familie.'

'Dat zal best. En nu ingerukt mars.' Mevrouw Horowitz legde een stevige hand op Judy's rug en maakte met de andere een wuivend gebaar. 'En Spencer, wil jij alsjeblieft even meekomen?'

Hij volgde de lerares in het houten schoolgebouw. Het zachte geluid van hun voetstappen op de aangestampte grond nam het hardere geklikklak van binnenshuis aan. Ze sloot de deur achter hem en keek met verwijtende blik op hem neer.

'En, Spencer, waar ging dat nu over?'

'Zoals Judy al zei, mevrouw, over mijn familie.'

'Dat is inderdaad wat Judy zei, maar ik vraag het nu aan jou.'

'Over mijn familie...' Zijn stem stierf onzeker weg.

Mevrouw Horowitz trok haar wenkbrauwen op. 'Dat zal best, maar wij weten allebei dat het niet waar is.'

'Is dat zo, mevrouw?'

Hij bedoelde het letterlijk; was er iets dat zij wist en hij niet?

'Word nu niet brutaal, Spencer.'

'Ik was niet brutaal. Sorry, mevrouw.'

Mevrouw Horowitz slaakte een zucht. Over een halfjaar verwachtte ze een kind en ze liep over van warme hormonale bezorgdheid en goede bedoelingen. Spencer was een intelligent, gevoelig joch en ze wilde het juiste doen.

Ze boog zich voorover en keek hem vriendelijk in zijn gezicht, dat roze was. 'Het is al goed, Spencer, ik ben niet boos op je. Maar probeer die levendige fantasie van je...' en ze tikte met haar vinger tegen de zijkant van zijn hoofd, '...voor in de klas te bewaren.'

Spencer voorzag een directe ontsnappingsmogelijkheid. 'Dat zal ik doen, mevrouw.'

'Goed zo. Je moeder zou verdrietig worden als ze hoorde dat je dingen over haar verzint, en ik weet dat je dat niet wilt.'

'Nee, mevrouw.'

'Goed dan.' Ze deed de deur open. 'Ga je vriendjes maar halen, de bel gaat over vijf minuten.'

Dat hoefde ze hem geen tweede keer te zeggen, en hij vergat onmiddellijk daarna wat ze had gezegd. Volwassenen bewoonden een andere planeet, ze bekeken de dingen op een andere manier en daar moest je consideratie mee hebben. Aangezien hij zich niet schuldig voelde aan hetgeen waarvoor hij een standje had gekregen – hij sprak per slot van rekening alleen in goede zin over zijn moeder en vader, en zijn versie kon net zo goed waar zijn als elke andere – hield hij niet op met het vertellen van de verhalen. Maar hij zorgde dat mevrouw Horowitz er niet achter kwam. Hij ging graag naar school en wilde geen onrust zaaien.

Spencers jeugd verliep veilig, stabiel en honkvast. De structuur van alledag bestond uit de kleine dingen en gebeurtenissen, zorgen, begrip en impassen waar de meeste kinderjaren uit bestonden, en die volgens kinderen wel nooit zullen veranderen.

Hoe vaak mevrouw Horowitz ook met de achterkant van haar potlood over de grenslijn van de staat ging, als jongen beschouwde Spencer 'in Wyoming wonen' zoals je 'in weelde leven' kon opvatten, of 'in de zevende hemel'. Het was niet zozeer een staat als wel een geestelijke toestand. Deze gewoonte werd nog onderstreept door de gewoonte van Spencers moeder om de naam Wyoming in Britse volksliedjes in te passen. Een ervan luidde: 'Wyoming, Wyoming, Wyoming's my ru-i-n'... en een ander: 'Roaming in Wyoming with my lassie by my side'. Nee, Wyoming was een kwaal waarvoor geen geneesmiddel bestond.

Net als met alle goede dingen schatte hij het pas echt op waarde toen het voorbij was. Tot die tijd was het gewoon zijn thuis. Toen hij uit huis was, zat zijn hoofd vol glooiende heuvels en open vlakten en smachtte hij naar de reusachtige, onverzettelijke schoonheid, die jou en je familie, je stad en huis als een vlieg op de pels van een beer deden voelen.

Zelfs Moose Draw, omgeven door hoge pieken, lag op achttienhonderd meter hoogte. In de zomer, en dus laat staan in de winter, vormde je adem voor zonsopgang rookwolkjes. En de zomer was kort maar grandioos; vol met bedwelmende geuren. Het dikke gras droeg wuivende pluimen en het rook er naar saliestruiken en lavendel; het schitterde er van de felrode castilleja's, door de Indianen penseeltjes genoemd, en hoge, platte margrieten, en meer wilde bloemen dan Caroline kon benoemen. In het voorjaar en de zomer waren de lagere hellingen behangen met een trillend, zilvergroen gordijn van espen en lariksen, zo beweeglijk als water. In de winter maakten ze plaats voor de eentonige opstand van mastbomen, dennen en sparren. Overal lagen grote rotsblokken, als de gewrichten van reusachtige skeletten die uit de grond waren gebarsten, met een laag rode, gele en zwarte korstmossen bedekt.

De winter was loodzwaar, bitter koud, beurtelings schitterend door het ijs en dof door de sneeuwjacht, en leek altijd eindeloos te duren. Aan het einde van de winter zei iedereen altijd dat het de langste was die ze zich konden heugen, maar alleen omdat ze verkozen niet aan de vorige te denken.

Hoe het ook zij, Spencer McColl was opgegroeid in Wyoming, en dat kreeg niemand er ooit meer uit.

Naast McColl's Mercantile Mack was een hoogst informeel machinereparatiebedrijf gevestigd. Alles kon er. Op elk gewenst moment werd het lapje grond naast de winkel aangepast, voor de opslag van kratten met goederen onder dekzeilen en op houten pallets, Mack's gedeukte Dodge, een serie machines in reparatie, variërend van tractoren tot grasmaaiers, en gewoonlijk was er ook een naaimachine of keukenapparaat bij. Mack kon dingen repareren, en hij repareerde ze goed en goedkoop, al kon je beter geen haast hebben. Net als de landbouwmachines was hij sterk en degelijk, maar ook langzaam. Het was duidelijk dat Mack in alle opzichten een goed mens was. Toch koesterde Spencer hardnekkig het beeld van zijn biologische vader als een veel exotischer vogel, iemand van weidse horizonten en grenzeloze mogelijkheden; een fantasie die door Carolines gereserveerdheid aangaande het onderwerp niet werd verstoord.

Op de verjaardag in kwestie hing Spencer in de keuken rond en keek toe hoe zijn moeder de vaat waste. Ze deed dat op dezelfde manier als ze alles deed: met snelle precisie, waarbij haar mooie handen met de licht omgebogen vingertoppen als vogels over hun taak heen fladderden. Ze wierp een blik over haar schouder, glimlachte, en trok een geruite theedoek van het houten rek die ze zachtjes naar hem toe gooide zodat die op zijn hoofd terechtkwam.

'Hier, jarige job, als je het zo interessant vindt mag je meehelpen.'

Met een schaapachtige grijns trok hij de doek van zijn hoofd en begon af te drogen. Zijn moeder begon te zingen. Niet in zichzelf, maar hardop, met haar fijne, zuivere stem die hem deed denken aan bronwater. Een Engels liedje: 'Vroeg in de morgen, toen de zon opkwam, hoorde ik een meisje zingen beneden in het dal...'

Spencer moest hier invallen, en dat deed hij. Zijn stem was nog net hoog. Het gaf zijn zingen iets jodelachtigs waarvoor hij zich in andere gevallen had geschaamd, maar hier en nu helemaal niet. Ze waren net panfluit en doedelzak.

'Hoe kon je een arm meisje zo gebruiken?'

Nadat ze twee coupletten met refrein hadden gezongen was de afwas klaar. Het was acht uur en de winkel was al open. Ze hoorden Mack met een klant praten, en dat maakte hun duidelijk dat zij ook te horen waren geweest; ze giechelden er samen om. Hoe druk het in de winkel was, elke transactie werd begeleid door een bijpassend gesprek. In een stadje waar een vaste klant op honderdvijftig kilometer afstand kon wonen, dienden die gesprekken om het contact te onderhouden en informatie door te geven, en ze waren net zo goed deel van de transactie als het geld dat van hand tot hand ging.

Caroline droogde haar handen af. 'En, wat ga je vandaag doen?'

'Weet ik niet.' Hij zei het niet op afwijzende toon, maar met het idee van vele mogelijkheden.

'Vissen?' Ze glimlachte. Mack en zij hadden hem een nieuwe hengel gegeven, een goeie.

'Dat ga ik binnenkort doen,' beloofde hij. De hengel maakte hem een beetje nerveus.

'Maak je geen zorgen, we zijn niet beledigd. Hij is voor jou, om te gebruiken als je er zin in hebt. Als je in de stemming bent.'

'Bedankt, mam. Hij is prachtig.'

'We zijn blij dat je hem mooi vindt. Trouwens, je hebt de tijd voor jezelf, is dat niet fijn?'

Het was fijn, maar hij had nog steeds geen haast. Het was een rare tijd van het jaar in Moose Draw, net als zijn stem, tussen twee fasen in. Dikwijls hadden ze nu hun slechtste weer, met zware sneeuwval, en vanochtend lag er, hoewel de zon schitterde op Phelans trekker op het terrein naast de winkel, een heleboel wit spul op de flanken van de bergen tien kilometer verderop. De beekjes murmelden en waren gezwollen, maar ijskorsten en -brokken bleven in de kartelige oevers steken. Overdag kon het wel 21 graden worden, maar Caroline hield het fornuis en de haarden aan. Ze vertelde Spencer dat in Engeland de lente eerder begon, maar ja, de winters waren er minder koud en de zomers minder warm. Er waren zelfs bloemen die hun kopjes door de sneeuw heen staken. Soms meende Spencer iets melancholieks in haar blik of stem te bespeuren, maar ze besloot altijd met: 'Maar dit is een fantastisch land.'

Om kwart over acht liep Caroline door naar de winkel om Mack te helpen. Spencer trok zijn jack aan en ging naar buiten naar de schuur om zijn fiets te pakken. Ze begrepen het van de hengel, hij ging wel een andere keer met Joel en de anderen, of Mack nam hem op een zondag mee. Maar nu wilde hij de canyon op, naar zijn uitkijkpost, om een beetje te dromen.

Hij fietste op zijn gemak door Main Street, genietend van zijn vrijheid. Langs Mad Molly's café met de tekst MOLLY VERWELKOMT DE JAGERS op het raam, langs het benzinestation met maar één pomp waar Aubrey Rankin, de vader van de eigenaar, achter het raam naar klanten zat uit te kijken, langs de zadelmakerij en hoefsmid, de hoek om bij het huis van de dokter, de apotheek en de rouwkamer, heel handig op een rijtje, op discrete afstand van de kerk, waarvan de klok toen hij langspeddelde het halve uur sloeg met een fragment van 'Frère Jacques'.

Toen was hij op de open straatweg en zoefde hij over het nieuwe asfalt. Hij verhoogde zijn snelheid om ervan te profiteren tot het goede wegdek ophield. Aan weerszijden lagen boerenhuisjes, met het bijbehorende gedoetje van schuren, trekkers en dieren. De meesten hadden een stel honden, voor de bewaking, maar zo goed getraind dat ze niet blaften of de weg opliepen. Hij passeerde het bord met MOOSE DRAW, 623 INWONERS, met de contouren van een vriendelijke eland uitgezaagd boven de woorden. Maar vanuit deze richting leek het alleen maar een rare houten vorm, met het gewei als een grote boog op de bovenkant.

De weg begon geleidelijk aan te stijgen, eerst een beetje, maar genoeg om Spencer tot een ander tempo aan te zetten, en ook het landschap aan weerszijden steeg mee. Je zag geen van de echt grote landgoederen zoals de Firth, of de Buttroses, of het paleis van Kenwright de Kolenkoning met de grillige toren; die lagen nog kilometers ver, en waren aan het oog onttrokken door majestueuze opritten die wel zo lang als snelwegen waren, en reeksen gigantische hekken. Spencer wist alleen dat ze er waren doordat Mack ze hem had aangewezen toen ze over de bergweg reden, en elk ervan was als een apart koninkrijkje. Maar hier en daar zag je in de verte een flits van de mooie, witte omheining die de buitenrand van het een of andere chique landgoed aangaf.

En daar waren de paarden. Spencer had zelf nooit op een paard gezeten, maar dit was het land van de paarden. Ze hoorden net zo bij het landschap als de langhoornkoeien, de populieren en de prairiehonden. En wat voor paarden! Vertroetelde schoonheden, gefokt om geld mee te verdienen en voor toepassingen die de bewoners van Moose Draw nooit zagen en zich nauwelijks konden voorstellen: polo, paardenrennen en de slipjacht. Caroline had Spencer verteld dat veel van deze paarden volbloeden of nakomelingen ervan uit Engeland of Ierland waren, en voor meer geld waren verhandeld dan de Mercantile in een jaar omzette. Spencer ging iets langzamer rijden om er een paar te bewonderen die zo dichtbij stonden dat hij ze kon zien. Ze bejegenden zijn belangstelling met de minachting die ze verdiende. Slechts één ervan keek even op, en ging vervolgens op zijn gemak door met grazen, een bezigheid waarbij ze door hun honderden hectaren weelderig grasland dwaalden als dure jachten op de open zee. Nog anderhalve kilometer en hij sloeg af naar de onverharde weg naar Buck's Creek Canyon. Hij zweette, maar nu kwam het mooiste stuk, een paar kilometer hobbelend over groeven en kuilen, en door twee ondiepe stroompjes.

Vergeleken bij de grote kloven en ravijnen die donkere vingers opstaken aan de voet van de Gannonbergen, was Buck's Creek een ongevaarlijke baby-canyon, die zijn naam nauwelijks verdiende, maar het was een natuurlijk speelterrein voor de kinderen uit de omgeving. De mond van de canyon behoorde tot de vakantieboerderij van de naamgevende Buck. Deze omgeving was van ongeëvenaarde grootsheid en pracht. Spencer was er met Mack geweest om bestellingen af te leveren, en vond dat alles – het hek, het uithangbord, de omheining, de dertig huisjes 'met alle moderne comfort', de bijgebouwen die waren verbouwd tot eet- en danszalen, en het grote witte woonhuis met twee verdiepingen vanwaaruit Buck Jameson de operatie leidde – het toppunt van schoonheid was. Caroline had er koeltjes op gewezen dat hij niet moest vergeten dat Buck's een soort speelgoedboerderij was, een namaakgeval waar rijke mensen cowboy kwamen spelen, en dat je hem daarom niet serieus moest nemen, ofschoon McColl's Mercantile blij was met de klandizie. Ondanks de klandizie was Mack zelfs nog minder positief, en zinspeelde vaag op zaken die de grens van het fatsoen en de eerbaarheid overschreden. Spencer vermoedde nog een onderstroom van de volwassen wereld waarvan hij geen flauw benul had.

Het ruiterpad naar de canyon had het recht van overpad door een hoek van Bucks land, achter de huisjes door. In deze tijd van het jaar was er niet veel te zien, het seizoen was nog niet begonnen en er waren geen gasten, behalve misschien de bekende, zwaar drinkende schrijver die er elk jaar overwinterde. Spencer had deze mysterieuze figuur nooit aanschouwd, en hij was ook nu nergens te bekennen, maar een paar klusjesmannen waren het gootwerk aan het repareren en ze gaven Spencer een knikje toen hij langs hotste.

Aan de andere kant van Bucks grondgebied stapte hij van zijn fiets af, duwde hem het hekje door aan de kant van het traliehek en zette de fiets ertegenaan. Zodra hij begon te lopen hoorde hij een enkele diepe 'woef' ter begroeting en wachtte tot Tallulah hem had ingehaald.

'Hallo, Lula, brave meid, kom dan!'

Hun wederzijdse begroeting was opgetogen. Tallulah was een zwarte labrador die in het huis woonde, en hoewel Spencer wist dat ze vrijgevig was met haar gunsten en elke passant op dezelfde uitbundige manier begroette, was het toch goed om die warme, bonkende, slobberige omhelzing te krijgen en haar kwispelstaartend voor hem uit te zien rennen, zijn hond voor de komende uren. Mack had een collie, Kite genaamd, een eenkennige teef met uitpuilende ogen die het terrein naast de winkel bewaakte en meereed in de laadbak van de Dodge, maar het was niet wat je noemt een geinig beest. Tallulah was het ideale troeteldier, niet alleen van het gezin Jameson, maar ook van de gasten van de boerderij en alle trekkers die langskwamen. Tallulah's rol in het leven was zich vermaken en, ook al wist ze dat zelf niet, anderen te helpen dat ook te doen. Van haar glibberige, zwarte neus tot haar veerkrachtige staart was ze een animeermeisje in hondengedaante.

Ze draafde zo'n vijftien meter voor Spencer uit en draaide zich nu en dan om om te zien of hij ook kwam. Tot dusver was het pad nog breed. Ernaast kabbelde de rivier nog gestadig voort, maar na een poos begon het pad te klimmen. De rivierloop werd smaller en dieper en perste het water tussen zijn wanden door. Spencer hield van het ritmische, ruisende geluid; het isoleerde hem van al het andere. Hij werd een stille jongen met een stille hond, in een stille wereld.

Dat was het tweede gedeelte. Daarna kwam je bij een soort natuurlijk plateau dat uitzag op de kreek, de steile, beboste helling aan de overkant, en het niet minder steile, maar meer uitnodigende vergezicht verderop, waar het pad zich losmaakte van de kreek om door een uitgestrekt weiland te lopen dat bezaaid was met gladde, ingebedde keien.

Tallulah stond bij de uitkijkpost te wachten, met haar voorpoten op de uitstekende rotspunt als een heldhaftige hond in een film. Ze hield Spencer niet voor de gek. Zodra hij haar had ingehaald en naast haar ging zitten, hield ze op met heldhaftig zijn en begon ze te duwen en hem aan te stoten; dit was de plek waar trekkers halt hielden om een hapje te eten. Al wat Spencer in zijn jaszak had was het restant van een pakje harde gomballen, maar hij deelde het met de hond, die ze in hun geheel doorslikte.

Vijf minuten later stond hij op en ploeterde verder. Soms kwam je er de andere kinderen tegen, en gasten van de boerderij en jagers in het geëigende seizoen, maar hij was blij dat het gebied vandaag verlaten was. Hij begon, een beetje onsamenhangend vanwege zijn gehijg, nog een van zijn moeders Engelse liedjes te zingen: *The water is wide, I cannot get o'er, And neither have I wings to fly...*' Het liedje deed hem denken aan een uitgestrekte vlakte zoals de Mississippi, waarover hij had geleerd, of de Atlantische Oceaan, maar Caroline had gezegd dat het over een gewoon Engels riviertje ging, nauwelijks groter dan een beek of meertje. Ze zei dat het eigenlijk ging over de moeilijkheden die je had als je van iemand hield die je niet kon bereiken. Hij geloofde haar, ofschoon hij er niet veel van snapte.

Eenmaal in het weiland klom hij verder naar zijn speciale plek, zonder achterom te kijken tot hij er was aangekomen, terwijl Tallulah een reeks langgerekte rondjes maakte op het pad voor hem. Hij stond stil toen hij bij het stuk steen onder de eenzame pijnboom was. Hij was het voor het eerst tegengekomen op een warme middag, toen hij in de schaduw van de enige boom op deze hoge wei was neergeploft. Anders was hij het zeker misgelopen, want het was weinig opvallend, gewoon een plat, rechthoekig stuk steen, dertig centimeter hoog, glad aan beide zijden en de bovenste rand ruw en onbewerkt gelaten. Het was in de grond gezet. Maar de inscriptie was duidelijk en waarachtig, het werk van een vakman: VOOR LOTTIE, 1900-1921, DIE VAN DEZE PLEK HIELD. Gealarmeerd was hij opgesprongen, schichtig door het idee dat hij op een graf had gelegen. Maar toen hij het zijn ouders vertelde zei Caroline dat het alleen maar een gedenksteen was, om aan iemand te herinneren, en dat er in de omgeving van Bucks huis veel waren vanwege al die rijke mensen die de stad kwamen ontvluchten.

'Ze zijn daar dus niet gestorven?' vroeg hij voor de zekerheid nog.

Mack schudde zijn hoofd. 'Nee, maar dat hadden ze vast graag gewild.'

Spencer kon zich niet voorstellen dat je graag ergens zou willen sterven, laat staan op de leeftijd van eenentwintig, maar het was een opluchting te weten dat Lotties beenderen niet onder de graszoden in die hoge wei lagen. Sindsdien had hij een soort vriendschap met de steen gesloten, en zorgde hij dat hij er altijd even naar ging kijken als hij langskwam. Per slot van rekening wilde Lottie herdacht worden en was het goed dat iemand dat deed.

Toen hij op een harde gombal kauwend bij de steen aan Lottie stond te denken spitste Tallulah haar oren. Ze bleef doodstil staan, een teken dat ze niet alleen waren.

'Wat is er, meisje?'

Het was een roodbruin paard zonder berijder, duidelijk net zo verbaasd als zij, en met dezelfde houding als Tallulah: onbeweeglijk maar alert, klaar om ervandoor te gaan. Spencer voelde de nerveuze spanning tussen de beide dieren. Het paard snoof, en Tallulah ging met een licht gejank zitten, met haar voorpoten schuifelend.

'Hé...' Spencer draaide zich langzaam om. 'Waar kom jij vandaan?' Het paard gooide met zijn hoofd, met voorgewende woestheid, en zijn fraaie bit rinkelde. De teugel hing van zijn hals teruggeslagen en dreigde tussen zijn benen te komen als hij zich onverwacht bewoog. Ook was er de kwestie van de ruiter. Spencers vrije ochtend werd plotseling verduisterd door een reeks moeilijke beslissingen. Het eerste dat hem te doen stond was het paard vangen. Ofschoon Spencer geen directe ervaring met paarden had, was hij eraan gewend ze om zich heen te hebben en te zien hoe anderen met ze omgingen. Dit was geen groot paard zoals de volbloeden die hij vanaf de weg zag, maar het was mooi, met een sluier lange, spits toelopende manen en een staart die bijna tot op de grond hing.

Hij deed een voorzichtige stap, en het was alsof hij een sprinkhaan moest vangen. Het paard steigerde alsof het gestoken was. Tallulah sprong op en blafte. Het paard rende een paar meter en ging met zijn achterhand naar hen toe staan, nerveus briesend.

Zonder een stap te verzetten draaide Spencer zijn hoofd om en zei met een flinkheid die hij niet voelde: 'Lula, zit! Zit!'

Ze deed het, met haar achterdeel net niet op de grond. Ze trilde over haar hele lijf van het verlangen om te gaan spelen.

'Zit!' Heel vriendelijk stak hij een vermanende vinger op en fronste zijn voorhoofd, zoals hij Mack zag doen met Kite. 'Blijf!'

Het achterlijf ging een fractie omlaag. Een lange straal speeksel hing lillend aan haar snoet; ze kwijlde van opwinding.

Spencer bewoog zich met een slakkengang naar voren. De verste achterhoef van het paard stond onder een hoek, zodat hij tegen het hoefijzer aankeek, niet om hem geluk te wensen, maar enigszins dreigend. Tallulah kefte gedempt en hij snauwde: 'Blijf!' zonder zich om te keren. De oren van het paard stonden als een stel prairiehonden overeind, schoten heen en weer en flitsten van voren en naar achteren, alsof ze hem in de gaten hielden.

Omdat hij niet zonder waarschuwing te dichtbij wilde komen, waar ze mogelijk van zou schrikken – hij had het gevoel dat het een merrie was – zei hij: 'Hallo meisje, brave meid... rustig maar.' Hoe ze wist dat hij tegen haar praatte en niet tegen de hond wist hij niet. De oren gingen naar achteren.

'Rustig, meisje...'

De hoef stond nog waarschuwend overeind. Hij had gezien hoeveel schade die kon aanrichten. Zijn intuïtie zei hem dat hij zich naar opzij moest bewegen, zodat ze hem kon zien voordat hij bij haar was. Hoewel haar dat kon afschrikken; het was een ingecalculeerd risico.

Nog steeds zacht mompelend schuifelde hij naar links. Vanaf hier kon hij de B op haar achterhand zien, die even netjes en duidelijk op haar huid gegraveerd stond als het opschrift op de steen. Ze draaide haar hoofd niet om, maar hij wist dat ze hem had gezien omdat ze weer met haar hoofd begon te gooien en haar manen schudde, alsof ze wilde zeggen: waag het eens!

Maar hij kwam steeds dichterbij. Ze was bezweet; haar hals was donker aan de kant waar geen manen hingen, en er zat een vuilgrijze laag schuim rond haar buikriem. Ze was echt schichtig, en dan moest je oppassen.

Zijn plan was te proberen de teugel te pakken, ongeveer dertig centimeter vanwaar hij aan het bit was bevestigd, zodat hij voldoende had om eraan te trekken en ze er, als ze schrok, niet in verward zou raken. Verder dacht hij nog niet, het doel was greep op haar te krijgen.

Hij bleef mompelen en naar voren schuifelen. Hij slaagde erin binnen een paar meter afstand van haar te komen toen alles misging.

Er klonk plotseling een kreet, een mannenstem van ergens beneden bij de kreek. Tallulah sprong naar voren, het paard hinnikte en maakte een luchtsprong als een kat. Spencer deed een uitval, struikelde en viel, en zag toen hij opkeek het paard de heuvel af draven terwijl ze met haar hoofd gooide en haar voeten op een uitdagende manier in de lucht wierp alsof ze wilde zeggen: val dood!

'Stoute hond!'

Dat was niet eerlijk, maar Tallulah kromp schuldbewust ineen, ging op haar rug liggen en wendde haar kop af als een verlegen kind. Hij liet zijn hoofd in zijn handen zakken.

'Al goed.' Hij aaide haar om te laten zien dat hij het niet kwaad bedoelde. Het was haar fout niet, nee, het was inderdaad niet haar fout. Hij herinnerde zich de kreet. Hij was niet alleen.

Hij krabbelde overeind en begon de helling af te lopen in de richting waarin het paard was verdwenen. Tallulah, wier goede stemming onmiddellijk terugkeerde, holde vooruit, met kwispelende staart en haar neus tegen de grond die steeds steiler omlaag liep. Ze hoorden nu de rivier weer stromen, van diep beneden de boomgrens. Spencer was ineens bang voor wat hij daar zou aantreffen, misschien een ernstig gewonde man? Het paard dat op een gevaarlijke, onbereikbare richel was vastgelopen? Hoe zou hij dat moeten aanpakken?

Hij aarzelde, en op hetzelfde moment stond Tallulah ook stil, met opgeheven kop. Ze rook of zag iets dat hij niet kon zien.

'Lula?' Zijn stem, klein en angstig, kaatste naar hem terug vanaf de wanden van de canyon. De hond blafte, en het geluid weergalmde nog toen paard en man achter de bomen tevoorschijn kwamen.

Het was hetzelfde paard, en de man leidde het. Het gedrag en de hele fysieke verschijning van het dier waren veranderd. Ze was niet langer gespannen en bezweet, klaar om te vluchten. Haar hoofd zwaaide rustig heen en weer, haar loop was loom en ontspannen. Zelfs op deze afstand had Spencer gezworen dat ze haar ogen half-dicht hield.

De man echter zag er boos en opgewonden uit, en beende met grote, flinke passen de heuvel op. Hij had een soort knapzak op zijn rug hangen. In zijn vrije hand droeg hij een vilthoed met een brede rand; geen Stetson, maar meer een zoals die door George Raft en Edward G. Robinson in de film werden gedragen. Hij nam hoegenaamd geen notitie van Tallulah, die op haar gemoedelijke, wispelturige manier achter hem aanliep, alsof dit de man was met wie ze was meegekomen.

Spencer wist niet of hij door zou lopen en doen alsof hij sowieso naar beneden was gegaan, of op zijn schreden terugkeren en het risico lopen dat de man hem zou volgen. Dus bleef hij waar hij was, en de vreemdeling vroeg toen hij op gelijke hoogte was: 'Ben jij van Buck's?'

Hij was groot en breedgeschouderd, maar zijn borstkas zwoegde op en neer en zijn gezicht had de ongezonde kleur van iemand die niet vaak een heuvel op loopt.

'Nee, nou, zoiets,' antwoordde Spencer. 'Ik kom uit Moose Draw.'

'Eerst Moose Draw zien en dan sterven,' was het ondoorgrondelijk commentaar. Hij zwaaide met zijn hoed naar Tallulah. 'Is zij met je meegekomen?'

'Ja, dat doet ze altijd.'

'Ze hoereert wat af. Moet nog in het huis geweest zijn toen ik vanochtend wegging.'

'Bent u van de boerderij?' Spencer dacht aan de B terug.

'Dat klopt, ik werk daar.'

'O.' Spencer kon deze vreemdeling met geen mogelijkheid in verband brengen met de twee mannen die vanochtend het gootwerk aan het repareren waren. Hij zei: 'Blij dat uw paard weer in orde is.'

'Het is een prachtstuk, maar ik was bijna...' De man gaf haar een klapje op haar hals en vestigde toen een priemende blik op Spencer. 'Waar heb je haar gevonden?'

'Zij heeft óns gevonden. We waren daarginds...' Hij wees, '... en toen ik me omdraaide kwam ze op ons afgeslopen. Ik heb geprobeerd haar te vangen, maar Lula...'

'Toen kwam ik eraan,' zei de man, die klaarblijkelijk zijn belangstelling in de ondervraging had verloren. Hij klom verder in de richting van de eenzame pijnboom. Spencer, als reactie op de hint van medeplichtigheid in die opmerking, liep naast hem. Het avontuur had zijn zorgelijke kanten verloren en begon te boeien. Uit zijn ooghoeken nam hij zijn nieuwe metgezel op. Hij was tamelijk oud, zo'n beetje van Macks leeftijd, maar zelfs nu hij niet boos meer was werd hij omgeven door een krachtveld van vlammende energie. En de manier waarop hij sprak was anders dan die van de plaatselijke bevolking: afgebeten en scherp.

Spencer converseerde op de manier die Caroline als beleefd aanduidde. 'Heeft ze u afgeworpen?'

De vreemdeling schudde het hoofd. 'Ik wou dat het waar was, maar zo flitsend was het niet. Ik ben gewoon afgestegen.'

'Rijdt u veel?'

'Nee, en ik weet nu waarom. Een wijze man heeft me eens gezegd dat een paard diep in zijn hart een wild dier is, en vele malen zwaarder dan een mens, en dat het je zal doden als het de kans krijgt. Of als jij een fout maakt. Dat laatste heb ik gedaan.'

De schrijver! Het was de schrijver.

'Bent u de schrijver?'

De man gaf een snuivend, geluidloos lachje. 'Misschien. Welke?'

Spencer kreeg een kleur. 'Ik weet zijn naam niet meer.'

'Dan moet ik het wel zijn, nietwaar?' Ze waren inmiddels onder de pijnboom aangekomen. Spencer wachtte op nadere informatie, maar er kwam niets. Ongevraagd zijn eigen naam noemen leek hem te brutaal, en zijn metgezel scheen trouwens toch niet geïnteresseerd.

'Heb je dat gezien?' vroeg hij, op Lotties gedenksteen wijzend.

'Ja, meneer, dat heb ik een tijdje geleden ontdekt. Ik kom er altijd even naar kijken.'

'O ja? Waarom?'

'Weet ik niet.'

'Natuurlijk weet je dat wel.' De man keek naar de steen, niet naar Spencer, maar hij klonk ongeduldig. 'Denk eens even na.'

Spencer dacht na. 'Nou, mijn moeder zei dat de steen was om haar te gedenken...'

'Heeft je moeder hem gezien?'

'Nee, maar ze...'

'Mooi, ga door.'

'Ze zei dat het was om haar te gedenken, maar het is een heel eind buiten de stad en ik dacht: wie gaat haar nou gedenken zonder de steen te zien? Dus als ik deze kant op kom sta ik er even bij stil.'

De felle gelaatsuitdrukking van de man was niet veranderd. Hij staarde nog steeds naar de steen, deels in het heden, deels ver weg. 'Weet je wie ze was?'

Spencer schudde zijn hoofd, maar besefte dat hij niet werd gezien en voegde eraan toe: 'Nee, meneer.'

'Ze was heel mooi, heel wild, heel intelligent. Veel te mooi om te sterven, te wild om te leven.'

Getroffen staarde Spencer naar de steen.

'Hebt u haar gekend?'

'Ja. Ze heeft mijn hart gebroken...' Voor het eerst klonk de stem van de man zachter en milder. Toen sloeg hij met zijn hoed tegen zijn been en keerde zich met een verdwaasde grijns naar Spencer. 'Dus misschien heeft ze haar verdiende loon gekregen!'

Spencer was geschokt, en blij dat er geen antwoord verwacht leek te worden.

'Nu, jongeman!' Weer vond er een alarmerende overschakeling plaats. 'Bedankt dat je hebt geprobeerd mijn paard te vangen.'

Spencer haalde zijn schouders op. 'Sorry dat het niet lukte.'

'Je hebt gezorgd dat ze naar mij terugrende, dus het komt op hetzelfde neer.'

'U hebt geen problemen met haar gehad?'

'Nee.' De man krauwde de bles van de merrie. Ze leek in trance, bijna in slaap. 'Weet je waarom niet?'

Spencer schudde zijn hoofd.

'Omdat het een groot kind is. Ze wilde weglopen, en me als een malloot achterlaten. Maar ze wilde vooral gevangen worden.'

Dat was waar, dat zag Spencer wel. Het was de angst van het paard die hem bang had gemaakt, het was één bonk zenuwen, in staat tot ik weet niet wat. Nu was ze gewoon weer een paard van de vakantieboerderij waarop je een ritje kon maken; mooi, maar niet slim en zeker niet wild.

'Verlang nooit naar de vrijheid,' zei de man, en hij zette zijn hoed op zijn hoofd en zijn voet in de stijgbeugel. 'Je mocht haar eens krijgen.'

In het zadel gezeten leek hij enorm. 'Goeiendag, vriend,' zei hij, en hij reed weg op de merrie die haar hoofd weer naar de canyon richtte. Tallulah draafde zonder te aarzelen achter hem aan. De man wierp een blik naar omlaag en Spencer hoorde hem zeggen: 'Trouweloze sloerie.' Hij nam aan dat hij de hond bedoelde, hoewel dat absoluut niet zeker was.

Spencer zwoegde omhoog naar een grote, uitstekende, vlakke rotspartij die eruitzag als een uitkijkpost waar je op kon klimmen en op kon zitten. De dag had zijn glans verloren, maar alleen omdat hij in de schaduw stond van deze merkwaardige ontmoeting. Vanaf zijn uitkijkpost kon hij nog net paard en ruiter zien, met de hond op hun hielen, terwijl ze door de laatst zichtbare bocht van het pad afdaalden tot ze door de bomen werden opgeslokt.

Alles om Spencer heen leek kleiner, kleurlozer, vlakker.

Wat er zich in het hoofd van de vreemdeling afspeelde leek honderd keer interessanter dan die goeie ouwe Buck's Creek. De ontmoeting had veel meer vragen opgeworpen dan ze kon beantwoorden, en de vragen zweefden in zijn hoofd als vogels met grote vleugels, die te geheimzinnig en veraf waren om te identificeren; te opwindend om te negeren. Zelfs Tallulah's ontrouw leek oké. Waarom zou ze bij Spencer McColl blijven als ze kon kiezen voor die machtige, verleidelijke vreemdheid?

Eerst Moose Draw zien en dan sterven! Hij had het niet meer.

Alleen zijn honger maakte dat hij later die middag weer naar huis ging. Mack was buiten in de werkplaats onderdelen uit de tractor van Phelan aan het halen. Hij zei 'hallo' toen Spencer zijn fiets naast hem op de grond liet vallen.

'Hallo.'

'Waar ben je geweest?'

'Naar Buck's Creek Canyon.'

'Je moeder vroeg zich af waar je was, maar ik heb haar gezegd dat ze zich geen zorgen moest maken.'

Mack ging verder met zijn werk. Zijn vette, vuile vingers hanteerden de machineonderdeeltjes met de geraffineerde bekwaamheid van een chirurg. Hij hield nooit op met werken als hij tegen je praatte. Zo was hij nu eenmaal.

'Ik ben iemand tegengekomen.'

'En wie was dat dan wel?'

'Weet ik niet, hij heeft zijn naam niet genoemd.' Spencers intuïtie weerhield hem ervan tegen Mack te zeggen wie hij dacht dat het was.

'Wat was hij aan het doen, vissen?'

'Hij was van zijn paard geworpen.' Weer zorgde Spencer ervoor, uit eerbied voor de magische vermogens van de vreemdeling, niet de hele waarheid te vertellen.

'Gewond?'

'Nee.'

'Heb je hem geholpen?'

'Ik heb geprobeerd het paard te vangen, maar ze rende weg. Gelukkig liep ze naar hem toe en hij heeft haar gevangen.'

'Heeft-ie geluk gehad.'

'Dat denk ik ook.'

Er leek weinig aan toe te voegen, tenminste wat Mack betrof. Hij was iemand die zich met de essentie bezighield, de simpele, grote lijnen van het leven, en Spencers geest barstte zowat van de wildste fantasieën en veronderstellingen.

Gelukkig was het rustig in de winkel en zat zijn moeder met een boek achter de toonbank.

'Ha, daar ben je!' Ze glimlachte tegen hem. 'Mack zei dat ik me geen zorgen moest maken.'

'Sorry. De tijd vloog gewoon voorbij.'

'Dat gebeurt.' Ze klapte haar boek dicht om hem aandacht te geven. Door dat gebaar wist hij al dat ze alles van zijn merkwaardige ontmoeting zou begrijpen. 'Heb je het fijn gehad?'

'Ik geloof dat ik die schrijver heb ontmoet, die overwintert op de boerderij van Buck's.'

'Bedoel je dat je hem hebt ontmoet, of bedoel je dat het die schrijver was?' Ze plaagde hem, maar ze was ook een voorstandster van zijn belevenissen.

'Ik heb hem ontmoet en ik dacht dat hij het was.'

'Waarom denk je dat?'

Dat was een goede vraag, en hij fronste zijn wenkbrauwen. 'Nou... door de manier waarop hij praatte bijvoorbeeld. En hij woont op de boerderij, terwijl er niemand anders is...'

'Hoe sprak hij?' Haar toon was van moederlijke bezorgdheid in onvervalste nieuwsgierigheid veranderd. Spencer was trots dat hij daarvan de oorzaak was.

'Heel snel en scherp, niet zoals de mensen hier. En hij zei gekke dingen.'

Ze lachte. 'Zoals wat, in 's hemelsnaam?'

'Nou, zoals "Eerst Moose Draw zien en dan sterven".' Spencer gloeide van plezier toen Caroline nog harder lachte.

'Hij komt dus niet naar Buck's voor het kleinsteedse leven!'

Opgewarmd door dat succes herinnerde Spencer zich nog iets. 'Ik geloof dat hij zei dat hij er werkt.'

'Maar hij is geen knecht op de boerderij.'

'O nee!' Hij zwaaide met zijn handen ter ondersteuning, en ze vroeg hem niet om uit te leggen waarom hij daar zo zeker van was.

'Hoe zag hij eruit?'

Dat was gemakkelijk. 'Heel lang, met een grote neus, haar van voren; hij zag eruit als een grote, oude buizerd.'

'Dat is hem. En wat had hij in de canyon te zoeken?'

'Hij was van zijn paard geworpen en ik heb haar gevonden, en toen hij haar had gevangen hebben we gepraat.'

'Weet je wel,' zei Caroline, 'dat jou is gelukt waar een stuk of honderd goedbetaalde journalisten niet in zijn geslaagd?'

'Wat bedoel je?'

'Hij leeft heel afgezonderd, hij eist totale privacy. Dat is de reden dat hij zo graag op de boerderij verblijft als er niemand anders is, zodat hij ongestoord kan schrijven. En hij praat niet graag met de pers. Wat heeft hij nog meer gezegd?'

Nu kwam Spencers troef, die hij had bewaard tot er weinig meer te zeggen zou zijn.

'Hij zei dat dat meisje Lottie, van de steen, zijn hart heeft gebroken.'

'Zei hij dat echt?' Carolines wenkbrauwen gingen de hoogte in.

'Hij zei dat ze...' Hier zweeg Spencer, omdat hij het correct wilde weergeven, '...te mooi was om te sterven, en te wild om te blijven leven.'

Caroline boog zich over de toonbank heen, barstte in lachen uit en nam zijn gezicht tussen haar handen. 'Spencer McColl, jij hebt het ware leven gezien!'

Die avond in bed overdacht Spencer, in de naglans van de gebeurtenissen van de dag en de verrukking van zijn moeder, dat het een fantastische verjaardag was geweest. En het gevolg van deze lange, eenzame tocht was dat er veel overbleef om van te genieten: de vishengel, de mondharmonica (waarop Mack hem had leren spelen, maar nu had Spencer er zelf een) en bijna de hele geglaceerde cake waarvoor hij, na twee keer opscheppen van de gebraden kip met aardappelpuree, geen plaats meer had gehad. Maar de ochtend daarop, als hij klaar was met helpen in de winkel, zou hij even bij Aaron en Joel langswippen, en misschien bij Judy, en dan konden ze een stuk van de cake krijgen en de hengel uitproberen terwijl hij over de schrijver vertelde.

Van beneden kon hij de radio horen, een van die humoristische programma's met muziek waarnaar ze graag luisterden, en met reclamedeuntjes. Het werd gesponsord door cornflakes. Een groep meisjes zong het liedje en het lag ontzettend in het gehoor: *sun* en *fun, day* en *gay, strong* en *song, all day long*... Toen het deuntje voorbij was praatten de stemmen weer; de vrolijke ongedwongenheid ebde weg en de vervreemding en betovering keerden in zijn hoofd terug.

'The water is wide, I cannot get o'er, and neither have I wings to fly...'

Er was nog iets dat zijn moeder hem over dat liedje had verteld. Als klein meisje woonde ze in een groot huis in de stad waar ze niet bepaald gelukkig was. Haar ouders hadden weinig aandacht voor haar, en er waren geen andere kinderen om mee te spelen. Maar ze vertelde hem dat ze een speciale vriendin had die op de bovenste verdieping van het huis woonde, waar ze niet mee om hoorde te gaan, maar ze deed het toch. En ze keken altijd uit het raam van de zolderverdieping, dat uitzag op een bos en een vijver, en Carolines vriendin vertelde haar dan over haar eigen huis op het platteland. Spencer hield van dat verhaal, en de manier waarop het bij de droevige, melancholieke aard van het liedje paste.

Toen hij de vreemde derde dimensie tussen waken en slapen binnenzweefde kreeg hij een vluchtige ingeving dat zijn vader helemaal niet dood was, maar een bekend, zij het in afzondering levend schrijver die in de heuvels rondom Moose Draw rondwaarde.

Pas drie zomers daarna, toen hij veertien was, kwam hij achter de waarheid, en veranderde alles.

Er was al veel veranderd. Spencer zat op de middelbare school, had een lage stem, en een raar, onvoorspelbaar lijf. Hij was gegroeid en groot voor zijn leeftijd. Zijn vriend Joel leek bij hem vergeleken een jochie, maar hij ging liever met Joel om dan met Judy en de andere meisjes, die giechelden en hem links lieten liggen. In feite hoorde hij nergens bij, niet bij de kinderen, niet bij de oudere jongens en de mannen, en zeker niet bij de meisjes.

En steeds meer ook niet in Moose Draw. Het was zijn woonplaats, maar hij voelde er zich niet langer thuis. Hij was ontevreden, wat hij niet prettig vond, maar hij kon er niets aan doen. Het duurde nog jaren voordat hij kon ontsnappen. En dan nog, hoe moest hij dat aanpakken? Hij was niet bepaald goed op school, geen hoogvlieger en weinig ondernemend. Hij was middelmatig, een dromer. Soms schreef hij in de klas iets dat werd voorgelezen omdat het bijzonder was, maar dat gebeurde maar af en toe, en hij wilde trouwens niet opvallen. Wat hij het liefst wilde, maar waar weinig hoop op bestond, was er weer bijhoren.

Heel vaak dacht hij aan de beroemde schrijver. Een van diens boeken was in de klas behandeld, ze moesten het hoofdstuk voor hoofdstuk lezen, erover praten, en analyseren wat hij bedoelde. De foto van de schrijver stond op de achterkant van het exemplaar van de leraar, dus was er geen twijfel mogelijk. Spencer hield voor zich dat hij hem had ontmoet. In feite deed hij er helemaal het zwijgen toe. Hij was niet in staat met een opzienbarende visie of knappe observaties aan te komen. Hij hoorde alleen de stem van de schrijver en zag diens felle blik en dwaze grijns, en hij wist gewoon, dat hij op die manier zou schrijven.

De roman ging over een man die niet met geluk kon omgaan. De leraar verwees hen naar een citaat van een Ierse toneelschrijver met de naam Wilde: 'Want elk mens doodt wat hij liefheeft.' De man in het boek doodde niet letterlijk wat hij liefhad, hij doodde de liefde zelf, zodat hij verder kon trekken. Het was niet saai en deprimerend, want het zat vol actie: de held, als je hem zo kon noemen, was een avonturier, altijd verlangend naar nieuwe ervaringen en horizonten. De belangrijkste lijn in het boek was een romantisch liefdesverhaal dat de meeste jongens ongemakkelijk deed draaien en gniffelen, maar Spencer vond het spannend en een tikje sinister. Ging het over Lottie? De roman, dat had hij nagekeken, was voor de eerste keer in 1920 gepubliceerd, dus was het best mogelijk. Maar de vrouw in het verhaal, een getrouwde vrouw die onbereikbaar was voor de held, maar van wie hij toch bleef houden, was niet jong, wild of mooi. Alleen slim.

De zomer die volgde op zijn veertiende verjaardag kabbelde de tijd voort als een beminnelijke dronkaard, die nu en dan struikelde, en soms helemaal leek stil te staan of terug te gaan, zinloos en ongericht. Het prettige evenwicht van school, karweitjes, de winkel en vrije tijd was voorbij; deze zaken vormden nu een rammelende keten die hem onwillig door de dagen en weken heensleepte. Op een bepaalde manier was de vrije tijd het ergst. Die lag daar maar te liggen, met de verveling eroverheen gonzend als een zwerm muggen. En uit de verveling groeiden nu en dan de angstaanjagend aangename gevoelens die hem nog meer op zijn hoede deden zijn voor meisjes.

Spencers lusteloosheid had ook effect op Mack en op zijn moeder. Er waren geen ruzies, hij rebelleerde niet tegen hen, maar het kostte hen bijna bovenmenselijk veel moeite om niet door zijn gemoedstoestand te worden aangetast. Hij wist dat ze zich niet meer bij hem op hun gemak voelden; hij voelde zich bij zichzelf niet meer thuis, dus wat zouden zij dan moeten? Hij vermoedde dat Mack van streek raakte en dat Caroline het voor haar zoon opnam. Bij vele gelegenheden zag hij dat Mack zijn kaken op elkaar klemde, dus moest het wel tot een uitbarsting komen, al was het maar vanwege de drukkende zomerhitte, en de spanning, en de Mercantile die niet erg goed liep.

Op een middag zat hij om een uur of drie bij de achterdeur een stripboek te lezen, of liever: naar de plaatjes te kijken. Zijn moeder stond in de winkel achter de toonbank. Mack was de fiets van de vrouw van de dominee uit elkaar aan het halen. Kite lag tussen hen in op de grond, in een haakse bocht, als de wijzers van een klok, met zijn neus op zijn voorpoten, ietsje naar Mack toegekeerd. Spencer wilde ergens heen, en dacht erover dat te doen, maar hij voelde aan dat zijn stiefvader een slechte bui had, en een soort dierlijk instinct

74

zei hem dat het beter was geen aandacht te trekken. Dus bleef hij net als Kite waar hij was en wachtte zijn tijd af.

Na een poosje stond Mack op en zei, met zijn blik nog steeds op de fiets: 'Wil je me een handje helpen?'

Het antwoord was nee, maar zo'n botte weigering was ondenkbaar.

'Ik wou net naar Joel gaan.'

'Ik dacht anders dat je strips zat te lezen.'

Dat Mack zoiets als een grap maakte, laat staan een sarcastische, was zo ongewoon dat Spencer besefte dat hij zich op glad ijs begaf. Hij stond langzaam op, als iemand die dat sowieso van plan was. 'Hij moest zijn kamer opruimen. Hij dacht om drie uur klaar te zijn.'

Spencer wilde zich niet blootgeven door op zijn horloge te kijken, dus was het een gok. Het was een goeie gok, maar niet goed genoeg.

'Het is halfvier,' zei Mack, ook zonder zijn horloge te raadplegen. Dat was ook een slecht teken: het wilde zeggen dat hij had bijgehouden hoe lang Spencer daar had gezeten.

'Laat ik dan maar gaan.'

Hij draaide zich om. Hij hield het stripboek zo strak opgerold in zijn hand dat het wel een stok leek.

'Hee.'

Hij keek over zijn schouder. Mack stond met zijn vuisten op zijn heupen.

'Kom eens hier.' Hij gebaarde met zijn hoofd.

'Maar ik moet weg.'

'Nee, dat moet je niet. Hij is er ook nog wel als we klaar zijn met die binnenband.'

'Maar...'

'Hee!' Nog een ruk met zijn hoofd.

Ziedend gooide Spencer het stripboek neer en sjokte naar Mack toe, met zoveel verachting in zijn blik als hij durfde te tonen.

Mack was een aardig mens, die alleen om wat hij een goede reden noemde kwaad werd. Op het moment dat Spencer gehoorzaamde kalmeerde hij, maar het kon Spencer niet worden aangerekend dat hij dat niet wist toen hij de binnenband kreeg aangereikt.

'Haal een emmer water en zoek de gaatjes op.'

Spencer pakte de band en ging op weg naar het huis, nog kokend van woede om zoveel onrechtvaardigheid. Toch had alles nog in orde kunnen komen als Kite, die er nog steeds als een harige pijl bijlag, niet naar hem had gegromd.

Het was maar een zacht gegrom. Het kon iets te maken hebben

met de slingerende binnenband, of met de toon van het gesprek, of het kon zelfs zijn omdat hij oud werd en buikpijn had, maar hoe dan ook: hij gromde, en dat viel helemaal verkeerd bij Spencer.

Zonder nadenken hief hij de binnenband op en maakte een schijn-beweging naar Kite.

'Lazer op, verrekt mormel!'

Kite verroerde geen vin, behalve dat hij zijn lippen optrok in een lange rood-zwarte grijns en zijn tanden ontblootte, die hiaten ver-toonden vanwege zijn leeftijd, maar nog steeds schrikbarend scherp waren.

Het was Mack die op Spencer afsprong, zijn opgeheven pols greep en die hard omlaag duwde, achter zijn rug. Spencers ogen sprongen vol tranen. Hij had geen pijn, maar de minste beweging zou pijn ver-oorzaken. Hij was op een ontluisterende manier hulpeloos.

Toen Mack sprak klonk zijn stem volkomen normaal. 'Luister naar me, zoon. Doe dat nooit, nooit meer. Niet tegen de hond, en tegen niemand niet. Begrepen?'

Spencer knikte.

'Ik wil je horen.'

'Ik zal het niet meer doen,' mompelde Spencer, en werd losgelaten. Vernederd en gekwetst als hij was voegde hij eraan toe: 'En noem me niet zoon.'

Mack liep naar de fiets terug, tergend onverstoorbaar. 'Je bent mijn zoon.'

'Niet waar. Jij bent mijn vader niet.'

Een fractie van een seconde was het stil. 'Ik ben als een vader voor je.'

'Ik ben je zoon niet.'

Mack ging door met het vervangen van de ketting. 'Kan wezen. En je lijkt op hem. Ik ben geen filmster, maar je kon beter op míj lijken.'

'Hoe bedoel je?'

'Jouw vader...' Mack boog zijn hoofd, op zijn werk geconcen-treerd, '...was een man die gewend was zijn zin te krijgen met zijn vuisten. Als ik jou zo bezig zie...' Hij gaf een rukje met zijn hoofd in Spencers richting, '...zie ik hem voor me.'

Spencer was met stomheid geslagen. Die paar zinnen vormden de enige keer in veertien jaar dat er gewag werd gemaakt van Jack Royle, en ze maakten alles kapot.

'Nee,' zei hij. 'Nee.'

'Reken maar van yes. Hij was een rotte appel. Aan de drank, sloeg je moeder...'

'Nee!'

'...je moeder en iedereen die hem niet aanstond. Werd apelazerus op straat overreden, en opgeruimd staat netjes.' Mack keek hem aan. 'Hou je van je moeder?'

Spencer knikte, sprakeloos van de schok.

'Zorg dat je niet net als hij wordt. Ik heb je een dienst bewezen. Ga nou die band nakijken.'

Spencer liep het huis in, legde de band op de keukentafel en ging naar boven, naar zijn kamer. Zijn moeder was een klant aan het helpen en toen hij langs de winkel kwam voelde hij haar blik op hem rusten, maar hij stond niet stil. Hij deed zijn slaapkamerdeur dicht en ging op zijn zij op zijn bed liggen, met zijn armen over zijn borst gekruist.

Dat was het dus. Geen roekeloos avonturier, heldhaftig ruiter of legerofficier. Beslist geen beroemde schrijver. Gewoon een gewelddadige dronkaard, die vrouwen sloeg en op straat was overreden. Een man wiens bedorven bloed door zijn aderen stroomde, en op wie hij onder geen voorwaarde mocht gaan lijken.

Hij huilde niet, maar hij wilde dat hij het kon. De martelende teleurstelling overschaduwde zijn eerdere verveling. Zolang hij zich kon heugen had er in een hoekje van zijn geest dat verre lichtje geschitterd – zijn vader – als teken dat het leven opwindender kon zijn. En nu was dat gedoofd. Niet alleen gedoofd, maar weggevaagd, en vervangen door iets duisters en schandelijks.

De deur ging op een kiertje open. Zijn moeder vroeg: 'Spencer, mag ik binnenkomen?'

'Mij best...'

Ze kwam binnen en deed zachtjes de deur achter zich dicht, voorzichtig, met twee handen, om hem te laten zien hoe vertrouwelijk dit zou worden. Toen ging ze op de rand van zijn bed zitten.

'Ik heb met Mack gesproken. Hij had het je niet moeten vertellen.' Spencer haalde zijn schouders op.

'Hij kon het niet aanzien dat je Kite wilde slaan. Ik weet wel dat je het niet echt zou doen, maar hij wilde niet dat je dat deed. Hij had je die dingen niet mogen vertellen, maar hij heeft het gedaan omdat hij je heel hoog heeft.'

'Vast wel,' mompelde Spencer verbitterd.

'O, ja zeker.' Caroline raakte zijn wang aan met de rug van haar hand, zoals ze deed om te voelen of hij koorts had, en streelde hem over zijn haar toen ze vervolgde: 'Natuurlijk wel. Misschien moet ik je ook iets vertellen.'

Hij gaf geen antwoord. Ze trok haar hand terug en ging voorover zitten met haar armen op haar knieën, waarbij ze in dezelfde richting keek als Spencer, alsof Jack aan de andere kant van de kamer stond en ze beiden naar hem keken.

'Hij is slecht aan zijn eind gekomen, maar toen we verliefd op elkaar werden, in Engeland, heeft hij me gered. Hij was zo knap, en hij verwende me; ik was nooit eerder verwend. Ik ben nog nooit zo gelukkig geweest, daarvoor niet en ook daarna niet. Ik ben nu tevredener, veiliger, rustiger; wij hebben allebei ons leven aan Mack te danken, hoewel hij dat nooit zal zeggen en het zo niet bekijkt, maar je vader en ik waren gelukkig, kun je dat begrijpen?'

Dat kon Spencer niet, en dus zweeg hij.

'Geluk is iets heel anders,' ging ze verder. 'Je vader was niet slecht, hij wilde me hier niet heen brengen om me vervolgens slecht te behandelen, maar hij was teleurgesteld. Dat is geen excuus voor wat hij heeft gedaan, maar dat was de reden. Toen hij doodging, heb ik mijn ogen uit mijn hoofd gehuild omdat het zo droevig was, zo zonde, en al dat leed... Maar ik moest verder, want jij was op komst.'

Toen hij zich het ongeluk voorstelde, dat zo verschilde van wat hij zich altijd had voorgesteld, vond Spencer zijn stem terug.

'Wat is er met hem gebeurd?'

'Hij had te veel gedronken en hij is gevallen op straat. Er reden toen nog bijna geen auto's, maar enkele mensen hadden er een. Hij kwam onder de wielen terecht, maar daaraan is hij waarschijnlijk niet doodgegaan. Hij heeft zijn nek gebroken.'

Spencer kneep zijn ogen stijf dicht en vroeg: 'Weet iedereen het?'

Zijn moeder maakte een sissend geluidje dat lachen of huilen kon zijn. 'Een paar maar. De mensen hadden begrip, oordeelden niet. Ze lieten me rouwen om de man op wie ik verliefd was geworden...' Ze raakte zijn hand aan. 'En dat moeten we jou ook laten doen.'

'Dat is stom,' zei Spencer. 'Ik haat hem.'

'Dat doe je nu, maar al die jaren heeft hij veel voor je betekend, dat heb ik gezien. En dat is ook goed. Hij had grootse plannen. Toen die niet lukten was hij verslagen, en sloeg hij anderen uit wraak. Maar dat wil niet zeggen dat er iets mis is met het koesteren van grootse plannen.' Ze gaf hem met haar vinger een tikje op zijn neus. 'Blijf jij ze maar koesteren. Dat is een goede manier om op je vader te lijken.'

Ze kwam overeind en hij deed zijn ogen open.

'Is Mack boos op me?' vroeg hij.

'Nee. Hij is boos op zichzelf en heeft spijt.'

'Ik ook.'

'Hij zei dat je naar Joel wilde en dat hij je heeft tegengehouden.'

Het leek Spencer eerlijk om iets tegenover die grootmoedigheid te stellen. 'Dat heb ik pas bedacht toen hij me vroeg om te helpen.'

'Nu dan, waarom maak je het karwei niet af en ga je alsnog?'

'Goed,' zei hij. 'Zo meteen.'

'Spencer...'

'Ja?'

'Jullie tweeën zijn de mensen van wie ik het meest hou van de hele wereld. Jullie moeten echt vrienden blijven.'

Ze ging de kamer uit en deed de deur op dezelfde zorgvuldige manier dicht. Vijf minuten daarna ging hij naar beneden, vulde een emmer met water en nam die samen met de binnenband mee naar de werkplaats. Mack had de fiets weer rechtop gezet en zette het voorspatbord recht. Kite hield Spencer in de gaten toen hij de emmer neerzette en kroop ernaartoe.

Er heerste een bedachtzame stilte terwijl ze aan het werk waren. De hond ontspande zich en viel in slaap.

Niet lang daarna, half juli, vond in Salutation de jaarlijkse rodeo plaats. Ze gingen er gedrieën heen, zoals ze gewend waren, maar al een paar jaar niet meer hadden gedaan. Hoewel niemand het hardop zei was het een soort ritueel, een bevestiging dat ze de storm hadden doorstaan.

Salutation lag honderdvijftig kilometer naar het noorden, aan de rand van het Sioux-reservaat. De rit voerde hen op een bepaald punt door het reservaat heen. Mack leverde altijd knorrig commentaar op de haveloze boerderijen met hun ontmantelde machines en slecht bewerkte grond. Maar ze kwamen regelmatig langs huizen die met heldere kleuren waren beschilderd: oranje, aquamarijn, kobalt en geel, met tipipalen tegen de zijmuur, en een stel beschilderde pony's in de kraal, en dan voelde Spencer een schok van herkenning. Indianen.

SALUTATION CITY, 2000 INWONERS zoals het bord aangaf, naderde. Vanwege de nabijgelegen kolenmijnen had het een energieke, zelfverzekerde uitstraling. Als de rodeo naar het stadje kwam zag het er op z'n paasbest uit en legde het de rode loper uit. De rodeo duurde drie dagen, maar zij gingen altijd de eerste dag, om de parade te zien. En ook omdat er dan de meeste mensen en dieren waren. Zelfs buiten de voornaamste arena's was er genoeg te zien.

Spencer was altijd dol geweest op de rodeo, maar dit keer ontbrak er iets aan. Of aan hemzelf. De ruige, stoere sfeer, de schetterende muziek, de zenuwachtige menigte, en vooral de deelnemers zelf vervulden hem met weemoed. Deze bende opschepperige huurlingen, die door het hele land heen lijf en leden riskeerden voor geld, belichaamden alles dat hij nooit zou kunnen zijn. Bij hen vergeleken voelde hij zich een saai, bloedeloos wezen.

De hitte was immens, en de lucht was een mengeling van geuren: zweet, leer en drank, goedkoop parfum, hotdogs en paardenpoep.

Ooit had hij die lucht bedwelmend gevonden, maar vandaag moest hij ervan kokhalzen. De roodaangelopen gezichten stonden hem tegen. Terwijl ze in de drukte naar de parade stonden te kijken vroeg hij zich af of de bekende schrijver er ook was. Dit was immers het soort evenement waar hij van hield, en hij had in zijn tijd zelfs geprobeerd wilde paarden te temmen, als je de omslag van zijn boek moest geloven. Maar dat moest een van zijn minder succesvolle avonturen zijn als hij door de pony van een vakantieboerderij was afgeworpen...

'Een stuiver voor je gedachten,' zei zijn moeder in zijn oor.

'Niks,' mimede Spencer terug. Ze gaf hem een kneepje in zijn hand waarvan hij hoopte dat niemand het had gezien.

Na de parade begaven ze zich naar de rand van de stad, naar de hoofdarena. Mack was een systematisch toeschouwer; hij hield ervan om op zijn plaats te gaan zitten en de hele dag het spektakel op de voet te volgen, en met de mensen om hem heen van gedachten te wisselen. In dergelijke omstandigheden was hij op zijn geanimeerdst. Hierbij, en bij balspelen en wedstrijden op de radio, alsof hij de emoties die hij anders niet liet zien veilig kon uiten bij sportevenementen.

Maar het idee bij zijn ouders op de harde banken van de centrale arena te zitten trok Spencer niet aan. Zelfs als hun aandacht bij iets anders was kon hij zich in hun aanwezigheid niet volop aan zijn sombere overpeinzingen overgeven. Hij vleide zich met het idee dat zijn gedachten heel wat meer waard waren dan Carolines Engelse stuiver, maar zelfs zij zou het niet snappen.

Ze waren al bijna bij het loket toen hij zei: 'Ik ga niet mee naar binnen.'

'Natuurlijk ga je wel,' zei Mack. 'Kom op.'

'Nee, ik wil wat rondkijken.'

'Voel je je wel goed?' vroeg zijn moeder.

'Prima. Ik wil gewoon rondkijken.'

Mack haalde zijn schouders op. 'We kopen een kaartje voor je en geven het je.'

'Best.'

Terwijl Mack de kaartjes kocht wierp Caroline een bedachtzame blik op Spencer. 'Je komt toch bij ons zitten, hè?'

Hij beloofde het, stak het kaartje in zijn zak en ontsnapte. Met een schuldig geweten besefte hij dat hij zich opgelucht voelde, en hij voelde zich groeien naarmate hij verder uit hun buurt was. Hij zag er ouder uit dan veertien. Niemand hier wist wie hij was. Hij had een paar dollar van zijn eigen geld bij zich en kocht, heel gewaagd, een biertje. Alleen al het vasthouden van het flesje was even bedwelmend als het drinken ervan. Nu leek hij ten minste deel uit te maken van de menigte, zelfs al deed hij alsof.

Omdat hij blut was na het bier kon hij niet deelnemen aan de andere attracties, en die waren er volop. Hij keek naar de plaatselijke opscheppers bij de schiettent en de kop van jut, de gillende meisjes in het reuzenrad, en de stelletjes die stonden te vozen terwijl ze wachtten tot hun de toekomst werd voorspeld door Moonwater, de Indiaanse waarzegger...

Toen hij de helft van zijn bier op had drong hij, een beetje misselijk en duizelig, door tot vlak bij de veekralen. Nonchalant wierp hij het flesje in een vuilnisvat, in de hoop dat niemand zag dat het nog halfvol was.

Elk jaar werd er een hele verzameling eenvoudige kralen, stallen en hokken opgebouwd door de stadsbestuurders van Salutation, een investering in de financiële melkkoe die de rodeo was. Spencer hield van dit deel van de locatie, omdat het leek op een arsenaal of een wapenopslag, vol met het potentieel dodelijke, ruwe materiaal voor de rodeo. Langs het veld met voorraden lag het kamp van de deelnemers, een reeks caravans en tenten voor de oude garde, de jonge opscheppers en nietsnutten die niet voor een sterbehandeling in de hotels van de stad in aanmerking kwamen. Zelfs al behoorden ze niet tot de top, toch vond Spencer ze fantastisch, de belichaming van elementaire stoerheid, niet gehinderd door het benepen, huiselijke gedoe van het leven van andere mensen. Hun dagen werden gevuld met reizen, wachten, hun energie opsparen voor die explosieve seconden van tumultueus, welbewust genomen risico, de klap van het onversneden gevaar dat flinke bokkensprongen, gebroken botten en zelfs de dood kon betekenen. Deze goddelijke wezens rookten sigaretten die ze zelf rolden. Ze dronken sterke drank en hadden verblindend mooie vrouwen in hun kielzog. Het was moeilijk je voor te stellen dat ze alledaagse dingen deden als eten, naar de wc gaan of een brief posten.

Weinig op zijn gemak liep hij langs het kamp, zich er niet van bewust dat zijn innige wens om geen aandacht te trekken het meest aan hem opviel. Bij het afgebakende stuk liep hij snel langs de jonge stierkalveren die waren aangevoerd voor de touwtrekwedstrijd, en die liepen te duwen en loeien als bij een verkeersopstopping en in de stofnevel met hun panische, witomrande ogen rolden. En daar waren de stieren, groot en vreemd van vorm. Een stier liep bij lange na niet zo snel als een paard, maar zijn enorme skelet was met zoveel spierkracht beladen dat het leek of je een rubberen Buick bereed, zei de broer van Judy Phelan, van wie de oom van een vriend het een keer had geprobeerd.

Maar het waren de paarden die Spencer het meest aantrokken. Hun schoonheid – hoewel dat een woord was dat hij niet gauw zou gebruiken, zelfs niet in zijn hoofd – en hun felle, afwachtende vreesachtigheid hadden iets magisch. Ze schenen diep vanbinnen te weten dat mensen, de schepselen die ze moesten bevechten en afwerpen, dezelfde wezens waren die hen uiteindelijk te pakken hadden gekregen, en met wie ze een verbond hadden gesloten dat berustte op de slimheid van de ene en de snelheid en kracht van de andere partij. Hij dacht weer aan de woorden van de schrijver: 'Ze wilde gevangen worden... Vraag niet om vrijheid, je mocht haar eens krijgen...' Vanwege de rodeo werden de paarden in een toestand van relatieve wildheid gehouden, ongetemd, maar altijd in gezelschap van de oude vijand. Zelfs Spencer, die geen enkele dreigende beweging maakte, werd begroet met een zich verspreidende rimpeling van consternatie, alsof hij een steentje in een vijver had gegooid. Sommige jonge paarden waren in groepen bij elkaar gezet, maar de kampioenen die moesten worden bevochten, werden apart gehouden. Spencer liep langzaam langs de boxen en inspecteerde deze ontzagwekkende wezens. Hij had met ze te doen vanwege hun gebrek aan waardigheid, nu ze hier opgesloten stonden te wachten tot ze de menigte moesten gaan vermaken, en hield uit respect afstand. Bij de laatste box werd zijn nieuwsgierigheid geprikkeld en kwam hij dichterbij.

Dit, vermoedde hij, moest een van de veteranen zijn die zo veel gevechten had gewonnen dat hij aan het eind van de voorstelling als een soort mascotte werd rondgeleid, nu zijn wilde dagen voorbij waren en hij hoog en droog met onvrijwillig pensioen was.

Hij was klein, grijsbruin van kleur en leek te dommelen, met zijn hoofd omlaag. Hij had een ruige vacht. Zijn donkerder manen en staart groeiden in dichte bosjes, als struikgewas. Op zijn hakken droeg hij de vage, grijzige strepen die aangaven dat hij een wild paard was. Mack had Spencer de wilde paarden aangewezen op de lagere hellingen van de Prior Mountains, en nu vroeg hij zich af of dit exemplaar ooit merries en veulens had gehad. Deze alledaagse hengsten met hun muildierachtige hoofd veranderden in iets volslagen anders als ze er lucht van kregen dat hun familie in gevaar was. De gevechten die uitbraken tussen de aanvoerders en hun rivalen lieten zowel op de winnaars als de verliezers littekens achter.

Spencer leunde over de rand van de box om beter te kunnen kijken, en toen gebeurde het totaal onverwachts. Er was een plotselinge uitbarsting van lawaai en zo'n heftige beweging dat de houten tralies tegen zijn ribben sloegen. Het geluid klonk meer als de woeste kreet van een grote roofvogel dan van een paard. De hengst leek twee keer zo groot te worden en zich verticaal in de lucht te werpen. Toen belandde hij weer op de grond met gespreide benen, zoals een kat die op een dak belandt. Hij stond daar te trillen van woeste energie en hield zijn hoofd naar hem toegekeerd. Spencer zag zijn dreigende blik, uit lichte, zwartomrande ogen met geelachtig oogwit, waaruit onversneden haat sprak.

Dit, dacht Spencer toen hij zich haastig en geschrokken uit de voeten maakte, was een paard dat nooit gevangen had willen worden.

4

Warme tranen liepen uit hun ogen terwijl ze rouwden
om het verlies van hun wagenmenner: en hun dichte manen
raakten bevuild waar ze van het jukkussentje omlaag dropen.

Homerus, *'De Ilias'*

Harry 1853-1854

In een goed geordende wereld was het allemaal anders geweest, bedacht Harry. De gewone, dagelijkse patronen leken in het sprankelende voorjaar van 1853 normaal genoeg, maar de onderstroom ontsnapte zelfs aan de controle van de familie Latimer met haar solide, feodale traditie.

Er waren geen zwarte schapen onder de Latimers. Als ze geneigd waren ergens prat op te gaan zou het zijn op de ononderbroken lijn hardwerkende, minzame landeigenaren die bijna honderdvijftig jaar terugging, waarvan tweederde op Bells. Grote, sterke zoons hadden hun land gediend in oorlog en vrede, en aardige, betrouwbare dochters waren goed getrouwd, hadden kinderen gekregen en die op dezelfde manier opgevoed. Maar Harry had er geen idee van, terwijl hij belangstellend de rustige blikken van de portretten in het trappenhuis en aan de wanden van de salons en eetkamers beantwoordde, welke persoonlijke prijs er was betaald door degenen die anders waren. Er moesten absoluut jongemannen zijn geweest die de tradities en verwachtingen hadden getrotseerd, en meisjes die de kont tegen de krib hadden gegooid. Wat was er van hen geworden?

Waren de opstandige nazaten, als ze er al waren geweest, het nest zo snel mogelijk ontvlucht, en was er nooit meer iets van hen vernomen? Waren ze weggekwijnd terwijl ze hun plicht deden? Of waren ze, net als zijn oudere broer Hugo, tot een vergelijk gekomen tussen hun aard en hun lotsbestemming, en hadden ze er het beste van gemaakt?

Harry overdacht deze zaken toen hij naast Colin Bartlemas met de tweewielige koets naar huis reed. Hij reed als gelijke, op de bok, maar de korte rit vanaf het station verliep niet zonder spanningen, terwijl die er eerder nooit waren geweest. Nog niet zo lang geleden zou het 'Harry' en 'Colin' zijn geweest, ten minste onder elkaar, maar nu was het 'kapitein Latimer', en ofschoon hij er niet toe kon komen 'Bartlemas' te zeggen, zou het beledigend hebben geklonken als hij de meer familiaire vorm gebruikte, en dus wist hij ze enigszins onhandig allebei te vermijden.

Het was een heldere, koude middag. Hun adem kwam als fijne wolkjes uit hun mond, en het monter dravende paard liet een golvende rookwolk achter, net als de rook uit de trein uit Londen, het uiterlijke, zichtbare teken van een innerlijke, gepantserde kracht.

'En, is het leven bij de cavalerie zoals de mensen zeggen?' Colin besloot zijn vraag met een rukje aan de teugels, om te laten zien dat hij zich bewust was van zijn positie.

'Ik weet het niet... ik weet niet wat ze ervan zeggen.' Harry wist het best, maar hij wilde het uit de eerste hand horen, van een oude, trouwe vriend die niet op zijn woorden zou letten.

'Ze zeggen dat de officieren niks van vechten afweten, en dat de manschappen al hun tijd besteden aan het poetsen van hun spullen en aan parades.'

'Dat is deels waar,' gaf Harry toe, 'maar de mensen die dat zeggen zouden ook moeten bedenken dat we op het ogenblik geen oorlog hebben om onze tanden in te zetten. En het zou niet erg christelijk zijn om te wensen dat er wel een was.'

'Een leger is er om te vechten,' verklaarde Colin onweerlegbaar.

'En wij zijn er klaar voor als de situatie zich voordoet.'

'De soldaten vervelen zich dood.'

'Daarom houden we ze bezig. Goed voor de dag komen tijdens de parade brengt discipline aan bij de strijd.'

'Kan zijn.' Colin klonk sceptisch, met wat rechtvaardiging die Harry toestond, omdat hij alleen maar spuide wat er bij hem was ingegoten en dat hij voor waar aannam. 'Hoe gaat het met Clemmie?'

Die vraag had betrekking op Harry's merrie, die op Bells was geboren, door Colin was getemd en zes jaar geleden aan Harry cadeau was gedaan op zijn zestiende verjaardag.

'Ze maakt het prima. Het militaire bestaan doet haar goed.'

Colins nog net beleefde gegrom gaf zijn ongeloof weer. Maar nu kwam Bells in zicht, met zijn rode baksteen rozig in de namiddagzon, een volmaakt voorbeeld, bedacht Harry, van alles wat Engels, goed, elegant en onveranderlijk was.

Behalve dan dat hij, die niets liever wilde dan er als bewoner blijven, deze kerst maar kort verlof had gekregen van het leger. En dat

Hugo, met genoeg lef en vuur voor een hele compagnie, zich voorbereidde op het leven van een landedelman. Er was iets mis met het patroon.

'Als het tot een oorlog kwam,' vroeg hij, 'zou je er dan aan willen deelnemen?'

Colin gaf een ruk met zijn hoofd. 'Ja. Want als een oorlog wordt gewonnen heb je geholpen met winnen, en als hij wordt verloren wil je daar niet de oorzaak van zijn. Niet dat één man verschil maakt, maar u begrijpt wel wat ik bedoel, meneer Latimer.' Naarmate ze dichter bij het huis kwamen werden de verhoudingen van bediende en meester duidelijker.

'Zeker. Zo denk ik er ook over. Zou je willen stoppen? Ik ga te voet verder.'

Colin hield het paard in, van wie de stoom nu langzaam en verticaal oprees als van een locomotief op een rangeerspoor. Harry sprong op de grond.

'Dankjewel...' Hij wilde er iets aan toevoegen, een voorstel of iets aardigs, maar er was niets passends meer. 'Bedankt.'

De koets ratelde weg en hij liep op het huis af. Misschien zou iemand hem in de verte hebben zien aankomen, die hem dan zou komen begroeten, en willen weten waarom hij er was. Hij gaf er de voorkeur aan het huis ongemerkt te benaderen, niet als bezoeker over de lange, officiële slingerende oprit, maar weer als een jongen, tussen de bomen door en over het gras. Hoewel Bells in zijn huidige vorm pas iets meer dan honderd jaar geleden door de Latimers was gebouwd, waren er op deze heuvel andere huizen en nederzettingen geweest, helemaal terug tot de tijd van het Witte Paard. Hij dacht graag dat het paard en zijn makers de mensen van de kleine heuvel hadden beschermd, ondanks het oorlogskarakter van het fort, zodat ze zich niet in zijn schaduw, maar in zijn duurzaamheid tot hun vreedzame bezigheden hadden gewend.

De koets stond nu bij de voordeur en Colin was zijn koffers aan het uitladen. Hij zag Jeavons en Little naar buiten komen, en het gesprek tussen de drie mannen, hoe Colin uitlegde waar hij was gebleven terwijl de koffers naar binnen werden gebracht. Toen de koets weer wegreed in de richting van de stallen zag hij Maria met opgeheven armen op de drempel verschijnen, met haar sjaal er als donkere vleugels vanaf hangend.

Harry stak zijn arm ook op, wuifde en begon te hollen.

Ze was even lang als haar zoon en nam zijn gezicht tussen haar handen. Ze bekeek hem, kuste hem heftig op beide wangen en draaide zijn hoofd heen en weer voor nadere inspectie. Ze zei met haar klankrijke, diepe stem die nooit helemaal Engels kon zijn: 'Wat moet ik met je beginnen, Harry... over het gras hollen als een jonge hond?'

'Het is zo heerlijk om weer thuis te zijn.'

Maria streek met haar duimen over zijn gezicht. 'Is alles goed met je?'

'Heel goed.'

'En ben je gelukkig?'

'Tevreden.'

Ze kneep hem in zijn wangen. 'En meer zul je me niet vertellen, dat weet ik. Nee!' Ze hief een gebiedende vinger op voor zijn gezicht. 'Geen woord meer. Kom mee naar je vader.'

Maria had hem met open, opgeheven armen begroet. In de salon wachtte Percy zijn zoon op met zijn handen op zijn rug. Juist met Percy voelde Harry een diepe, onuitgesproken verwantschap, niet uit een grotere liefde, maar door meer gelijkenis.

'Harry, welkom.'

'Vader.'

Ze schudden elkaar de hand, Maria nog steeds met haar arm om Harry's middel.

'Waar is Hugo?' Haar stem had iets gebiedends.

Percy zei droogjes: 'Bezig.'

'Hij moet er zijn als zijn broer thuiskomt!'

'Alles op zijn tijd.'

Maria haalde haar schouders op, waarbij alles meedeed: schouders, handen, wenkbrauwen, hoofd, alles. 'O, luister goed, Harry, het motto van de Latimers!'

Hugo kwam pas na zonsondergang terug. Hij kwam het huis binnen als een manifestatie van de aprilavond, donker en stralend, rood van de kou, op zijn sokken omdat hij zijn laarzen in de keuken had achtergelaten. Percy keek discreet de andere kant op terwijl zijn zoons elkaar begroetten. Maria straalde en applaudisseerde met haar handen in de lucht.

'Hal, ouwe hond!'

Hugo leek op zijn moeder: hij gaf zich over aan uitbundige liefdesbetuigingen. Hij sloeg zijn armen om Harry heen als een bankschroef en stompte hem met zijn vuist op de rug. Harry zou nooit het initiatief hebben genomen... tot zo'n omhelzing, maar er het lijdend voorwerp van zijn was als een injectie met geluk.

'Hugo... fijn je te zien.'

Zijn broer duwde hem van zich af, maar hield hem nog steeds bij zijn schouders beet. 'Kapitein Latimer... Buitengewoon! Niet te chic voor ons?'

'Niet echt.'

'Je weet maar nooit. Ik verwacht te worden geminacht als de provinciale sukkel die ik ongetwijfeld ben.'

Nu lachten ze allemaal, want het idee alleen al dat Hugo een sukkel zou zijn, of dat een van hen zo sukkelachtig zou zijn om op hem neer te kijken, was ondenkbaar.

Nu liep hij achteruit naar de deur, met zijn handen omhoog om Harry te waarschuwen dat hij niet weg mocht gaan. 'Little laat mijn bad vollopen, maar ik ben zo terug.' Hij zweeg even. 'Tenzij je met me meekomt om te praten?'

Als zijn vader niet in de kamer was geweest had Harry het gedaan. Nu schudde hij zijn hoofd. 'Ik wacht wel.'

'Begrijpelijk. Maar ga niet weer naar de oorlog voordat ik terug ben,' zei Hugo.

Zolang Harry zich kon herinneren was zijn broer al een inspirerende figuur, deels heroïsch, deels demonisch, en over het geheel genomen kostelijk. Hugo was ruim twee jaar ouder. Zelfs toen ze respectievelijk drie en vijf waren beschikte Hugo al over een woeste levenslust die hem ertoe aanzette trapleuningen af te roetsjen, in bomen te klimmen, over slootjes te springen, zich op verboden plekken te bevinden en in lastige situaties te manoeuvreren, terwijl Harry hem bangelijk volgde of achterbleef. Maar hij werd er nooit om uitgelachen. Omdat hij Hugo accepteerde zoals hij was, besefte hij tot ze allebei op kostschool zaten niet dat er iets ongewoons met hem was. Oudere broers, nam hij aan, waren nu eenmaal zo.

Maar op Eton werd duidelijk dat dat niet het geval was. Bij veel gelegenheden was het normaal dat de meeste oudere broers ten minste even feilbaar, hulpeloos en onopvallend bleken als het kleinere grut. Ze mochten dan groter zijn en daardoor beter met roeien of cricket, maar ze misten wat Hugo in grote mate bezat: charme. Charme in zijn gemakkelijke uiterlijke vorm, waarmee hij in combinatie met het sensuele, donkere, knappe uiterlijk, dat hij van Maria had geërfd, de vogels uit de bomen kon lokken, verwaande prefecten uit zijn hand doen eten, en schoolmeesters op het kookpunt kon omsmelten tot vergevingsgezindheid. En ook charme in de mystieke betekenis van betovering. Harry had dat al zijn hele leven meegemaakt, maar was nu pas in staat het effect te zien, en te begrijpen dat het een zeldzame, machtige eigenschap was. Iedereen, van een timide jongerejaars tot een brallerige corpsbal en een gevreesde docent Latijn, was een tikje minder zichzelf als Hugo in de buurt was. Hij overgoot de mensen in zijn omgeving met een sterk, warm licht, maar ze werden ook hopeloos in de schaduw gesteld. Het was geen wapen dat hij voor eigen doeleinden gebruikte, maar een gave van de goden.

Harry's minder expansieve natuur zat gevangen tussen heldenvering en afgunst, hoewel beide in de loop der jaren werden getemperd door het besef dat de charme van zijn broer niet altijd in zijn voordeel uitwerkte. Hugo was in de klas en op het sportveld niet begaafder dan zijn leeftijdgenoten, en Harry was op dezelfde leeftijd een betere student. Hugo was alleen stoutmoediger en beminnelijker. Er waren mensen die in die eigenschappen iets onbetrouwbaars bespeurden. Waar zo veel populariteit bestond, konden jaloezie en wantrouwen medereizigers zijn.

Nu hun respectieve paden waren uitgestippeld, elk in een volkomen andere richting dan verwacht, was hun houding ten opzichte van elkaar iets gereserveerder geworden. Met de volwassenheid was er respect voor de sterke kanten van de ander gegroeid, en een voorzichtige consideratie met zijn zwakheden. De perfecte combinatie van de inspirerende leider en de van ontzag vervulde volgeling was verdwenen, om te worden vervangen door iets wat complexer en behoedzamer was.

Er waren perioden dat Harry betreurde dat het spel voorbij was, en perioden, zoals nu, dat het helemaal niet voorbij leek te zijn. Even was hij weer tegen wil en dank onderworpen aan de buitengewone, onweerstaanbare kracht van zijn broers persoonlijkheid. Maar toen Hugo zichzelf schertsend een sukkel had genoemd, meende Harry een glimp jaloezie te bespeuren die hem ontroerde.

Evengoed hield Hugo hen tijdens het avondeten aangenaam bezig.

'Ik betrapte de jongen op heterdaad toen hij een soort val aan het zetten was, en weet je wat hij zei? "Maar ik was hem niet aan het zetten, ik heb hem gevonden en ik wilde hem voor u meenemen." Je gelooft het niet!'

'Jammer genoeg,' zei Percy, 'doe ik dat wel degelijk.'

'Natuurlijk heb ik het door de vingers gezien; vindingrijkheid moet tenslotte worden beloond.'

Maria schaterde van het lachen. Ze gooide haar hoofd achterover en sloeg haar handen in elkaar. 'Schitterend! Prima!'

Percy's reactie was minder enthousiast. 'Je moet die deugnieten niet aanmoedigen om stelen als een knappe prestatie te gaan zien.'

'Nee, nee, hij zou met dat apparaat nooit iets anders hebben gevangen dan zijn eigen vingers, het was echt een ratjetoe van draad en touw.'

Percy glimlachte droog. 'Dat is het punt niet. Het was de bedoeling van de jongen om iets te nemen dat niet van hem was.'

'Het was geen harde crimineel, geloof me maar.' Hugo keek naar Harry. 'Niet erger dan wij waren. En wij jatten appels, nietwaar, Hal?'

'Ik vrees van wel.'

'Dat was nog eens een sport. Die ouwe knaap...' Hij kneep zijn ogen toe en probeerde zich zijn naam te herinneren.

'Seth Prothero,' vulde Harry aan.

'Prothero, dat is hem, die zat ons altijd achterna met alles wat hij te pakken kon krijgen, een keer met een soeplepel weet ik nog en riep hel en verdoemenis over alle jongens af, speciaal over ons.'

Maria barstte weer in lachen uit.

'Net goed,' zei Percy. 'Aangezien jullie hem keer op keer hebben bestolen.'

'We wilden zijn appels niet eens, hè, Hal?'

'Ik ben bang van niet,' gaf Harry toe. 'We probeerden hem alleen maar kwaad te krijgen.'

'Precies! Het was oergeestig, je hebt nog nooit zoiets gezien.'

'Jullie waren heel stoute jongens,' verklaarde Maria toegeeflijk.

Percy legde zijn mes en vork heel precies naast elkaar. 'Als me dat ooit ter ore was gekomen had ik je een pak rammel verkocht.'

'Natuurlijk,' zei Hugo ontwapenend. 'En dat hadden we als een man gedragen. Maar al met al raakte de oude Prothero maar weinig van zijn ellendige, wormstekige appels kwijt, wij hadden ons pleziertje, en uw geweten, vader, bleef ongemoeid. Dus was iedereen gelukkig.'

Hugo zag iedereen graag gelukkig. Hij hielp nu met het bestieren van Bells, maar zijn aanpak verschilde als dag en nacht van die van hun vader. Percy Latimer was een strenge maar rechtvaardige vernieuwer, die de boerderijen veilig en bewoonbaar hield, de kwaliteit van de kudden verbeterde, nuttige moderne technieken op het land toepaste, zorg droeg voor de bossen en de jacht, en een goede relatie met zijn pachters en werknemers onderhield door hun respect te verdienen. Hij was een gereserveerd, ascetisch man, wiens partnerkeuze het enige was dat hem vrijwaarde van de beschuldiging een kouwe kikker te zijn.

Maria verpersoonlijkte, hoewel ze in Londen was opgegroeid, het ijs en vuur van haar Spaanse moeder, met een trotse, prachtige houding, die haar stormachtige, hartstochtelijke aard niet kon verbergen. Als jonge bruid was ze een exotische schoonheid geweest, en ze was op haar vijftigste nog steeds een opvallende vrouw: lang, breedgeschouderd en rijzig, met zwart haar zonder een spoortje grijs, donkere ogen onder hoge wenkbrauwen en een brede, sensuele mond met een korte, diepgewelfde bovenlip. Het was een mond die zelfs nu nog zo volmaakt paste bij de vleselijke geneugten dat mannen, die zich gewoonlijk beheerst en intelligent gedroegen, van hun stuk raakten als ze bij sociale gelegenheden naast haar kwamen te zitten.

De indruk die ze op Bells en de omgeving had gemaakt was diep en blijvend. Eerst had ze de mensen geshockeerd en vervolgens behekst. Bij het oogstfeest, het eerste jaar van haar huwelijk, was ze halverwege de St.-Bernardswals uitgebarsten in een tarantella-achtige dans die nog net op de rand van de welvoeglijkheid was, en dat alleen omdat ze Latijns bloed in de aderen had. Maar ze had de praatjes de kop ingedrukt door verschillende andere dames van het dorp, variërend in leeftijd en levensfase, over te halen mee te doen, klappend en wervelend als derwisjen. Toen Hugo was geboren kon men haar regelmatig buiten zien lopen met de baby in een sjaal met franje op haar rug gebonden, en toen Harry kwam deed ze met hem hetzelfde, terwijl Hugo aan haar hand rondtolde en zwaaide. De plaatselijke bevolking beschouwde haar nog niet bepaald als een van hen, daarvoor was ze te vreemd en te buitenlands, maar ze bekeken haar zoals ze een eenhoorn zouden bekijken die onverwacht op de heuvel verscheen: met verbazing, verrukking en het gevoel bevoorrecht te zijn. En verder toonde haar aanwezigheid duidelijk dat meneer Latimer geen dooie diender was.

Hugo, door en door de zoon van zijn moeder, was dat in elk geval niet. Hij nam zijn verplichtingen op Bells op als kinderspel. En in feite waren allerlei spelen het handelsmerk van zijn rentmeesterschap. Hij stelde onmiddellijk de Mickelmas Charge weer in, een verwaarloosde traditie waarvan de oorsprong in vergetelheid was geraakt, en die inhield dat de jongemannen uit de omgeving de 29e september een race om het dorp heen hielden. Het unieke karakter van die wedstrijd hield in dat de deelnemers op de voorgeschreven route alle obstakels moesten zien te overwinnen in plaats van ze te vermijden. Ze moesten door sloten, heggen en beken heen, over muren en hekken, toornige stieren voorblijven, aangemoedigd door een menigte gillende meisjes en kinderen, en begeleid door een dravende meute hysterische honden. Het was hectisch en gevaarlijk, en om deze redenen enorm populair. Hugo deed zelf ook aan de race mee, won nooit, maar was altijd dapper en ondernemend. Aan het einde was hij onveranderlijk degene die het meest onder de modder en het bloed zat en het meest uitgelaten van allemaal was.

Behalve de race had je de jaarlijkse cricketwedstrijd tussen een team van Bells en van het dorp, een evenement dat door Percy was ingesteld, maar waaraan hij nooit meedeed. Hugo was een snelle werper en een *lower order*-slagman met ongewone kracht. Bells onderscheidde zich zelden, maar ze zorgden ervoor dat de toeschouwers zich vermaakten.

Maria's zomerfeest voor de jongere kinderen was nog zo'n gelegenheid waarop Hugo zijn talenten kon botvieren; zodra hij oud genoeg was organiseerde hij allerlei wedstrijden en spelletjes die weliswaar wild waren, maar ook heel tactisch afgestemd op de kracht en mogelijkheden van de kinderen, om ervoor te zorgen dat ze gelijke kansen hadden. Met andere woorden: Harry kwam erachter dat zijn broer zelf een groot kind was. Hij had een simpele aard; hij was naïef en weergaloos enthousiast, hetgeen zowel zijn kracht als zijn zwakheid betekende. De jongensachtigheid in de volwassen man en werkgever vermurwde zelfs de meest sceptische harten, maar werd door sommigen gezien als iets onafs, dat nog naar volwassenheid moest toegroeien. De laatste tijd had Harry een treurig gevoel over Hugo, en toen hij die droefheid analyseerde kwam hij tot de conclusie dat het kwam doordat het lot bepaalde dat zoveel geluk en populariteit niet blijvend kunnen zijn. Het waren attributen van een bepaald soort onbezorgde jeugdigheid, die niet eeuwig kon duren. En toch was het moeilijk je voor te stellen dat Hugo zou veranderen.

Vanavond was hij op zijn best. Hij trok zich niets aan van de gecompliceerdheid en de last van het leven. Voor hem was het een en al grappen en grollen, zonneschijn en licht, waarin de anderen zich dankbaar koesterden.

'Dit is zo heerlijk!' riep Maria uit, en ze hield haar armen uit om hen allemaal te omsluiten. 'We zijn zo'n fantastisch gezin!'

Het was onvermijdelijk dat Harry op dat moment zijn vaders blik opving. Ze keken allebei onmiddellijk weg, in verlegenheid door een medeplichtigheid die in de buurt kwam van verraad.

Toen ze van tafel gingen zei Hugo: 'Ga mee naar de stallen, dan laat ik je Piper zien.'

'Zo laat nog!' riep Maria uit, die hen niet wilde laten gaan. 'Ben je niet goed wijs?'

'Nee, lieve,' merkte Percy op en hij pakte haar bij de arm. 'Ze zijn nog jong.'

Maria kneep haar ogen tot spleetjes bij deze omkering van de gebruikelijke rollen. Ze was een tikje langer dan haar echtgenoot en als ze wilde kon ze de indruk wekken dat ze vanaf enorme Castilliaanse hoogte op hem neerkeek.

'Het is maar goed, Percy,' zei ze, 'dat ik geen lichtgeraakte dame ben, anders zou ik die opmerking als hoogst ongalant opvatten.'

De kristalheldere zonneschijn van die dag was overgegaan in een diamantzuivere nacht met ijzig maanlicht, en aan de hemel twinkelden bevroren sterren. Om tien uur had de vorst al toegeslagen op het grasveld voor het huis en lag er een vlies op de watertrog in de stallen, dat Hugo in het voorbijgaan met zijn hand stuksloeg.

'Hier is mijn mooie vriend,' zei hij zachtjes terwijl hij de deur van de stal openmaakte. 'Rustig aan.'

Harry nam die waarschuwing ter harte. Hij had voldoende ervaring met de voorkeur van zijn broer om te weten dat die eerder aan de opgewonden dan aan de saaie kant was.

De twee jaar oude Piper was donker en rusteloos, en hij hoorde bij Hugo als de kat bij een toverheks. Harry bleef eerbiedig bij de rand van de paardenbox staan terwijl die twee elkaar begroetten en Hugo een hoofdstel over het hoofd van het paard liet glijden, en het dier omdraaide om het te laten bewonderen. Zelfs in die krappe ruimte zwiepte Piper met zijn staart en kromde zijn hals, waarbij hij zijn jeugdige overmoed toonde.

Hugo kuste hem teder op het hoofd, net onder zijn oog.

Harry rilde bij de gedachte die onwillekeurig bij hem opkwam, hoe zijn medeofficieren korte metten zouden maken met zo'n gebaar. De officiersmess van de Achtste Huzaren was een plek van strenge tucht in alle opzichten, de thuisbasis van trotse, bevoorrechte mannen – sommigen bewonderenswaardig, maar de meesten kon je beter uit de weg blijven – zonder sympathie of begrip voor iemand die niet gezegend was met hun zelfverzekerdheid. Om die reden hield Harry zich gedeisd en hield hij zijn persoonlijke mening voor zich. In ruil daarvoor werd hij behandeld met de laatdunkende tolerantie die gewoonlijk werd betoond aan mensen die anders waren, maar zich desondanks wisten te gedragen. Terwijl Hugo, op dat moment van onoplettendheid, die grens had overschreden.

'Het hart van een leeuw, en de snelheid van een konijn,' zei hij geestdriftig. 'En de levens van een kat, hoewel hij er al een paar heeft verbruikt. Heb ik je verteld dat hij de box heeft proberen in te trappen toen de hoefsmid kwam, en zijn achterste bijna tot op de pezen heeft opengehaald?'

'Dat heb je in een van je brieven beschreven.'

Hugo glimlachte berouwvol. 'Dat is de moeilijkheid als je vastzit op het platteland: er is niet genoeg nieuws om ervoor te zorgen dat je niet in herhaling valt. Hier, word eens vriendjes.'

Hij overhandigde de teugel aan Harry, die durfde te zweren dat hij een waarschuwende trilling door het touw voelde lopen. Hij streek zachtjes met zijn vinger langs de neus van het paard totdat de trilling minder werd. Hugo keek welwillend toe, als een filantroop die de vruchten van zijn goede daden gadeslaat.

'Dat is goed... Prima... Jullie zijn binnenkort de beste maatjes.'

'Is hij goed om mee uit rijden te gaan?'

'Om te rijden, te jagen, te springen – ik zal je vertellen, Harry, dit is het paard waarvan ik al als jongen heb gedroomd. Net dat van Sir Lancelot in het boek over Koning Arthur.'

'Je weet heel goed,' zei Harry, 'dat de illustrator een fout heeft gemaakt, of veel fantasie had, want de Ridders van de Ronde Tafel reden op hakkeneien; grote, sjokkende beesten, net karrenpaarden. De knieën van deze knul zouden onder het gewicht van een ridder in vol ornaat ontwricht zijn geraakt.'

'Doe niet zo wijsneuzig, kleine Hal! Herinner je je dat plaatje nog?'

'Natuurlijk.'

'En weet je nog dat ik zei dat ik zo'n paard wilde?'

'Ja. En hier is-ie.'

Hugo straalde zo van erkentelijkheid dat Harry zich, ondanks het 'kleine', een welwillende, oudere oom voelde die net een halve kroon had uitgedeeld.

'En nu,' verklaarde Hugo, terwijl hij het touw pakte en het hoofdstel afdeed, 'moet ik je iets nog veel verbazingwekkenders vertellen. En jij bent een van de eersten die het weet.'

'Ik voel me vereerd, of moet ik zeggen ontzet? Ik vind dat je me moet voorbereiden.'

'Het is niet iets waarop je hoeft te worden voorbereid.' Hugo maakte de deur open. 'Kom mee, we gaan wandelen.'

Ze verlieten de stal en Hugo sloeg de weg langs de heuvel in, in noordelijke richting, aan de achterkant van het huis. Een donkere massa, die hier en daar gloeide als de sintels van een haardvuur, liet zien waar het dorp lag, in het dal aan hun rechterhand. Het vaalbleke, kalkachtige karrenspoor slingerde voor hen uit.

'Ik ga trouwen,' verklaarde Hugo.

Hij draaide zich om en liep achterwaarts voor Harry uit, met een triomfantelijke grijns op zijn gezicht. 'Ik ga trouwen! Wat vind je daarvan?'

Verbijstering was te zwak uitgedrukt voor wat Harry voelde.

'Hugo! Trouwen?'

'Ja!'

'Maar wie...'

Hugo brulde van het lachen. 'Jij kunt niet geloven dat er een meisje is dat me wil hebben, hè?'

'Helemaal niet, ik...'

'Maar daarginds,' Hugo wees met opgestoken vinger naar het dorp en veranderde toen van richting, 'of om precies te zijn dáár, woont de vrouw die van de ergst denkbare *roué* een toegewijde, liefhebbende echtgenoot kan maken.'

'Echt waar?'

Harry was stokstijf blijven staan, totaal verbluft, maar Hugo sloeg een arm om zijn schouders en troonde hem mee. 'Echt waar!'

'Vertel me eens iets over haar.'

'O... ik zou willen zeggen dat ze mooi en goed is, maar dan zou je kunnen denken dat ze saai is.'

'Misschien,' gaf Harry toe, 'als iemand anders dan jij dat zei. Ik kan me niet voorstellen dat jij het zou aanleggen met een saaie vrouw.'

'Bedankt.' Hugo gaf hem een kneepje in zijn schouders. 'Ik beschouw dat als een compliment. Hoewel ik het natuurlijk ook niet prettig zou vinden als ik intolerant werd genoemd.'

'En ken ik deze modelverloofde al?'

'Ik dacht het niet. Het is niet een van die giechelmeiden met wie we vroeger dansten. Ze heet Rachel Howard.'

Harry schudde zijn hoofd. 'Kan ik me niet herinneren.'

'Ze is verstandig, intelligent en rustig.'

De eerste twee adjectieven had Harry verwacht, maar het derde was verbazingwekkend.

'In welk opzicht rustig?'

Hugo liet hem los. 'Zijn er zo veel verschillende manieren? Nee, ze is rustig, je zult haar niet horen aankomen in de kamer, of haar mening over alles te horen krijgen, of hoe haar lach klinkt, niet voordat je haar goed kent. Ze is gereserveerd. Ze is... sereen. Ik aanbid haar.'

Onder de indruk van de passie en oprechtheid van zijn broer drong het tot Harry door dat hij iets belangrijks was vergeten.

'Hugo, gefeliciteerd! Heel hartelijk gelukgewenst. Het is fantastisch dat je zo gelukkig bent, dat zij, Rachel, je zo gelukkig maakt.'

'En misschien is het nog heerlijker, in elk geval nog verwonderlijker, dat zij van mij houdt.'

'Dat is niet zo verwonderlijk.'

'Als je haar ontmoet, Harry, zul je zien dat het wél zo is.'

'Graag.' Er viel hem iets in. 'Het verbaast me dat vader en moeder er niets over hebben gezegd.'

'Ze weten nog niet wat ze ermee aan moeten.'

'Bedoel je dat ze niet blij zijn? Maar dat is raar.'

Hugo versnelde zijn pas. 'Ze vertrouwen het niet.'

'Waarom niet?'

'O, niets! Rachel is ouder dan ik, en weduwe; ze beantwoordt gewoon niet aan het plaatje van een blozende bruid. En dat ondanks het feit dat hun eigen combinatie nauwelijks conventioneel te noemen is. Maar misschien wel daarom.' Hij haalde zijn schouders op.

95

'Misschien zien ze in mij een verontrustende echo van hun eigen verleden, en vinden ze dat zij de enigen zijn die sterk genoeg van karakter zijn om iets ongewoons aan te kunnen.'

'Maar...' Harry schudde zijn hoofd. Er waren gewoon te veel verbijsterende onthullingen tegelijk te verwerken. 'Maar ze maken toch niet echt serieus bezwaar?'

'Geen bezwaar, alleen een voorbehoud. En het maakt allemaal geen enkel verschil.'

Het pad daalde af naar het dorp en Harry zei: 'Zullen we teruggaan?'

'Ik ga liever verder.'

Hugo holde vooruit. Hij gaf zich over aan de steile helling. Harry volgde hem, goed uitkijkend waar hij liep.

Toen ze bij het dorp waren en in westelijke richting over de weg door het dal liepen, vroeg Harry: 'Dus Rachel is weduwe?'

'Haar man is vier jaar geleden overleden. Ze is tegen de dertig.'

'En hun kinderen?'

'Geen. En hij heeft haar goedverzorgd achtergelaten. Hij was ingenieur bij de spoorwegen. Ze woont alleen in Vayle Place. Dat is dat huis met de torentjes. Waarvan we geloofden dat het er spookte.'

Harry kon zich het huis nog herinneren. Ze reden er altijd langs om zichzelf angst aan te jagen. Het werd algemeen als iets extravagants beschouwd, en was pas enkele decennia daarvoor gebouwd door een excentriekeling met een voorliefde voor ridderromans. Maar dat deed niets af aan de buitenissigheid. Het was nog eigenaardiger als je bedacht dat er een vrouw alleen woonde.

'Ben je in het huis geweest?' vroeg hij.

'Natuurlijk.'

'En geloof je nog steeds dat het er spookt?'

'Absoluut,' zei Hugo. 'Maar niet zoals wij als jongens dachten... Er hangt een heel eigen sfeer. Een bepaalde spanning.'

Niet helemaal voor de grap opperde Harry: 'Jouw Rachel is een tovenares.'

'O ja,' antwoordde Hugo. 'Dat is ze zeker.'

'Het is een heks!' siste Maria toen Harry en zij die avond de trap op liepen. 'Er is geen twijfel mogelijk. Hoe is Hugo's bevlieging voor haar anders te verklaren?'

'Ik geloof dat ze verliefd op elkaar zijn,' bracht Harry haar zachtjes in herinnering.

'Verliefd?' Maria snoof verachtelijk. 'Ik geloof er niets van. Dat heeft ze niet in zich. Het is een koude, bleke, provinciaalse avonturierster die Hugo heeft gestrikt omdat ze daartoe in staat is.'

Zijn moeder was zo overduidelijk jaloers dat Harry het beter vond geen antwoord te geven.

Al twee dagen daarna kreeg hij de gelegenheid zijn eigen mening te vormen over Rachel Howard, toen Percy en Maria een diner gaven te zijner eer, waarvoor de verloofde van de oudste zoon natuurlijk hoorde te worden uitgenodigd.

Op het ogenblik dat ze de salon binnenkwam begreep Harry wat Hugo bedoelde met 'rustig'. Ze straalde zo'n volmaakte kalmte uit dat het opviel. Het beroerde een snaar die resoneerde onder het sociale gebabbel, en deed hem in de rondte kijken alsof iemand zijn naam had genoemd. Hugo was aan haar zijde; pratend en lachend stak hij zijn arm door de hare, tamelijk in de war van trots en passie, en dan daar het voorwerp van zijn liefde, kalm, nauwelijks glimlachend, mysterieus. Haar haar was zilverig grijs, haar teint lelieblank, en haar ogen waren helder als water. Ze was klein en tenger en droeg een donkerblauwe, weinig modieuze jurk. En toch was ze zo aanwezig dat Harry's blik niet de enige was die ze trok, en die meer dan louter nieuwsgierig bevatte. Hij zag hoe Percy haar op volkomen correcte, beminnelijke wijze begroette, en Maria met meer zwier en minder warmte. Mocht Rachel zich bewust zijn van enige reserve van hun kant, dan liet ze dat niet blijken. Haar zelfbeheersing had het kaliber van een soort passieve kracht. Hij kon zijn ogen niet van haar afhouden.

Toen Hugo haar ten slotte voorstelde was hij zich scherp bewust van haar hand, die koel in de zijne lag. Haar grijze ogen namen hem zonder knipperen op; hij voelde zich transparant. Toen ze zei dat ze blij was kennis te maken, en dat ze zo veel over hem had gehoord, hoorde hij niet de beleefde gemeenplaatsen, maar het zachte, intense timbre van haar stem.

Tijdens het diner zat hij naast haar. Ze was beleefd en stelde hem persoonlijke vragen, nam zijn gelukwensen bevallig in ontvangst en sprak op charmante wijze over haar hoop voor de toekomst. Op geen enkele manier had haar uiterlijke gedrag iets laakbaars of onwelwillends. Desondanks voelde hij zich voortdurend in het nadeel, alsof ze over een speciale kennis of inzicht in hem beschikte die hij zelf niet bezat.

'En dus,' vroeg ze, 'kies je voor een militaire carrière?'

'Ik denk het. Tot ik er geen zin meer in heb.'

'"Laat hij, die geen zin heeft in dit gevecht, vertrekken. Zijn vrijgeleide wordt in orde gemaakt en kronen voor het transport worden in zijn beurs gedaan."'

'Houd je van historische toneelstukken?'

Ze trok haar wenkbrauwen op en glimlachte ietwat geheimzinnig. 'Ik geloof niet dat "houden van" de juiste uitdrukking is in verband met Shakespeare.'

'Nee?'

'Hij maakt deel uit van ons leven en onze taal. Onontkoombaar. Dacht je niet?'

'Ja, natuurlijk.'

Op dat moment wendde de heer aan Rachels andere zijde zich tot haar en Harry deed hetzelfde met de dame aan zijn linkerhand, er zich van bewust dat hij in die paar seconden een glimp van de vastberaden intelligentie had opgevangen die ze de meeste tijd verkoos te verbergen.

Een glimp die hem er wat later tijdens het diner toe bracht onderwerpen aan te roeren die hem bijzonder interesseerden, hoewel hij genoeg had gezien om niet over te gaan tot het uitwisselen van persoonlijke informatie. In plaats daarvan merkte hij luchtig op: 'Weet je, ik ben nogal jaloers.'

'Op wie?'

'Op jou, vanzelfsprekend.'

'Onzin. Waarom zou je?'

'Mijn hele leven heb ik tegen Hugo opgezien, niet alleen als mijn oudere broer die me leidde en beschermde, maar als iemand met heel andere en betere eigenschappen dan ikzelf.'

Ze bestudeerde haar bord. 'En wat zijn volgens jou die eigenschappen?'

Op dat ogenblik klonk er luid gelach vanaf het andere eind van de tafel, waar Hugo het gezelschap om hem heen aangenaam bezighield. Harry knikte in zijn richting.

'Ik staak de bewijsvoering... Wat iedereen in hem ziet. Openheid, humor, moed, grootmoedigheid. Alles omhelzen dat het leven te bieden heeft.'

'En toch,' zei ze stilletjes, 'is Hugo hier, en woon jij in Londen. Hem staat een risicoloos gezinsleven en het nakomen van zijn plichten als zoon op het platteland te wachten, terwijl jij waarschijnlijk op een gegeven ogenblik gevaar en de dood op het slagveld moet trotseren.'

'Als je met risicoloos gezinsleven met jou getrouwd zijn bedoelt, dacht ik niet dat dat een weinig avontuurlijke keuze is.'

Het was vrijpostig, maar hij werd beloond met een flauwe glimlach. 'En ook geen onverdeeld populaire.'

Het zou beledigend voor haar zijn dat te ontkennen, dus zei hij simpelweg: 'Je komst was onverwacht. Geef dat maar toe. Gun ze de tijd.'

Ze keek hem rustig aan. Zijn huid prikte. 'Ik hoop dat je begrijpt dat het geen gebrek aan respect voor je moeder en vader is als ik zeg dat ik hun goedkeuring niet nodig heb. Behalve als het Hugo last zou bezorgen. Ik ben geen jong meisje meer. Ik heb geld. En ik hou van Hugo op een manier die ik nooit voor mogelijk had gehouden.'

Hij mocht dan vrijpostig zijn geweest, maar Rachel betaalde hem met gelijke munt plus rente terug.

'Hij boft geweldig.' Harry meende het, maar had spijt van die platitude, en in zijn verwarring voegde hij eraan toe: 'Maar ja, hij is al een poos de meest begeerde partij van het graafschap.'

'Hij had alle leuke jonge dingen voor het uitkiezen, en kijk eens wie hij heeft gekozen...'

Harry was ontzet. 'Dat bedoelde ik niet...'

'O, maar het is de waarheid. Je zei dat je jaloers bent, wat ik niet geloof. Maar als er ook maar de minste jaloezie bestaat is het omdat je, net als je ouders en alle anderen' – haar blik flitste een fractie van een seconde de tafel rond – 'volslagen verbijsterd bent door Hugo's keuze.'

Harry flapte eruit: 'En ook door de jouwe.'

'Wat is het toch een mysterie.' Zelfs nu hij haar pas zo kort kende had hij moeten weten dat ze zich niet beledigd voelde zoals hij verwacht had.

Maria stond op, en toen Rachel zich opmaakte om het voorbeeld van haar gastvrouw te volgen wierp ze hem een blik toe die op een traag, sensueel schouderophalen leek.

'Ik had geen keuze.' Vanaf dat ogenblik had ook Harry geen keuze meer. Behalve aan Rachel Howard denken.

De dag daarop gingen de broers paardrijden, op een grauwe, stormachtige ochtend met dreigende buien, Hugo op Piper en Harry op Darby, Percy's vos.

'En, wat vind je?'

Harry had zich op deze vraag voorbereid. 'Het is een opmerkelijke vrouw.'

'Ja, hè.'

'Je gaat een avontuur tegemoet.' Het was eruit, de nagalm van zijn gesprek met Rachel de avond ervoor.

Hugo zwaaide met zijn ene vuist. 'Nou en of! En hoeveel mannen kunnen dat zeggen als ze overwegen te gaan trouwen, Hal? De meesten zouden juist zeggen dat hun avonturen voorbij waren.'

'Hugo...'

'Aha, nu komt het.'

'Wat?'

'Het waarschuwende woord, de raad om op te passen, de stem van het gezonde verstand.'

'Dat is niet eerlijk. Niet juist. Ik wilde alleen iets opmerken.'

'Het spijt me, ga je gang.'

Ze reden langs de rand van het dal, in westelijke richting, met het Witte Paard aan hun linkerhand, en rechts van hen de oude nederzetting, die als een havenhoofd uit de heuvel omhoog stak. Onverwachts dreef Hugo Piper de steile helling van het vooruitspringende gedeelte op; het paard vocht en ploeterde onder hem tot ze de vlakke top van de heuvel bereikten. Hij riep over zijn schouder: 'Kom op!'

Harry en Darby voegden zich via een minder riskante weg bij hen, de grote heuvelwand op zigzaggend tot ze op het vlakke gedeelte waren. Aan de rand van het door mensenhanden aangelegde plateau loeide de wind om hen heen en joeg het gras als snelstromend water onder de paardenhoeven door.

'Wat wilde je ook weer zeggen?' riep Hugo boven de wind uit.

'Pas op dat je niet te veel van haar gaat houden!'

Hugo gooide zijn hoofd achterover en brulde van de lach. 'Ik ben gewaarschuwd!' Hij wendde Pipers hoofd en reed weg. 'Maar maak je geen zorgen, dat zal niet gebeuren!'

Ze kwamen langs een paar boerderijen. Bij de tweede moest Hugo iets met zijn pachters afhandelen. Anderhalve kilometer verderop kwamen de misplaatste gotische torentjes van Vayle Place in zicht.

'Zullen we onze opwachting maken bij mijn beminde?' vroeg Hugo, wiens plan dat duidelijk vanaf het begin was.

'Als je wilt.'

'Ja, ik wil!'

Ze kwamen Rachel al tegen voordat ze bij het huis waren. Ze liep, in een cape gehuld, in gezelschap van een grote hond met een brede kop, over het pad in hun richting. Toen de hond hen ontwaarde begon hij hard te blaffen. Ze greep hem bij zijn halsband toen Piper schichtig opzij sprong.

'Cato! Het spijt me, ik verwachtte niet iemand tegen te komen.'

Hugo gleed van Piper af. Harry boog zich naar achteren en stak zijn hand uit om de teugel aan te pakken. Rachel deed de hond aan de riem, maar hij was nu rustig en legde zijn oren onderdanig plat toen Hugo hem over zijn kop aaide. Hier was de wind wat meer op afstand, maar vlaagde en floot achter de lijzijde van de heuvel.

Harry kon niet horen wat er tussen Hugo en Rachel werd gezegd, en ze raakten elkaar nauwelijks aan, maar toch voelde hij zich een indringer. Dat verstilde gezicht te zien, met die lichte, alziende blik op zijn broer gevestigd, en de houding van beheerste concentratie die zo veel beloofde, allemaal voor Hugo... Hij voelde de afschuwelijke angel van een zeer onbroederlijke jaloezie.

'Goedemorgen, Harry,' zei ze, en ze liep op hem toe met de grote hond naast haar sjokkend. 'Wat onbeleefd van ons. En wat ben jij geduldig.'

Eind mei – bijna onfatsoenlijk snel, noemde Maria het – trouwden ze. Op verzoek van de bruid vond de voltrekking van het huwelijk niet plaats in de parochiekerk van St.-Catherine, maar in het kleine, verweerde kerkje op de heuvel, dat op de plek van een pelgrimsoord van lang geleden was gebouwd. Uit noodzaak was het gezelschap beperkt. Het bestond uit de Latimers en enkele speciale vrienden. Maar Rachel bracht niemand mee behalve de sombere, oudere advocaat die haar weggaf.

'Heeft ze geen familie?' vroeg Maria voordat ze hun plaatsen innamen. 'Geen vrienden? Dat is heel eigenaardig.'

Dat vond Harry ook, maar hij wilde haar verdedigen. 'Misschien heeft ze besloten om ze niet uit te nodigen, of heeft ze niemand die ze graag wil vragen.'

'Maar waarom zou ze zoiets besluiten? Schaamt ze zich voor hen? Of...' Maria's neusgaten trilden bij het ongehoorde van die mogelijkheid, '...voor ons?'

'Voor niemand, dat weet ik zeker. Ze is iemand die gewoon niet van drukte houdt.'

'Maar het is haar huwelijk!' De stem van zijn moeder ging meevoelend de hoogte in. 'Het hoort een feest te zijn!'

'De belangrijkste mensen zijn er,' stelde hij vast. 'U ziet er trouwens schitterend uit.'

'Hm. Percy vindt mijn hoed overdreven.'

'Deze ene keer heeft vader het mis.'

Met een ruk van haar hoofd om de hoed te showen keerde Maria, slechts ten dele vermurwd, naar haar plaats terug. Het geruis van haar rokken gaf een volle, warme geur af. Er was geen orgel in het kerkje, maar Hugo had zich verzekerd van de diensten van Paget, een fiedelaar uit het dorp. Zijn stoere, ongeschoolde talent werd meestal ingehuurd bij dansfeesten, en zelfs tijdens het zoete gekabbel van zijn spel voor de aankomst van de bruid had je het gevoel dat er in de coulissen een meestamper lag te wachten.

'Kan deze vent psalmen spelen?' vroeg Percy, zich voorover buigend.

'Ik heb geen idee, maar ik zou zo denken dat hij alles kan.'

'Ja, maar meestal met aanzienlijke bijstand van de brouwer.'

101

'We kunnen altijd nog a capella zingen.'

Percy trok een gezicht. 'Ik ben vast niet de enige hier die muzikale begeleiding nodig heeft?'

Hugo kwam binnen vanuit het voorportaal, en kamde met een verstrooid gebaar zijn haar uit zijn gezicht. 'Waar is ze? Ik wil dat dit snel voorbij is.'

'Je bent bijna een getrouwd man, lieverd,' zei Maria. 'Je bent niet bij de tandarts om een kies te laten trekken.' Ze wierp een zijdelingse blik van wat-heb-ik-je-gezegd op Harry.

Toen ze naar hun plaats liepen mopperde Hugo: 'Dat is het hem nu juist, ik wil een getrouwd man zijn, en dit gedoe achter de rug hebben.'

Toen de bruid arriveerde overtrof Paget zichzelf door de bruiloftsmars van geïmproviseerde glissandi en vibrato's te voorzien. Zijn lange gezicht, rood aangelopen van het bier, het weer en een ongebruikelijke, koude scheerbeurt, vertrok van inspanning.

De advocaat, een bedeesde, oudere heer die niet gewend was aan het voetlicht, deed afstand van zijn last en zijn verantwoordelijkheden, en trok zich terug in de kerkbank achter Hugo en Harry. Toen Rachel haar plaats naast zijn broer innam zag Harry dat ze een eenvoudige, hooggesloten ivoorwitte japon droeg, zonder sluier; een combinatie van ingetogenheid en openheid die hij al tekenend voor haar vond. Ze droeg geen bloemen, en het gebedenboek in haar hand had een bruine, versleten omslag. Het gezicht dat ze Hugo toekeerde was even beheerst als altijd, terwijl Hugo's hand trilde toen hij de hare pakte. Ze heeft zoveel kracht, bedacht Harry. Weet ze zelf wel hoeveel?

Gedurende de korte dienst bleef hij haar naar kijken. Maar als ze dat al wist, liet ze het op geen enkele manier blijken. Ze volgde de gezangen in haar kerkboek. Ofschoon ze niet zong en ook geen 'amen' zei na het gebed, sprak ze de antwoorden uit met een zachte, heldere stem, die door de hele kerk te horen was. Toen ze het register gingen tekenen bood ze Maria en Percy haar wang. En hem. En toen ze door het middenpad schreden was ze nog steeds volkomen zichzelf, slechts door een vederlichte druk van haar hand op zijn arm met Hugo verbonden; ze had niets van het triomfantelijke, demonstratieve en aanhankelijke van de meeste bruidjes.

Later op de dag, toen de champagne en de taart waren genuttigd, enkele in voorzichtige bewoordingen gestelde speeches waren gehouden en Rachel zich had omgekleed in reiskostuum, onderwierp Percy Harry aan een verhoor, als mannen onder elkaar.

'Denk je dat ze gelukkig worden?'

'Absoluut. Ik heb maar zelden zulke sterke gevoelens tussen een paar gezien.'

Percy observeerde zijn zoon nauwlettend. 'Gevoelens van gelijke sterkte, volgens jou?'

'Gelijk, zeker, maar verschillend.' Harry koos zijn woorden met zorg. 'Zoals te verwachten valt van twee zo verschillende mensen.' De scherpte van deze tweede opmerking ontging zijn vader niet, die het onderwerp verder liet rusten.

Ze vertrokken in de koets naar de trein naar Londen, met Colin Bartlemas aan de teugels. De zon brak door. Rachel zag er keurig uit in bruin fluweel, met een hoed met een abrikooskleurig lint. Hugo was uitgelaten. Hij stond te zwaaien, sloeg zijn armen om zijn vrouw heen en kuste haar onder gejuich op de lippen. Ze verblikte of verbloosde niet, en was niet in dezelfde uitbundige stemming als haar echtgenoot. Maar toen Hugo haar kuste bespeurde Harry een spoor van iets dat niet erg maagdelijk was – de hoek van haar hoofd, de geloken ogen, de halfopgeheven gehandschoende hand – dat sprak van veel van dergelijke kussen, en misschien meer, in het verleden. Opnieuw werd hij verteerd door jaloezie.

Ongeveer twee weken daarna kreeg hij in het Londense garnizoen een brief van Hugo uit Italië. Het grote, jachtige, zwarte handschrift, bezaaid met gedachtestreepjes, uitroeptekens, onderstrepingen en doorhalingen, was zo typerend voor Hugo dat het was alsof hij zijn stem hoorde. En inderdaad was zijn schrijfstijl niet ontleend aan enige grammaticale constructie, maar aan zijn onstuimige, informele manier van praten.

Het leven met Rachel – ik noem het niet mijn leven als getrouwd man omdat dat zo saai klinkt – is meer dan waar ik van had durven dromen – ze is absoluut een tovenares, zoals je zei, en ik hoop dat de betovering nooit zal worden verbroken. Elke dag schijnt de zon, en is er lekker eten en wijn, en het genoegen van elkaars gezelschap dat groter wordt, niet kleiner, en elke nacht is meer... Broertje, ik wens je toe dat jij in de vrouw met wie je op een dag trouwt in elk geval de helft vindt van deze – hoe moet ik het noemen – vervoering! extase! die ik ervaar. Mijn enige grote angst is dat iets dat zo hartstochtelijk volmaakt, zo duivels goddelijk is niet kan blijven duren, maar als dat betekent dat we zullen sterven van geluk, dan bestaat er geen betere manier. Je zult uit dit alles opmaken dat ik de slaafse echtgenoot ben waar we het over hebben gehad – heb ik het je niet gezegd? Alleen was het toen mijn geloof en hoop, terwijl het nu de verbijsterende en heerlijke werkelijkheid is...

Ik kan me het leven op Bells, met Rachel als de vrouw des huizes, maar moeilijk voorstellen, met alle gebruikelijke dagelijkse onzin waar

we aan mee moeten doen, maar zolang we elkaar hebben kan er niets
saai zijn... En nu gaan we in de rivier zwemmen, in ons blootje,
Harry, met de zon op onze schouders! En dan, wie weet? En het
avondeten op onze met druiven begroeide veranda onder de sterren...
Ik zal je niet vragen aan ons te denken, dat zou te wreed zijn, terwijl
jij onder de wapenen bent en zo! Te bedenken dat ik je benijdde – Ik
wil nooit *sterven, vooral niet jong, hoe roemvol ook.*

Je liefhebbende broer,
Hugo

Een jaar daarna was hij dood, terwijl zijn eerste kind nog maar een kloppende, doorschijnende komma in Rachels baarmoeder was.

Arme Hugo! De wensen die hij in zijn brief had uitgesproken werden geen van beide vervuld. Zijn dood was zowel prematuur als, op zijn eigen Don Quichot-achtige manier, roemvol. Typisch iets voor hem, zei iedereen, om zijn leven te verliezen op een hoogtepunt, op de ochtend dat hij hoorde dat Rachel hun kind verwachtte. In een bui van uitbundige blijdschap was Hugo gedood, een stemming waartoe hij fysiologisch was gedisponeerd, zoals anderen tot tuberculose of de stuipen. Iedereen was het erover eens dat het een tragedie was, maar wel een poëtische.

Harry was die dag op Bells, en zag het gebeuren. Met een oorlog in het vooruitzicht was hij in de eerste plaats gekomen om Percy en Maria te bezoeken, die tegen hun zin in het weduwenhuisje woonden. Hij was blij dat Bells door Rachel op meer dan competente wijze werd bestierd en dat ze de goede smaak had weinig te veranderen. Tegelijkertijd was ze *every inch* de kasteelvrouwe, en het was duidelijk dat ze daar in alle opzichten in slaagde, want in wat eens Percy's werkkamer was prijkte nu haar fijne, kleine handschrift op elk document. Cato lag waaks onder het venster. Rachel had het huis tot haar territorium gemaakt.

'Hij is gaan rijden,' zei ze tegen Harry toen hij naar Hugo vroeg. 'Maar hij weet dat je komt. Ik weet zeker dat hij zo terug is.'

'Welke kant is hij opgegaan?'

'Niet ver.' Ze gaf hem een warme glimlach. 'Alleen maar het park in.'

Die glimlach was zo ongebruikelijk, en daarom zo verwarrend, dat Harry zich uit de voeten maakte met het excuus dat hij zijn broer ging zoeken.

Hij liep snel van het huis weg, over het open terrein naar de bomen toe, met de hond Merlijn naast hem. Hier en daar stonden de kleine, wilde, zoetgeurende narcissen in het gras die Maria had geplant, en de takken begonnen net felgroen uit te botten. Op die mooie, stille ochtend hoorde hij het hoefgetrappel al lang voordat hij paard en ruiter zag, en hij bleef staan, om van het ogenblik te genieten. Merlijn, keurig getraind, bleef ook staan, en hield zijn ene voorpoot omhoog, als de vleesgeworden afwachting.

Hugo kwam in zicht. Hij bereed Piper ongezadeld. Ze galoppeerden rustig, maar toen hij Harry zag slaakte hij een oorlogskreet en stak zijn arm op. Piper deed een sprong voorwaarts en versnelde zijn pas. Hugo's mouw bleef aan een tak hangen en zijn 'hallooo!' ging over in een snerpende kreet van pijn toen zijn lichaam in het rond werd gezwiept en op de grond gesmeten, met meenemen van een deel van de tak. Piper denderde te snel langs Harry heen om hem te kunnen vangen, maar kwam tussen hem en het huis in tot stilstand, snuivend van angst, met hijgende flanken.

Plotseling was het angstaanjagend stil. Zelfs de vogels zwegen. Hugo lag er nog precies zo bij zoals hij was gevallen, in een stijve, marionetachtige houding, met zijn ene been opgetrokken, zijn dichtstbijzijnde schouder een stukje van de grond af, alsof hij wilde gaan zitten. De vingers van zijn linkerhand trilden licht.

Merlijn was de eerste die zich verroerde. De hond draafde met zijn oren omlaag vooruit om te onderzoeken wat er aan de hand was. Hij snuffelde, deinsde een stukje terug, en snuffelde nogmaals. Jankte.

Hugo was dood, het gevolg van een gebroken nek. Zijn ogen stonden wijdopen. Harry zou nog vele doden zien, maar niet één die hem met zo'n brute kracht zou treffen als deze. Het moment dat hij op de starende, honende leegte neerkeek die Hugo was geweest, was het ogenblik dat alles was veranderd.

Hij dacht dat hij iemand zijn naam hoorde roepen, en zag Rachel bij Piper staan. Hij was nu rustig, en ze hield haar hand op zijn manen, maar haar blik was op Hugo gevestigd. Harry deed een stap terug van het lichaam, en terwijl hij dat deed liep ze eropaf, rechtop en onverschrokken, al voorbereid op de waardigheid van haar weduwschap.

Als ze al huilde kreeg niemand dat ooit te zien. Bleek en praktisch, met opgeheven hoofd, en haar toestand goed verborgen, handelde ze haar zaken af. Dat ze ieders respect en de liefde van maar weinigen veroverde was geen verrassing. Om beide te bereiken had ze een vrouw met een heel ander karakter moeten zijn: een minder capabele vrouw, met meer tranen, een vrouw die bereid was haar verdriet te tonen.

Rachel liet de mensen denken wat ze wilden. Ze mochten aannemen dat ze koud en ongevoelig was, of dat ze haar gevoelens diep in haar binnenste verborgen hield. In geen enkel geval zouden ze aardig tegen haar zijn. En zij zou niet om hun sympathie bedelen.

Behalve Harry had alleen Maria, wonderlijk genoeg, begrip voor die ijzeren discipline en de trots waaraan ze haar kracht ontleende. Ze gaf het niet openlijk toe, maar haar daden waren welsprekender dan woorden. De beide vrouwen vormden een intuïtief verbond, dat niet op intimiteit of het uitwisselen van vertrouwelijkheden was gebaseerd, maar op een behoedzaam, onuitgesproken begrip.

Harry zelf wist nu, als hij er al ooit aan had getwijfeld, dat hij verloren was. Door dood te gaan had Hugo hem met een dubbele last aan verdriet en onbeantwoorde liefde achtergelaten.

5

Are you there?
I've been expecting you;
Please answer if you're anywhere
Out there

Stella Carlyle, 'Are You There?'

Stella 1990

De volgende ochtend werd ze alleen wakker, griezelig kalm. Sereen,
ze voelde zich sereen. Er scheen een koude, onbarmhartige zon. Ze
vroeg hem (ze hadden geen namen uitgewisseld) haar naar huis te
rijden via de Curfew, en had de portier om haar tas gevraagd, zodat
ze geld en een mobiele telefoon had. Het was ook nog zondag, waardoor ze gelukkig haar advocaat en haar accountant niet kon bellen,
om maar te zwijgen van Teresa. Ze kon doen waar ze zin in had.
'O, wat een verrassing,' zei haar moeder. 'Maar haast je niet, we
wachten wel met de lunch.'
Na de uitspattingen van de avond daarvoor wilde ze er alleen nog
maar androgyn uitzien. Ze trok slobberige jeans aan, loopschoenen
met glimmende neuzen van ouderdom en een rafelige mannentrui
waarvan de herkomst duister was. Ze stopte haar futloze, dunne
haar weg onder een elastische haarband.

De kostschool voor basisonderwijs waarvan haar vader directeur
was lag op de grens van Oxfordshire en Wiltshire, maar ze legde de
twee uur durende rit met de kampeerbus bijna gedachteloos af. Buiten haar gewoonte lette ze heel goed op de maximumsnelheid en liet
ze de andere automobilisten rustig langs suizen. Als vrouwelijke
chauffeur van een gedeukte witte Bedford was ze gewend met een
zekere behoedzaamheid door de andere weggebruikers te worden
bejegend. Het was een goed gevoel zo gezagsgetrouw te zijn, alsof
ze een schuld inloste. De ontstellende gedachte kwam bij haar op dat
dit wellicht het begin was van volwassen worden, maar werd spoedig verworpen bij de herinnering aan recente gebeurtenissen.

Er was geen sprake van hoeven wachten met de lunch. Het was, zoals haar vader zou zeggen, een geval van meer haast, minder snelheid. In deze welwillende, coöperatieve stemming was ze om half twaalf op vijftien kilometer afstand van haar bestemming. Ze stopte langs de weg om haar benen te strekken. Haar halteplaats was niet willekeurig gekozen: vanhieruit kon je op een heldere dag als deze het Witte Paard van niet al te grote afstand zien. Het steigerde op zijn heuvelflank in een houding die agressie vrees, seks of gewoon enthousiasme kon uitdrukken. Als een primitief masker absorbeerde en reflecteerde het Stella's opgeruimde stemming op deze eerste koude, zonovergoten ochtend van haar nieuwe leven.

Bij de zeldzame gelegenheden dat Stella een steek van wroeging over haar losbandigheid voelde, besloot ze meestal met de gedachte dat ze, zoals Jamie haar ook al had gezegd, diep in haar hart een romantisch type was. En als ze dat was, was het de schuld van haar ouders. Het huwelijk van Andrew en Mary Carlyle was het levende bewijs dat Cupido niet alleen een schurkachtig ventje was, maar dat door zijn welgemikte pijl een van de minst waarschijnlijke en niet erg veelbelovende verbintenissen de tand des tijds glansrijk had doorstaan.

Toen Stella tegen het middaguur bij de Vayle Place Preparatory School aan Upton Magna aankwam, met zijn grillige, gotische torens die het gebouw van natuurwetenschappen en de nieuwe hal uit de jaren zestig in het niet deden verzinken, zag ze dat er op het sportveld aan de voorzijde een voetbaltraining aan de gang was. Ze pikte haar vader er zonder enige moeite uit, omdat hij onlangs met het vuur van een bekeerling de allang achterhaalde mode van het dragen van een felgekleurd trainingspak had omhelsd, en deze ochtend was uitgedost in een heftige tint blauw met hoogglans en een rode honkbalpet. Ze zette de auto stil en draaide Bob Marley af omdat ze het leuk vond om te kijken.

De jongens werden getraind door meneer Hanniford, wiens gespierde, zwarte armen voordelig uitkwamen in een mouwloos jack van schapenvacht. De jongens waren heel klein, en op een leeftijd dat het concept een strategische positie in te nemen totaal onbekend was. Hun instinct – hetgeen meneer Hanniford trachtte te bestrijden – was als een kudde de bal te volgen waar die ook heenging, zich uit te putten en het doel en zijn nietige verdedigers gruwelijk onbeschermd te laten. Terwijl ze bleef toekijken maakte een van de grotere jongens zich ineens los uit de kudde en brak totaal zonder tegenstand door op het veld. Alleen het verwoede gezwaai en gespring van de keeper bracht hem in herinnering dat hij de verkeerde kant op ging, en hij voerde een wijde U-bocht uit, om vervolgens een schare spelers tegenover zich te vinden waar hij de bal midden-in trapte, waarschijnlijk in een wanhopige poging ze onderling aan het vechten te krijgen. Meneer Hanniford blies op zijn fluitje en ging eropaf om orde op zaken te stellen. Stella zag haar vader zijn handen in een dramatisch gebaar naar zijn hoofd brengen en zich quasi-wanhopig op zijn hielen omdraaien. Nogal overdreven, constateerde ze, aangezien hij zelf totaal geen aanleg voor sport had.

Nadat meneer Hanniford de bal had ingenomen en was gaan praten alsof hij een pittig teamgesprek hield, leidde hij zijn kudde het veld af. Stella stapte uit de auto en zwaaide met haar armen gekruist boven haar hoofd.

'Paps!'

Toen haar vader haar zag zwaaide hij terug met zijn belachelijke pet, zette die weer op zijn hoofd en voerde een paar doelgerichte hardlooppassen in haar richting uit alvorens terug te schakelen naar wandeltempo. Vervolgens bleef hij stilstaan tot zij bij hem was. Andrew Carlyle was tweeënzestig, in veel opzichten jong voor zijn leeftijd, maar niet van de generatie of het type dat veel aan fitheid deed. Zijn dikke buik zwoegde nog een beetje toen hij haar daartegenaan drukte, en ze rook een zweem van zijn medicinale heupflacon in zijn adem.

'Lieve schat van me! Mary vertelde het, maar toch is het een volkomen... Goeie god, je lijkt wel een geraamte.'

'Niet erger dan de laatste keer.' Ze duwde hem van zich af. 'En jij bent te dik.'

Hij sloeg met een soort spijtige voldoening op zijn pens. 'Als we in Tonga zouden wonen zou je dat niet zeggen.'

Hierop, zoals op veel van haar vaders uitspraken, was geen tegenspraak mogelijk, en ze probeerde het ook niet, maar vroeg, terwijl ze op het School House afliepen: 'Zijn er kampioenen bij?'

Hij kuste haar impulsief op haar wang. 'Heerlijk! Dennis Hanniford schijnt te denken dat er een paar goeien bij zijn, en ik kan hem alleen maar op zijn woord geloven. Je kent me, als sportman ben ik een nul.'

'Hij ziet er nog altijd even sexy uit.'

'Ho ho, blijf jij maar uit zijn buurt.'

'*Moi?*'

'Hoe dan ook, hij gaat van de zomer naar Japan, en dus moeten we iemand anders zien te vinden met de juiste hersen-spieren-verhouding. Dennis is in elk geval beschaafd, in tegenstelling tot de meeste particuliere kostschoolbaasjes die op die baan komen solliciteren.'

Het huis van de Carlyles, School House, maakte deel uit van het oude Vayle Place, met verbindingsdeuren naar het hoofdgebouw. Er werd gezegd dat het een kleurrijke geschiedenis had die bevolkt werd door zwakke, slechte en overwegend onbetrouwbare lieden. 'Dus dat is niets veranderd,' placht Andrew te zeggen. Maar vandaag rook het in de hal zo lekker en verleidelijk naar gebraden vlees, dat Stella zich bijna verbeeldde dat ze Desert Island Discs met Roy Plomley hoorde... in plaats daarvan kwam uit de zitkamer het gekwetter van de computer.

Drie niet in schooluniform gestoken jongens van een jaar of elf krabbelden overeind toen Andrew zijn hoofd om de deur stak. 'Wie blijft er en wie gaat er weg?'

'*Sir*, mevrouw Carlyle zei dat we allemaal mochten blijven.'

'Is ze gek geworden?'

'Nee, meneer.'

Andrew wierp een blik op het scherm. 'Is dat Super Mario?'

'Nee meneer, het is...'

'Zet het in elk geval af, en daarmee uit. Jullie kennen mijn dochter Stella.'

'Ja meneer,' zeiden ze.

'Hallo.'

Ze mompelden iets terug en staarden Stella bedachtzaam aan, en zij hen. Wat zouden hun ouders over haar zeggen, vroeg ze zich af, en wat voor valse meninkjes hadden ze zich over haar gevormd? Dit waren niet de egocentrische kleuters van het voetbalveld, maar gniffelende jongens van elf of twaalf, onderworpen aan de stimulans van hormonen. Met haar neefje en nichtje, haar petekind en de kinderen van vrienden maakte ze nergens een probleem van door zich schaamteloos aan hun kant te scharen, een subversieve vlucht uit de wereld van de volwassenen. Maar op Vayle Place, waar ze aan de positie van haar ouders moest denken, was dat onmogelijk.

'Ga je opknappen, zei haar vader. 'Dan geven we wel een seintje.'

'Gaaf trainingspak, meneer.'

'Ik ben blij dat je het mooi vindt.'

Het vlees stond op een laag pitje. Mary, die een slokje van haar gin-tonic nam, draaide de gebakken aardappelen om met een barbecuetang. Ze was volgens mannen van elke leeftijd een knappe vrouw, een mannenvrouw van het soort waar vrouwen op gesteld raakten, en ze was zoals gewoonlijk een plaatje van natuurlijke elegantie in een kobaltblauwe corduroy broek en een gebroken witte gebreide trui over een witte blouse van Gap, zag Stella. Haar haar had met wat fantasierijke hulp die flatteuze tint tussen blond en grijs bereikt en was zacht en donzig. Ze had het wijze besluit genomen niet te veel af te vallen, en het strategische zich met haar lot te verzoenen. Als resultaat daarvan zag ze er ongeveer zo oud uit als ze was, even oud als haar man, maar dan mooi.

'Mams...'

'Hallo, grote ster.' Moeder en dochter kusten elkaar. Mary rook naar Penhaligon's Bluebell, haar enige echte verkwisting. 'We hebben jongens, vind je het erg?'

'Natuurlijk niet, ik ben de indringer.'

'Als ze het toetje door hun strot hebben blijven ze niet lang,' zei Andrew. 'Sterkedrank of wijn?'

'Wijn graag.'

'Dus we hebben de kans om eens echt bij te praten.' Mary hield haar glas bij. 'Ik neem nog wat van dat spul, zodat ik er bij de lunch keurig als een geheelonthouder uitzie.'

Het gesprek aan tafel ging over film en toneel, wat er beter was. 'Ik ga liever naar de film,' merkte Mary op. 'Dat is goedkoper en de stoelen zijn gemakkelijker.'

Andrew trok zijn wenkbrauwen op vanwege de jongens. 'Ik weet niet of dat het juiste criterium is bij het vormen van een oordeel.'

'Mijn zus heeft me meegenomen naar *Miss Saigon*,' zei een van de jongens. 'En het was mega-vervelend.'

'Ik wed dat zij het goed vond,' opperde Stella.

De jongen bevestigde dat. 'Daarom heeft ze mij meegenomen.' Ze zag dat hij zijn volgende opmerking overwoog. 'Ze vond uw show goed.'

'Mooi zo. Ben jij geweest?'

De jongen schudde zijn hoofd. 'Ik mocht niet.'

'Nog een kant van de film,' onderbrak Mary hen gladjes, 'is de magie.'

'En de magie van een live-voorstelling dan?' vroeg Andrew. De ogen van de jongens schitterden; ze konden niet weten dat deze kleine huiselijke twist al tientallen jaren bij de dubbelrol van hun gastheer hoorde. 'Die is veel indrukwekkender.'

'Misschien,' zei Mary. 'Maar op den duur moeten die arme, zielige acteurs steeds opnieuw hetzelfde doen, ze moeten er wel gek van worden.'

De eerste jongen wendde zich weer tot Stella. 'Gaat het u wel eens vervelen, ik bedoel als u op tournee bent of zo?'

'Ja,' zei ze. 'Maar het materiaal niet.'

'Dat moet ze wel zeggen,' zei Andrew op souffleurstoon. 'Zij heeft het geschreven.'

Hierop volgde gelach, waarmee Stella instemde, opgelucht dat ze had bijgedragen tot de conversatie.

111

Bij de citroenpudding keerde de loslippige jongen naar zijn thema terug. 'Mijn zus wil weten wanneer u weer in Bristol komt.'

'Dat weet ik niet precies.'

'De tournee loopt een paar jaar, nietwaar?' informeerde Mary, die de bal in het spel hield.

'Ja, maar we nemen deze keer wat langer vakantie. Zeg maar tegen je zus dat het me spijt dat ik niet meer kan zeggen.' Er schoot haar iets te binnen. 'Hoe oud is ze trouwens?'

'Fern?' De jongen maakte zichtbaar een rekensommetje. 'Tweeëndertig.'

'Juist ja. Niets persoonlijks, gewoon marktonderzoek.'

Toen de jongens met permissie hun borden in de vaatwasser hadden gezet en zich weer hadden teruggetrokken bij de computer, knikte Andrew in hun richting terwijl hij de glazen nog eens vulde.

'Dat is tamelijk typerend. De vader is drie keer getrouwd, Fern is de stiefzus bij nummer twee, en nummer drie is jonger dan Fern... Ik geloof dat dat klopt.'

'Godallemachtig.'

'Vraag nog even door!' stelde Mary voor. 'Het is zijn stokpaardje. "Aspecten van het nieuwe seriële gezin."'

Stella zei uit de grond van haar hart: 'Ik ben verdomd blij dat ik er geen deel van uitmaak. Ik bedoel dat ik niets heb uitgebroed. In mijn leven als volwassene.'

'En, hoe staat het met je leven als volwassene?' vroeg Andrew. Ze waren altijd heel direct, maar zetten haar nooit onder druk om meer te zeggen dan ze kwijt wilde. Het gevolg was dat ze betrekkelijk eerlijk tegen hen was.

'Wisselend bewolkt,' antwoordde ze. 'Ik ben opgestapt bij Sorority.'

'Lieve hemel!' riep Mary uit, haar reactie zoals altijd volmaakt van timing en toon. 'Was dat wel verstandig?'

'De tijd zal het leren. Het gaf in elk geval veel voldoening.'

Ze beschreef de sfeer en de gebeurtenissen van de afgelopen weken en het uiteindelijke gevolg.

Andrew concludeerde: 'Dus je kunt niet terug, zelfs al zou je willen?'

Stella schudde haar hoofd. 'Nee. Ik heb mijn schepen achter me verbrand.' Ze grijnsde. 'Tussen haakjes: ik was geweldig. Jullie zouden trots op me zijn geweest.'

Mary pakte haar hand. 'Dat zijn we altijd al.'

Dat was waar, en daar was Stella blij om, hoewel ze weigerde zich dankbaar te voelen. Onder hun vleugels schuilen (ofschoon niet door hun tussenkomst) zou betekenen dat zij een kruis was dat haar ouders moesten dragen.

'Wat ga je nu doen?' vroeg Andrew. 'Zit je financieel goed?'

'Maak je geen zorgen, ik heb een dak boven mijn hoofd, maar het enige wat ik niet ga doen is met ze ruziën over geld. Ik ben eruit gestapt, en zij mogen de naam houden, de goodwill, de boekingen en de hele zooi. Mooi afgewerkt.'

'Maar ze hebben jou niet,' bracht Mary haar in herinnering. 'Dus zijn die dingen niets waard. Zelfs de publiciteit zal op jouw hand zijn; ik hoop dat je daar klaar voor bent, lieverd.'

'Helemaal klaar.'

'Maar ze zullen vinden dat ze recht hebben op schadeloosstelling.'

Stella wierp haar hand in de lucht. 'Kunnen ze krijgen, binnen redelijke grenzen. Ik had gelijk om weg te gaan, maar ik weet dat het gevolgen heeft.'

Andrew pakte zijn sigaretten uit de keukenla en bood er Stella een aan voordat hij er een voor zichzelf aanstak.

'Het is een zakenvrouwtje,' zei hij tegen Mary. 'Wij kunnen haar niets leren over de piranhavijver van de showbusiness. Trouwens...' Hij kuchte, '...het is maar geld. Je moeder en ik vinden het veel belangrijker dat je met een aardige jongeman gaat trouwen.'

Dat was een oude grap tussen hen waar ze met genoegen op ingingen. 'Wie weet? Nieuw hoofdstuk, nieuw perspectief, geldeloos en nooddruftig. Misschien verbaas ik jullie nog eens.'

'Je bent tot veel meer in staat, je zou ons nog ruïneren!'

Mary vroeg op ernstiger toon: 'En die man die met ons mee uit eten ging na de laatste voorstelling die we hebben bijgewoond?'

'Gordon.'

'Hij leek meer dan een bewonderaar...'

'Hij was nogal klef,' vond Andrew.

'Dat vond ik ook,' beaamde Stella. 'En dus heb ik hem de bons gegeven.'

Mary beet op haar lip. 'Ik hoop dat je het op een aardige manier gedaan hebt.'

'Ik dacht van wel. Ik heb hem de nacht van zijn leven gegeven en hem daarna de laan uitgestuurd. Aardig tot het laatst, weet je wel?'

'Arme man.'

'Zijn vrouw zal het prima vinden.'

Stella had spijt van deze kwinkslag, hoewel die Mary tot zwijgen bracht. Het was waar, maar onder de omstandigheden was het een onvergeeflijke inschattingsfout.

'Sorry,' mompelde ze. 'Herstel.'

'Nee, nee,' zei Andrew, en hij maakte zijn sigaret uit. 'Het is treurig, maar het is een deel van het moderne leven. En de verantwoordelijkheid moet vierkant bij de man worden gelegd.'

Ze verbeet haar neiging om hierop in te gaan, en vroeg: 'Hoe gaat het met George en haar gezin?'

'Heel goed,' zei Mary. 'Ze was van plan de kinderen vanmiddag hier te brengen. Brian is op excursie en ze vindt het heerlijk om je te zien.'

'Dat zou leuk zijn.'

Stella's jongere zus Georgina en haar man, een legerofficier, waren op dat moment gestationeerd in een legerbasis twintig kilometer verderop. De modderige Ford Siesta stationcar kwam een paar uur later aanzetten, en Kirsty en Mark stormden voor hun moeder uit het School House binnen met de agressief afwachtende houding van politietroepen die een charge uitvoeren. Stella was degene naar wie ze op zoek waren, en ze vielen als honden over haar heen.

'Pas op!' riep George in hun kielzog. 'Kalm aan! Ze wil niet gelyncht worden! Dag mams, dag paps, goeie hemel, met z'n hoevelen hebben jullie hier geluncht?'

'Jongens,' verklaarde Andrew.

'Arme schat.' George plukte haar kinderen van Stella af en gaf haar een smakkende zoen op haar wang. 'Ik had echt gedacht dat jullie die ene zondag dat er een bona fide dochter op bezoek kwam die kleine ellendelingen met hun eigen soort zouden laten eten.'

'Ik heb mezelf pas vanochtend uitgenodigd,' legde Stella uit. Ze wendde zich tot Kirsty. 'Als je de poet wilt, hij zit in die rugzak in de hal.'

De kinderen verdwenen. George zei weinig overtuigend: 'Je moet ze niet steeds geld geven. Het is omkoperij.'

'Nee, niet waar, ik vraag er niets voor terug.'

'De juiste term is smeergeld,' zei Andrew. 'Hetgeen nog steeds omkoperij is, maar dan van algemener aard.'

Kirsty verscheen in de deuropening met Stella's portemonnee. 'Je hebt een vijfje en een paar pond.'

'Hoeveel pond?'

'Behoorlijk wat.'

'Tel ze eens. Zie je wel,' zei ze tegen de anderen. 'Het is heel opvoedkundig.'

'Zeven,' zei Kirsty. 'En nog wat andere dingen.'

'Je mag er van elk twee hebben.'

'Gaaf.' Ze verdween.

'Jij vertrouwt ze heel wat meer dan ik,' zei George.

'Nou, en?'

Andrew leunde naar voren op zijn stoel als iemand die een eind wil maken aan het gedoe. 'Zullen wij het grut meenemen voor een gezonde wandeling voor de spijsvertering, schat, zodat die twee samen kunnen praten?'

'Vadertje!' George rolde smekend met haar ogen. 'Dat zou nog eens fijn zijn. Weet je het zeker? Ik bedoel, we zijn niet van plan erg lang te blijven, morgen moeten ze weer naar school...'

'Laat ze maar gaan, George.' Stella vervolgde op quasi-vertrouwelijke toon: 'Voor ze van gedachten veranderen. Nog een paar jaar en dan zijn ze te krakkemikkig om nog van enig nut te zijn.'

'Dat is waar.' Mary sloeg op haar knieën toen ze opstond. 'Blijven bewegen, dat is de truc.'

Vijf minuten later vertrokken ze.

'"Forth they went together,"' reciteerde George behaaglijk. '"Through de wild wind's rude lament..."' Zij liever dan ik. Zorg dat ik niet in slaap val voordat je alles hebt verteld.'

Het viel Stella altijd weer op hoeveel George op hun vader leek. Ze had zijn gedrongen postuur en open, geestige trekken, hoewel wat bij hem beminnelijk kabouterachtig was bij haar was getransformeerd tot het soort warme huiselijke sensualiteit die je alleen bereikt door het tien jaar lang tevreden stellen van een echtgenoot die een ambitieus beroepsmilitair is en de opvoeding van zijn praatjesmakende kinderen. En ze was ook niet achterlijk. Een negen voor moderne talen bleef onbenut, ofschoon George, in tegenstelling tot vele anderen, geen gelegenheid voorbij liet gaan om de taal te leren in de overzeese gebiedsdelen waar ze werden gestationeerd.

Stella prees zich gelukkig. Als ze een zus had gehad die ook maar in de verste verte op haar leek zou dat een ramp zijn geweest. En de wederzijdse openheid maakte van hun verschillen een deugd.

'Kan ik een shagje roken?' vroeg George. 'Ik ben weer gestopt. Maar deze telt niet.' Ze boog zich naar Stella's lucifer toe en trok zich overdreven inhalerend terug. 'Shit! Goed, steek van wal, jouw verhaal is altijd beter dan het mijne.'

Het nieuws over de band werd begroet met typisch wereldse gelatenheid. 'O, nou, ik neem aan dat je weet wat je doet. Maar zorg goed voor jezelf. Je weet ons te vinden als je ons nodig hebt. Ik weet dat Brian *de temps en temps* een beetje ouderwets kan lijken, maar hij is idolaat van je, dus zijn Scotch is jouw Scotch.'

'Om het zo maar eens te zeggen...'

'Je weet best wat ik bedoel. Hoe staat het met je seksleven?'

Stella besloot haar niet teleur te stellen. 'Ik heb een trouwe bewonderaar de bons gegeven en twee uur daarna een volslagen vreemde opgepikt.'

George giechelde verrukt. 'Uit de engelenbak geplukt, voor deze eer?'

'Nee. Nooit van me gehoord voordat hij me bijna overreed in de buurt van het theater, waarna hij de brutaliteit had om me de les te lezen, net als jullie...'

'Net als zij.'

'Goed, dus bood ik hem mijn lichaam aan als compensatie.'

'Wat hij accepteerde, hoop ik, met de bereidwilligheid van een echte heer?'

'Mmm...' Stella vernauwde haar ogen tot spleetjes. 'In elk geval bereidwillig.'

Ze liet een lange stilte ontstaan die George moest doorbreken door te vragen: 'En?'

'Het was een ramp.'

'Wat, bedoel je hem?'

Ze schudde haar hoofd. 'Hij deed zijn werk, ik het mijne. Maar geen vuurwerk. Ik had hem de neukpartij van zijn leven beloofd, maar dat werd het niet.'

'Hij kan gedacht hebben dat het dat wel was.'

'Nee, ik weet tamelijk zeker dat we het erover eens waren.'

'Goeie hemel.' Georgina zoog op haar tanden. 'Je hebt gelijk, hij was geen heer. Hij heeft je zowat overreden; je zou denken dat een beetje een aardbeving opvoeren wel het minste was dat hij kon doen. Ik bedoel, wij doen niet anders.'

'Om eerlijk te zijn geloof ik niet dat hij een van nature begaafd neuker is.'

George sperde haar ogen open. 'En wie bleek hij te wezen?'

Dit was Stella's troefkaart. 'Geen flauw idee.'

'Je meent het!'

Op weg naar huis, gevangen in de zich traag voortbewegende stroom rode achterlichten, voelde Stella een kriebel van iets dat ze vaag herkende als haar geweten.

Om haar zuster tevreden te stellen en te amuseren, was ze niet helemaal eerlijk geweest over het avontuur van de nacht daarvoor. Hoewel het waar was dat het op de toptien van losse seksuele contacten bedroevend laag scoorde, was het in diverse andere opzichten gedenkwaardig.

Om te beginnen kwam ze er niet achter waarom het zo glansloos was geweest. De man was op een ruige rijke-ballenmanier aantrekkelijk, met een politiek niet correcte charme waarvoor ze (haar fans zouden verbaasd zijn als ze het wisten) altijd schaamteloos ontvankelijk was. Een goed lijf dat door het leven was getekend. Een cynische manier van doen. Zekere, ervaren handen. En niet alleen dat, maar hij had ook een ontwapenend vertrouwen getoond door haar aanbod te accepteren. Hij had het genomen voor wat het was, zonder aarzelen, geen vragen gesteld, geen excuus gemaakt of geëist voor het mislukken, en was met prijzenswaardige snelheid in de nacht verdwenen.

Maar – en dat herinnerde ze zich het best – met nog voldoende tijd om haar op haar wang te kussen voordat hij vertrok. Ze had gedaan alsof ze bijna sliep, maar ze dacht nog steeds aan de Corona & Boss-geur van zijn kostuum toen hij zich over haar heen boog, en de manier waarop hij zijn hand op zijn das hield, zodat die niet over haar gezicht heen zou vallen. Als hij haar op haar mond had gekust of, wat God verhoede, op haar voorhoofd, zou ze hem direct doorgehad hebben en de hele gebeurtenis uit haar geheugen hebben gewist. Maar een kus op haar wang was anders, een teken van gelijkwaardigheid en vriendschap. Ze wenste dat ze om zijn naam had gevraagd. Of dat hij om de hare had gevraagd.

Natuurlijk werd het een puinhoop. De weken daarna had ze er geen moment spijt van dat ze uit de band was gestapt, maar ze vervloekte regelmatig de dag dat ze hem had opgericht.

'Over Frankenstein gesproken,' klaagde ze door de telefoon tegen George. 'Je prutst iets van eigen vinding in elkaar, en wat gebeurt er? Het neemt je te grazen.'

'Heb je zin om te komen logeren? Het aanbod is nog steeds van kracht. Brian staat heel positief tegenover het idee om een ster op de loop een toevluchtsoord te verschaffen.'

'Sorry dat ik hem moet teleurstellen, maar ik zou dat mijn ergste vijand niet aandoen.'

'Alles met jou in orde?'

'Min of meer. Maar het is lastig om niet-controversieel te zijn. Mijn impresario, mijn advocaat, de anderen, de theaterdirecties... Hoe vaker ik mijn handen opsteek en "prima" zeg, hoe kwaaier ze worden. Als ze verdomme niet uitkijken word ik vals en zal ik ze eens een poepie laten ruiken.'

'Zolang je maar goed voor jezelf zorgt,' zei George. '*Vis à vis* de financiën.'

'Maak je geen zorgen. In de eerste plaats heb ik vertrouwen in mijn eigen bescheiden talent. Het heeft me gebracht waar ik een paar weken terug was, en het kan me daar weer brengen.'

Bij deze uitspraak klonk Stella zelfverzekerder dan ze zich voelde. Van de grond af aan opnieuw beginnen bezorgde haar geen angst, maar ze had nog nooit als solist op het podium gestaan. Een deel van haar talent waarop ze aardig trots was bestond in haar bekwaamheid mensen zover te krijgen dat ze zich inzetten voor een gemeenschappelijke onderneming, vooropgesteld dat die onderneming haar eigen idee was. Dat had ze jarenlang gedaan, en ze was als een tijgerin opgekomen voor Sorority en de problemen van de grote boze wereld: al die kilometers rijden, de bekrompen theaterdirecties, de walgelijke kleedkamers en het hersendode publiek. Ze had ervan genoten, kreeg er zelfs een kick van. Ze was beter toegerust voor het veeleisende, harde werken dan voor het fijne afstemmen op succes. Daarom gaf ze de voorkeur aan het risico van iets nieuws; dat deed haar aan de strijd denken. Ze had geen behoefte aan het soort succes dat veiligheid garandeerde.

Maar geld, zoals iedereen inclusief George haar voorhield, was een noodzaak. Ze had haar flat, haar bus, haar piano, en een paar duizend pond geïnvesteerd in een woningcorporatie. Ze had haar bescheiden talent. Ze was niet lui, maar weinig methodisch; dat kwam op hetzelfde neer, ze moest dingen voor haarzelf hardmaken om aan te tonen dat ze de moeite waard waren. Dus beulde ze zich af, midden in de nacht, tegen deadlines aan, vergat te eten, dronk Red Bull en whisky, rookte de ene sigaret na de andere, liet aanmaningen onbetaald en attente berichten onbeantwoord... en kwam geradbraakt, maar triomferend weer boven, om haar schuldeisers een opgestoken middelvinger en een half dozijn nieuwe liedjes voor te houden.

Ze hield zich voor dat haar leven tot dusver, zowel professioneel als privé, een oefening in crisismanagement was. Met een beetje goede wil kon je de afgelopen gebeurtenissen daar ook toe rekenen. Maar ze zou een nieuw imago moeten creëren.

Haar ranke advocaat Apollonia had hier wel ideeën over, en deelde die met haar bij de thee in haar kantoor, dat uitzag op de dierentuin.

'Je moet op de sekstoer gaan.'

'Ik dacht dat ik dat al deed.'

'Ja, maar ik bedoel...' Apollonia wiebelde met haar schouders en trok een pruilmondje, '...sexy!'

'Alsjeblieft, zeg. Daar heb ik de boezem of de welvingen niet voor.'

'Vergeet de boezem, het is alleen maar een kwestie van houding.'

'De gedachte alleen al doet me hijgen. En ik heb net te veel respect voor mijn klanten om te denken dat zij er ook van gaan hijgen.'

'Je bent te bescheiden,' zei Apollonia, die het echt niet vatte.

'Nee, dat ben ik niet!' snauwde Stella geïrriteerd. 'Ik ben zo ijdel als de pest, en daarom ben ik niet van plan om me te gaan aanstellen als een armeluis-Madonna!'

'Goed,' zei Apollonia, een caloriearm koekje in de thee soppend.

'En wat was je dan van plan?'

Wat ze deed was naar Schotland gaan. Het gebeurde meer dan dat het een besluit was. Nadat ze aan haar financiële verplichtingen had voldaan en de stofwolken waren neergedaald ging ze naar Jamies achttiende verjaardag en maakte daar kennis met zijn tante Fran en oom Roger – de eerste helft van de avond, voordat ze bezopen was.

'Je bent een genie,' zei Fran. 'Dat vinden we allebei.'

Stella, die overgevoelig was voor dat soort opmerkingen, meende een zweem bevoogding te bespeuren en werd sarcastisch. 'Jullie zijn gauw tevreden.'

'Nee,' zei Roger. 'Verre van dat. Maar misschien maken we ons schuldig aan overdrijving.'

'Heb ik overdreven?' vroeg zijn vrouw retorisch. 'Neem me niet kwalijk.'

Tegen de tijd dat Jamie, die de ronde deed, in zicht kwam had Stella Fran vergeven. Ze kwam te weten dat het academici uit Nottingham waren, geen echte oom en tante, maar een achterneef en - nicht, en tot hun tevredenheid kinderloos. Ze stemde daarmee in, of het nu een vrijwillig gekozen staat was of niet. Ze lichtte haar eigen relatie tot Jamie toe en ze waren het erover eens dat het feest een stamritueel was, en dat ze zich als buitenstaanders vereerd voelden erbij te mogen zijn.

Jamie ging vergezeld van een gesoigneerde, blonde halfgodin waarvan Stella terecht dacht dat het Ingrid moest zijn.

'Hallo, zei ze. 'Ik ken hier geen mens, dus jullie moeten me excuseren.'

Fran en Roger namen haar met minikleding, verbijsterende rondingen, langgerekte klinkers en al in hun kielzog, maar of het uit tact was, of dat ze het, niet ingeseind, gewoon niet in de gaten hadden, was moeilijk te zeggen.

Terwijl ze haar als volleerde acteurs ondervroegen over alternatieve schoonheidsbehandelingen sloeg Jamie een arm om Stella's schouders en bracht een warme, naar wijn walmende mond naar haar oor.

'Heb er in de krant over gelezen.'

'Waarover?'

'Niks waarover! Dat je kwaad bent weggelopen.'

'Ik ben niet kwaad weggelopen.' Ze ving zijn blik op. 'Goed, ik

ben wél kwaad weggelopen. Het was een verdomd historisch kwaad weglopen. Een eerste klas kwaad weglopen.'
'Blij dat te horen.' In tegenstelling tot haar was het feestvarken al behoorlijk aangeschoten. 'En wat vind je van Ingrid?'
'Ik heb haar nauwelijks gesproken.'
'Ik ook niet...'
Ze moest lachen, hij was een prima jongen. 'Het is een stuk.'
'Mijn idee.'
'En Fran en Roger vind ik ook aardig.'
'Echt waar?' Hij keek naar ze alsof hij ze voor het eerst zag. 'Ja, ze zijn oké. Echte ouwe hippies. Ze hebben een huis op een van die Schotse eilanden, weet je wel. Een van die ruige communeachtige toestanden uit de jaren zestig.'
'Klinkt prima,' zei Stella. 'Gaan ze daar nog steeds heen?'
'Weet ik niet, ik denk van wel. Zal het ze vragen. Moet je horen, Stella...'
'Ja?'
'Wil je iets zingen?'
'Nee. Ik ben vandaag incognito.'
'Maar het is mijn verjaardag en ik vraag het je.'
'Nee.'
'Ik kan het je altijd nog vragen als ik nog dronkener ben dan nu, met iedereen erbij.'
'Daar schiet je niks mee op.'
'Je bent vreselijk.' Hij gaf haar een natte zoen, en leunde even zwaar tegen haar schouder toen hij zijn evenwicht verloor. 'Sorry... Laat ik maar rond gaan lopen nu ik het nog kan.'
Stella, die zag dat Ingrid haar arm door de zijne stak toen ze verderliepen, bedacht dat hij een slechtere keuze had kunnen maken.

Natuurlijk zong ze na het diner een nummer, tussen de eerste twee sessies van de band in. Het was 'Still the Same as Ever in my Head', over ouder worden. Ze laste Jamies naam in bij de paar algemene hints naar de jongeren, dus ofschoon het liedje wrang van toon was oogstte het de nodige bijval van zijn vrienden. Gezien de champagne van voor het eten en de daaropvolgende uitgelezen wijnen, en het haar onbekende toetsenbord van de band, had ze er geen idee van hoe haar optreden overkwam, maar Jamies moeder Helen liep over van dankbaarheid.
'Dat was echt heel erg lief van je, Stella. We hadden het je nooit durven vragen. Ik hoop dat hij je niet te veel onder druk heeft gezet.'
'Natuurlijk niet, graag gedaan.'

'Je was fantastisch,' zei zijn vader Bill, met wie Stella ooit een keer, jaren geleden, had geslapen. 'Niemand hield het droog.'

Helen fronste waardig haar wenkbrauwen. 'Schat, dat is walgelijk!'

'Sorry, het is als compliment bedoeld.'

'En het wordt ook zo opgevat,' zei Stella.

'Zie je wel?' zei Bill. 'Een vrouw van de wereld.'

Wat had ze zich, vroeg Stella zich af, al die jaren geleden in het hoofd gehaald?

Tegen twee uur in de ochtend was het gezelschap, zoals het hoorde, uitgedund en waren er groepjes ontstaan. De jongeren waren bij de band in de grote feesttent gebleven, terwijl de overgebleven oudere gasten die bleven logeren of te lui waren om naar huis te gaan over het huis waren verspreid, met hun schoenen uit om hun voeten te ontzien. In een meer anonieme omgeving had Stella de voorkeur gegeven aan de tent, en Jamie had haar gesmeekt te blijven, maar de paar hersencellen die nog niet door de drank waren aangetast waarschuwden haar ervoor geen risico te nemen. Vanavond was het officiële einde van haar peetmoederlijke plichten aangebroken; het zou onverstandig zijn om een herinnering aan haar achter te laten als vrouw die zesdeklassers knuffelde.

In plaats daarvan ging ze op de bank zitten bij Roger en Fran.

'Ja,' zei Roger in antwoord op haar vraag, 'inderdaad, op Ailmay. Hoezo, ken je het eiland?'

'Ik heb erover gehoord.'

'Nu, we zijn er trots op dat we daar een huis hebben gekocht waar niemand ooit van heeft gehoord,' zei Fran. 'En sindsdien zien we het door de ogen van de Ailmay-commune: als toevluchtsoord van popsterren, hun dieptepunt, afgang en wederopstanding.'

'Afgang?'

'Bij wijze van spreken; popsterren zijn door van alles heengegaan.'

'En hoe is het er nu?'

'Schitterend, op zijn eigen naargeestige manier. Als je ervan houdt, en dat doen wij. De meeste communehuizen zijn nu vakantiehuizen, en er zijn een paar eetcafés, en er is een echt goed restaurant in het hoofdgebouw. Er is nog steeds maar één winkel, maar die verkoopt tegenwoordig olijfolie en pastasaus. Dat soort dingen.'

'Je hebt er geen idee van hoe aantrekkelijk dat allemaal klinkt.'

'Weet je,' zei Roger. 'Als je ooit ergens aan je blaffende meutes fans wilt ontsnappen, of aan de pers, of wat dan ook, ben je er van harte welkom. Het is goed voor het huis als wordt bewoond.'

121

'Ben je gek, Rog,' zei Fran. 'Dat is niks voor Stella. Ze verveelt zich binnen een dag een ongeluk.'

Als Fran dat niet had gezegd was Stella zelf ook tot die conclusie gekomen. Maar ze was in een dwarse bui. Zij zich binnen een dag vervelen? Dat viel nog te bezien. De weken daarna kreeg het idee van een retraite in de hooglanden steeds meer vorm. Ze voelde de wegen naar het noorden al onder haar wielen, en hoe ze die ze al rijdend achter haar liet; de sproeiregen op haar gezicht als ze aan dek van de veerboot stond, het gekrijs van wulpen, de wirwar van eilanden... Niemand die haar kende, of zich met haar bezighield, of het een reet kon schelen hoe ze eruitzag. Ze kon eten wat ze wilde en whisky drinken en lange wandelingen maken. Ze zou zelfs (hoewel ze haar twijfels had) ophouden met wiet roken. En ze kon er schrijven – ze kon de huisschrijver van Ailmay worden, de excentrieke vrouw uit de vallei... Er was geen piano, maar dan zou het de eerste keer zijn dat ze het zonder deed. Trouwens, in een van de cafés of in het grote huis zou er heus wel een staan. Als ze een nieuw imago ging creëren zou dat de aangewezen plek zijn.

Toen ze een besluit nam en Fran haar had verzekerd dat het huis leeg stond en ze van harte welkom was, had Stella snel geregeld dat ze er voor een maand naartoe ging. Op dat moment wist ze zeker dat ze de juiste beslissing nam, dat het idee van trouwen en kinderen krijgen voor haar geen optie was. Ze had geen partner, geen bindingen, geen huisdieren, op dat moment zelfs geen werk. Uit overwegingen van fatsoen schreef ze haar moeder een kaart waar ze heenging, en waarom, maar ze gaf haar niet het adres.

Als om de onderneming vleugels te geven stond er een artikel over Sorority in de krant. Stella was niet op een krant geabonneerd; ze kocht er af en toe een als ze er zin in had. Dit keer was het een middelmatig roddelblad dat populair was bij vrouwen. De roddelrubriek gaf een verslag van haar kwaad weglopen, zoals ze het aanduidden, vanwege 'een meningsverschil omtrent het leidinggeven van de groep'. Ze vervolgden met een beschrijving van de pogingen van de resterende leden om haar te vervangen. Het was walgelijk; ze deden alsof er honderden – Stella schatte een stuk of twintig – hoopvolle talenten auditie waren komen doen voor de groep. Hun keuze, zie foto, was gevallen op een punky meisje dat Gina heette, dat volgens Faith 'het helemaal was zodra ze door de deur kwam, en daarbij de stem had van een gevallen engel...' Jezus, dacht Stella, hadden ze dan helemaal geen fatsoen? Hoe klonk een gevallen engel? Had *zij* geklonken als een gevallen engel? En, verdomme, was ze jaloers?

Later op de ochtend rinkelde de telefoon, en het was Faith, die vastbesloten was om dapper en rechtuit te zijn.

'Ik wou maar even zeggen dat we je missen.'

'Aardig dat je het zegt, Faith, maar het kan me geen donder schelen.' Een sarcastische opmerking die verraadde wat ze wilde verbergen, maar Faith was te veel met zichzelf bezig om het op te merken.

'Heb je dat artikel in de krant gelezen?'

'Ik heb geen krant.'

'We hebben iemand anders aangenomen.'

'Mooi zo.'

'Maar als je soms denkt – ik bedoel, als je het stuk onder ogen krijgt, denk dan vooral geen moment dat ze jou kan vervangen, want dat kan niemand.'

Stella besloot de stilte te laten inwerken. De moeilijkheid met stiltes was echter dat ze gelegenheid tot talloze interpretaties boden.

'Stella? Ben je er nog?'

Hemel, een kruimeltje bezorgdheid.

'Sorry, ik heb je niet gehoord, ik was even een sigaret halen.'

'Maakt niet uit. In elk geval wil ik je bedanken. Dat je me een kans hebt gegeven, en zo. Wat ik van nu af aan bij de band zal doen is grotendeels te danken aan wat jij voor mij hebt gedaan, en dat zal ik niet vergeten.'

Stella hoorde alles: het achterdeurtje openhouden, het eigenbelang, het goeie ouwe kontlikken. Maar het ergste was de veronderstelling dat zij iemand was die men zich met dankbaarheid zou herinneren terwijl een jongere, mooiere vrouw de stratosfeer van de showbusiness inschoot.

'Natuurlijk zul je dat niet vergeten,' zei ze, 'want je krijgt niet alleen met je waardeloze geweten te maken, maar ook met mij. En terwijl jij je wentelt in je treurige, misleidende *a star is born*-fantasie, ben ik bezig het helemaal te maken. Talent vindt z'n weg wel, en de harde waarheid is dat ik daar meer van in huis heb dan jij, schat.'

Er klonk een sidderende zucht. 'Het spijt me zo, Stella.'

Stella was meer van psychologisch straatvechten vergeten dan Faith ooit zou leren, maar toen ze ophing moest ze woedend erkennen dat haar tegenstandster het laatste woord had gehad. Dat perfect getimede 'het spijt met zo', dat geen verontschuldiging was, maar een uitdrukking van sympathiek medeleven... het kleine kreng! Maar ja, ze had een goede leermeester gehad, en op een ander moment en een andere plek, overwoog Stella, zou ze met Faith bevriend kunnen zijn.

De ochtend dat ze naar Schotland vertrok lag er een brief van Gordon. Ze gooide hem ongeopend in de vuilnisbak, maar louter ordinaire nieuwsgierigheid maakte dat ze zich op het laatste moment bij de deur omdraaide om hem weer op te vissen en in haar jaszak te steken.

Op de parkeerplaats van een wegrestaurant bij Doncaster stak ze een sigaret op en las de brief.

'...wilde alleen zeggen...' Waarom gebruikten mensen altijd het woord 'alleen' als ze van plan waren uitvoerig hun hart te luchten? En dan 'sorry' zeggen terwijl ze helemaal geen spijt hadden? De kiem van een idee voor een liedje diende zich aan. Ze diepte een ballpoint uit haar tas op en omcirkelde het 'alleen' alvorens verder te lezen.

'...wilde alleen zeggen dat mijn gevoelens voor jou niet zijn veranderd. Ik heb hoe dan ook het diepste respect voor de beslissing die je hebt genomen, en voor jouw redenen om die te nemen, ofschoon jij de enige bent die weet wat ze behelzen. Ik zal natuurlijk wanneer ik maar kan naar je voorstellingen blijven komen, en je "uit de verte aanbidden". Je hebt er geen idee van wat onze hartstochtelijke verhouding voor mij heeft betekend, hoewel je het je, creatief als je bent, misschien kunt voorstellen...'

Hartstochtelijke verhouding? Wat was dat voor woordgebruik? Het hield alles in dat Gordon nooit zou doen. Zijn hardnekkige verlegenheid, zijn voorzichtigheid die uitmondde in emotionele verlamming, het laten prevaleren van beleefdheid boven passie. En toch... Ze fronste haar wenkbrauwen terwijl ze haar sigaret door de kier van het raampje mikte... Hier was de brief, op zichzelf als een stoutmoedige daad, gezien de kortaangebonden manier waarop ze zijn vorige communicatiepoging had afgehandeld. Ze bewees hem de eer verder te lezen.

'...kan ik me voorstellen. Maar het zou je verbazen als je wist dat mijn omstandigheden eindelijk zijn veranderd...' Ze nam aan dat hij daarmee zijn vrouw bedoelde '...hetgeen voor iedereen moeilijk is, maar dat allang had moeten gebeuren. Ik weet op het ogenblik niet welke kant het op moet, ik neem aan dat ik te lang alles vanzelfsprekend heb gevonden. Hoe dan ook, Stella, als je tot hier hebt gelezen, wat ik betwijfel, accepteer dan mijn beste wensen voor de schitterende toekomst die je verdient, en als je me nodig hebt, voor wat dan ook, dan weet je waar ik ben.'

Het was armzalig gestuntel, net als Gordon zelf, maar alleen om die reden kreeg ze tranen in haar ogen. Natuurlijk wist ze niet waar hij was, dat had ze nooit geweten. Ze had het niet willen of hoeven weten, want hij kwam altijd naar haar toe. En waar zou hij trouwens zijn, nu zijn 'omstandigheden' waren veranderd? Niet in een koude, ongezellige vrijgezellenflat, dacht ze. Het was pijnlijk gemakkelijk je Gordon voor te stellen in een zitslaapkamer van het oude Rising Damp-variété, met een gasmeter, een minifornuis, een chenille sprei en herenslips met gulp over de radiator. Ze trok een grimas, met een soort spijtige ergernis. Nu vielen de onderstreepte woorden op de pagina haar op: 'wat dan ook'. De vreselijke waarheid was dat hij het nog meende ook. Wat ze ook nodig had, als het binnen zijn mogelijkheden lag zou hij het haar geven, van een bed (gedeeld of niet) voor de nacht, tot zijn spaargeld of zijn organen, en zonder vragen te stellen. Het was pathetisch in de ware zin van het woord.

Toen ze het parkeerterrein afreed stopte ze bij een vuilnisbak in de vorm van een monster en duwde de brief door zijn bek. Vijftien kilometer verderop besefte ze dat ze het idee voor het liedje had weggegooid, en toen ze probeerde het zich te herinneren lukte dat niet.

Het weer, dat bij haar vertrek uit Londen helder en fris was, werd steeds somberder naarmate de namiddag inviel en ze verder naar het noorden ging. Tegen dat ze de Countess of Ailmay opreed had zich een zachte, dichte mist gevormd die haar jas en haren met vocht beparelde en de duisternis ondoordringbaar maakte, zodat het weinig zin had de zeereis aan dek door te brengen. Als er al meeuwen rondscheerden lieten ze het niet merken, en het enige geluid kwam van het draaien van de motor van de veerboot, en het gedempte getik en geritsel van het kaartspel dat door twee van haar medepassagiers werd gespeeld. De veerboot was maar voor een kwart bezet: hoewel de benedendekse lounge allerlei faciliteiten bood – een bar en een zelfbedieningsbalie, fruitautomaten en een jukebox – werd er geen gebruik van gemaakt.

Ze ging naar de bar, klom op een kruk en bestelde een Scotch, met het aangename gevoel dat ze de dag van de barman goedmaakte. 'Ik drink meestal bourbon, maar 's lands wijs... Plus wat u wilt drinken.'

'Een biertje graag.' Met een laconieke blik gaf hij haar wisselgeld. 'Maak u geen zorgen, ze drinken daar tegenwoordig allemaal chardonnay.'

'Te veel mensen net als ik, of niet?'

'Ze vallen wel mee,' zei hij neutraal. 'En het eiland zou zonder hen instorten.'

'Blij dat te horen.' Ze hief haar glas en gaf hem haar meest sexy glimlach. 'Op ons.'

'Santé.'

Terwijl ze op deze winteravond om acht uur door de kronkelende, onverlichte bolwerken van Ailmay reed, met alleen haar door Fran

125

enthousiast geannoteerde kaart als gezelschap, wenste Stella dat ze meer bewijs kreeg voor het bestaan van de chardonnay drinkende bewoners. Maar toen ze ten slotte Glenfee ontdekte, hoefde ze maar een paar honderd meter over onverharde weg een niet al te steile helling op. Het huis zelf verkeerde in verrassend goede staat. Ze kon zien dat het oorspronkelijk een stoer, laag boerderijtje was geweest dat tegen de heuvelflank was aangebouwd. Maar ofschoon Fran en Roger er in de hoogtijdagen van de Ailmaycommune hadden gewoond, hadden ze het sindsdien op een verstandige manier aangepast en Glenfee was nu in alle opzichten een respectabel, vers geschilderd huisje met een dakkapel, een garage, een buitenlamp en dubbele ramen. Stella geneerde zich een beetje dat ze zich opgelucht voelde.

Binnen was het sober maar gerieflijk, in de stijl van de meeste vakantiehuisjes. Boeken van Ruth Rendell tot de plaatselijke toeristengids, een schaakspel, scrabble, levensweg op de plank, en een koelkast met vriesvak en een magnetron in de keuken. Ze was gewaarschuwd dat er geen televisie was, maar dat kon haar niet schelen. Ze was blij dat ze haar draagbare stereo en een aantal cd's had meegebracht. Het tweepersoonsbed was opgemaakt, en de radiatoren waren niet ijskoud. In de haard van de woonkamer lag een stapel hout, klaar om aangemaakt te worden. Er lag een briefje op de keukentafel:

Beste mevrouw Carlyle, er ligt eten in de koelkast, fles melk elke dag op bestelling. Verwarming staat op tijdklok, indien gewenst hoger zetten in de hal. Houtblokken achterbuiten. Munttelefoon ook in de hal, mijn nr. is 531206. Brundle's, de winkel, is in het dorp. Ze hebben van alles. Plezierig verblijf gewenst, Jean Sherlock.

Ze laadde haar auto uit, borg haar spullen op, stak het vuur aan en maakte een broodje met bacon klaar. Ineens was ze uitgeput, gevloerd door de reis, de emotionele en fysieke stress van de afgelopen weken en haar isolement. Alles wat ze nog opbracht was zich van het halfopgegeten broodje en het vuur wegslepen, naar boven, naar bed.

Als ze later aan Ailmay terugdacht, en aan de gebeurtenissen daar die haar leven zouden veranderen, was het de herinnering aan het uitzicht die eerste ochtend die alles terugbracht. Doordat de mist van de avond daarvoor was opgeklaard, werd nu de donkere, geheimzinnige massa van Stone Fell onthuld waarop het huis aan de noordkant uitzag. De sombere heidevelden in de kleuren van een Duitse herder: roodbruin, bruin, zwart, grijs, met nauwelijks een zweem groen, strekten zich glooiend uit tot aan de schittering van het zilverzand in de verte, waarachter de Atlantische Oceaan golfde. En de lucht, de uiterst veranderlijke lucht, die er die ochtend dramatisch uitzag met galjoenen van donderwolken, hun opbollende zeilen als zwarte opalen met grillig zonlicht omzoomd.

Het was een landschap om te aquarelleren, gevuld met vloeibare energie, voortdurend van karakter veranderend vanwege het licht en het weer. Op de zeldzame dagen dat er lange perioden van ononderbroken zonneschijn waren leek het eiland te slapen, gevangen in de betovering van een onnatuurlijke stilte, voordat het weer vibreerde en zich roerde en tot leven kwam.

Net als een eerste grote liefde zou ze dit nooit vergeten, of nalaten de invloed ervan te onderkennen. En evenmin was ze er nog ooit naar teruggegaan.

Ze was totaal niet voorbereid op het directe effect van haar zelfopgelegde ballingschap en het isolement waarnaar ze zo had gesnakt. Toen ze had uitgevonden waar de instellingen voor haar eerste levensbehoeften zich bevonden – de winkel, het postkantoor, de garage en de kroeg – verviel ze in een routine die bijna volledig solitair was. Ze werd vroeg wakker en werkte een paar uur, liep dan over de onverharde weg naar het punt waar die overging in het asfalt, en haalde op de terugweg om de dag haar halve liter melk op. Ze ontdekte opnieuw hoe lekker een warm ontbijt was, en werkte daarna de hele ochtend door. Om een uur of twee dronk ze een flesje bier en at ze een broodje.

's Middags maakte ze een wandeling. Ze had een kaart van het eiland en prikte nu en dan een doel, maar meestal liep ze een bepaalde tijd, en zorgde ervoor dat ze omkeerde bij een punt vanwaar ze voor het donker weer bij Glenfee kon zijn. Als ze de afstanden naging die ze de eerste week had afgelegd, waren die niet zo groot. Mentaal was ze sterk, maar fysiek was ze regelmatig niet in orde. De ruimte en de lucht pompten echter door haar systeem en vulden haar hoofd, zodat ze het gevoel had dat de grenzen van haar identiteit begonnen te vervagen. Haar scherpe, intense zelfgevoel loste op door de blootstelling aan zoveel leegte. De eindeloze hemel, de open zee, de bergen, vooral Stone Fell, waarvan de top voor haar in raadselen gehuld bleef.

Wat ze als werk beschouwde werd hier een totaal ander proces dan wat ze in Londen had gedaan. Zoals altijd als ze geen piano had moest ze op zoek naar een andere plek, een situatie waarin ze zich zeker voelde, zodat ze haar fantasie op goed geluk af kon uitleven. Na een paar dagen van mislukte pogingen installeerde ze zich aan een klaptafeltje van board. Ze had het neergezet bij het raam dat uitzag op de zee, ervan uitgaand dat het geen zin had te proberen haar vertrouwde omgeving te imiteren. Ze was aangewezen op wat ze zelf kon zingen en onthouden. Dat had het onvermijdelijke effect dat de muziek, net als haar omgeving, vloeiender werd. Als ze de ene dag een ontroerend of geestig motief had uitgewerkt, wist ze totaal niet of dat er de volgende dag nog in precies dezelfde vorm zou zijn. De paar regels tekst waarmee wat Stella betrof elk liedje begon, werden van alleen maar een aanzet tot een nu onmisbare *aide mémoire*. En er was nog iets. Op Ailmay dacht ze anders. Het was moeilijk hier de grootsteedse, gevatte, blasé toonzetting te vinden die het uitgangspunt vormde van de liedjes die ze in Londen schreef. Hier was ze onderhevig aan een bredere, diepere emotionele stroom, waartegen ze zich aanvankelijk heftig verzette, als de dood dat ze sentimentaliteit zou toelaten. Ze er was er niet immuun voor, het zat ook in haar, en ze was in staat geweest er op de goede manier gebruik van te maken, maar altijd met die heilzame dosis ironie en levensmoeheid.

Een liedje waaraan ze in geen jaren had gedacht en dat ze in lang niet had gehoord, achtervolgde haar.

'*The water is wide, I cannot get o'er, And neither have I wings to fly...*'

Dat was het soort liedje dat ze hier zou kunnen schrijven, iets tijdloos over verlangen en scheiding. Een liedje dat wat het aanspreken van emoties betrof niet op iets incidenteels berustte, maar op iets dat diepgeworteld was. Een nummer dat niet alleen personen aansprak, maar ook de gemeenschap waar iedereen deel van uitmaakte. En dan betrapte ze zich op dergelijke gedachten en rilde van die grote pretenties.

Al met al was het onvermijdelijk dat ze de vierde dag in een fase van diepe treurigheid verzeild raakte. Geen depressie – ze kende de apathie en wanhoop van depressies uit het verleden – maar een hopeloze droefenis. Zij, die praktisch nooit huilde, sjokte over schapenpaden terwijl de tranen haar over de wangen stroomden. Ze kon niet eten, viel midden op de dag in slaap en lag 's nachts wakker, verlangde naar gezelschap, maar verdroeg geen mensen om haar heen. Het deel van haar dat altijd minachtend had gedaan over de therapiecultuur en het bijbehorende jargon, verzette zich tegen het idee dat dit alles een noodzakelijk proces van loslaten was. Maar haar andere, grotere stuk, dat analytisch en pragmatisch was ingesteld en de menselijke natuur bestudeerde, erkende natuurlijk dat het zo zat. Een paar jaar terug, toen George had beweerd dat de baby's haar tot de rand van de waanzin dreven, had Stella, die zelf net een abortus achter de rug had, haar zus een kaart geschreven met de woorden: 'Zeg niet dat ik me moet ontspannen; mijn gespannenheid is het enige dat me overeind houdt.' Dat was uit de kunst. Stella geloofde heilig in het nut van stress, maar ze vond het plotseling wegvallen ervan onthullend en storend. Later was ze in staat het moment aan te wijzen waarop ze in een stemming van wat-kan-het-me-schelen, niemand-die-me-ziet het onvermijdelijke liet gebeuren. Het gebeurde op een stormachtige middag halverwege de westelijke berghelling, terwijl de Atlantische wind om haar hoofd beukte en haar voeten doorweekt waren. Boven haar werd de top verduisterd door een dichte, rimpelende sluier hooglandregen; beneden haar werd de heide besmeurd en geplet door de striemende hand van het weer. Het was een woeste, vijandige omgeving, en ze voelde hoe uiterst verlaten ze was. Als een in de steek gelaten kind. Ze bedacht: als ik nu doodga kan het weken duren voordat iemand me vindt.

Dat was de eerste keer dat ze huilde, hard en onbedaarlijk. Haar snikken waren boven de wind uit niet te horen, haar tranen waren onzichtbaar in de regen, en van haar befaamde stoerheid bleef weinig meer over dan een hoopje ellende.

De daaropvolgende dagen herkende ze zichzelf nauwelijks meer. Maar toen ze opkrabbelde, grond onder haar voeten voelde en zich weer kon oriënteren, voelde ze zich beter dan ze in tijden had gedaan. Moe, maar gezond moe, alsof haar geest en ziel nu gelijke tred hielden met haar goedgetrainde lichaam en zich van langdurige opgeslagen gifstoffen hadden ontdaan. Ze deed het kalmer aan, sliep langer, kwam wat aan en ontdekte opnieuw het genoegen en het nut van nietsdoen. Soms zat ze aan haar tafel, of op een rotsblok, als ze een wandeling maakte, gewoon een uur of langer voor zich uit staren. Ze werd een spons, die indrukken opzoog zonder dat ze er iets mee zou moeten doen.

Het resultaat, na een week of twee, was een liedje. Een liedje dat ongedwongen, organisch, uit deze vruchtbare nieuwe humus was ontstaan. Het begon, ongebruikelijk voor haar doen, met de muziek; drie noten die ze floot en die langzaam wegstierven, een kleine, melancholieke frase met een aantrekkelijke keltische cadans. En drie woorden erbij. Drie woorden die zich vanuit dat geheimzinnige hoekje in haar hoofd dat ze wel aanvoelde maar niet kon thuisbrengen, bij de noten voegden.

Are you there?

Ze wilde niemand zien, tenminste niet als het niet strikt noodzakelijk was. De eerste dag vulde ze de tank met benzine en de kofferbak met boodschappen; ze hield Mrs Sherlock op afstand door middel van een waarderend bezoekje en ze kwam zelfs niet in de buurt van de kroeg. Haar naaste buren woonden op vijf kilometer afstand. De man groette haar met een nonchalant handgebaar dat acceptatie van de wisselende bewoners van Glenfee inhield. Het idee het onderwerp van de plaatselijke nieuwsgierigheid te zijn, de fantasie van de vrouw met de donkere bril die ze thuis even had gekoesterd, was haar nu een gruwel, net als het plan nieuwe liedjes uit te proberen op een vreemde piano. Ze dronk thuis en dwong zich tot matigheid; een flesje bier tijdens de lunch, en 's avonds een paar whisky's, gevolgd door een halve fles wijn. Een regime dat, hoewel het de aanbevolen eenheden per week ruimschoots overschreed, niets was vergeleken bij haar normale taks, en dat ze volkomen redelijk achtte, aangezien ze op dat moment celibatair leefde, minder rookte en meer bewoog.

'Are You There' schreef zichzelf tijdens de licht-melancholieke fase van haar herstel, en ze schreef er nog een ballade achteraan. 'All to Play For' kwam uit dezelfde laag weemoedig optimisme, maar ging op een droefgeestig ragtime wijsje. De inhoud van Gordons brief kwam weer boven en inspireerde tot 'Just to Say' en 'Sorry but I'm Happy'. Ze was blij verrast met de liedjes en noteerde ze zo goed ze kon in haar aloude steno van punten en krabbels.

Gezien haar voldoening met dit eerste resultaat was het, en dat lag voor de hand, de muziek die haar weer naar de mensen lokte. Op een dag had ze tussen de middag nieuwe voorraad ingeslagen bij Brundle's, en toen ze alles in de kofferbak had geladen ging ze een wandelingetje maken om de haven. Het was een natte, stormachtige dag. De zee werd gegeseld door een aanlandige wind, en beukte en kolkte om de poten van de houten steiger heen en ramde de boten die aan de kade lagen aangemeerd. Het kielzog van de middagboot naar het vasteland was nog zichtbaar voorbij de golfbreker.

De Vuurtoren was op een bepaalde manier de minst aantrekkelijke van de twee kroegen van het plaatsje; het was een bruinstenen gebouw met een puntgevel, verweerd en geteisterd door het Atlantische klimaat, met een parkeerplaats vol barsten en scheuren, en met een klapperend uithangbord waarop WARME MAALTIJDEN te lezen stond. Maar toen ze erlangs kwam ving ze de onmiskenbare vibraties van live muziek op, en het geroezemoes van een goed van drank voorzien publiek; een geluid dat een magnetische aantrekkingskracht op Stella uitoefende. Het opzwepende gedreun van drums, het gejank van violen en het trillen van een fluit dreef haar het café in.

Ze hoefde zich geen zorgen te maken. De tent was afgeladen en niemand zat ermee om er nog eentje te nemen. Ze drong zich naar voren en bestelde een biertje, net toen de muziek ophield en het applaus losbarstte. Het lawaai, de warmte en de menigte overdonderden haar na haar afzondering van twee weken en ze baande zich een weg naar een hoek van de kroeg, waar ze in elk geval tegen de muur kon leunen om te acclimatiseren. Vanhieruit kon ze de bandleden observeren, die net hun glazen neerzetten en aan hun volgende nummer begonnen. Ze waren met hun vieren, een viool, een banjo, een fluit en slagwerk. De drummer was een blozende jongen van een jaar of zestien met een wenkbrauwring die niet erg bij zijn slecht geknipte, in het midden gescheiden haar paste. De banjospeler was oud, gaaf en zwart. De fluitiste was een stevige, knappe vrouw van Stella's leeftijd in een lange, groene rok en een dikke trui. Maar het was de violist die haar aandacht trok en vasthield: een van oorsprong wilde folkspeler, lang, bleek en harig, die zich boog, meedeinde en stampte op de muziek, en zijn nietsziende ogen die hij ofwel stijf dichthield of die uit zijn hoofd puilden, op god weet wat gericht. Zijn gezicht was bedekt met een netwerk van rode adertjes, zijn handen waren gekloofd en zijn dikke, gespleten nagels hadden rouwranden. Hij droeg gympen zonder sokken, waaruit dunne, grauwe enkels staken. Hij speelde als de duivel en zijn muziek was goddelijk.

Geleidelijk aan ontspande Stella zich en voelde ze zich deel van haar omgeving. Het was goed weer onder de mensen te zijn, vooral deze anonieme troep goedmoedige, muziekminnende zuipschuiten. Ze bestelde een biertje, en ook een voor de man naast haar. Tegen dat de band nog drie nummers had gespeeld bestelde hij er een voor haar. Er was niet de minste suggestie dat ze ook maar een woord zouden wisselen buiten deze basale, wederzijdse handelingen om; geen insinuaties, geen lichaamstaal, geen toenadering, geen afstand nemen, geen agenda. Ze was vergeten dat een dergelijke situatie – onvoorstelbaar in Londen – nog bestond. Het stak de draak met haar vrouw-in-de-schaduw-scenario. Vanuit de knusse uithoeken van de beneveling bedacht ze: dit is volk naar mijn hart, ik zou hier kunnen wonen.

De band was onder gejuich en obligate protesten aan het einde van hun eerste sessie gekomen. De vrouw zwaaide met haar armen in de lucht.

'Oké, oké, wij houden ook van jullie, we komen terug. Waarom komt er niet iemand anders een paar minuutjes optreden?'

Dat had nog meer gejoel ten gevolge.

'Stuart!' Ze keek het vertrek rond, en verhief haar stem boven de luide juichkreten. 'Stuart MacDonald, jij dronken lor, dit is je kans!'

Ten slotte werd MacDonald, een plaatselijke grootheid met een spits gezicht waarvan alleen zijn moeder zou kunnen houden, naar voren geduwd en trok de band zich terug. Zelfs met haar meest kritische instelling schatte Stella toch dat dit slechts in naam een amateur was.

Hij speelde mondorgel op dezelfde manier als de violist zijn instrument bespeelde, met buitengewoon veel enthousiasme en flair, improviserend op verschillende soorten melodieën: volksdeunen, pop en zelfs brutaalweg op opera, en hij ging met het gemak van een professionele barpianist naadloos van de ene in de andere toonaard over.

Toen hij vijf minuten ononderbroken had gespeeld stak hij zijn mondharmonica gewoon weer in zijn zak en ging af, schijnbaar onberoerd door het applaus, en knipoogde waarderend terwijl hij op zijn schouders werd geslagen.

'We hebben nog steeds pauze!' riep de vrouw achter uit de zaak. 'Wil iemand ons een lol doen en iets spelen?'

Ineens was de verleiding te groot. Ze hoefde er niet eens over na te denken, maar stond al met over elkaar geslagen armen voor het gezelschap, in een deels afwachtende, deels dreigende houding waarvan ze wist dat die hen tot zwijgen zou brengen. Ze hadden haar niet verwacht of opgemerkt, en ze was niet te herkennen en ook niet groot, dus duurde het langer dan anders, maar uiteindelijk werd het stil. Ze merkte aan de kwaliteit van de stilte dat het ideaal publiek was – onbevooroordeeld, waarderend, bereid om zich te laten meenemen; met oprecht respect voor haar wens om op te treden, maar kritisch, zoals werd bewezen door haar voorgangers.

In de absolute stilte, met haar armen nog steeds over elkaar geslagen, haalde ze diep adem en zong voor hen: 'Are You There?'

Het was vreemd om te horen dat het lied, dat tot dan toe alleen nog maar in de afzondering van het huis had bestaan, nu volledig tot zijn recht kwam, met het licht en donker en de gevoelens die het verdiende. Zoals altijd met een goed liedje raakte ze zelf al ontroerd bij de eerste adem waarmee ze de woorden en de melodie leven inblies. En het was een goed lied, het had iets universeels en iets bijzonders. Het kon op zichzelf staan. Het zong haar.

Toen het uit was ging ze abrupt af, net zoals de anderen hadden gedaan; zo abrupt dat het in stilte gebeurde, en de warme golf applaus pas losbrak toen ze alweer in haar hoekje stond met een glas bier dat haar in de hand werd geduwd. Ze was dolgelukkig, maar liet het niet merken. Ze wilde er gewoon bij horen.

Terwijl ze daar stond – ja, ze schreef nu en dan een liedje, en bedankt, het was fijn dat ze het mooi vonden, maar nee, ze deed er niet nog een – voelde ze, onmiskenbaar, iemand vanaf de andere kant van de zaal naar haar kijken. Te midden van al die gezichten en het gepraat, de jovialiteit en het elkaar op de schouders slaan, voelde ze de aanraking van die ene blik als een vlindervleugel – de schaduw van een vlindervleugel. Ze kon de bron niet thuisbrengen, maar toen de muziek weer begon en de aandacht opnieuw op de band was gevestigd, stond ze zich toe het vertrek rond te kijken. Ze zag hem onmiddellijk. Het was het enige gezicht dat niet naar voren keek maar naar haar, met intense aandacht. De schok dat gezicht hier te zien, en te worden blootgesteld aan die bijna beschuldigende uitstraling van energie, was groot. Had hij hier al de hele tijd gezeten? Naar haar gekeken? Ja, en had hij haar horen zingen, haar stomme ijdelheid gezien. Hij was getuige geweest, verdomme, van de op haarzelf gerichte emotie. Maar waarom zou ze zich iets van zijn mening aan moeten trekken?

Geschokt begaf ze zich naar de deur, zich ervan bewust dat hij hetzelfde deed. Er zat niets anders op dan door de zure appel heenbijten.

Zij was er het eerst uit, maar hij ving de klapdeur op toen die achter haar dichtsloeg.

'Niet zo snel.'

De eerste regendruppels kletterden tegen de matglazen ruit boven in de buitendeur. Achter hen in de kroeg ging de muziek en het drinken door. Tussen de twee deuren in het haveloze halletje van De Vuurtoren, dat naar bier en afgewerkte bakolie stonk, stonden ze tegenover elkaar.

'Ja,' zei hij, alsof ze hem iets had gevraagd. '*I am here.*'

'Wat bedoel je?'

'*I am here.*'

Misschien, dacht ze naderhand, heel misschien, dat ze op een andere plaats en onder andere omstandigheden deze arrogante veronderstelling had afgestraft. Maar de ervaringen van de afgelopen weken hadden een laag van haar pantser afgepeld. Ze had daarbinnen haar emotionele kraam uitgestald en was er trots op. Het was nu te laat om de feeks te gaan uithangen.

Hij sprak ferm door haar aarzeling heen.

'En ik zal er de eerstkomende dagen zijn. Maar vanaf morgen ben ik niet alleen.'

Aha. Weer een getrouwd exemplaar, bedacht ze toen ze met haar ene oog dicht en zijn koplampen in haar achteruitkijkspiegel naar Glenfee terugreed. Getrouwd, welgesteld, opportunist, met vakantie met zijn arme, onwetende klotevrouw: het ergste soort. Erger dan de in de grond fatsoenlijke Gordon, die ze de bons had gegeven. Veel erger dan de drie of vier losse scharrels met wie ze sindsdien had geslapen.

Nog erger, want ze was van hem bezeten, en hij was haar te vlug af geweest.

Drie uur daarna ging hij weg. Dit keer kuste hij haar niet op haar wang, maar gooide voordat hij vertrok zijn kaartje op het nachtkastje, alsof hij haar de handschoen toewierp. Ze luisterde naar zijn voetstappen op de trap, de bruuske klap van de voordeur en het geluid van zijn auto die werd gestart. Het kletsnatte, onbedekte raam werd kort verlicht door zijn koplampen, voordat het donker en de regen het huis weer als een doornhaag omsloten.

Stella sloot haar ogen.

Krankzinnig, slecht. Magie.

6

Four things greater than all things are –
Women and Horses and Power and War

Kipling, 'Ballad of the King's Jest'

Spencer 1942-1943

In 1942, het jaar dat hij achttien werd, maakte Spencer McColl zijn eerste verkering uit en begaf hij zich onwetend op weg naar zijn tweede.

Zijn eerste liefde was Trudel 'Apples, lekker stuk' Flaherty – Trudel naar haar Duitse grootmoeder van moederszijde, Flaherty naar haar vader Seamus. Ze was een van die meisjes die als gemakkelijk werden beschouwd, maar er niet om werden veracht. Dat kwam doordat het bij Trudel gewoon een kwestie van gulheid was, zowel qua vorm als qua temperament. Eén meter zevenenzestig, vierenzeventig kilo en toegerust met ronde vormen, was er meer dan genoeg Trudel om van hand tot hand te gaan. Het was haar een genoegen te delen.

Het gegeven dat er aan de andere kant van de plas een oorlog tussen Engeland en Duitsland woedde verleende Trudels aantrekkingskracht een pikant tintje; het gaf blijk van een door en door Amerikaanse onafhankelijkheid van geest om dat weelderige teutoonse vlees te knuffelen, hoewel Spencer het nodig vond tegen zijn moeder te verklaren dat Trudel maar hooguit voor een kwart Duits was.

'Stel je niet aan, dat weet ik toch,' had Caroline gezegd. 'Je vriendin is Amerikaanse. En trouwens, het zijn de nazi's die de moeilijkheden veroorzaken, niet het Duitse volk.'

Pas veel later kon Spencer de ruimdenkendheid van zijn moeder naar waarde schatten. Per slot van rekening was het haar kleine eiland voor de kust dat werd bedreigd, haar volk dat strijd voerde tegen wat de pers beschreef als het 'meest vreeswekkend oorlogsapparaat dat ooit was bedacht'. Ze pluisde de kranten na op zoek naar het kleinste bericht en zat eindeloos aan de radio te draaien, in de hoop brokjes informatie op te vangen. Haar schoonheid verwelkte een beetje; ze zag er gekweld en moe uit. Er was in die tijd weinig aan om thuis te zitten. Hij kende Trudel in elk geval van horen zeggen al een poosje, want iedereen kende haar. Je kon haar met haar grote, romige gestalte nauwelijks over het hoofd zien, nog een reden voor het etiket 'lekker stuk', en haar stralenkrans van kroezig blond haar. Al die jaren van koortsachtig aanmodderen was het Trudel die je uit de nood hielp, plaatsvervangend of door je de helpende hand toe te steken.

Ze was een jaar ouder dan Spencer, en tegen de tijd dat ze hem liet zien waar Abraham de mosterd haalde, was ze al van school af en werkte ze als kindermeisje bij mevrouw Lowe, de doktersvrouw. Dat aardse baantje verhoogde haar charme; ze leek ervoor geschapen. Als ze de twee kleine Lowes 's middags mee uit nam, de ene in de wandelwagen en de andere aan de hand, leek ze meer op hun ideale moeder, dan de bottige mevrouw Lowe, die thuis op de bank lag in verwachting van de volgende. Rustig, weelderig, toegeeflijk, koesterend, vol beloften van vruchtbaarheid: Trudel was het symbool van het vleesgeworden moederschap.

Daardoor kwam het waarschijnlijk dat je wel van haar moest houden. Zelfs de ouders van Spencers leeftijdgenoten, die zeker bekend moesten zijn met haar reputatie, waren geneigd om haar te glimlachen, alsof ze niet konden geloven wat ze hadden gehoord. Ondanks haar weinig kritische omgangsvormen was het toch duidelijk zo'n aardig meisje. De kinderen Lowe aanbaden haar. En wat hun eigen zoons betrof, die op een leeftijd waren dat ze hun lusten op de verboden vruchten van het leven wilden botvieren, betekende Trudel een tafel die met een blijkbaar onuitputtelijke voorraad verrukkelijke spijzen was beladen. Bovendien bestond er een soort discretie wat haar beschikbaarheid betrof. Je was veilig bij haar omdat het aantal beperkt bleef.

Maar Spencer werd verliefd op haar om de oudste reden ter wereld: hij dacht dat hij een uitzondering was. Hij dacht dat ze hem begreep en iets in hem zag dat haar andere aanbidders niet bezaten, en hij vatte dat op als een teken dat ze over meer intelligentie en intuïtie beschikte dan algemeen werd aangenomen. Deze theorie kon niet worden bewezen, maar eenmaal aangenomen sprak het vanzelf dat hij alles op die manier uitlegde. En als ze dus op het hoogtepunt van haar hartstocht zijn naam hijgde, als ze glimlachte en knikte terwijl hij praatte (ze kon goed luisteren en was zelf niet erg spraakzaam), als ze zijn hand in haar zachte, kussenachtige handen pakte en hem op haar onbevangen manier toevertrouwde dat ze met een goede man wilde trouwen en kinderen met hem krijgen, als ze dat alles deed, leek ze hem uniek en bijzonder.

Hij was niet zo dwaas haar ten huwelijk te vragen, maar stiekem beschouwde hij zich als een uitgelezen kandidaat. In de zomer dat hij ook van school af ging en voor Mack aan het werk was op het erf, vergezelde hij Trudel op haar middagwandelingen met de kinderen Lowe. Tijdens die uitjes werd er niet geknuffeld, ze gedroegen zich onberispelijk, ofschoon hij gewoonlijk zo'n stijve kreeg dat hij op weg naar huis vijf minuten uit haar buurt moest blijven.

Nog een pluspunt van Trudel was dat ze goed geïnformeerd en toegerust was. Ze wist alles van condooms, legde uit hoe en waar je ze kon kopen, en wist ze met subtiele handigheid aan te brengen. Ze had zelf een voorraad – een voordeel van het bij een dokter werken – en bij de zeldzame gelegenheden dat er geen waren, was ze praktisch genoeg om te zorgen dat er geen risico's werden genomen. Je was bij haar in alle opzichten in veilige handen.

Hij bracht het ter sprake op een middag dat ze oppasten op de kinderen Lowe. Ze zaten in de achtertuin van de familie Flaherty, waar een oud, ijzeren zitbad stond met water erin. De kinderen renden in hun blootje rond en amuseerden zich kostelijk. Seamus was aan het werk in de zadelmakerij – hij had in de regio prijzen gewonnen met leerbewerking – en de dikke, goedige mevrouw Flaherty zat binnen te zweten met ijskoffie en een tijdschrift, dus had hun samenzijn niets onfatsoenlijks.

'Ik kan vanavond niet met je uit,' zei Spencer. 'Ik moet meehelpen met het ophalen en bezorgen van bestellingen.'

'Maakt niet uit,' antwoordde Trudel onbewogen. 'Jij hebt jouw werk, ik heb het mijne.' Ze knikte in de richting van haar klantjes, die spetterden en gilden.

Spencer liet zijn knokkels kraken. Met een rilling legde ze haar hand op de zijne. 'Niet doen!'

'Sorry.'

'Niet zo somber. En morgen?'

'Lijkt me prima. Trudel...'

'Mmm?'

'Ga jij vanavond met iemand anders uit?'

'Niet dat ik weet.' Hij wist dat ze de waarheid zei. Ze was zo'n onafhankelijke geest, en ze stelde zo volkomen haar eigen regels vast dat het tijdverspilling was om jaloers of boos te zijn. Maar Spencer worstelde met allebei.

'Zou je het doen, als iemand je vroeg?'

Ze haalde haar schouders op. 'Misschien. Nee, ik weet het niet. Waarom?'

Hij wilde vragen: waarom zou je dat willen? Maar in plaats daarvan zei hij: 'Omdat ik dat niet wil.'

137

'O!' Ze lachte op een moederlijke manier en streelde zijn been. 'Stel je niet aan. Jij bent mijn nummer een. Dat weet je best.'
'Ik wil graag de enige voor je zijn.'
'Dat ben je ook. Op een bepaalde manier.'
'Ik bedoel: echt.'
Ze keek hem met een brede glimlach en stralende ogen aan. Ze leek het hele gesprek dolkomisch te vinden. 'Ben ik voor jou de enige, Spencer?'
'Ja.'
Zodra hij het had gezegd wilde hij het terugnemen. In plaats van de roerende verklaring van eeuwige liefde die hij had bedoeld kwam het er stuurs en zielig uit.
'Dat is aardig,' zei Trudel onverstoorbaar. 'Dat is lief.'
'Dat is het niet! Het is niet lief.'
'Omdat je lief bent,' ging ze voort alsof hij niets had gezegd. 'Je bent de liefste jongen van de stad. En de knapste.'
Bij deze woorden keek ze hem aan. In haar toon klonk een warme wulpsheid door en haar lippen vormden zich om de woorden heen alsof ze een ijsje aflikte. Hij voelde zich opgewonden raken en probeerde er niet aan te denken hoe nabij haar lichaam was, haar deinende borsten in de katoenen jurk, haar gladde dijen platgedrukt op de rand van de tuinstoel.
'Ik hou van je,' zei hij.
'Dat weet ik,' antwoordde ze, alsof dat vanzelf sprak, 'en ik hou ook van jou.'
Hij vroeg zich niet af waarom ze hem knap vond, het was voor hem voldoende dat het zo was. Dat hij in feite niet het knapst was, stijfde hem in zijn mening dat ze een bijzondere relatie hadden. Hij wist dat hij iets geweldigs met zijn leven ging doen, dat voelde hij in zijn botten, aan zijn water. En Trudel, met haar vrouwelijke intuïtie, wist dat ook.
Voorlopig vertederd liet hij de kwestie verder rusten. Maar de angel van jaloezie groeide toen hij eenmaal de kop had opgestoken. Bobby Forrest die ten tonele verscheen maakte het er niet beter op.
In feite was Bobby er al een poos, maar schonk hij in tegenstelling tot de andere jongens geen aandacht aan Trudel. Dat was, liet hij op diverse subtiele manieren weten, omdat hij haar niet nodig had. Bobby was een van die knapen waarbij de hormonen nog vroeger en heftiger hadden toegeslagen dan bij Spencer. Hij was heel donker. Tegen dat hij veertien was, was hij een meter tachtig en woog hij tachtig kilo. Hij pronkte al met een snorretje, zijn stem was gebroken en hij kon rare fratsen uithalen met zijn adamsappel. Daarbij beschikte hij over een flinke dosis zelfvertrouwen, waar-

door hij tot alles bereid was. Het meeste dat de andere jongens over meisjes te weten kwamen hadden ze van Bobby, of van verhalen over hem. En op school was hij een kei, wat hem nog meer voordeel bracht.

Alsof dat alles nog niet genoeg was, was het ook nog een goedgemutste knul, die niet te goed was om de vruchten van zijn levenservaring met iedereen te delen die erover horen wilde. Als Spencer ertoe in staat was geweest had hij kunnen zien dat Bobby de mannelijke versie van Trudel was.

Toen hij erachter kwam dat die twee samen naar de film waren geweest, was hij geschokt en buiten zichzelf. Waar haalde Bobby het geld vandaan om haar mee uit te nemen? En wat was er tijdens de voorstelling gebeurd?

Hij vroeg het haar de eerstvolgende keer dat hij haar zag.

'Je zei dat je van me hield.'

'Dat klopt. Doe ik ook.'

'Maar je bent uitgeweest met Bobby.'

Ze begon te lachen. 'O, Bobby!'

'Wat hebben jullie gedaan?'

'We zijn naar de film met Greta Garbo geweest. Dat is de mooiste vrouw ter wereld,' voegde Trudel er een beetje afgunstig aan toe, maar dat interesseerde Spencer niet.

'Heb je hem gekust?'

'Hij heeft mij gekust.'

'Dat is hetzelfde!'

'Nee, dat is het niet.' Ze was even kalm als altijd, totaal niet in de verdediging.

'Heb je niet gezegd dat hij moest ophoepelen?'

'Nee.'

'Heb je hem weggeduwd?'

'Natuurlijk niet!' Ze moest weer lachen. 'Waarom zou ik dat doen? We zaten in de bioscoop!'

'En wat is het verschil,' drong hij woedend aan, bijna in tranen, 'tussen hem en mij?'

Ze bracht haar hand naar zijn gezicht en keek hem aan met een lieve, tedere, malle-jongen-toch-glimlach. 'Jij bent jij, Spencer, dat is het verschil, dat weet je toch wel.'

Het was geen geweldig antwoord, maar zoals gewoonlijk was hij ontwapend, liet hij zich er graag van overtuigen dat hij, wie ze ook toestond haar te kussen, een speciale, betere plek in haar hart had.

Maar dat was zolang hij bij haar was. Tegen de tijd dat hij het een uur zonder haar gezelschap had moeten doen kwamen de vreselijke steken terug, en knaagden aan zijn edele delen.

'Heb je geen trek?' vroeg zijn moeder toen hij met zijn avondeten zat te knoeien. 'Dat is niets voor jou.'

Hij schudde zijn hoofd. 'Sorry, ik kan niet eten.'

'Dat geeft niet, maar voel je je wel goed? Je bent toch niet ziek?'

'Nee hoor.'

'Wil je van tafel?' vroeg Mack.

'Graag.' Hij schoof zijn stoel naar achteren en liep naar de deur, zich bewust van de blik die ze achter zijn rug wisselden.

Alles bleef zo'n beetje bij het oude. Trudel had het er nooit over en scheen altijd beschikbaar, maar hij wist – omdat anderen hem het met een tikje leedvermaak hadden verteld – dat ze nog steeds met Bobby uitging. In die tijd waren er geen anderen, het was een grap onder de jongens dat Het Stuk leefde als een non, maar dat maakte het alleen maar erger. Ooit was er veiligheid wegens aantal, maar nu liep hij werkelijk gevaar omdat hij een van de *twee* was, want dat betekende dat ze vroeg of laat tussen hen zou moeten kiezen. Tenminste, dat was wat Spencer dacht, zelfs al zou Trudel niet zo denken. Met zelfvernietigende volharding dwong hij haar een keuze te maken, en zij weigerde rustig onder druk te worden gezet.

Op het laatst werd hij er ziek van. Hij viel af, kon niet slapen, werd chagrijnig en ellendig. Mack gaf hem een week vrijaf en Caroline stuurde hem naar de dokter. Hij ging naar de praktijk op de dag dat Trudel daar arriveerde voor haar dag met de kinderen.

'Wat is met jou aan de hand?' vroeg ze.

'Niks.'

'Waarom ben je dan hier?'

'Ik kan niet eten.' Hij was tamelijk trots op dat duidelijke, lichamelijke teken van zijn allesverterende passie.

'O...' Ze streek zijn haar van zijn voorhoofd weg. 'Dat is niet goed, Spence. Ik zie dat je nogal mager bent.'

Hij greep haar hand beet en hield hem tegen zijn borst. 'Jij kunt me beter maken. Je weet wel hoe.'

Ze liet haar hand liggen, en spreidde haar vingers onder de zijne, over zijn hart, zodat hij dacht dat hij doodging van verlangen.

'Onzin,' zei ze zacht. 'Je hoeft alleen maar te eten. En gelukkig te zijn, niet zo boos op de hele wereld.'

Als hij boos was op de hele wereld, bedacht hij, was dat omdat de wereld om hem heen boos was.

En toen verdween Trudel. Ze was er gewoon niet meer. Yolande Haynes ging er met de kinderen Lowe opuit, met de nieuwe baby in zijn kinderwagen. Het enige dat mevrouw Flaherty zei was dat ze een poosje weg was, maar ze zag er verdrietig uit en meneer Flaherty zweeg grimmig. Dat wil zeggen, hij zweeg totdat Spencer naar het hek liep en hij hem terugriep.

'Spencer McColl!

Spencer stond stil en draaide zich om. 'Ja meneer?'

Er viel een stilte, een woordloze blik in de deuropening, waar mevrouw Flaherty verscheen om samen met haar man in het geweer te komen. Maar hij loodste haar zacht en resoluut in het huis terug en kwam over het pad naar Spencer toe.

'Mijn vrouw is van streek, zoals je ziet.'

'Dat spijt me. Ik neem aan dat ze Trudel mist... Dat doen we allemaal.' De ogen van meneer Flaherty waren half toegeknepen en zonder te knipperen meedogenloos op Spencer gericht. Hij voelde zich ineens niet meer op zijn gemak.

'Sommigen meer dan anderen. Nietwaar, jongeman?'

'Wat bedoelt u?'

Flaherty deed een stap dichterbij, ietsje dichterbij dan aangenaam was. Spencer zag een rode plek op zijn kin waar hij zich had gesneden bij het scheren, en een paar lange, warrige grijze haren die in zijn neusgaten krulden. Hij gaf de zoetzure geur van de zadelmakerij af.

'Jij weet hier toch niet toevallig meer van, hè?'

'Waarvan?'

'Van de zwangerschap van mijn dochter.'

Mijn dochter, niet onze dochter. Van man tot man. Een uitdaging. Spencer was nog nooit zo bang geweest.

'Nee, meneer!'

Flaherty hief een vereelte vinger op tussen hun gezicht. Zijn ogen flitsten ijskoud. 'Ze wilde niets zeggen, over niemand. Zei dat het haar eigen schuld was. Is bij haar tante in Chicago gaan logeren. Maar er zijn er twee voor nodig, en jij hebt hier de afgelopen maanden als een zwerfhond rondgehangen. Ik ben niet gek, McColl...'

'Dat weet ik, meneer...'

'Hou je kop. Ik ben niet gek en niet blind en ik weet dat mijn dochter van mannen hield. Het is een mooie meid.' Hij zweeg even alsof hij op een bevestiging wachtte, waarvoor Spencer inmiddels veel te bang was. 'Maar als – wanneer – ik de kleine klootzak in handen krijg die haar dit heeft aangedaan, en die denkt de dans te ontspringen omdat ze verdomme te trots is om hem te verlinken – als ik erachter kom wie het is, is zijn leven geen stuiver meer waard. Gesnopen?'

Spencer knikte. Flaherty bleef nog een paar eindeloze seconden staren en sjokte toen het pad weer op en deed de deur achter hem dicht.

141

Spencer kon nog juist bij het eind van het pad komen alvorens zijn gulp open te maken en een enorme plas te doen. Zijn knieën trilden zo hevig dat hij zich onderspetterde. Om zijn broek te laten drogen en op verhaal te komen liep hij naar de kreek en ging voorovergebogen, geschokt en ellendig, op de bank zitten. Een opgeschrikte muskusrat ploegde heen en weer en liet een v-vormig spoor rimpelingen in zijn kielzog achter. Wat kon het hem schelen? Spencer pakte een kluit modder op en smeet die naar de rat, die met een blup-geluid onderdook. Hij was het niet. Hij kon het niet zijn, ze hadden zo zorgvuldig condooms gebruikt. Zelfs als hij te opgewonden was om voorzichtig te zijn had Trudel ervoor gezorgd. Ze controleerde zelfs de voorraad, omdat ze zei dat het bekend was dat er altijd wel een met een gat tussen zat om Russische roulette mee te spelen.

Hij besefte dat hij niet wist waar Trudel het kind zou krijgen, en of ze ooit nog terugkwam. Hij wist haar adres zelfs niet, godallemachtig: Chicago, dat was een gigantische stad. Maar de oude Flaherty was duidelijk geweest: Spencers leven zou, als hij het was, geen stuiver meer waard zijn.

En toen gebeurde er iets vreemds. Terwijl haar daar zat voelde hij iets anders dan schaamte, verbijstering en angst. Hij begon een vonkje trots te voelen, en ook woede. Verdomme, als hij de vader was zou hij met Trudel trouwen en iedereen laten zien hij van haar hield en voor haar kon zorgen! Misschien dat ze het, na alles dat ze tegen hem had gezegd over bijzonder zijn, expres had gedaan, misschien wilde ze echt een kind van hem, en had het zo moeten zijn. In dat geval hoefde hij niet als een soort misdadiger te worden beschouwd, zelfs niet door de ouwe Flaherty. Plotseling zag hij Trudel en hemzelf als jonggehuwden met opgeheven hoofd op een mooie middag met hun baby wandelen, net zoals ze met de kinderen Lowe hadden gedaan. Dat was een aantrekkelijk plaatje, gelukkig, sterk en goed.

Maar eerst moest hij het weten. En om het te weten te komen moest hij met haar in contact komen.

Spencer wachtte tot de maandag erop, wanneer Trudels vader in de zadelmakerij zou zijn. Hij nam eerder lunchpauze en waagde zelfs een kijkje om zeker te weten dat meneer Flaherty op zijn plek was, met zijn scherpe, korte mesje in de weer, alvorens naar zijn huis te gaan.

Mevrouw Flaherty was even rechtuit als haar man, hoewel haar klaagzang totaal van de zijne verschilde. Het was een grote, weelderige vrouw, die leek te smelten van verdriet.

'O, Spencer, wat moeten we toch doen? Kom binnen, kom binnen, natuurlijk...'

Ze leek te veronderstellen dat hij er iets mee te maken had en wilde in het complot worden betrokken. Ze was absoluut niet vijandig, integendeel. Ze loodste hem de zitkamer in en stopte een kussentje achter zijn rug.

'Wil je koffie? Een stukje cake?'

Aangezien het duidelijk was dat ze zelf beide al tot zich had genomen, nam hij de koffie, maar bedankte hij voor de cake, uit solidariteit.

'Hoe gaat het met Trudel, mevrouw Flaherty?' vroeg hij.

'Ze schreef me dat ze het goed maakt, maar wat moet ik geloven?' Het overblijfsel van het Duitse accent in de stem van mevrouw Flaherty gaf haar klaagzang iets opera-achtigs.

'Gelooft u haar?' vroeg Spencer.

'Ze is zo ver weg. Een dochter hoort onder dergelijke omstandigheden bij haar moeder te zijn!'

Het lag op de punt van Spencers tong om te vragen waarom ze daar dan niet was. Maar hij hield zich in.

'Ik ben ervan overtuigd dat ze de waarheid spreekt,' zei hij.

'Heb je iets van haar gehoord?' vroeg mevrouw Flaherty met iets scherps in haar stem.

'Nee.' Hij schudde meelevend zijn hoofd en voegde er, meneer Flaherty met zijn gutsende mes indachtig, aan toe: 'Waarom zou ze mij schrijven?'

'Omdat jij haar speciale vriend was. Ze had je heel hoog...'

Spencers hart zwol van trots. 'Ik ben blij dat te horen. En ik zou haar graag een brief schrijven. Kunt u me haar adres geven?'

'Nou... Ik weet niet... Meneer Flaherty vindt het vast niet goed. Ik bedoel, hij wil niet dat iemand het weet, en hij denkt dat jij misschien de schuldige bent...'

Totdat hij het zeker wist achtte Spencer totale ontkenning het beste. 'Ik was het niet,' zei hij met alle beslistheid die hij kon opbrengen. 'Ik kan het niet geweest zijn.'

Mevrouw Flaherty keek nog bedroefder. 'Natuurlijk kun je het wel geweest zijn, net als ieder ander.'

Spencer voelde zich gekwetst en haalde diep adem. Hij sprak zich uit: 'Ik hield van haar, ik zorgde voor haar. En dat wil ik nu ook doen; laat me haar schrijven, mevrouw Flaherty.'

'Ik weet het niet. Mijn man zou razend zijn. Ik moet er niet aan denken!' Ze schudde haar hoofd, sloot haar ogen en vertrok haar mond op een tragi-komische manier, als een clown.

'Alstublieft.' Hij probeerde een andere tactiek. 'Het zal haar goeddoen om iets van een vriend te horen, te weten dat we aan haar denken.'

'Misschien... misschien heb je gelijk.'

'Absoluut.'

'Goed dan.' Ze stond op en waggelde naar het bureau, om terug te komen met een schrijfblok. Toen schreef ze het adres op in haar bedachtzame, sierlijke handschrift en overhandigde het hem met een zucht. 'Hier, moge God het me vergeven.'

Mooie gevoelens koesteren was één ding, maar om ze waarachtig weer te geven was nog iets heel anders, zoals Spencer zou ontdekken. Hij begon talloze keren opnieuw met de brief, omdat alle pogingen klef of hoogdravend werden. Er was ook nog het simpele feit dat hij evenmin als de anderen de identiteit van de vader van het kind kende. Te beweren dat het van hem was zou een arrogante, en te oordelen naar mevrouw Flaherty's houding, gevaarlijke veronderstelling zijn; maar te schrijven alsof het niet zo was zou koud en laf lijken. Uiteindelijk hield hij het bij een eenvoudige verklaring van liefde en bezorgdheid, met de belofte haar te zullen steunen. Het briefje was wat droger van toon dan hij had gewild, maar het was toch het beste zo, omdat hij mannelijk en volwassen wilde overkomen. Toen hij het briefje op de post deed was hij volkomen in de war, en was hij niet in staat te zeggen of hij de juiste toon had aangeslagen. Er was ook niemand die hij om raad kon vragen.

Een paar dagen nadat hij het had verzonden kwam hij in de Diamond Diner Bobby Forrest tegen. Of liever gezegd: Bobby kwam op Spencer af toen hij met Aaron en Joel aan de bar spuitwater zat te drinken.

'Hallo, Spencer McColl, hoe gaat 't?'

Spencer rilde bij het gevoel van Bobby's hand op zijn schouder, alsof het de hand van een politieagent was die hem kwam arresteren.

'Hallo.'

'Trudel nog gezien de laatste tijd?'

Deze achteloze ondervraging verbaasde Spencer. Ten eerste ging Bobby er kennelijk van uit dat hij Trudel regelmatig ontmoette, en ten tweede scheen hij er geen idee van te hebben dat ze weg was.

'Nee.'

'Ik ook niet. Waar hangt ze uit?'

'Ze logeert bij haar tante in Chicago.'

'Chicago boft maar.'

'Ja.'

'Raar dat ze zomaar is vertrokken, zonder een woord te zeggen. Alles goed met haar?'

Spencer overlegde een fractie van een seconde bij zichzelf alvorens te kiezen voor de waarheid, zij het niet de hele waarheid.

Hij haalde zijn schouders op, als iemand die niet erg betrokken is. 'Voorzover ik weet.'

Toen Bobby weg was trok Aaron een quasi-bewonderend gezicht. 'Alsjemenou! Dus jij bent dik met Het Stuk, en het kan Bobby niet schelen?'

'Ach,' zei Spencer. 'Hij weet gewoon wanneer hij verslagen is.' Hij mocht zich nonchalant hebben opgesteld, maar het viel niet te ontkennen dat het een merkwaardig gesprek was geweest. Enerzijds was het vleiend om door Bobby met respect te worden behandeld. Anderzijds leek het incident Trudels reputatie als een meisje dat nooit nee zei te bevestigen, en was het dus geen schande toe te geven dat je niet wist waar ze uithing. Het herinnerde hem er tevens aan dat de baby ook van Bobby kon zijn.

Spencer voelde zich slecht op zijn gemak. Hij begreep dat er veel zou afhangen van de toon van Trudels antwoord op zijn brief. Hij schatte dat de brief er twee dagen over deed om aan te komen, dan twee, nee drie, voordat ze zijn bericht had verwerkt en een antwoord had geschreven, en nog eens twee dagen voordat haar brief bij hem was. Toen die week voorbij was wachtte hij in spanning af.

Er kwam nooit antwoord.

De pijn en frustratie veranderden in knagende ongerustheid. Hij wilde niet nog eens naar het huis van de familie Flaherty toe, en er kwam geen bericht. Bobby legde het aan met een ander meisje, de roodharige Minna Goldie, en onder Spencers leeftijdgenoten werd langzamerhand algemeen aangenomen dat Het Stuk ten slotte pech had gehad op een niet nader te omschrijven wijze, waar ze desondanks wel naar konden raden. Op Spencer viel niet meer verdenking dan op wie ook, en de zaak bleef verder rusten vanwege het stilzwijgende besef dat veel mensen veel hadden te verliezen. Na een maand of twee, drie werd Trudel als onderwerp van discussie niet meer aangeroerd. Uit het oog, uit het hart.

Spencer bleef aan haar denken, maar het leven ging door. Hij had zijn buik vol van het werken voor Mack, en ze werkten elkaar op de zenuwen, dus al met al was het prima dat hij een baan vond bij Buck's. Het baantje zelf was simpel, voorlopig niet meer dan klusjesman, maar hij had in elk geval de voldoening bij een bedrijf te horen dat betrekkingen had buiten Moose Draw en het kleinsteedse gedoe. Hij woonde in de barak en leerde zich aan te passen. Ondanks zijn gepieker over Trudel genoot hij van het werk en van het gezelschap van de oudere mannen, die hem als een van hen behandelden. Hij hoorde dat de schrijver in armelijke omstandigheden verkeerde en al een paar jaar niet meer op de boerderij was geweest.

145

Tallulah was er nog steeds, maar ze was oud en dik, niet meer in staat nog iets te doen, behalve op de veranda van het hoofdgebouw liggen soezen. Een stel jolige golden retrievers had haar plaats ingenomen. Spencer keek uit naar de kleine merrie die niet echt had willen ontsnappen, maar hij zag haar nooit. En toen hij de voorman ernaar vroeg en de naam van de bekende schrijver noemde, werd hem gezegd dat ze waarschijnlijk was afgemaakt. Ze konden zich geen minder goede paarden permitteren, vooral niet als er vervelende voorvallen waren geweest.

De paarden vormden het hart van het bedrijf, en Spencer ging op een amateuristische manier met zijn hele hart van ze houden. Hij zou nooit een goede cowboy worden, daar was hij te bangelijk en introvert voor, maar hij leerde rijden en assisteren, en bovenal leerde hij de dieren kennen die hij vanuit de verte al zo lang had bewonderd. Mettertijd ontdekte hij hoe wijs en loyaal de cowboys van Buck's, op hun eigen stugge manier, waren. Ze plaagden hem goedmoedig – er was een incident met whisky en een met pruimtabak – maar ze dreven nooit de spot met zijn stadse kijk op de paarden, en ook niet met zijn aanvankelijke zenuwachtigheid en onbeholpenheid. En hoewel ze stoer en vastberaden waren, waren ze toch verdraagzaam. Het waren mannen met diepe, goed verborgen gevoelens. De manier waarop zij van de paarden hielden verschilde niet zo veel van de zijne; ze waren even ontvankelijk voor de hartstocht, maar die kwam voor hen op de tweede plaats. Die begon pas te dagen na tientallen jaren rijden en temmen, hoeden, brandmerken en beslaan. De magie sloop er ongemerkt in terwijl ze die handelingen verrichtten, en schoot wortel. Ondanks, of dankzij het noodzakelijke afschieten. Spencer eerbiedigde het feit dat je nooit kon zeggen dat je je paarden kende voordat je er een had moeten afmaken; iets dat hij nooit hoefde of wilde doen. De cowboys kenden zijn grenzen net zo goed als hijzelf.

Hij vergezelde de gasten niet op trektochten van een week, maar keek afgunstig met zijn bezem in de hand toe als ze bepakt en beladen met canvas tenten en kampeerspullen vertrokken. Op zijn tijd kreeg hij vrij van zijn gewone karweitjes om voor iemand in te vallen op tochten van een halve dag of ritten van een uur in het gebied rond de kreek. Nu en dan mocht hij om dezelfde reden 's avonds de paarden helpen uitlaten en ze drie of vier kilometer van de ranch opdrijven, trots op de show die ze gaven voor de gasten op hun veranda's; de kinderen, in hun nachtgoed, keken met glanzende ogen toe. Het was nog heftiger als ze paarden door de stad moesten drijven, met het hoefgekletter op het asfalt, de deinende massa voskleur, kastanjebruin, zwart, grijs en bont, met de duffe oude

146

knarren erachteraan sukkelend omdat ze mee moesten. Hij kon er niet over uit, de kick van het drijven in Wyoming waar paarden voorrang hadden.

's Morgens voor zessen dreven ze de paarden terug, en brachten ze de verschillende groepen en hun aanvoerders bijeen. De aanvoerders droegen koperen bellen die vlak bij hun keel waren bevestigd. Elke bel had een iets andere toonhoogte, zodat ze een rinkelend contrapunt vormden met het hoevengestamp op de terugweg door het dal. In het najaar werden de hoefijzers verwijderd. De paarden werden naar de hoge hellingen gebracht, waar ze voor zichzelf moesten zorgen. Ze verwilderden als ze zich vermengden met de wilde paarden en de roep van hun voorouders hoorden. Ze in het voorjaar bijeendrijven was een hachelijk karwei, dat vonden zelfs de cowboys. De band tussen man en paard was flinterdun, en als de dieren terugkwamen op Buck's waren ze trots en nukkig, en roken ze onaangenaam. Hun manen en staart waren plakkerig en samengeklit, en hun schutharen staken als ijzerdraad uit hun lange vacht.

Het paard waarop Spencer reed bleef thuis. Het heette Jim. Gewoonlijk werd het aangeduid als een divan op hoeven, prima geschikt voor kinderen en beginnelingen, maar Spencer was Jim eeuwig dankbaar voor zijn eindeloze geduld. Het was aan Jims verdraagzaamheid te danken dat hij het moeilijke, zware werk leerde van het schoonmaken van het tuig, het beslaan, het roskammen en voederen. Alleen al het gewicht van de paarden en alles dat erbij kwam kijken, de manier waarop jouw zweet zich met het hunne vermengde en hun geur de jouwe werd, en je miezerige spieren pijn deden terwijl jij jouw kant van de klus probeerde te klaren. 'Lief maar lastig' was een uitdrukking die al tientallen jaren in onbruik was, maar zo was het. En Spencer bedacht dat hij het niet anders wilde.

De mensen die op Buck's verbleven kwamen verreweg op de tweede plaats. Het kostte hem meer tijd met hen te leren omgaan. Het was vreemd – die welgestelde wezens met hun gestroomlijnde, glimmende auto's, chique kleding, dure manieren en zelfverzekerde stemmen vormden jaarlijks maandenlang de tijdelijke bevolking van Buck's Creek, en toch had hun aanwezigheid nauwelijks invloed op de rest van de gemeenschap. Ze waren net een zeldzame, niet in kaart gebrachte volksstam die ergens buiten de grenzen van Moose Draw leefde, maar een belangrijke plaats innam in de collectieve verbeelding van de stadsbevolking.

Toch viel de werkelijkheid niet tegen. Vanwege zijn jeugd en lage status werd hij meestal vriendelijk genegeerd terwijl hij aan het wieden, maaien, slaven en draven en repareren was. Zodoende had hij de kans onopgemerkt te observeren. Het opmerkelijkste aan de mensen van Buck's was hun toewijding aan het zich vermaken. De ervaring van Spencer en die van de meeste mensen die hij kende was dat je werkte en dat je vrije tijd had; zelfs ontspanning was een te sterke uitdrukking. De vrije tijd ging meestal gepaard met enige verveling en onvrede, die werden veroorzaakt door de wetenschap dat er met geld en kansen iets beters te krijgen was. De gasten van Buck's hadden poen, en alle tijd van de wereld. Geen haast. Het fascineerde Spencer dat ze urenlang buiten hun huisje konden rondhangen, eindeloos roken en drinken, opgewekt praten en in luid gelach uitbarsten. Ze kwamen helemaal hierheen en betaalden honderden dollars om net te doen of ze cowboys waren, maar als ze dat hadden gedaan waren ze niet van plan zich uit te sloven. Ze brachten hun platenspeler mee en draaiden muziek, en als Spencer bleef overnachten om te helpen bij een barbecue stond hij verbaasd over de losheid en frivoliteit van het geheel. Het kon niet missen: er hing seks in de lucht.

En niet alleen de lucht was ervan doortrokken, maar ook de manier waarop deze mensen praatten, dansten, lachten en gekleed gingen. De manier waarop de vrouwen hun benen over elkaar sloegen, hun sigarettenrook uitbliezen, de mannen hun een vuurtje gaven, drankjes inschonken en argeloos grappige verhaaltjes vertelden. Het parfum van de vrouwen, en de sigaren van de mannen. Het donkere interieur van de lange, geparkeerde auto's, en de schemerig verlichte bomenlanen bij de ingang van de canyon. Spencer hield zijn hoofd gebogen, zijn ogen en oren open en zijn mond dicht.

Er was een jonge vrouw bij, eigenlijk nog maar een meisje, even in de twintig, die volgens hem op de Lottie leek die de schrijver had bemind en verloren. Dit meisje was niet echt mooi, niet eens aantrekkelijk, maar beter dan dat: ze was zo slank als een hazewind, zo scherp als een spijker, had een heldere oogopslag en was onstuimig en snel. Ze was met een groep vrienden meegekomen die wat ouder leken dan zij, maar ze scheen niet speciaal op iemand gesteld te zijn. Als bijna de enige van de gasten riep ze 'Hallo' of 'Morgen!' tegen Spencer als ze langskwam. Ze reed snel in een witte coupé, kon paardrijden en jagen, en deed alles energiek en geconcentreerd. Op een avond, toen hij in het schemerdonker bezig was glazen te spoelen en asbakken te legen, zag hij haar rondwervelen, zodat de mensen op de dansvloer uiteenweken en een juichend publiek voor haar en haar partner vormden. Soms bracht ze de dag gewoon op de veranda door, terwijl ze een eindeloos aantal sigaretten half oprookte, met haar voeten over de rand en haar neus in een boek. Hij wist niet hoe ze heette, maar toen hij jaren daarna het liedje 'That's Why the Lady is a Tramp' hoorde moest hij aan haar denken. Alleen de rijken konden het zich veroorloven zich nergens een barst van aan te trekken.

De boerderij had nu een landingsbaan, en een vliegtuigje dat de gasten mee omhoog nam voor een pleziertochtje. Er waren een paar gasten die een eigen vliegtuig bezaten waarmee ze kwamen en gingen.

Op een mooie ochtend, toen de meesten uit rijden waren of hun roes uitsliepen, was Spencer afval aan het verzamelen om het naar het hek te brengen, waar het door de vuilniswagen van Moose Draw werd opgehaald. Voor dat doel had hij een gedeukte dieplader tot zijn beschikking, met een strikte snelheidslimiet van vijftien kilometer per uur. Hij rolde voort over de smalle paden achter de huisjes, en stopte telkens na twintig meter om de volgende vier afvalbakken op te pikken, ze naar de vrachtwagen te slepen en ze in nette, dichtopeengepakte rijen op te stapelen, als augurken in een pot. Er konden er zestien op de dieplader, meer niet; hij had eens geprobeerd slim te zijn en ze plat te leggen, in twee lagen, maar het resultaat was rampzalig. Overal lag vuilnis, hij kreeg een uitbrander van Buck Jameson en was de rest van de dag in zijn eentje bezig geweest met een schoonmaakoperatie. Dus zat er niets anders op dan keurig netjes de volle zes ritten te maken. Het was zijn minst favoriete klus.

Die ochtend had hij net de eerste partij in de container bij het hek geleegd toen er een vliegtuig overvloog. De lucht was diep, zuiver blauw. Het zachte gebrom van het vliegtuig ging het toestel een paar seconden vooruit, en toen verscheen het, als een solodanser die het podium opkomt. Het lag voor de hand dat de piloot Spencer zag, dat hij wist dat hij aan de grond dit met afval besmeurde eenmanspubliek had. Het toestel zwenkte met een sierlijke boog, steeg steil omhoog, wentelde, voerde een looping uit, beschreef een wijde cirkel en herhaalde alles nog een keer. Spencer stond, met zijn hand zijn ogen afschermend, gefascineerd toe te kijken. De muziek van de motor zwierde mee, dan hard, dan weer zacht en begeleidde het schouwspel.

De spontane voorstelling duurde ongeveer vijf minuten. Toen zoemde het vliegtuig weg in oostelijke richting. Spencer leunde tegen de vrachtwagen en wreef zijn ogen uit. Hij voelde zich leeg, op dezelfde manier door het grauwe besef van zijn lot bevangen als toen hij de schrijver had ontmoet en als hij uit de bioscoop kwam. Dat was het niveau waarop de rijken het leven leefden: vol snelheid, glamour, drama en romantiek. Een leven waaruit de saaie alledaagsheid was weggepoetst.

Terwijl dit – hij snoof de ranzige lucht aan zijn handen op en zag de bevlekte sigarettenpeuken op de grond rond zijn voeten liggen – zijn niveau was. Nog wel.

Hij hunkerde naar Trudel. Het moest wel liefde zijn, redeneerde hij, want haar afwezigheid zorgde er niet alleen voor dat zijn gevoelens voor haar zich verdiepten, maar ook dat het lichamelijke verlangen tot een schier ondraaglijk peil opliep. Haar beeld stond hem helder voor de geest, en in tegenstelling tot Bobby, zo stelde hij met grimmige voldoening vast, had niemand anders haar plaats in zijn hart ingenomen. Een paar afspraakjes met andere meisjes hadden dat aangetoond. Er was een halfjaar voorbijgegaan en het was september, het einde van de zomer en van het seizoen. Vanaf die tijd zou hij nog een paar weken onderhoudswerk doen op de boerderij, en dan naar huis gaan om de rest van de winter Mack te helpen, tenzij zich een kans op iets anders voordeed. De moed zonk hem in de schoenen bij dat vooruitzicht.

En toen kwam Trudel terug. Zonder baby.

Hij had er geen idee van dat ze terug was, tot hij haar op een zondagochtend met haar ouders uit de kerk zag komen, en hij was te geschokt en te verbijsterd om naar haar toe te gaan of iets te zeggen. Ze zag hem niet, waardoor zijn teleurstellende gedrag iets minder genant werd. Ze was afgevallen. Ze zag er op een ondefinieerbare manier anders uit. Haar dikke, blonde haar was keurig opgestoken en ze droeg een zwarte mantel. Maar het was meer dan haar uiterlijke verschijning alleen, het was een bepaalde houding die ze had. Meneer Flaherty liep voor hen uit. Hij zag er afgetrokken en moe uit. Mevrouw Flaherty en Trudel volgden, arm in arm.

Er was iets gebeurd. Nu hij werd geconfronteerd met dit raadselachtige, hechte groepje volwassenen viel het hem moeilijk zijn opgetogen gevoelens van een paar maanden daarvoor weer op te roepen. Maar hij moest het weten. Op het laatst kon hij de onzekerheid niet langer verdragen, en op donderdagavond verzamelde hij de moed om bij haar huis langs te gaan.

Ze deed zelf open en begroette hem alsof ze hem de dag daarvoor nog had gezien.

'Spencer, wat leuk je te zien, kom binnen.'

Beschroomd stapte hij over de drempel. Zodra ze de deur had dichtgedaan kuste ze hem.

Maar hoe heerlijk de kus ook was, hij wist direct dat zij, en ook hun verhouding, was veranderd. Met die kus erkende ze hun vroegere intimiteit, maar drukte ze uit dat dit het niveau was waarop ze nu verkeerden: dat van goede, begripvolle vrienden.

'Zijn je ouders thuis?' vroeg hij op zijn hoede.

'Ze zijn gaan kaarten bij de Driversons.' Ze glimlachte. 'Maak je geen zorgen, alles is oké, ze zijn niet boos op jou.'

Ze nam hem mee naar de woonkamer. De radio speelde zachte dansmuziek en ze zette hem af. Ze maakte een verontschuldigend gebaar in de richting van de eettafel, waarop een typemachine stond met een vel papier erin en een open cursusboek ernaast.

'Ik leer mezelf typen, maar ik heb twee linkerhanden. Ga zitten.'

'Bedankt.'

'Wil je een biertje?'

'Graag.'

Hij bleef zitten terwijl zij het ging halen. Hij wilde dat ze de muziek had aangelaten. Hij hoorde de klok tikken en Trudel in de keuken rommelen. Hij moest het haar vragen als ze terugkwam, en de lucht zuiveren.

Zodra ze hem het glas overhandigde gooide hij eruit: 'Wat is er met de baby gebeurd?'

'Hoe kom je erbij dat er een baby was?'

Hij was met stomheid geslagen, maar zij bleef kalm en vragend. Ze leek onmetelijk te zijn gegroeid, hem ver achter zich te hebben gelaten. Hij zou zich moeten bijscholen.

'Dat heeft je vader me verteld.'

'Ik hoop dat hij niet onaangenaam tegen je is geweest.'

'Nee, maar hij was ook niet erg in zijn hum.'

'Er was een baby,' zei ze zacht. 'Maar nu niet meer.'

'Bedoel je...' Hij aarzelde, hij snapte er niks meer van; in zijn hoofd wemelde het van de halve mogelijkheden.

'Het geeft niet, Spencer. Het is allemaal voorbij.'

'Het spijt me zo.'

Ze hield haar hoofd scheef bij wijze van schouderophalen. 'Hoeft niet. Het is niemands schuld.'

'Heb je mijn brief gekregen?'

'Ja. Dankjewel, dat was lief van je. Niemand kon het iets schelen, alleen mama.'

'Ik meende wat ik heb gezegd.'

'Natuurlijk.'

'Dus als je iets nodig hebt... Of als ik...' Al zijn dappere liefdesverklaringen bleven hem in de strot steken. 'Je hoeft het maar te vragen.' Hij klonk als zo'n halfzachte, gefrustreerde knaap uit een Engelse roman. Hij kon wel huilen, maar zij vertrok geen spier.

'Ik weet het. Maak je geen zorgen, ik zal het niet vergeten.'

Hij zat in een stoel, zij op het uiteinde van de bank. Stoutmoedig, vastbesloten de kloof tussen hen te overbruggen, ging hij naast haar zitten. Maar toen hij zijn arm om haar schouders sloeg bewoog ze zich niet. Er was niets over van de oude, hartelijke warmte, het uitnodigende, heerlijke gevoel van wederzijdse toenadering.

'Hoe gaat het met je?' vroeg hij. 'Gaat het goed?'

'Kijk maar.' Ze glimlachte en maakte een gebaartje met open armen dat, zonder in het minst kwetsend te zijn, hem noodzaakte zijn arm weg te halen. 'Hoe zie ik eruit?'

Hij zei: 'Je bent afgevallen.'

'Dat was hard nodig.'

Hij voelde zich met elk woord, met de seconde verdrietiger worden. Het leek op Adam en Eva die in ongenade waren gevallen, het verlies van de onschuld. Wat er in Chicago ook was gebeurd, Trudel had gegeten van de boom van goed en kwaad.

'En wat ben je nu van plan?' Hij gaf een knikje naar de typemachine.

'Ik ga een goede baan zoeken, hard werken, sparen en naar het oosten verhuizen.'

Hij had niet zo'n rechtstreeks, bondig antwoord verwacht. 'Is dat alles?'

'Misschien lukt het niet,' zei ze. 'Maar een mens moet een droom koesteren, nietwaar?'

'Dat zal wel,' beaamde hij.

Teleurgesteld realiseerde Spencer zich die avond in bed, terwijl de kou van het vroege najaar tegen de ramen drukte en een stinkdier buiten in het afval rondstommelde, dat hij maar beter voor een nieuwe droom kon zorgen, en snel ook, want zijn toekomstdroom was net als die van zijn verleden zo dood als een pier.

Het zat er al geruime tijd aan te komen, maar begin december nam de toestand in de wereld een wending. De verre geruchten over een oorlog in Europa werden een donderslag bij heldere hemel, met tegelijkertijd een bliksemschicht toen de aanval van de vloot in Pearl Harbour Amerika met een schok deed ontwaken.

Zelfs de kleine steden en dorpen kwamen in beroering en schudden hun manen. Hun jongemannen paradeerden en de jonge meisjes vielen in katzwijm en juichten. Moeders knepen hun lippen op elkaar en vaders wensten, tenminste als er mensen bij waren, dat ze jonger waren. Zelfs Moose Draw trok ten strijde en daarmee ook Spencer McColl.

Hij had altijd gedacht dat de uitdrukking 'een droom wordt werkelijkheid' de directe vervulling van een wens betekende. Op een dag werd je wakker en kwam je hartewens uit, zomaar uit het niets.

Maar in zijn geval kwam hij uit in fasen – geen gemakkelijke, ze waren pittig – tijdens een proces dat bijna anderhalf jaar in beslag nam. Een lange, uitputtende periode, voordat hij vanaf de vrachtwagen in de modder van de landingsbaan van Church Norton in Engeland sprong en daar zijn tweede grote liefde zag staan, alsof hij daar zijn hele leven op had gewacht.

Hij wilde vliegen. Sinds hij het vliegtuigje boven Buck's Creek Canyon had zien rondtollen en zwieren had hij dat idee in zijn achterhoofd gehad, maar het nam pas vaste vorm aan in de winter van '42, toen de oorlogskoorts toesloeg. Toen besefte hij ineens dat het binnen zijn mogelijkheden lag. Zonder rijk te zijn kon hij daarboven zijn, iemand zou hem er zelfs voor betalen! Mack zei dat hij geen schijn van kans maakte, dat je een vent met negens en tienen moest zijn. Maar Spencer kwam erachter dat de luchtmacht zelfs wel mannen in dienst nam met alleen middelbare school. Met toestemming van zijn ouders meldde hij zich aan bij het rekruteringsbureau in Salutation en legde de testen af. Op de dag dat hij ging moesten er een stuk of tien kandidaten zijn geweest, die aan aparte vierkante tafeltjes, net als op de basisschool, op hun pen zaten te knauwen en zich belachelijk voelden. Maar hij was een van de vijf die erdoor kwamen, en Mack nam zijn woorden terug en bood hem heel sportief een biertje aan. Toen het fysieke deel aan bod kwam had Spencer meer zelfvertrouwen, en dat bleek gerechtvaardigd. Hij was sterk, gezond en had een buitengewoon goed gezichtsvermogen. Ze namen hem aan. Hij meldde zich voor de basistraining in Montgomery, Alabama.

Bij elke stap dacht Spencer dat het zijn laatste was. De basistraining was niet zo zwaar, die bestond voornamelijk in je ene voet voor de andere zetten, je hoofd en je stemming hoog houden en je oog op het doel gericht. Maar de volgende stap, weer naar school, was moeilijker. Hij moest terug naar de gewoonte van het studeren, en ploeterde tot zijn hersens kraakten van de meetkunde, algebra en elementaire natuurkunde. Zijn zelfvertrouwen werd geknakt; hij had verschrikkelijk veel last van heimwee. De therapie hiervoor was brieven schrijven. Caroline schreef hem bijna dagelijks. Voor het eerst voelde hij zich verlegen met haar openlijke genegenheid. Hij probeerde zonder succes te doen alsof de regelmatige brieven van verschillende mensen kwamen.

Maar dit keer antwoordde Trudel hem ook, en haar vlekkeloos getypte brieven deden hem naast zijn schoenen lopen.

Ik ben zo trots op je. Ik veronderstel dat we allebei naar een manier zochten om weg te komen uit Moose Draw, maar de oorlog heeft het proces voor jou versneld. Dr. Lowe heeft me teruggenomen als receptioniste en ik vind het echt leuk. Ik denk zelfs dat ik er goed in ben, is het niet vreselijk? Ik hou ervan met mensen om te gaan en ze op hun gemak te stellen, voordat ze naar de dokter moeten. Dat heeft me op het idee gebracht dat ik ooit een medische opleiding zou kunnen volgen, verpleegkundige worden of zoiets, je weet maar nooit. Maar dat is nog ver weg. Papa voelt zich niet goed en mama is ongelukkig, dus hebben ze me nodig. Ik heb ze genoeg ellende bezorgd voor een heel leven!

Spencer, ik weet dat we elkaar niet vaak hebben gezien sinds ik terug ben, maar ik mis je, en ik wilde dat je hier was. Wat we ook doen en waar we ook zijn in de toekomst, laten we hopen dat we goede vrienden kunnen blijven. Schrijf me als je zin hebt, maar zie het niet als een verplichting, ik kan altijd nieuws halen bij je ouders. Zorg goed voor jezelf.

Liefs, Trudel

Hij was geroerd door haar brief. En nog iets – zijn eigen fysieke en emotionele scheiding van Moose Draw maakte hem meer tot haar gelijke. Hij meende nu meer te begrijpen van de verandering die zij destijds in Chicago had ondergaan. Alleen was het voor haar honderd keer erger geweest omdat ze de baby had verloren. Hij zag nu maar al te goed hoe onmogelijk het voor haar was zijn aanbod uit liefde aan te nemen. Ze was verder gegaan en een ander geworden, en dat had alles veranderd. Het had een onvermijdelijke verschuiving aangebracht op het bouwplan van het leven. Nu hij haar brief las wist hij zeker dat ze vrienden konden zijn, en met die zekerheid kwam de persoonlijke erkenning dat hij niet meer verliefd was. Hij was vrij.

Na de cursus op het college kwam de selectie, op een bepaalde manier de moeilijkste stap van allemaal, omdat die zijn rol in de lucht zou bepalen: navigator, bommenrichter of piloot. Tot hij was geaccepteerd voor de vliegtraining had hij zich in zijn onwetendheid niet gerealiseerd dat een keuze mogelijk was. Nu was hij terneergeslagen bij de gedachte dat hij misschien zou worden veroordeeld (zoals hij dat zag) tot een andere baan dan het vliegen van een oorlogsmachine.

Maar een week later kreeg hij te horen dat hij piloot zou worden, en zou gaan vliegen. Daarna was niets hem te veel: niet de zware lichamelijke training, de lastige aansprong, de vliegschool of het vliegen voor gevorderden. Dit was waarvoor hij was geboren, waar hij zich in zijn element voelde. Hij voelde zich meester van de situatie. Op de basisvliegschool vloog hij al na acht uur instructie in zijn eentje de lompe BT13 Volti Vindicator (bekend als de Vibrator). Hij barstte van het zelfvertrouwen. Navigatie, nachtvluchten en in formatie vliegen, zelfs de extreme disoriëntatie van het 'blind' buitelen, waarbij je niet op je zintuigen vertrouwde maar uitsluitend op de instrumenten: hij haalde alles met vlag en wimpel. En tijdens het intensieve stuntvliegen met de zware, stompneuzige AT6 Harvard riep hij uit: 'Ik ben er!' waardoor hij de verkeerstoren in verwarring bracht; zijn enige echte fout.

De dag in februari '43 dat hij zijn vliegersinsigne ontving was de meest glorieuze uit zijn leven. Hij keerde al als een held naar Moose Draw terug voor een verlof van twee weken. De eerste dag van zijn thuiskomst ging hij op lunchtijd bij de praktijk bij Trudel langs. Ze gingen naar het restaurant aan de overkant van de straat. Trudel was knap en ernstig, volgde een schriftelijke cursus wiskunde en Engels, en hielp haar vader verzorgen, die nog maar nauwelijks kon ademhalen vanwege slijm in zijn longen. Spencer bewonderde haar om haar rechtschapenheid, en voelde dat hun band van wederzijdse genegenheid en respect anders was dan vroeger. Die was gelijkwaardiger, dieper; het liet ruimte voor allerlei mogelijkheden. Hij was trots op hen beiden, op hoe ver ze waren gekomen. Hij bedacht hoe vreemd het was dat zij, de uit zijn krachten gegroeide eenling en het gemakkelijke meisje – totaal het tegenovergestelde van de koningin van het schoolbal en de sportheld – nu zo duidelijk hun weg hadden gevonden. Om te zorgen dat ze niet de enigen waren, werd Moose Draw uit haar normale apathie opgeschrikt door trotse verlofgangers en bezorgde familie, en vermaningen de klus te klaren en snel weer thuis te komen... Niettemin wierp hun korte gedeelde geschiedenis een bespiegelend licht op de sandwiches met pekelvlees en koolsla in de Diamond Diner.

'Hij is stervende,' zei Trudel over haar vader.

'Dat spijt me.'

'Mij niet.' Ze zuchtte. 'Hoe eerder hij gaat hoe beter het voor hem is. Maar ik weet niet wat mama zal doen, hij is haar hele leven.'

'En jij ook,' bracht Spencer haar in herinnering. 'Jij bent ook haar leven.'

'Misschien. Maar ik heb niet bepaald gedaan wat ze van haar dochter had verwacht. Toen ik met alle jongens van de stad uitging, nee,' zei ze en ze legde haar hand op de zijne. 'Ik was niet de ideale dochter en dat weten we heel goed. Toen ik daarmee bezig was probeerde ze te doen alsof ik alleen maar een aardig, vriendelijk meisje was, en papa hield zich van de domme om haar niet ongerust te maken.' Trudel schoof haar bord weg. 'Het is raar om dezelfde persoon te zijn, en toch niet hetzelfde.'

'Ja, dat weet ik. Daar dacht ik ook net aan. Ik was nogal zielig, hè?'
Hij vroeg het om haar op te vrolijken; hij merkte dat ze droefgeestig werd.

Ze beloonde hem met een vriendelijke grijns, en het oude Stuk scheen er even doorheen. 'Nee, dat was je niet, je was lief. En altijd zo opgewonden.'

'Dat waren we toch allemaal?'

'Zeker.'

'Mag ik je iets vragen? Ik heb mijn vliegeniersinsigne, ik ben nu wel ongeveer dapper genoeg.'

'Ga je gang.'

'Was ik bijzonder? Ik bedoel, in jouw ogen?'

Ze keek neer op zijn hand op de toog en bedekte die met de hare. 'Niet echt. Nee.'

Op een bepaalde manier was het een opluchting dat ze zo gedecideerd een eind maakte aan zijn illusies, maar ook een beetje kwetsend.

Daarom probeerde hij er een grap van te maken: 'Ik bedoel, denk niet dat je aardig moet zijn of zo, vertel het me nou maar gewoon.'

Dit keer glimlachte ze niet. 'Destijds was je niet bijzonder, Spencer. Maar nu ben je het wel.'

Op de dag dat hij vertrok naar zijn standplaats in Engeland huilde zijn moeder niet. Het was Mack die bevangen leek door ongewone emoties, die zijn hand fijnkneep en niets wist te zeggen, die geen stem meer had.

Op dat moeilijke ogenblik beschermde Caroline hen allemaal met wat hij altijd had beschouwd als haar Engelszijn, een hoedanigheid die ze vlekkeloos en keurig opgevouwen in de een of andere geestelijke lade bewaarde, als een fraai tafelkleed dat alleen bij bijzondere gelegenheden tevoorschijn werd gehaald. Ze liep kaarsrecht, was onberispelijk gekleed, ze rook lekker en gedroeg zich beheerst. Of ze zou huilen en te keer gaan als hij weg was, wist hij niet. Wat meer was, ze behandelde hem als een man. Geen moederlijke gebaartjes, geen gezeur over het inpakken, geen geaai over zijn wangen of schouders. Daar was hij onuitsprekelijk dankbaar voor.

Het enige summiere dat ze die dag deed om het verleden op te roepen was niet eens voor hem bedoeld. Hij hoorde het toen hij boven was om zijn uniform aan te trekken en zij beneden was om de winkel open te maken. Het was het liedje dat ze zong, of neuriede, want ze sprak de woorden niet uit. *The water is wide, I cannot get o'er...*'

Tegen dat hij klaar was en naar beneden ging hield ze op met zingen en was hij gekalmeerd.

'Zorg jij maar voor Engeland,' zei ze. 'Voor ons allemaal.'

De reis was zwaar genoeg om iedereen de wind uit de zeilen te nemen, of in Spencers geval onder de vleugels vandaan. Hun vertrek uit de Verenigde Staten ging gepaard met een zekere koortsachtige opwinding vanwege het afscheid, maar van toen af aan werden ze door onzekerheid bevangen. Die trok hun geest binnen als de Atlantische mist waardoor ze meer dan twee weken lang met tien knopen voortkropen, als onderdeel van een Brits konvooi van honderd vaartuigen; een reusachtige formatie schepen die bijna op hun tenen over de jacht makende U-boten heen dreef. Pas nu realiseerden ze zich hoe slecht ze waren voorbereid op wat ging komen. De meesten waren nooit eerder buiten Amerika geweest, hadden nog nooit een oceaan overgestoken of een vreemde taal horen spreken. Het was een stel onbezonnen, onervaren jongens op weg om vreemdelingen te verdedigen in een land waarvan ze slechts een vaag beeld hadden.

Spencer maakte twee vrienden, een bij toeval en de ander uit noodzaak. De eerste was luchtmachtofficier Frank Steyner, die opviel door de manier waarop hij zich van zijn omgeving kon afschermen door te slapen of te lezen. Aangezien de manschappen door verveling en ongerustheid chagrijnig en twistziek werden, en het aan boord van de *Diligent* chronisch overbevolkt was, het voedsel karig en de zee bij tijd en wijle ruw, trof het Spencer als een benijdenswaardig talent. Onaangetast door verveling, ongevoelig voor geruzie en gekots, bewoonde Steyner zijn eigen wereldje, waarin orde heerste. Het was een slanke, bleke, wat preuts uitziende jongeman, wiens haar aan de voor- en zijkant al dun werd, een type dat op de basisschool gepest of geterroriseerd zou worden. Maar hier had zo'n aangeboren onverstoorbaarheid iets geweldigs. Spencer vermoedde dat hij een stuk intelligenter was dan de rest. Hij werd eerbiedig met rust gelaten.

Maar op een kwade dag belandden ze samen in de kantine. Er stonden maar weinig mannen in de rij, want de *Diligent* zwalkte en rolde als een gekeeld varken, en dat had de meesten van hun eetlust beroofd. Maar daar stond Steyner, om door een ringetje te halen, met zijn voeten uit elkaar, zijn ene hand uitgestoken naar de gamel met gehakt, jus en aardappelpuree. In de andere hield hij een boek van de beroemde schrijver.

'Is het goed als ik bij je kom staan?' vroeg Spencer stoutmoedig.

Steyner keek rond. 'Zet twee Amerikanen in een grote, halfvolle zaal en ze lopen tegen elkaar op.'

Spencer wist niet of het ja of nee betekende, en voegde eraan toe, op het boek wijzend: 'Ik heb hem ontmoet.'

'O ja?'

De belangstellende toon maakte dat Spencer met Steyner meeliep

naar een tafeltje. 'Als jongen.' Hij verbleef altijd op de vakantieboerderij bij het stadje waar ik woonde, in het voorjaar, om te werken.'
'Was dat Buck's?'
'Dat klopt. Hoe weet je dat?'
'Ik heb veel over hem gelezen.' Steyner legde de boekenlegger op zijn plaats en stopte het boek tussen de twee middelste knopen van zijn overhemd. In dat weer liet je je spullen niet rondslingeren. Hij nam zijn vork en begon te eten. Zonder wrok zei hij: 'Dit is het smerigste vreten dat ik ooit onder ogen heb gehad. Dus jij weet van Lottie?'
'Halverwege de canyon staat een herdenkingssteen voor haar. Daar heb ik hem ontmoet.'
'Met zijn ziel onder zijn arm?'
Spencer wist niet of Steyner de schrijver waardeerde of niet. 'Nee, hij was van zijn paard gevallen.'
Dat had een explosie van onverwacht gebulder tot gevolg. 'Je meent het! De grote natuurheld door een oud, mak geval van een vakantieboerderij afgeworpen!'
Spencer glimlachte bescheiden, blij met het succes van zijn verhaal. 'Niet eens geworpen denk ik, ik geloof dat ze hem er met een tak heeft afgeschraapt.'
'Het wordt steeds beter!' Nog steeds lachend stak Steyner zijn hand uit. 'Geef me de vijf. Frank Steyner, New York City.'
'Spencer McColl, Moose Draw, Wyoming.'
'Tot genoegen. Heb je zijn boeken gelezen?'
'Op de middelbare school. We hebben er in de les een gelezen.'
'Dat zal wel, echt geschikt voor opgroeiende jongens, zo gespierd, zo recht door zee...' Spencer begon Franks conversatietalent net op waarde te schatten en van zijn stijl te genieten, maar hij zag niet in waarom hij hem te ver moest laten gaan.
'Ik vond hem goed schrijven.'
'En met jou een miljoen anderen. Hij is absoluut ergens goed in.' Spencer wees op Franks middenrif. 'Jij leest hem ook.'
'Klopt. En hij is de volmaakte reisgezel, dat moet ik zeggen. Een teug goeie, frisse plattelandslucht als je opgesloten zit op de oceaandeining tussen de op elkaar gepakte massa.'
Gedurende het gesprek had Steyner zitten eten en op een zakelijke manier, zonder enige smaak snel zijn happen doorgeslikt. Spencer had er pas een derde van op, en kon niet meer. Steyner knikte naar zijn bord.
'Wil je dat niet meer?' Hij schudde zijn hoofd. 'Mag ik?'
'Ga je gang.'
'Bedankt.'
'Geen dank.'

Spencer keek met ontzag toe hoe het eten verdween. Toen Steyner klaar was stond hij op.

'Tot de volgende keer, Spencer. We kunnen over het leven, de liefde en de literatuur praten.'

De tweede vriendschap, die uit nood was geboren, was met Brad Hanna uit Moses, Utah, die in de kooi boven hem sliep, en wiens bungelende arm, waarop een slang met scherpe tanden getatoeëerd stond, net als de hand, die een sigaret vasthield, net zo vertrouwd werd als die van hemzelf. Brad was twee jaar jonger; een monteur, wiens allesverterende passie motorfietsen waren. Hij was misschien de enige aan boord van de *Diligent* die nog steeds met zijn hele hart geloofde dat de oorlog niet meer dan een geweldig avontuur was; een uitgelezen kans, daar was hij zeker van, om dankbare, Europese meisjes te naaien. Brads oeverloze uitgelatenheid was een gemengde zegen. Hij las zijn voorraad stripboeken en filmblaadjes in strikte volgorde, en zag het als zijn sociale plicht de genoegens van beide met Spencer te delen.

Zijn openingsbod bestond erin dat hij met zijn hoofd omlaag over de rand van zijn kooi ging hangen en het blad van dat moment voor Spencers neus liet wapperen.

'Hé, cowboy, moet je dit eens kijken.'

'Wat is dat?'

Nogmaals gewapper. 'Heb je ooit van je leven zo'n stel gezien? Ik bedoel, ooit? Die heb je vast alleen over de grenzen, want in Moses zie je die niet.'

'Dat wil ik graag geloven.'

'Weet je wat ik denk?' Op dat moment maakte Brad een knappe zijsprong vanaf de bovenste kooi – een lastige toer, want het andere stel kooien lag maar op een halve meter afstand – en streek neer op de rand van Spencers bed, met zijn middelvinger naar de foto knippend. 'Ik denk dat het aan de kleren ligt. Als je een griet van die prullen aantrekt, hier wat opduwt en daar wat intrekt, en haar neerzet alsof ze erom bedelt, dan kan iedereen er wel goed uitzien, begrijp je wat ik bedoel?'

Spencer dacht: ik ben eenentwintig, maar bij die knul vergeleken ben ik oud en der dagen zat. Tegelijkertijd had die overvloed aan opgewektheid, die geen reden, aandacht of bijval nodig had om te floreren, iets kalmerends.

Hij wist alleen maar te zeggen: 'Je hebt gelijk. Ze is niet knapper dan de meeste meisjes thuis,' hetgeen voor Brad dan weer aanleiding vormde om het tijdschrift op de grond te gooien en te keffen: 'Dat zijn jouw woorden, makker!' of iets dergelijks.

'In Moses zou een meisje dat er zo uitzag worden opgesloten, dat verzeker ik je. Heb jij thuis een meisje zitten, cowboy?'

'Nee.'

'Maar goed ook!' Brad behandelde elke opmerking alsof het een geloofsbelijdenis was in plaats van een eenvoudig, zakelijk antwoord. 'Het hele Engelse vrouwvolk zit ons op te wachten!'

Als de Engelse vrouwelijke bevolking zat te wachten, deed ze dat de avond dat de gevechtseenheid in Church Norton, Cambridgeshire, aankwam discreet en achter gesloten deuren. Uitgeput starend vanaf de vrachtwagen, een van een ronkend, ratelend konvooi dat hen vanaf het scheepsstation naar het plaatselijke marktstadje vervoerde, probeerde Spencer zich bezorgd voor te stellen wat hun effect op dit stijve stadje zou zijn. Tot voor kort was de RAF hier gestationeerd, maar dat was de thuisclub, en veel kleiner in aantal. Dit was een complete invasie, zij het op vriendschappelijke basis. Het had hard geregend. Hoewel het had opgehouden was de lucht nog betrokken, en de ramen van de huizen waren verduisterd. Samen met het donker en de leeftijd en het uiterlijk van de huisjes aan de hoofdstraat gaf dat de indruk ze niet alleen de oceaan waren overgestoken, maar ook teruggereisd in de tijd.

De vrouwen mochten zich dan verborgen houden, de kinderen niet. Ze zagen voornamelijk jonge jongens die allang in bed hadden moeten liggen – het was over tienen – uit de ramen hangen en langs de weg staan juichen en zwaaien: 'Hallo *mister!*' Bij de deur van de kroeg, waarvan Spencer de naam niet kon lezen, stond een groep mannen die toekeken hoe ze langskwamen, waarbij een van hen heel even zijn glas hief.

Hij zag de vrachtwagens die voorop reden linksaf slaan en enigszins klimmen. Direct daarna waren ook zij een scherpe bocht om. Aan hun linkerhand stond een groot gebouw. Spencer zag het silhouet van een stompe, gekanteelde toren met een weerhaan die op en neer draaide. Hij nam aan dat het een kerk was. De nabijheid van de kroeg duidde erop dat ze in het centrum van het dorp waren. Maar ineens leken ze weer op open terrein te zijn. Na nog bijna een kilometer hielden ze halt en klauterden ze van de vrachtwagens af, waarbij hun hoge schoenen neersmakten in wat de vertrouwde laag modder, smurrie en motorolie zou worden waarmee de wegen rond het vliegveld bedekt waren.

Wat Spencer zich ook altijd zou herinneren was de wind. Het was een bewolkte avond in het midden van de zomer, maar de basis leek haar eigen micro-klimaat te hebben waarin het altijd waaide. Er hing een flauwe boerderijlucht, alsof het land waarop het vliegveld was aangelegd weigerde te verdwijnen. De McColls waren nooit erge kerkgangers geweest, maar Spencer herinnerde zich iets over zwaarden die werden omgesmeed tot ploegscharen. Hij stond te popelen om te gaan vliegen en de vijand suf te bombarderen, maar die onderliggende geur diende als herinnering dat een vent zich op het land kapot hoorde werken.

Ze werden naar de luchtmachtafdeling op locatie 5 gebracht, en Frank Steyner trad naast hem aan. Hij had Brad sinds de ontscheping niet meer gezien.

'De autochtonen onthouden zich van commentaar,' merkte Frank op zijn droge manier op.

'Ja... Niet direct een serpentine-welkom.'

'Wie zal het ze kwalijk nemen? Wie wil zich verplicht voelen?'

'Zal wel.'

Ze gingen een tunnelvormige barak van gegolfd plaatijzer in met twee rijen smalle bedden, kastjes en een fornuisje aan het andere eind.

'Schat,' kirde Frank spottend, 'we zijn thuis!'

De volgende ochtend was het mooi weer. Al om vier uur, toen Spencer wakker werd, scheen er een paarlemoeren licht. Zijn bed stond bij de deur. Hij trok zijn schoenen aan, met een trui over zijn pyjama, en ging naar buiten.

Hij haalde een paar keer diep adem, strekte zijn armen boven zijn hoofd en draaide langzaam driehonderdzestig graden in het rond. Het vliegveld was net een filmlocatie, keurig in de grondverf, halfverlicht, onbevolkt, en de uithoeken met iets mysterieus. In het noorden lag het dorp waar ze de avond daarvoor heen waren gekomen; hij zag de kerktoren, die als die van een miniatuurkasteel tussen de omringende bomen uitstak. In het oosten en het westen lag open ruimte, met verspreid liggende landingsbanen waarvan sommige slechts uit doorboord staalplaat bestonden die over het boerenland waren gelegd. Hier en daar groepen golfijzeren barakken en lage gebouwen, de accommodatie en uitrusting van de basis – de hoofdkantine, winkels, een wapenarsenaal, slaapzalen, latrines – voldoende voor de enkele honderden luchtmachtmanschappen, officieren, grondpersoneel, koks en administratief personeel.

In het zuiden lag nog een dorp; de kerk had een conische toren, als een heksenhoed. Met waarschijnlijk nog een kroeg, nog meer kwajongens, argwanende mannen, zich verstoppende vrouwen. De overhaast uitgedijde basis, waarvan de lange vingers naar de aanpalende buurten reikten, moest wel twee keer het oppervlak van die kleine, oude plaatsjes beslaan.

Iets deed hem over zijn schouder kijken. Ongeveer vijftig meter verderop, aan de kant van de weg waarover ze de avond ervoor hadden gereden, stond een kleine jongen met zijn benen aan weerskanten van een fiets. De MP in het wachthuisje scheen het niet te deren. De jongen stak zijn hand op en Spencer salueerde als antwoord. De kinderen waren in elk geval vriendelijk.

Hij liep langs de zijkant van de slaapbarak en kwam aan de andere kant van locatie 5 uit. Van hieruit kon hij de parkeerplaatsen op het platform zien.

En daar stond ze: 11 x 9.75 m, 3.234 kg. Gebouwd om op zevenduizend meter hoogte als een zweep door de lucht te scheuren. Zo nieuw dat het pijn deed aan je ogen, zo slank en mooi dat ze je bij de kloten had... Zo prachtig dat Spencers hart samentrok.

'Mooi vliegtuig, hè, meneer?'

Spencer tuurde in het rond: het was de jongen, zonder fiets. 'Ja, lijkt me wel.'

'Het is een Mustang. Bent u vliegenier?' Spencer knikte. 'U hebt geluk, ze is van u.'

7

Is mijn koppel aan het ploegen,
Dat ik was gewend te mennen
En hun juk te horen rinkelen
Toen ik nog in leven was?

A.E. Housman, 'A Shropshire Lad'

Harry 1854

De laatste keer dat Harry Colin Bartlemas had gezien was in het voorjaar op Bells. Het gezicht van zijn oude vriend was toen rond en rood als een Engelse appel: het toonbeeld van robuuste gezondheid en optimisme op de dag dat hij dienst nam. Nu, in de verzengende zomerhitte aan de Zwarte Zeekust was datzelfde gezicht ingevallen en onvoorstelbaar verouderd door de ondraaglijke pijn waaraan hij een halfuur tevoren was bezweken.

Colins lichaam stonk, niet alleen naar ziekte, maar naar rottend vlees, zodat Harry genoodzaakt was een zakdoek over zijn eigen gezicht te houden om te voorkomen dat hij moest kokhalzen. Onzorgvuldig schoongemaakt wegens tijdgebrek verspreidde zich een korstige stroom opgedroogd braaksel in de mondhoek van de dode man, die een vraatzuchtig squadron vliegen aantrok: de dood die het leven voortbracht, de natuur in haar wreedste logica. Harry sloeg even met zijn zakdoek naar de vliegen, maar ze waren te talrijk en hardnekkig om te kunnen verjagen. De doodgravers wachtten met onverstoorbaar geduld op hem. Hij gaf hun een teken om te beginnen en liep weg.

De Fransen, die de cholera hadden meegebracht uit Marseille, hadden het ergst geleden, maar omdat de verenigde kampementen dicht op elkaar gepakt in het schrale achterland van de haven stonden had de ziekte haar rijk snel en zonder aanzien des persoons uitgebreid. De twee legers hadden al tienduizenden doden te betreuren. Verwaande, knappe officieren die, net zoals Harry, nog nooit een schot van dichtbij hadden meegemaakt, behalve bij plechtige gelegenheden, en onverwoestbaar vrolijke vechtjassen, dronkaards, onverlaten, kruimeldiefjes, het heldhaftige zout der aarde – toen de cholera ze eenmaal te pakken had was er binnen enkele uren niets meer van ze over dan smeerboel, aas voor de zoemende horden. Sommige arme drommels waren de ene dag aangekomen en stierven de dag daarop, zich nauwelijks van hun omgeving bewust. De traditie van een keurige, waardige begrafenis, voorafgegaan door hoornblazers en begeleid door plechtige muziek, was allang afgeschaft, aangezien die te onpraktisch was in het aangezicht van zoveel dood. Bovendien had het dag en nacht horen spelen van de dodenmars een deprimerend effect op de geest. In meedogenloze omstandigheden als deze was het van het hoogste belang zich zo snel en efficiënt mogelijk van de lijken te ontdoen.

En toch vond Harry het schokkend hoe de lichamen van mannen, die maar een paar uur daarvoor nog welgemoed en vol hoop waren, werden ingewikkeld, weggedragen en begraven. De grond was door hitte en droogte steenhard; er was wel tien man nodig die twee uur continu werkten om een gemeenschappelijk graf te graven. Het was niet ongewoon minstens een van hen tijdens het uitvoeren van hun taak te zien instorten, als slachtoffer van pure uitputting of van het vroege stadium van de ziekte die ze trachtten te beperken. Veel terreinen, net als dit, waren inmiddels bedekt met slordige heuvels aarde – net grote, macabere molshopen. Harry wendde zijn ogen af van de hier en daar uitstekende hand of voet van een ellendig, niet goed afgedekt kadaver.

Hij deed hier wat hij zich nooit had kunnen voorstellen, hij dankte God voor de wijze waarop Hugo was gestorven, en de sfeer van vrede, intimiteit en waardigheid waarin zijn begrafenis had plaatsgevonden. Dat bracht hem ertoe om, zoals hij dikwijls deed, wanhopig en vurig voor Rachel te bidden.

Clemmie stond met hangend hoofd op hem te wachten. Ze verwelkomde zijn komst zonder een spoortje beweging. Toen hij zijn voet in de stijgbeugel zette om op te stijgen en het zadel doorboog en inzakte onder zijn gewicht, bewoog ze zich nog steeds niet. Hij keek om naar waar de doodgravers de uitgedroogde grond al op de lichamen teruggooiden. Zelfs op de namaak-doodskleden maakte het een kletterend geluid. Zijn ogen prikten en hij wiste het zweet af met zijn manchet. Vanavond zou hij Colins ouders moeten schrijven om te vertellen dat hun oudste zoon, hun oogappel, dapper voor zijn vaderland was gestorven zonder ook maar een glimp van de vijand te hebben opgevangen. Maar niet op welke manier. Hij zou hun de gruwel van zijn dood besparen, de wijze waarop het leven binnen enkele uren uit een sterke, jonge man werd weggezogen, om een omhulsel achter te laten dat zelfs zijn eigen moeder nauwelijks zou herkennen.

Hij wendde Clemmies hoofd en reed terug naar het kamp. Niets was zoals ze verwacht hadden. Onder deze verschrikkelijke omstandigheden wist hij niet meer te zeggen of het een zegen was of niet dat ze nooit een veldslag zouden meemaken.

Terugblikkend op alles wat ze hadden meegemaakt zat het Harry dwars dat de euforie bij hun vertrek misschien alleen was veroorzaakt door de opgekropte gevoelens van een verveelde natie die snakte naar opwinding. En ze waren er zelf ontvankelijk voor geweest, waren maar al te gretig om te genieten van de bewieroking en bewondering. Ze kwamen bij Varna aan zonder een schot te hebben gelost, behalve een genadeschot op stervende dieren. Het was bijna veertig jaar geleden, een periode die de jongere mannen zich niet konden herinneren, dat een Brits leger in Europa ten strijde was getrokken, zoals altijd overtuigd van hun grootsheid. In de doodse stilte – een afgrijselijk passende uitdrukking – van dit benauwende, van de vliegen vergeven, door ziekte geteisterde kamp werd Harry door twijfel bekropen. In hun vaart geremd, gestrand en gefrustreerd werd het leger door twijfels en ontmoediging bezocht. Ze waren gekoppeld aan hun oude vijand Frankrijk en aan de dappere maar onbetrouwbare Turken, en opgesteld tegen de nog verre Russische troepen, wier sterkte en precieze locatie hun om onduidelijke redenen niet bekend waren. Hoewel het voorwendsel het tot zinken brengen van de Britse vloot bij Sinope was, lagen ze hier aan de oever van de Zwarte Zee ziek te worden en dood te gaan. De voedselvoorraad was schraal en beperkt, de medische verzorging ontoereikend, en hun komende actie onzeker, om het zwak uit te drukken. Hij kon zich niet aan de indruk onttrekken dat ze op een gigantische grap waren uitgestuurd, als kogels uit een glimmend kanon die willekeurig waren neergevallen, mijlenver van hun doel.

Harry was tot dan toe aan de cholera ontsnapt, maar niet aan het even wijdverbreide, ondermijnende effect van het verzwakkende moreel. Waar ze ook op waren voorbereid toen ze bijna drie maanden daarvoor vanuit Engeland van wal waren gestoken, dit was het niet. Ze werden door trots, opwinding, verwachting en – hij moest het toegeven – louter onwetendheid opgestuwd. Sommige officieren en manschappen hadden al op andere oorlogstonelen strijd gevoerd, maar slechts weinigen bij de Lichte Cavalerie. Hij had altijd gedacht dat hij zich afzijdig kon houden van de ijdele uitwassen van het leven in de mess en op de paradeplaats. Maar nu, gelouterd, realiseerde hij zich dat hij even verwend en onbezonnen was als zijn collega-officieren. Hij zag maar al te goed dat het leven van de Huzaren voor hem niet meer was dan een plezierige tijdsbesteding, waarbij de mogelijkheid van een echte oorlog slechts een verre banier was die dapper in de zonneschijn wapperde. En toen hij zich de strijd voorstelde, was het het geluid van de trompetblazer, het hoefgekletter en het veelgeroemde elan van de Lichte Cavalerie dat hij zich voor de geest riep. In plaats daarvan kreeg hij dit. Deze verschrikkelijke passiviteit, ziekte, hopeloosheid, onzekerheid en de hitte. Noch de manschappen, noch de paarden waren erop voorbereid. De veeleisende reis werd draaglijk gemaakt door de herinnering aan hun glorieuze uittocht en de hoop op nog meer roem. De eerste dagen leek het alsof ze de juichkreten en bijval van de menigte nog konden horen die hen naar de haven was gevolgd, met jongens die schreeuwden en hun pet in de lucht gooiden, oude mannen met tranen in hun ogen en vrouwen en meisjes die kusjes bliezen en met hun zakdoek wuifden. Hun oren tuitten van de muziek van de bands: 'Cheer, Boys, Cheer' en 'The Girl I Left Behind Me', opzwepende wijsjes voor een expeditie waarvan het succes al op voorhand werd aangenomen.

Later, toen ongerief, zeeziekte en bange voorgevoelens begonnen toe te slaan, hadden ze zich, gedragen door de kracht van dat publieke geloof in hun onderneming, met een gevoel van lotsbestemming weten te wapenen. Dit was per slot van rekening waarvoor ze weliswaar niet direct getraind maar toch bedoeld waren. Zelfs als Harry naar beneden ging om te helpen bij het kalmeren van de paarden die in het scheepsruim in paniek waren geraakt, en in hun rollende ogen de pure, heftige angst van onschuldige slachtoffers las, zei hij bij zichzelf dat het slechte weer over zou gaan, en daarmee de paniek van de dieren. Clemmie en Piper hadden er geen idee van wat hun te wachten stond. Het was niet de dreiging die ze aanvoelden. Het verschil tussen hun huidige vrees en die tijdens een noodweer thuis was slechts een kwestie van gradatie. Maar de mate van hun lijden was even erg.

De herinnering aan de paardenruimen tijdens de voortdurende storm in de Golf van Biskaje zou hem altijd bijblijven. Het was niet minder dan een visioen van de hel: donker en stinkend, lawaaiig door de kreten van de zieke en doodsbange paarden als ze door het stampen van het schip in het onbestendige halfduister tegen hun voederbakken werden aangesmeten. Daardoorheen klonken het gevloek en getier van de officieren en manschappen, zelf ook zwak en misselijk, die al meer dan vierentwintig uur bij hun hoofd stonden. Zij liepen nu gevaar te worden doodgetrapt door de paniek van de dieren die ze probeerden te redden.

Behalve voor een enkeling was er voor de paarden geen ruimte om te gaan liggen, maar door het woedende geweld van de hoge zee vielen ze toch neer. Met hun benen zwaaiend en tegen hun buren opbotsend, werden ze weer opgetrokken en vielen opnieuw op hout dat glibberig was van bloed, uitwerpselen en braaksel. Met de walm van de slingerende olielampen, van ammoniak en van de azijn die op de dekken werd uitgegoten en rond de neusgaten van de paarden gewreven, was de stank voldoende om zelfs een gezond mens te doen kokhalzen. Het effect was catastrofaal, vooral op verse rekruten die nog nooit op zee waren geweest.

Harry had diepe bewondering voor de volhardende, onzelfzuchtige moed van mannen die zelfs in deze verschrikkelijke omstandigheden het leven van de paarden vóór hun eigen leven lieten gaan en zich keer op keer naar beneden tussen de dodelijk trappende hoeven begaven. Ze vloekten en schreeuwden liefkozende woordjes. Elk snippertje van hun afnemende krachten werd benut om een dier in het gareel te houden, sjorrend, flikflooiend, vechtend en vleiend.

Van zijn eigen paarden had Piper het meest geleden, want hij was het wantrouwigst. Clemmie, die zijn stem en aanraking meer gewend was, leek te geloven dat hij haar erdoor zou slepen. Maar Piper voelde de hele situatie alleen maar als verraad. Van het begin tot het einde trilde hij van een aanval van koorts en onbegrip, waarbij zijn neusgaten open- en dichtgingen, en zijn hals en schouders met een schuimige zweetlaag werden bedekt. Bij ruwe zee viel hij niet alleen neer, maar wierp hij zich weer op zijn hakken of steigerde en stortte zijdelings neer, waardoor hij nog meer paniek zaaide onder de paarden bij hem in de buurt. Al zijn felle, jeugdige vuur en energie, de trots van de paradeplaats, was hier alleen maar een blok aan het been.

Na de stormen kwam de hitte. In de Middellandse Zee steeg de temperatuur van het paardenverblijf tot een verzengende achtendertig graden. De overlevende paarden, zelf ook meer dood dan levend, hingen in hun tuig tegen de al gestorven dieren aan als zijden vlees in het abattoir. Andere werden waanzinnig, iets dat Harry nooit meer hoopte mee te maken, en moesten worden afgeschoten. Dan volgde het regelrecht slopende karwei van het wegslepen van de zware lijken over de kajuitstrap naar het bovendek, en het overboord gooien. Deze activiteit, die weliswaar meer ruimte schiep, maakte de andere paarden onrustig. Daarom werd de hele beroerde klus geklaard tegen een achtergrond van gestamp en geglibber, met het angstaanjagende idee dat er elk moment paniek kon uitbreken.

Eens, toen hij aan dek de kadavers stond na te kijken die in hun kielzog deinden, zei een man naast hem: 'Triest gezicht, hè, meneer, vindt u ook niet?'

'Iets dat ik nooit gedacht had te zullen zien,' beaamde hij.
'Zijn er van u bij, meneer?'
'Nee, godzijdank niet.'
'Het mijne is dood.'
Harry zei niet wat hij bij zichzelf dacht, dat de paarden die nu naar de zeebodem zonken geluk hadden gehad, en beperkte zich tot een veilige gemeenplaats.
'Hij is in elk geval uit zijn lijden.'
'Zij. Mijn Leeuwerik.'
Of dat de naam van de merrie was, of een koosnaampje wist Harry niet, maar het roerde hem.
'Arme meid. Ik heb ook een merrie.'
De man wierp hem een gekwelde blik toe. 'Kunt u ons andere paarden bezorgen, meneer, als we daar aankomen?'
'Natuurlijk. Dat heeft de hoogste prioriteit. Houd moed.'
Hij was geschokt, zowel door de vraag als door de gladheid van zijn leugen. Het was voor het eerst dat er een beroep werd gedaan op zijn autoriteit. Hij was een officier die niet alleen bekleed was met riten en privileges maar ook met verantwoordelijkheid. Natuurlijk zouden ze meer paarden nodig hebben, de deinende sliert lijken getuigde daarvan, maar hoe moesten ze dat aanpakken? En zou het wel mogelijk zijn?

Toen ze in Scutari van boord gingen was de opwinding van de paarden over hun nieuwe vrijheid aandoenlijk. Toen ze hen bokkend en bijtend in de volle zon door de ondiepe golven leidden, waren de ontberingen die ze hadden moeten doorstaan duidelijk zichtbaar. De verwende troeteldieren waren zielig om aan te zien, en hun hernieuwde bewegingsvrijheid benadrukte alleen maar dat hun magere ribbenkast vol schrammen en blaren zat. Ze hadden littekens op hun benen en een slechte vacht.
Op het zand dat voor hen lag rende een stel keffende honden met krulstaarten opgewonden om de nieuwaangekomenen heen. Toen een pakpaard struikelde, in de branding neerviel en bezweek, op nog geen vijf meter afstand van het vasteland, vielen de honden aan, ondanks verwoede pogingen van de mannen eromheen. Ze begonnen het dier te verscheuren en mee te trekken, terwijl het nog niet eens dood was. Een donkere stroom werd in het heldere water losgelaten, waar de overige paarden doorheen waadden, gehard als ze waren tegen zoiets walgelijks. Alleen Piper, die aan zijn strakke teugel huppelde en sprong als een vlieger, wilde er niet doorheen; Colin was genoodzaakt een lange omweg te maken om hem aan land te brengen.

De korte tijd dat ze in Scutari verbleven waren de omstandigheden van de manschappen en de paarden omgekeerd: de laatste werden redelijk gehuisvest in stallen, behoorlijk tot goed gevoed, en waren in elk geval blij dat ze hoog en droog aan de wal waren. De militairen daarentegen hadden hun kwartier in imposante, doch verschrikkelijk bouwvallige Turkse barakblokken, waarvan de slaapzalen wemelden van de ratten en de matrassen zo vol vlooien zaten dat ze zich binnen een etmaal tot bloedens toe hadden gekrabd. Het beheer van de voedselvoorziening had jammerlijk gefaald: veel van de meegebrachte voorraden had de reis niet in eetbare toestand overleefd en er was maar weinig aangekomen.

Harry en Hector Fyefield waren onder meer aangesteld om paarden op te scharrelen, maar het was een armzalige onderneming. Drie dagen lang kamden ze stinkende stallen uit in achterafstraatjes en op afgelegen boerderijen, waarbij ze worstelden met het taalprobleem en een blijkbaar hardnekkige tegenzin van de plaatselijke bewoners om hun dappere Engelse bondgenoten te helpen. Al die inspanning bracht nauwelijks vijfendertig dieren op, waarvan meer dan de helft ondermaats en ondervoed was en alleen geschikt als pakpaard.

Hector was verontwaardigd. 'Het zijn luie, smerige, onbetrouwbare schurken! Waarom zouden we verdomme voor ze vechten? Ik zweer je dat ik me liever aansluit bij de Russen dan bij zo'n bende nietsnutten.'

Harry was geneigd het daarmee eens te zijn. Het leek erop dat ze zover hadden gereisd om alleen maar met rancuneuze vijandigheid te worden bejegend. Nu waren ze blij met de officiersvrouwen die met hun echtgenoten waren meegekomen en van wie zelfs de gewoonste en saaiste een herinnering bood aan een normaler leven. Zelfs de eindeloze, schrille jammerklachten van Emmeline Roebridge over het ongedierte, het eten, de riolering, de plaatselijke bevolking en het gebrek aan zin van het geheel, waren een bron van wrang vermaak en hielp hen de situatie wat stoïcijnser op te vatten.

Ze waren nog maar een maand in Scutari toen begin juni de order doorkwam dat ze zich weer moesten inschepen naar de Bulgaarse haven Varna. Hoewel het als reis qua lengte niet te vergelijken viel met de tocht die ze net achter de rug hadden, was het toch bijna ondraaglijk weer aan boord te moeten gaan, vooral om de paarden aan de verstikkende marteling van het leven benedendeks bloot te stellen. Zijn aard getrouw was het Piper die, met elke sidderende vezel, weigerde mee te werken. En aangezien Harry niet toestond dat er grof geweld werd gebruikt was er een man of tien nodig om hem meer dan een uurlang met bovenmenselijk geduld de loopplank op en het kokend hete ruim in te loodsen.

Tijdens de driedaagse reis raakten ze geen paarden meer kwijt, maar als ze hadden gedacht naar een comfortabelere, beter georganiseerde situatie te verkassen, hadden ze het mis. Toen ze naderden, bood de Bulgaarse kust een dramatisch mooie aanblik – het weelderige groen van de aangeslibde vlakte met op de achtergrond purperen bergen met pluimen van donkere onweerswolken – maar verder viel er weinig verheugends te bekennen. De bedrijvige, kleurige chaos bij hun aankomst bood een tijdelijke afleiding van de op handen zijnde gruwelen. De kade was een koortsachtige toren van Babel, een brabbelende mengeling van oost en west. Het krioelde er van de nationaliteiten, kledingstijlen, uniformen en talen, schichtige paarden, bergen wapens en kanonskogels, een bonte stoet karren en *ariba's*, en de alomtegenwoordige honden met spitse snuiten en krulstaarten, op zoek naar afval en voedselresten. Maar toen de troepen begonnen weg te trekken, werd de ellendige realiteit van Varna zichtbaar. Een desolater, verwaarloosder, smeriger plek was je moeilijk voor te stellen. De straten waren een open riool, met dode honden en grote, zeer levende, bedrijvige ratten. De ongelukkige infanterie was genoodzaakt dicht bij de stad hun tenten op te slaan op wat duidelijk een begraafplaats voor Russen was die tijdens een eerdere veldtocht aan ziekten waren bezweken. Het water was er dik en groen van kleur.

Vandaar dat de cavalerie met gemengde gevoelens van opluchting en ongerustheid op weg ging naar de plek die hun was toegewezen in Devna, vijfentwintig kilometer naar het noorden.

Eenmaal weg uit Varna waren ze aanvankelijk getroffen door de schoonheid van het landschap. De dikke, poezelige Emmeline Roebridge, wier stevige ruin niet belast werd door enige bagage, was euforisch tijdens de acht uur durende rit naar de locatie van het cavaleriekamp.

'O, maar dit is betoverend – kijk die bloemen eens! Dat paadje door het bos is precies Hampshire, maar zelfs mooier dacht ik, en op grotere schaal, natuurlijk. En dat vogelgezang, luister toch eens, George, ik had nooit gedacht dat naar de oorlog gaan zo heerlijk zou zijn!'

De vogels waren inderdaad prachtig, van de decoratieve vinken die tussen de takken fladderden tot de ooievaars, die hun dunne poten achter de grote, witte parachute van hun vleugels aansleepten. Heel hoog in de lucht de wouwen en haviken, roerloos op de termiek van de verzengend hete lucht. En boven hen, zo hoog dat het slechts stipjes in de withete lucht waren, de traag wentelende zwarte schoepen van wat ze later zouden leren herkennen als gieren.

Emmeline kwetterde zelf als een vogeltje nu ze de beproevingen van de afgelopen weken was vergeten. Je moest wel een erge nurks zijn om het met haar oneens te zijn of het haar kwalijk te nemen. De weidse, glooiende vlakten, de zachte heuvels die baadden in het zonlicht en de gevlekte schaduwen van de bossen waren zeker een lust voor het oog. Het kampement zelf lag om een mooi meer heen met een rivier erbij en was vele malen aangenamer dan de afschuwelijke plek die ze net hadden verlaten.

Hoewel het gevoel van respijt en opluchting tijdelijk was, voorkwam het dat ze de vochtige stank van infectie roken die uit elke aardplooi opsteeg, zelfs uit het glanzende meer. George Roebridge vond het een goeie mop om op een heldere avond te rapporteren dat hij met een van de exotische, struikroverachtige *bashi-bazouks* had gesproken, die hem had verteld dat de plek bij de Turken bekend stond als de doodsvallei. Te midden van het bravoure en de grappenmakerij die op die mededeling volgden, was Harry de enige die stil was. Voor het eerst overwoog hij de mogelijkheid dat hij Rachel niet terug zou zien.

De Russische nederlaag bij Silistra aan de Donau, eind juni, die werd gevolgd door het maandenlange, meedogenloze beleg van de stad en de bezielde verdediging door de bijna uitgeputte Turken, had weinig effect, behalve dat het Britse leger iets meer respect kreeg voor hun verguisde bondgenoten. Toen Hector Fyefield op een avond niet lang daarna na het eten lusteloos verklaarde: 'Godzijdank staan de barbaren aan onze kant... Ik heb gehoord dat ze Russische hoofden, oren, neuzen en wat al niet meer hebben afgehakt en als verdomde jachttrofeeën aan de stadsmuren opgehangen.'

'Voor die tijd aten ze ze op, veronderstel ik,' zei Harry droog. Maar de strekking van zijn opmerking was niet aan Hector en George besteed.

'Zou me absoluut niet verbazen!' beaamde de laatste. 'Temperament genoeg, maar geen greintje fijngevoeligheid!'

'Dus de vuurdoop voor de heidenen,' verzuchtte Hector. 'En wat zijn we een grote steun voor ze geweest.'

'Misschien,' zei Harry, 'betekent het dat we uit dit ellendige gat wegkomen.'

George snoof. 'Dat mag ik hopen, want anders gaan de Russen nog denken dat we niet geïnteresseerd zijn.'

Sindsdien was er nog tienduizend man aan de cholera bezweken, en het zag er nog steeds naar uit dat Lord Raglan en zijn staf van plan waren hen te verplaatsen. Dag in dag uit exerceerden ze in de hitte. Zwakkere mannen werden voortijdig het volgestouwde graf in gejaagd door het koppige aandringen op flink zijn en de toch al ondervoede, in slechte conditie verkerende paarden werden afgebeuld tot ze erbij neervielen. Intussen lag de brigadecommandant in de schaduw bij zijn aangenaam gesitueerde, gevorderde villa, spaarde zijn energie, dronk champagne en verzon eindeloos nieuwe, zinloze activiteiten. De officieren en manschappen onder Cardigan koesterden gemengde gevoelens voor hun bevelvoerende officier. Ze zuchtten onder zijn gesel – zowel letterlijk, in het geval van zweepslagen wegens het niet voldoen aan zijn veeleisende normen, als figuurlijk door zijn wrede opmerkingen. Maar ze voelden ook een zekere trots om wie ze waren: de uitverkorenen; de snelste, bekwaamste ruiters van het leger, magnifiek in hun weergaloze uniform.

Eind juni vertrok Cardigan met bijna tweehonderd man huzaren en lichte dragonders op patrouille langs de oevers van de Donau. De troep bood een schitterende aanblik zoals ze vertrokken, opgewekt en onbekommerd, omdat hun leider had bepaald dat eten en drinken tot een minimum beperkt moesten worden en er geen tenten nodig waren. Allemaal, op een paar sceptici na, voelden ze hun hart sneller kloppen bij het zien van de stoet. En toen verdwenen ze. Wat was voorzien als een missie die niet langer dan een paar dagen zou duren, werd een week, en langer, en nog steeds was er geen nieuws van hen.

Het was bijna twee weken later dat Harry er met Emmeline Roebridge opuit trok; hij op Clemmie, zij op de lichtere, wat afgevallen Piper. In het kielzog van de epidemie was de militaire routine verslapt, zowel uit noodzaak als om de mannen en de voorraden te sparen. Zelfs uniformen werden aangepast en veranderd, in sommige gevallen helemaal afgeschaft ten gunste van de meer praktische, inheemse kleding: een losse katoenen tuniek met vest, een wijde broek, zelfs in het geval van enkele stoutmoedige officieren een tulband. Uit respect voor Emmeline droeg Harry die bloedhete middag zijn uniform, maar het voelde aan als een dwangbuis. De talrijke insectenbeten overal op zijn lichaam werden rauwgeschuurd door de ruige stof en deden stekend pijn door het zweet.

Ze reden het dal uit, de koele schaduw van de lage bomen in die de heuvel in noordelijke richting bekroonden. Hier hielden ze even halt en lieten de teugels vieren. Het kon door het oplopende terrein komen, de zachte grazige heuvel, maar ook doordat Piper naast hem stond, dat Harry werd bevangen door de herinnering aan de laatste rit die hij met Hugo had gemaakt, toen ze aan de rand van de vlakke heuvel in het heldere Engelse weer naar het Witte Paard stonden te kijken. Toen Hugo had gezegd dat te veel van iemand houden niet bestond, en ze Rachel tegenkwamen die door het stille bos liep.

'U bent mijlenver weg, kapitein Latimer,' zei Emmeline.

'Neemt u me niet kwalijk.'

'Was u in Engeland?'
'Ja.'
Emmeline hield op een flirterige manier haar hoofd scheef. 'Een stuiver voor uw gedachten.'
'Die zijn zelfs dat niet waard, kan ik u verzekeren.'
'Waarom ze dan niet weggegeven?'
'Ik dacht terug aan een rit die ik met mijn broer heb gemaakt. Iets aan deze plek, de glooiing... Het is hier totaal anders, maar het deed me aan die rit denken.'
'Is uw broer thuisgebleven?'
'Hij is overleden.'
Het had geen zin haar te ontzien, want Harry wist dat ze net zo lang door zou gaan met haar ondervraging tot ze tevreden was. Haar hand vloog naar haar mond, en ze was zonder twijfel verbijsterd.
'Nee! Ik schaam me zo.'
'Dat is niet nodig. U kon het niet weten.'
'Ik hoop dat u niet denkt dat ik ergens op aanstuurde... dat uw broer... O, jee, ik kan zo dom zijn!'
Harry verweet zich dat hij zo lomp was geweest. Hij wilde het gesprek beëindigen met het voorstel om door te rijden, toen er een man om de flank van de heuvel rechts onder hen verscheen, die met een slakkengang een paard aan de teugel meevoerde.
'Kijk!' riep Emmeline uit, die zoals gewoonlijk haar medeleven op het dier richtte. 'Het arme ding! Zijn been! Zullen we naar beneden gaan?'
'Wacht even.' Hij haalde zijn kijker tevoorschijn en richtte die op de gestalten. Man en paard leken op een illustratie uit Cervantes – zwak en mager, kreupel, nauwelijks in staat op hun benen te staan. Het dier hinkte zo hevig dat zijn hoofd op en neer knikte, als bij een hobbelpaard. Hoewel hij blootshoofds was en met stof en gruis overdekt, was het uniform van de man nog net te herkennen als dat van het 8e Huzaren.
'Moeten we niet naar beneden rijden?' vroeg Emmeline. 'Het arme schepsel lijkt meer dood dan levend, en wat doen ze hier in hun eentje?'
'Volg mij maar.'
Diezelfde vraag hield Harry ook bezig terwijl ze langzaam langs de helling omlaag reden. Hij hield een hand aan Pipers teugel toen de zwarte oren zo heftig naar voren prikten dat de punten bijna tegen elkaar aan kwamen.
'U hoeft me niet vast te houden, kapitein Latimer,' protesteerde Emmeline. 'Ik kan hem heel goed aan.'
Maar hij hield voet bij stuk. 'Het is een jong paard, en erg nerveus. We willen geen ongelukken.'

173

De man zag hen aankomen en stond stil. Hij leek in trance te zijn; zijn armen hingen los langs zijn lichaam en hij hield zijn hoofd gebogen. Harry had de indruk dat hij alleen maar overeind bleef uit ingebakken respect voor een dame en een officier. 'Wat is er aan de hand? Waar kom je vandaan?' riep hij. De man deed een poging tot antwoorden, maar er kwam alleen een onverstaanbaar geluid over zijn lippen. Op dat moment zakte het paard in elkaar als een kaartenhuis, waarbij zijn voor- en achterbenen om beurten knakten, zijn hoofd heen en weer zwaaide en het op zijn zijkant neerviel en met het zadel gedraaid kwam te liggen, zodat bloedende wonden zichtbaar werden. Piper werd schichtig en Harry kon hem slechts met moeite in bedwang houden. Hij beval Emmeline kort om af te stijgen, wat ze dit keer zonder protest deed.

De man wees in de richting waaruit hij was gekomen, stootte een enkel woord uit dat Harry als 'afgelopen' in de oren klonk en zonk op zijn knieën neer.

Harry steeg zelf ook af en liep op hem toe. De man bleef op zijn knieën zitten met zijn hoofd op zijn borst, alsof hij te uitgeput was om verder te vallen. Zweet en stof zaten in zijn haar gekoekt en aan de binnenkant van zijn boord zat een rode etterende korst kapotte huid. Het vel van zijn gezicht en hals was roodgezwollen en met sneetjes en schrammen bedekt; zijn handen waren rauw van de opengebarsten blaren.

Harry richtte zich tot Emmeline. 'Mevrouw Roebridge, zou u naar het kamp terug willen rijden en zeggen dat we hier een gewonde hebben? Ik stel voor dat u de merrie neemt. En wilt u deze man eerst iets te drinken geven uit uw veldfles?'

Voor deze ene keer was ze sprakeloos van de schok. Terwijl hij de zadels verwisselde liep zij behoedzaam op de man af en stak hem de fles toe, die hij uit haar hand griste en waaruit hij, met zijn hoofd schuddend als een hond, gulzig dronk.

'Maak voort, alstublieft. Laat de fles maar hier. We doen ons uiterste best om zo ver mogelijk vooruit te komen, als ons iemand tegemoet kan worden gestuurd.'

'Ja, natuurlijk.'

Als Emmeline een echt belangrijke taak kreeg opgedragen was ze op haar best. Ze galoppeerde op Clemmie weg met een beschaafde beslistheid en kalmte alsof ze op vossenjacht was in Midden-Engeland.

Toen de man wat water over zijn hoofd had gegoten leek hij weer tot zichzelf te komen. Hij ging op zijn hielen zitten en keek versuft toe hoe Harry de hals van zijn eigen veldfles in de mond van het paard stak. Maar het scheen te ver heen te zijn om te reageren. Zijn keel sidderde van de oppervlakkige, onregelmatige ademstoten.

'Hij ziet er vreselijk uit.'

'Dat vind ik ook, meneer, hij heeft zijn eigen bezeerd.'

'Waar kom je vandaan?'

'Van de troepen van Lord Cardigan, meneer. Ik was nog het fitst...' Hij glimlachte flauwtjes, '...en dus hebben ze mij gestuurd om te rapporteren.'

'Wat is er gebeurd? Zijn jullie aangevallen?'

De man schudde het hoofd. 'Nee, meneer. Uitgeput, meneer. Uitgeput, verzwakt, halfdood, mannen en paarden. En niets te rapporteren.'

Iets in de stem van de man, nu die wat levendiger klonk, maakte dat Harry hem beter bekeek. Hij probeerde op te staan, waarbij hij de gegroefde flank van het paard als hefboom gebruikte, maar hij kreeg het niet voor elkaar.

'Blijf zitten,' zei Harry. Hij legde een hand op zijn schouder. 'Ik geloof dat we elkaar kennen.'

'Dacht ik ook, meneer. Aan boord van het schip.'

'Dat klopt.'

'Ze hebben me een ander paard gegeven, meneer.' De man trok een grimas. 'Dit.'

De ochtend daarop keerde de rest van de patrouille terug, de onherkenbaar veranderde fiere colonne die het kamp twee weken eerder had verlaten. Zelfs de vurigste bewonderaars van hun brigadecommandant moesten toegeven dat deze missie een totale verspilling was geweest. De mannen, afgetrokken en leeg, droegen zelf hun zadel. Achter hen sleepten hun wrakken van paarden zich voort, waarvan er vele nauwelijks de ene voet voor de andere konden zetten en die zelfs op het erf van een paardenslachter niet opgekeken zouden hebben.

Maar Harry had de afgelopen maanden genoeg zinloos leed gezien voor de rest van zijn leven. Het was het gezicht van de commandant dat hem het meest trof, toen die stijf rechtop en arrogant langs de toeschouwers reed. Een gezicht met een lange, aristocratische neus met een netwerk van rode aderen, een zinnelijke, gemelijke mond, fijn krullend haar en bakkebaarden, en lichtblauwe ogen met geloken leden en gebogen wenkbrauwen, die het geheel een laatdunkende uitdrukking verleenden.

Bovenal zag Harry het gezicht van een man die overliep van ijdelheid, die ziekelijk verwaand was en onwrikbaar overtuigd van zijn gelijk.

De dagen sleepten zich voort. Harry was ziek van heimwee. Niet alleen naar zijn familie en vrienden, en de vertrouwde plek waar hij was opgegroeid, maar naar Engeland zelf, zijn vaderland, waarin zijn voorgeslacht zijn wortels had en begraven lag. De geur, het licht, de vorm van Engeland, zijn grillige maar milde klimaat, het silhouet van zijn steden en dorpen dat als een geheimtaal was, het geluid van zijn straten en het kalme gekabbel van zijn rivieren. Hij had al eerder gereisd, was in Parijs geweest, in Rome en Wenen. Het was haast ongelooflijk dat hij nu op nog geen honderdvijftig kilometer ten zuiden van het Donau-dal was; en toch voelde hij zich, op de identiteit na die zijn knellende uniform hem oplegde, verloren. 's Nachts deed hij uit verlangen naar Rachel bijna geen oog dicht. Maar toen de hitte minder werd probeerde hij haar uit zijn gedachten te bannen door tussen zijn overige herinneringen te zoeken, alsof het teksten waren in een citatenboek, of misschien een boek met stichtelijke teksten. Hij had een bijzondere herinnering aan een ochtend in het voorjaar van 1851, toen hij met een groep officieren uit rijden was gegaan in Hyde Park. De route liep door Rotten Row, langs de enorme glasconstructie die was opgetrokken om de Wereldtentoonstelling te huisvesten. Het Crystal Palace oefende geen bijzondere aantrekkingskracht op de huzaren uit, aangezien ze het van meet af aan hadden zien opbouwen, maar op die speciale morgen wemelde het er van de infanteristen, die als tinnen soldaatjes in een gigantisch poppenhuis over de houten vloer op en neer marcheerden. Toen Harry en de anderen voorbijkwamen knielde het voorste gelid soldaten neer. De mannen hieven hun vuurwapen naar hun schouder en schoten een rondje losse flodders af in de enorme ruimte boven hen. Duiven fladderden verschrikt van het dak weg en de minst ervaren paarden begonnen zijdelings te trappelen. De soldaten kwamen overeind en gingen door met hun zinloze gemarcheer.

'Wat voor den drommel voeren zij uit?' informeerde George Roebridge over zijn schouder bij Harry.

'De vloer aan het wrijven?'

'Geen poetsdoeken.'

'Het is ook geen dansen,' merkte Fyefield op. 'Jammer genoeg. Het wordt hier barstensvol met de Britse werkman, zijn vrouw, kinderen, hond en hondenvoer, die naar de prestaties van hun meerderen komen gapen.'

'Precies!' riep George uit, met het air van iemand die op een belangrijk wetenschappelijke ontdekking was gestuit. 'Dat zal het zijn; ze testen het gebouw. Om te zien of het die straf aankan. De perfecte bezigheid voor een leger in vredestijd.'

Hiermee bedoelde hij uiteraard de volmaakte bezigheid voor infanteristen, en zijn opmerking werd met algemeen gelach begroet. Harry overwoog Hector Fyefield eraan te herinneren dat de werkende man over wie hij zo minachtend sprak de hand had gehad in de totstandkoming van een paar grootse prestaties. Maar hij deed het niet. Het gesprek ging inmiddels ergens anders over toen ze Kensington Gardens naderden, en de glans en glitter van hun uitrusting algemeen de aandacht trok in de lentezon.

Het leek Harry dat de activiteiten van de infanterie die ochtend ondanks Roebridges zogenaamd geestige opmerkingen heel wat doelgerichter en nuttiger waren dan de hunne, en mogelijk zelfs die van het gestrande expeditieleger in Varna. De duizenden mensen uit alle windstreken die naar de Wereldtentoonstelling waren geweest hadden in elk geval bijgedragen aan een algemene manifestatie van vrede, welvaart en wetenschappelijke vooruitgang. Maar drie jaar daarna had diezelfde menigte even hard gejuicht bij het vertrek van de cavalerie en de infanterie op deze onzekere, slecht voorbereide missie. Harry was een jongere zoon zonder bijzonder talent of ambitie, die net als zijn medeofficieren om zijn aanstelling had verzocht en lid was geworden van de exotische troep die de huzaren vormden. In tegenstelling tot Hugo echter was hij van nature een denker. Hier, waar meer dan genoeg tijd was, was dat geen gemakkelijke of prettige eigenschap.

Zijn kwellendste gedachten waren die aan Rachel, die hij maar niet uit zijn hoofd kon zetten. Het beeld van de weduwe van zijn broer was altijd bij hem; het vervaagde als de plicht hem ergens heen riep, maar het kwam altijd ongenood terug. Dat hij verliefd op haar was kon hij niet langer betwijfelen of ontkennen. Van een afstand kon hij ongestraft toegeven wat hij altijd had geweten: dat hij op de dag, op het ogenblik dat hij haar had ontmoet, verliefd op haar was geworden. Maar de afstand had ook gemaakt dat zijn liefde een obsessie was geworden. Hij kon haar niet ontmoeten, niet met haar spreken, hij kon zijn gevoelens niet laten blijken door haar zelfs maar de kleinste dienst te bewijzen. Het ergst van al was de mogelijkheid dat hij niet terug zou komen. De kans dat hij hier in Devna nutteloos en miskend zou sterven, om op de hoop stinkende kadavers in een gemeenschappelijk graf te worden geworpen, net als de arme Colin Bartlemas, leek steeds meer voor de hand te liggen. En zelfs als hij dit overleefde, hield de nabije toekomst louter onzekerheid en gevaar in. Intussen zou Hugo's kind in oktober worden geboren, als Rachel nog in de rouw was. Trouw, fatsoen en alle sociale taboes werkten tegen hem en dienden alleen om zijn gevoelens te intensiveren. Hij was een gekweld mens.

Hij had haar vlak voor hun vertrek geschreven, en weer bij aankomst. Door zijn pogingen alleen te schrijven wat broederlijk gepast was, vreesde hij dat zijn brieven koel en gekunsteld overkwamen, en het feit dat hij geen antwoord kreeg leek die veronderstelling te bevestigen. Maar waarom zou het Rachel, die nog met hart en ziel bij het vreselijke verlies van haar aanbeden jonge echtgenoot betrokken was, ook maar een zier kunnen schelen op wat voor toon haar zwager brieven schreef? Hij wilde niet koel overkomen, maar ook de grenzen van de betamelijkheid niet overschrijden. Intussen brandde hij van vurige, onuitgesproken hartstocht.

Het kleurde alles wat hij deed. Toen hij die avond bij de ingang van zijn tent zat om de ouders van Colin Bartlemas te schrijven, betrapte hij er zich met een gevoel van schaamte op dat hij hoopte dat deze brief Rachel op de een of andere manier onder ogen zou komen, en dat het dus dubbel zo belangrijk was dat hij passend, gevoelig en weloverwogen was.

Natuurlijk moest hij ze de afschuwelijke details van de dood van hun zoon besparen. Maar hij kon het pijnlijke feit niet verhullen dat Colin was gestorven lang voor het begin van de strijd waarnaar hij zo had uitgekeken. Zijn persoonlijke bezittingen – zijn insigne, pennenmes, portefeuille, pijp en gebedenboek – leken een schamel hoopje erfenis op de grond waar Harry zat te schrijven en een stuk of vijf pogingen doorkraste, voordat hij tot een resultaat kwam waarvan hij hoopte dat het de juiste toon had.

Geachte meneer en mevrouw Bartlemas,
Tot mijn grote droefheid moet ik u de dood meedelen van uw zoon Colin, die mijn ware, levenslange vriend was. In een tijd dat de zogenaamde gewone soldaat te vaak wordt gezien als een nietsnut voor wie in het burgerleven geen echte taak is weggelegd, was Colin een rekruut op wie het leger alleen maar trots kon zijn, te meer daar hij met zijn trouwe, eerlijke hart altijd op het platteland was, bij het werk dat hij kende: de paarden, de honden, de bossen en de velden rondom Bells. Nadat ik in het leger was gegaan zei hij me eens dat hij, als er oorlog kwam, dienst zou nemen en zijn plicht doen. Toen de oproep kwam, waren het de eigenschappen die we zo in hem bewonderden die maakten dat hij tekende.
   Ik weet dat u bij het lezen van deze brief alleen maar kunt bedenken dat hij er niet meer is, en uw verlies voelt, hetgeen ik met mijn veel geringer verlies slechts kan trachten te respecteren. Maar als mettertijd de eerste pijn om dat verlies is verzacht, bedenk dan alstublieft dat Colins tragische, te vroege dood veroorzaakt is door zijn goede, trouwe aard, die geliefd was bij allen die hem kenden...

Hier brak Harry af en staarde over de zee van tenten. Met de alomtegenwoordige vliegen hing er een flauwe, zurige lucht op deze plek. Het bubbelende koor van kikkers aan de oever van het meer, dat hen eerst zo had geamuseerd, klonk nu als hol gelach. Hier en daar lagen mannen door de hitte bevangen op de grond alsof ze al dood waren. Met moeite keerde hij naar zijn brief terug.

Hij heeft de pijn van zijn ziekte moedig gedragen, en ik weet dat u in zijn gedachten was toen hij stierf.

Dat wist, noch geloofde Harry eigenlijk, aangezien het folterende lijden van de cholera niet de luxe van bespiegeling bood, maar in de geest was het waar.

Ik sluit enkele van zijn bezittingen in en hoop dat u hierbij mijn diepste medeleven wilt aanvaarden.
Geheel de uwe,
Henry Felix Latimer

Harry werkte door aan de brief tot het donker was en legde hem met een opgelucht gevoel terzijde.

De dag daarna las hij hem nog eens door, wanhopig om het onbenullige gemoraliseer en gooide hem weg. Die stem klonk niet als de zijne. En het onderwerp leek niet op zijn eenvoudige, rondborstige vriend. De mensen thuis die hen beiden kenden moesten hem op zijn woord kunnen vertrouwen. Hij pakte Colins bezittingen in, schreef er drie simpele zinnetjes bij, tekende met 'Harry Latimer' en liet het daarbij.

Hij had de vaste overtuiging dat vooral Rachel intuïtief zou weten wat er achter de brief stak, zodat hij hopelijk niet in haar achting zou dalen.

Hij had haar voor het laatst gezien de week voordat ze inscheepten naar de Krim, toen hij was teruggekeerd naar Bells om afscheid te nemen. Hij was geschokt door zijn vaders duidelijke zwakte, en had zijn moeder gevraagd of er een lichamelijke oorzaak voor was, behalve zijn hoge leeftijd en het verdriet.

Maria gaf enigszins driftig antwoord, wat bij haar een duidelijk teken van ongerustheid was.

'Hij wil niet eten! Wat ik hem ook voorzet, hoeveel moeite er ook wordt gedaan, hij draait zijn hoofd om...' Ze demonstreerde het afwenden van het hoofd op de haar eigen theatrale wijze, '...alsof alleen al het zien ervan hem ziek maakt!'

'Misschien is dat ook zo. Is hij door een dokter onderzocht?'

Ze maakte een ongeduldig geluidje en schudde kort met haar hand. 'Hij wil niet. En trouwens, wij hebben geen van allen vertrouwen in de artsen.'

'Maar hij is zo vreselijk bleek en mager. Ik vind dat u dokter Jaynes moet laten komen, of vader het nu wil of niet.'

'Dokter Jaynes is een domme, oude dwaas,' verklaarde Maria. 'Ik zorg zelf wel voor mijn man.'

'Maar als vader u nu niet voor hem laat zorgen...' Harry liet zijn opmerking even hangen, maar ze wendde zich af en het uitblijven van een antwoord bevestigde hem in zijn mening dat allebei zijn ouders verschrikkelijk ongerust waren.

Die avond aan tafel zag hij dat zijn vader, wellicht omdat zijn zoon erbij was, zich niet van het eten afkeerde zoals Maria had gedemonstreerd, maar hij deed ook weinig meer dan ernaar staren en het een beetje rondschuiven, zodat de soep, de vis, het vlees en het dessert onaangeroerd weer werden meegenomen.

Percy stelde echter voor dat zij tweeën na tafel een glas port zouden drinken. Toen Maria weg was zei Harry wat hij op zijn hart had: 'Vader, u bent niet in orde.'

'Ik voel me alleen niet zo lekker.'

'Veel meer dan dat. U bent te mager.'

'Ik heb nergens trek in...' Percy hield zijn glas omhoog en tuurde erin. 'Behalve hierin.'

'Maar u kwijnt weg. U moet eten.'

'Ik heb geen eetlust.' De toon was bijna kregel.

'Dan moet u zich dwingen. Niet alleen voor uzelf, maar ook voor moeder. En voor mij. Het regiment gaat over een paar dagen aan boord; ik moet er niet aan denken u hier zo achter te laten.'

'Aha, chantage.' Hij glimlachte flauwtjes, wreef over zijn gezicht met een hand die al vel over been was, waar de botten als takjes doorheen staken.

'Beschouw het eten als medicijn, prop het desnoods naar binnen. Maar eet.'

Percy schonk Harry de koele blik die ondanks zijn zwakke conditie veel van de kracht bevatte die zowel zijn kroost als zijn werknemers altijd had weten te beteugelen. 'Begrijp ik goed dat jij...' Hij kneep zijn ogen een stukje dicht in een dreigende imitatie van ongeloof, '...mij beveelt dat te doen?'

'Ja.'

Ze keken elkaar aan. Harry voelde de blik van zijn vader langs de zijne heen en weer flitsen, als om hem te lezen. Toen sloeg hij zijn papierdunne oogleden langzaam een keer neer, als een soort berusting.

'Ik zal mijn best doen. Maar ik beloof niets.'

Tot dusver was er nog geen nieuws van zijn ouders. Harry's machteloosheid werd nog vergroot door de wetenschap dat hij hier niets nuttigs deed, maar ook zijn vader niet kon helpen.

De ochtend na het gesprek met zijn vader was hij naar Bells gereden om Rachel te bezoeken. Het was koud en er viel een lichte regen. Toch was mevrouw Latimer, zo werd hem gezegd, naar het kerkhof gegaan, naar het graf van meneer Latimer.

'Maar dat is een steile klim van minstens drie kilometer,' zei Harry ongelovig.

'Vier, meneer.' Jeavons nam een uitdrukking aan waarin de oudere bedienden al gauw een expert werden en die een aanwijzing vormden voor een voorraad persoonlijke meningen die uit fatsoensoverwegingen keurig onder controle werd gehouden. 'Niettemin...'

Toen hij Darby de heuvel op reed terwijl de regen in zijn gezicht spetterde, bedacht Harry dat hij omgeven leek met mensen die zich niet om hun welzijn bekommerden. Het was een zorgelijk idee dat Rachel in haar toestand moeizaam hiernaartoe was geklauterd. Het kwam in hem op dat Hugo in het leven van zijn familie zo geliefd en zo'n vitale kracht was geweest, dat zijn verlies hun van hun gezonde verstand had beroofd.

Maar toen hij haar ontdekte, lang voordat ze hem zag, begreep hij het. Ze zat op haar hurken bij het graf en zette met haar blote handen jonge plantjes in de doorweekte grond. Ze droeg een cape, maar had die ondanks de regen over haar schouders naar achteren geslagen, zodat ze haar armen vrij had. Ze droeg haar lichte haar net als de dorpsvrouwen in een knotje. Waar het los langs haar gezicht hing zag hij dat het door de vochtigheid enigszins was gaan krullen. Of misschien (en die gedachte wond hem op) was het een natuurlijke krul, die gewoonlijk door dat strakke, elegante kapsel in bedwang werd gehouden.

Ze zat bovendien in een houding die eerder stevig en praktisch was dan damesachtig: gehurkt, maar met haar ene been naar opzij uitgestoken om haar groeiende buik de ruimte te geven. Het uitgestoken been was bijna tot de knie zichtbaar, met een rood-zwarte kous bekleed en een stevig, met modder bedekt zwart laarsje. Harry had buiten het theater nog nooit zoiets gezien. Om het hier te vinden, in de motregen op dit op de heuveltop gelegen kerkhof, had een duizelingwekkend effect dat hem de adem benam.

Ze werkte ongedwongen door, zich nu en dan iets verplaatsend om bij een leeg stukje aarde te komen. Dat deed ze zonder veel omhaal; met haar ene hand op de grond en haar rokken in de andere maakte ze een klein sprongetje, begeleid door een zacht maar hoorbaar gekreun van inspanning.

Darby gooide mistroostig met zijn hoofd naar de regen. Het geluid van de teugel deed haar omkijken. Ze leek niet in het minst verbaasd hem te zien.

'Harry, ben jij het.'

'Het spijt me,' zei hij. 'Ik wilde je niet bespioneren.'

Hij steeg af en trok de teugel over Darby's hoofd heen. Ze kwam moeilijk overeind en wreef haar handen, eerst tegen elkaar en daarna langs haar cape. Ze waren nog modderig, er was geen sprake van ze kussen, dus maakte hij een potsierlijk buiginkje. 'Ik ben hier pas een paar tellen.'

'Het zij je vergeven. Ik zie dat ik er nogal vreemd bij zit.' Het werd zonder een zweem van excuus gezegd, zelfs met een flauwe glimlach. 'Hoe maak je het, Harry?'

'Goed. Ik hoop dat je het niet erg vindt – stoor ik? Jeavons zei dat je hier aan het wandelen was.'

'Ja, hij heeft heel beleefd geprobeerd me tegen te houden, maar ik hou van wandelen.'

'Je verkeert in goede gezondheid.' Het was half een constatering, half een beleefde vraag.

'Volkomen.' Ze wees op het graf. 'Ik doe pogingen Hugo's laatste rustplaats wat op te fleuren. Maar dat is eigenlijk alleen maar een excuus. Ik kom hier graag een beetje wroeten, om bij hem te zijn. Dat is gezellig.'

'Stoor ik?'

'Harry!' Licht vermanend hield ze haar hoofd scheef. 'Het is een groot genoegen je te zien, vooral omdat ik weet dat je spoedig vertrekt. O!' Ze trok de cape om zich heen toen het harder ging regenen. 'Zullen we even in de kerk gaan schuilen?'

Harry liet Darby bij de toegang tot het portaal achter en ze gingen naar binnen. Op deze bewolkte ochtend was het schemerig in de kerk; de regen kletterde als hagel op de ramen. Ze deed haar cape af en spreidde hem uit over de rug van een kerkbank. Daarna ging ze in de bank ervoor zitten. Zijn zinnen werden overweldigd door haar nabijheid en het speciale gevoel van intimiteit van deze omgeving. Haar vuile handen, haar wanordelijke haar, de nattigheid op haar gezicht en de modder op haar laarsjes en kleren, dat alles ervoer hij als bijna ondraaglijk verleidelijk. Hij had haar nooit anders gezien dan gepantserd in haar gebruikelijke, onopvallende elegantie, zodat het nu, ondanks dat ze dikkere kleren droeg, was alsof hij haar zonder kleren zag.

Maar Harry mocht dan van streek zijn, Rachel had echter nooit meer op haar gemak geleken.

'Hier zijn we getrouwd,' zei ze zacht, en ze keek in het rond alsof ze het weer voor zich zag. 'Kun je je ons huwelijk nog herinneren?'

'Hoe zou ik dat kunnen vergeten? Het was een fantastische dag. Ik heb Hugo nog nooit zo gelukkig gezien.'

Ze keek hem aan. 'Hij was zo ernstig, zo diep ernstig toen ik op hem toeliep en naast hem ging staan.'

'Daaraan kon je zien hoe gelukkig hij was.'

'Ja, dat geloof ik ook. Ik heb nooit iemand gekend die zo zorgeloos was als Hugo, maar op onze trouwdag was hij...' ze zocht naar het woord, '...bekommerd.'

Terwijl ze sprak wreef ze voortdurend met haar duim over haar trouwring, zodat het goud nu aan haar modderige hand glom.

Harry had niets liever gewild dan die hand in de zijne nemen, maar in plaats daarvan zei hij: 'Hij hield meer van je dan hij ooit voor mogelijk had gehouden. Hij wist zich geen raad met zijn gevoelens.'

'Ik heb geluk gehad,' zei ze, zich niet bewust van het feit dat hij over zichzelf praatte. 'Ik was de gelukkigste vrouw van de wereld. Ik denk dikwijls aan al die stralende, mooie, jonge harten die gebroken werden toen deze magere, onopvallende, oude weduwe langskwam en Hugo met haar toverkunsten in de val lokte.'

Ze schertste deels. Zonder nadenken legde hij zijn hand op de hare. 'Je bent niets van dat alles.'

Ze glimlachte. 'In elk geval niet mager.'

'En hij is nooit verliefd geweest totdat hij jou ontmoette. Als er meisjes waren die er anders over dachten hadden ze het mis.'

'Dat is een troost.' Haar houding veranderde, werd wat luchthartiger, zodat hij, hoewel er geen teken was dat hij dat moest doen, zijn hand van de hare nam. 'En jij, Harry?' vroeg ze. 'Is er een lief schepseltje in Londen dat om je zal treuren als je naar de oorlog gaat?'

'Nee.' Hij deed zijn best zich bij haar stemming aan te passen. 'Tenzij er iemand op een geslaagde manier haar gevoelens voor mij verborgen houdt.'

'Je moet ons schrijven als je kunt.'

'Natuurlijk!' Hij zei het gretig. 'Zo vaak ik kan.'

Ze stond op. Hij volgde haar voorbeeld, en stapte de bank uit om haar te laten voorgaan. De regen was opgehouden, maar in het portaal waren de tegels nat en met bladeren en twijgen bedekt die vanaf het kerkhof naar binnen waren gewaaid. Darby stond met zijn hoofd en schouders onder het afdak. Rachel liep op hem af om zijn hals te strelen. Ze keek niet naar Harry toen ze zei: 'Je neemt Piper mee.'

'Mag dat?'

'Natuurlijk. Hij moet worden bereden, wat er ook gebeurt, en wie kan hem beter berijden dan jij?'

'Het zal niet gemakkelijk zijn voor de paarden.'

Ze deed een pas naar achteren en keek hem recht aan. 'En ook niet voor de mannen, neem ik aan.'

Hij nam Darby's teugels. 'Ik vraag me af of je zin hebt om te rijden?'

'Ik zou niet weten hoe. Het is niet een van mijn vaardigheden.'

'Ik bedoel gewoon dat ik je kan leiden, om je de wandeling terug te besparen. Deze oude heer is heel rustig, je hoeft alleen maar in het zadel te gaan zitten en je aan de zadelboog vast te houden.'

Ze lachte, geamuseerd door het idee. 'Maar hoe kom ik erop?'

Hij wees naar de houten bank naast het portaal. 'Kun je daarop gaan staan? Als je op mijn arm steunt?'

'Zelfs zonder je arm.' Ze zette haar ene hand op de leuning van de bank en hees zich op, sterk en zonder verlies van waardigheid. 'En nu?'

Hij hield de stijgbeugel vast. Darby kwam in beweging en klepperde met zijn grote hoeven op de stenen. 'Hij wil ervandoor zonder mij!' riep Rachel uit.

'Integendeel, hij verheugt zich erop een passagier te hebben. Zet je rechtervoet in de stijgbeugel en ga zijdelings op het zadel zitten. Piper kun je niet op deze manier berijden, maar deze hier heeft een achterste dat zo breed is als een tafelblad.'

'Ik geloof je op je woord.' Ze volgde zijn instructies op. 'Nu, daar zit ik dan!'

'Zit je goed? Voel je je veilig?'

'Nu wel, maar we rijden nog niet.'

'Daar gaan we.'

Toen Harry terugkeek op dat tochtje vanaf de kerk omlaag langs de heuvel naar Bells wist hij dat hij toen het dichtst bij de uitdrukking van zijn gevoelens voor Rachel was. Terwijl hij het paard voorzichtig leidde en nu en dan stilhield om te kijken of ze goed zat en op haar gemak was, stelde hij er een eer in haar beschermer te zijn en haar veilig naar huis te brengen. Toen ze bij het huis aankwamen voerde hij haar naar de stallen en liet haar zelf afstijgen. Hij bood alleen een ondersteunende hand toen ze van het blok af stapte.

'Dank je,' zei ze. 'Ik heb genoten van mijn eerste pleziertochtje. Misschien kun je me in de toekomst fatsoenlijk leren rijden.'

Sindsdien had hij die kleine suggestie als een talisman gekoesterd, als onderpand voor het geluk dat hem naar Bells terug zou brengen om zich nuttig te kunnen maken.

Tegen de tweede week van augustus kon het de legereenheden die bij Varna kampeerden worden vergeven dat ze dachten het hellevuur te hebben doorstaan en niet nog meer konden verdragen. In dat geval werden ze voor hun zelfgenoegzaamheid gestraft door het uitbreken van het echte vuur dat de halve stad in de as legde en dat voor troepen van elke nationaliteit de voorwaarde schiep de andere helft te plunderen. In weerwil van de enorme hoeveelheid manschappen die op zo'n klein gebied waren verzameld vaardigden de generaals geen orders uit om de excessen van de troepen in te dammen, hoewel Harry en een handjevol andere officieren werd opgedragen naar Varna te rijden om te helpen de orde te herstellen en de ergste plunderingen tegen te houden.

Na een stuk of vijftig onverlaten van de straat te hebben opgepakt en ze wankelend naar het kamp te hebben teruggedreven, was het duidelijk dat de Britse soldaat zich had gewijd aan het opdrinken van elke druppel in Varna.

'Je zou hebben gedacht,' teemde Fyefield terwijl ze de paarden verzorgden, 'dat ze wat meer fantasie hadden. Ze hadden net zo goed op een Engelse kermis kunnen zijn.'

'God zij gedankt,' zei Harry. 'Wat had je dan gewild? Verkrachting, roof, totale plundering? Een beetje dronkenschap is nog wel vergeeflijk.'

'Dat is waar,' beaamde Fyefield. 'Tenminste, zolang het ze niet totaal benevelt voordat de echte actie begint.'

In het donker lachte iemand.

Het was niet mogelijk dat een dergelijke impasse alsmaar doorging. Er moest gewoon iets gebeuren. Twee weken na de brand kwam de order door dat ze zich op de vijfde september moesten inschepen voor de Krim.

Mannen die ernstig ziek of zelfs stervende waren werden toch aan boord gebracht in de grimmige overtuiging dat het beter was aan dek van een Engels fregat te sterven dan op de verontreinigde grond van een haven in het Midden-Oosten.

Ondanks alles werd de stemming beter. Weer in beweging zijn, dichter bij het doel, eindelijk weer op weg om de vijand te ontmoeten, dat alles verbeterde het moreel.

Terwijl Harry en de Lichte Brigade dichter bij de plaats van inscheping in Varna kwamen, was de realiteit van de cholera nog steeds evident. Van de massa haastig gedolven, ondiepe graven die de droge grond als uitslag ontsierden waren er vele onteerd, opgegraven door hongerige honden en door de Turken, vanwege de lijkwaden, en de ledematen van de beroofde lijken staken als verrotte boomwortels uit de grond. De honden blaften en hapten naar hen, en hielden zich op afstand. Een keer, toen Clemmie struikelde, zag Harry een menselijk hoofd onder haar hoef; de helft van het gezicht hing nog aan de schedel, en een oog hing nog uit de kas. Als ze bij hun aankomst al hadden gedacht dat Varna een ellendig oord was, was het niets bij wat ze nu meemaakten. Er was maar één ding dat Harry kon opvrolijken. Toen hij langs het Franse postkantoor kwam, dat behoorlijk onttakeld was, ging hij er zonder veel verwachting binnen, om niet minder dan drie brieven in handen te krijgen, twee van zijn ouders en een van Rachel, die daar waren gestrand ten gevolge van de inschepingsbevelen. Hij bewaarde ze om ze tijdens de reis te kunnen lezen.

Maar toen puntje bij paaltje kwam wilde Piper niet aan boord. Harry's nieuwe stalknecht, een gerimpelde cockney, genaamd Betts, was ten einde raad. Hij was geniaal met paarden en had in Piper onmiddellijk zijn bijzondere afstamming en spirit herkend, maar de furieuze angst van zijn pupil was meer dan hij in zijn eentje aankon. Knarsetandend, bevelen en beledigingen blaffend deed Betts een stap opzij voor de matrozen die het overnamen. Maar ze konden Piper niet met touwen, kettingen of louter brute kracht aanpakken zonder hem te verwonden. Ten slotte was hij zo totaal uitgeput en waren zijn assistenten zo buiten zichzelf van woede en ongeduld, dat Harry niets anders restte dan hem terug naar de kade te brengen om daar te proberen hem te kalmeren en op zijn gemak te stellen.

De bedrijvigheid en drukte om hen heen deed geen van hen beiden goed. De bezwete Piper, die aan alle kanten verraad verwachtte, was niet in de hand te houden. Hij deed uitvallen, steigerde, trapte, maakte zijwaartse bewegingen, en strekte met uitpuilende ogen en platliggende oren zijn hals, zodat zijn mooie hoofd op de gemene, platte kop van een cobra leek.

Betts' blik vloog heen en weer. 'Dit is geen geschikte plek voor hem, meneer.'

'Dat weet ik, Betts, maar misschien dat hij er na en paar minuten van overtuigd raakt dat het een beter alternatief is aan boord van het schip te gaan.'

De kleine man schudde zijn hoofd. 'Hij zal buiten zichzelf raken.'

Hij had gelijk. Toen ze hem na een minuut of tien op de kade nogmaals aan boord probeerden te krijgen was zelfs Betts niet voorbereid op de felheid van Pipers verzet. Hij wierp zich uit alle macht naar achteren, net zoals hij op het schip vanuit Engeland had gedaan, waardoor diverse straatventers en handelaren uiteen stoven en enkele kratten vis en groenten over de glibberige keien het water in zeilden. Betts, die een kreupel been had, werd omver gesmeten. Terwijl Harry probeerde zijn greep op het hoofdstel te verstevigen verloor hij zijn evenwicht en liet het schieten. Piper, die al op scherp stond, sprong als een pijl uit een boog van hem weg en ging ervandoor. Het paard denderde tussen de menigte door, bijtend en met zijn hakken trappend. In zijn kielzog bracht hij een spoor van Midden-Oosters pandemonium teweeg: geschreeuw en gejammer en smekend opgeheven armen.

Betts' tanige gezicht stond ondoorgrondelijk. 'Dat is zonde, meneer,' zei hij. 'Dat is heel erg zonde.'

Toen Harry die avond aan dek naar het zachte geluid van fluiten en mondharmonica zat te luisteren, en naar het gerochel en gereutel van de stervenden, huilde hij in het donker om Hugo's mooie paard, dat nu voedsel was voor de gieren in een vreemd land.

8

Just to say, I love you madly
To let you know I'm wild with lust.
Did I mention you're my hero?
Just to say it's shit or bust.

Gewoon om te zeggen dat ik dolveel van je hou
Om je te laten weten dat ik sterf van verlangen.
Heb ik al gezegd dat je mijn held bent?
Om je te zeggen dat het alles of niets is.

Stella Carlyle, 'Just to Say'

Stella 1990

De vrouw op de golfbaan, overwoog Stella, was een bijna volmaakt exemplaar van haar soort. Er speelden twee andere vrouwen met haar samen, maar zij was de eerste op de zesde green. Stella, die in de duinen wandelde, stond stil om te zien hoe ze putte.

Zelf had ze hoegenaamd geen belangstelling voor golfen, en evenmin voor andere sporten, behalve rugby, waarvan ze zich met tegenzin op de hoogte had gesteld vanwege Jamie. Als ze er nu en dan door werd overvallen op de televisie zette ze het direct af. Ze wist alleen dat het op dit moment de kunst was om de bal in het gaatje te krijgen dat normaal gesproken door de vlag werd bezet.

Dat deed de vrouw heel behendig, vanaf een afstand van een meter of drie. Stella wist niet of dat erg goed was, alleen dat ze het zelf niet had gekund, hetgeen geen compliment was.

De vrouw stond inmiddels aan de ene zijkant en hield de vlag vast. Met haar korte donkere haar, haar blauwgroene Schotse geruite broek en groene Lovat-jack maakte ze een soldateske indruk, als een dappere jongeman die het vaandel droeg. Terwijl haar twee vriendinnen hun minder geslaagde puts heen en weer over de golfbaan volvoerden, leek ze zich plotseling te realiseren dat ze werden gadegeslagen. Ze keek naar Stella en gaf haar een snelle, vriendelijke zijn-we-niet-allemaal-sukkels-glimlach.

Toen ze klaar waren op de green, onder het gemompel van sportieve kreten van zelfverachting liep hun route naar de volgende tee, evenwijdig met die van Stella op het strand. Ze kon de verleiding niet weerstaan om nogmaals toe te kijken hoe de donkerharige vrouw haar tee plantte, een driver uitkoos en op de bal aanlegde. Toen ze hem raakte kon zelfs Stella vanuit haar positie als totale leek zien dat het een prachtige slag was, zo volmaakt getimed en scherp geslagen dat het blad van de golfclub toen het omlaag zwiepte een zacht fluitend geluid maakte, als een uitroep van bewondering, en een uiterst ingehouden 'klik' bij het contact. De bal verdween zomaar. Haar twee vriendinnen slaakten bewonderende kreten en namen hun beurt. Stella bleef even treuzelen om nog een paar minuten te kijken.

Hoewel het uiterlijk van de donkerharige vrouw niet van het type was dat Stella zelf zou willen zijn, trok ze de aandacht, met haar goedgeknipte zwarte haar, haar sterke, frisse gezicht en goed verzorgde figuur, en zelfs die tactvolle glimlach; ze was van uitgesproken goede komaf, had zelfvertrouwen en straalde kalmte uit. Het was niet verbazingwekkend dat ze de clubs zo totaal onder controle had. En haar kleding – Schotse ruiten waren op elke andere denkbare plek een gruwel, maar op de golfbaan van Ailmay waren ze stijlvol en zelfs grappig. Als je dan toch dat soort vrouw moest zijn, bedacht Stella terwijl ze haar weg vervolgde, dan maar zoals zij.

Ze had nooit gewenst iemand anders dan zichzelf te zijn. Ze wist nauwelijks wat afgunst of jaloezie was, niet omdat het ondermijnende emoties waren die een gevoelig iemand maar het best kon vermijden, maar omdat ze het leven van de meeste andere mensen en hun partners bekeek met een mengeling van verbazing en verachting. Het niveau van schijnvertoningen, compromissen en onderhandelen dat voor het merendeel van de geordende levens en de zogenaamd hechte relaties werd vereist, stond haar tegen.

Ze liep nog ongeveer een kilometer langs het strand naar waar een kaap als een ruige arm in zee stak en zo deze baai van de volgende afschermde. Vandaag was het klassiek Ailmay-weer: aan de ene kant een donkere lucht, en aan de andere kant een stralend blauwe, met daartussen hoge wolken en veranderlijk licht dat als een reusachtige spiegelbol over het gladde zand en de woelige zee joeg. Op dat moment zag de Fell er goedaardig en toegankelijk uit, badend in het zonlicht, maar na bijna een maand op het eiland wist Stella wel beter dan op dat onschuldige uiterlijk af te gaan. Ze had meer dan eens doorweekt, bevroren en gedesoriënteerd in de mist op de lagere hellingen rondgedoold, een ervaring die het beschamende spookbeeld opriep van de Engelsman die op kosten van de belastingbetaler door een reddingsploeg veilig van de berghelling moest worden gehaald. Tegenwoordig beperkte ze zich op haar wandelingen door de Fell tot de minder avontuurlijke paden.

Die middag was ze van plan naar het einde van de kaap te lopen, waar de zee, zelfs op een betrekkelijk kalme dag als deze, woest over de rotsen beukte. Daarna wilde ze langs de lange kant naar de kustweg die de gemakkelijkste route naar huis vormde. Het huis begon als thuis te voelen, en zij begon zich hier thuis te voelen. Ze had zelfs het gevoel, misschien omdat ze dat graag wilde, dat ze deel begon te worden van het landschap, dat ze bekend was als de huurster van Glenfee, die met de rare kleren, die had gezongen in de kroeg. Ze had de voorstelling sindsdien niet herhaald, maar sloot niet uit dat er nog een herhaling zou volgen. Ze was verscheidene keren terug geweest en er werd altijd gevraagd of ze wilde zingen, maar ze had steeds geweigerd en was daarna met rust gelaten. De eilandbewoners bezaten een natuurlijke discretie; ze namen de mensen zoals ze waren, en dat beviel haar. Niemand had haar verder uitgehoord, maar haar liedje was hun bevallen. Als ze eraan toe was wilden ze er nog een horen. Als dat nooit gebeurde was het ook goed.

Ze wist niet of die algemene discretie zich uitstrekte tot persoonlijker zaken, maar ze hoopte van wel. De auto van haar minnaar zou overal zijn opgevallen, en in een plaats waar maar weinig verkeer was had het gevaarte even veel bekijks als een varken in een synagoge. Een deel van zijn verdorven charme was dat hij totaal geen voorzichtigheidsgen bezat. De Rolls kwam en ging met veel vertoon en ware doodsverachting – niet vaak, dat was waar, maar zonder voorafgaande waarschuwing en regelmatig in het volle daglicht.

Toen ze bij de landtong aankwam begon het te regenen. Ze draaide zich om en keerde deels op haar schreden terug om via deze kant de weg te bereiken. Terwijl ze door de lage duinen ploegde kon ze de rand van de golfbaan zien, die nu in een fijne, filterende motregen was gehuld. De drie vrouwen kwamen in zicht; ze beenden met grote stappen voort met hun hoofd omlaag, de capuchon opgezet en hun golfkarretjes achter zich aanslepend. Ze wekten de indruk dat ze zich alleen door een zware sneeuwstorm van hun spel zouden laten afhouden.

Het was nog een halfuur stevig doorstappen en het liep tegen vieren toen ze terug was, en zag dat de Rolls buiten geparkeerd stond. De chauffeur lag achterover op de stoel met zijn ogen dicht en een sigaar tussen zijn vingers terwijl Rachmaninov uit de geluidsinstallatie schalde.

Ze liep straal langs hem heen, maakte de voordeur open en sloot die achter haar. Twee minuten later, toen ze de *Daily Mirror* van de vorige dag in haar doorweekte laarzen had gepropt, klopte hij aan en kwam naar binnen. Het harde geklop en het binnenkomen liep altijd synchroon, en het klonk alsof hij de deur met zijn schouder forceerde, als een heethoofdige televisiediender. De deur knalde dicht. Ze keek niet op toen hij de keuken inkwam, maar zette haar laarzen voorzichtig rechtop op de boiler, met het bovenleer tegen de afvoerpijp en haar sokken over de bovenkant gedrapeerd.

'Je ziet er verrukkelijk uit als je dat doet,' zei hij met een knorrig Glasgows accent, alsof hij zich beklaagde.

Nog steeds zonder naar hem te kijken liep ze naar het aanrecht en hield haar handen onder warme kraan en droogde ze af. 'Jij bent gauw tevreden.'

'Helemaal niet.'

'Iets drinken?'

'Nee, dank je, ik heb maar even.'

'Sorry.' Ze liep langs hem heen de deur door. Hij trok aan de sigaar, met zijn vrije hand in de zak van zijn door de tand des tijds aangetaste jack, en maakte geen aanstalten haar aan te raken. Desondanks maakte ze zich zo klein mogelijk toen ze langs hem heen liep, zodat er een paar centimeter ruimte tussen hen in bleef. Nog steeds op haar blote voeten ging ze de zitkamer in en knielde bij de open haard, zich ervan bewust dat hij haar volgde en vanaf een afstand gadesloeg.

'Waar ben je geweest?'

'Wezen wandelen.'

'Jij met je gewandel...'

'Dat is de reden dat mensen hierheen komen.' Ze streek een lucifer aan en schudde hem uit. 'De meeste.'

'Hoor ik daar een censurerende toon?'

Over haar schouder wierp ze hem een spottende blik toe. '*Moi*?'

'*Toi*, slonsje van me. Lastig krengetje.'

Ze legde kooltjes op de brandende stapel hout en papier. 'Wat voer je de hele dag uit als je hier bent?'

'Ik sta laat op, eet en drink, rook wat minder van deze...' Hij wees op de sigaar, '...maar geniet er des te meer van, bewonder het landschap door de diverse ramen, maak het geijkte boottochtje, en kook eenvoudige, maar heerlijke maaltijden.'

'Met volledig behoud van je zelfrespect.' Ze veegde haar handen af en kwam overeind.

'Dat spreekt vanzelf.' Hij liep naar het vuur en gooide zijn sigarenpeuk erin. 'Stella, gaan we neuken? Want eerlijk gezegd heb ik een stijve als de rib van een dinosaurus en ik heb niet de hele dag de tijd.'

Na afloop schonk ze voor zichzelf een glas wijn in, waarvan hij afzag omdat het hem verdacht zou maken. Hij had het nooit over zijn vrouw, maar maakte in plaats daarvan die onbeschaamde, bijna lompe toespelingen op de bestaande situatie van misleiding waarbij zowel Stella als hij waren betrokken. Wat dat betrof was hij zowel beter als slechter dan de andere getrouwde mannen met wie Stella had geslapen. Beter omdat hij ten minste eerlijk was, en de verantwoordelijkheid voor zijn gedrag niet op zijn vrouw afwentelde door haar tekortkomingen op te sommen, en slechter omdat het gevolg ervan was dat hun ontmoetingen op deze manier werden teruggebracht tot het niveau van niet meer dan een geslaagde zwendel, tot ongemakkelijke, eerlijke oneerlijkheid.

Stella was gewend aanbeden te worden, en er geen snars om te geven. In het geval van Robert Vitelio leek het er duidelijk op dat ze in de omgekeerde wereld was terechtgekomen.

Natuurlijk aanbad ze hem niet, maar het was het onaangepaste aan hem waar ze dol op was. Wat ze aantrekkelijk, ja, onweerstaanbaar vond was zijn woeste, lelijke, intelligente uiterlijk: zijn spitse, vosachtige gezicht met de rode kleur en de scherpe blik, en zijn rode haar (iets waaraan ze voordien altijd een hekel had gehad) dat aan weerszijden van een toch al opvallende v-vormige haarinplant terugweek bij de slapen. Ze raakte opgewonden van zijn stem, die ruw was, maar de woorden messcherp articuleerde, een stem die gemaakt was om onzin te elimineren. Ze bewonderde zijn schranderheid, die hij zelf maar heel gewoon vond, en warmde zich aan het totale gemis aan ijdelheid wat zijn uiterlijk betrof. Zijn gebrek aan belangstelling voor uiterlijk vertoon strekte zich uit tot het vrijen, dat leek op dat van een veel jongere man – argeloos en met overgave. Ze werd week bij zijn aanraking en bij het zien ervan: zijn grote, pezige handen, eerder die van een ambachtsman dan van een arts, die op een voor hem typerende intense, doelgerichte manier over haar lichaam bewogen, alsof hij haar geest las door middel van haar lichaam.

En ze liep gevaar te worden gelezen. Voor het eerst was ze in de ban van een man, en ze deed hard en voortdurend, en naar ze dacht met succes, haar best om hem dat niet te laten merken.

Hij keek op zijn horloge, dat hij nooit afdeed. 'Tien voor twaalf.'

'Waarom ga je dan niet weg?' Het horloge irriteerde haar, het was een symbool van zijn omstandigheden geworden, even onverbiddelijk als een elektronisch armbandje.

'Wil je dat?'

Ze haalde haar schouders op.

'In dat geval, als het jou kennelijk niet kan schelen terwijl ik graag nog een paar kleffe ogenblikken heb, blijf ik.'

Enigszins geprikkeld zei ze: 'Wat doe je trouwens om deze tijd hier?'

'Met jou wippen.'

'Ik bedoel, hoe komt het dat je vrij bent?'

'Ik heb zo mijn methodes.' Hij draaide zijn hoofd om op het kussen en ze voelde meer dan ze zag dat hij grijnsde. 'Wat een vragen.'

'Daar heb ik mijn redenen voor.'

'Seks en brutale antwoorden, wat een vrouw...' Hij likte langs de zijkant van haar arm, een lange lik, als een leeuw die zich waste.

'Heb je al besloten hoelang je nog blijft?'

'Nee. Het bevalt me hier, en ik ben aan het werk, maar het echte leven wordt zuinig aan doen als ik terug ben.'

'Weet je,' zei hij, ineens spraakzaam. 'Ik kan me jouw echte leven niet voorstellen. Het leven van een creatief iemand. Een leven zonder verplichtingen. Werk doen dat alleen bestaat als jij het doet, omdat jij het hebt bedacht.'

'Denk je dat het zo in elkaar zit?'

'Het is een manier om het te bekijken voor een niet-creatief iemand zoals ik.'

'Ik heb wel degelijk verplichtingen.' Ze hield ervan dat soort discussies met hem te voeren, ze vond het sexy en strijdlustig. 'Ik moet geld verdienen en aan verwachtingen voldoen, net als iedereen.'

'Maar je liedje in de kroeg ging niet over geld.'

'Het achterliggende motief was niet geld, maar het liedje zal uiteindelijk z'n geld moeten opbrengen.'

'Arm liedje.' Hij kwam onverwacht overeind, zodat haar wijn over de rand van het glas klotste. 'Sorry, maar ik moet gaan.'

Ze gaf geen antwoord, maar stapte uit bed, trok haar ochtendjas aan en nam haar glas wijn mee naar de keuken. Buiten was het schemerdonker.

Hij kloste de trap af en pakte zijn jack van de stoel in de hal. Ze voelde zich slonzig en kwetsbaar in haar oude ochtendjas, en kruiste haar armen over haar borst. Toen hij het jack aan had trok hij haar armen weg, duwde zijn handen in haar ochtendjas en legde ze op haar borsten.

'Vrouw in ochtendjas. Hoerig... Fantastisch.'

Ze deed even haar ogen dicht en hoopte dat hij het niet zag. Toen maakte hij de ochtendjas dicht, vouwde haar armen weer alsof ze een pop was, zei 'Hou je goed' en vertrok.

Het was een nieuwe ervaring voor haar, deze weemoed als ze alleen achterbleef. Ze was gewend aan opluchting als een man vertrokken was: ongeacht hoe heerlijk de seks ook was, de vrijheid was beter. Ze voelde het in haar huid, die zich samentrok als verdediging tegen hun behoeftigheid, en herademde als ze weer weg waren. Ze vroegen niets speciaals van haar, maar dat was omdat ze alles wilden. Ze wilden haar met lichaam en ziel, zodat ze zich weer geweldig konden voelen, alsof ze van haar iets terugkregen dat ze verloren hadden. En wat ze ook dachten dat er met haar was gebeurd, ze wist dat zij iets met hen had gedaan, alvorens zich terug te trekken en ze weg te sturen.

Bij Robert Vitelio opende haar huid zich en bloeide op, om hem in elke porie binnen te laten. Als ze bij hem lag stroomde ze en gaf ze zich over. In de tumultueuze stilte van de seks zou hij alles hebben kunnen krijgen dat hij van haar vroeg. Maar hij vroeg niets. Voor het eerst kwam ze erachter hoe het was om de gebruikte persoon te zijn in plaats van de gebruiker.

Het was halfzes, niemandsland. Ze schonk een glas whisky in, stak een sigaret op en ging op de grond bij de haard zitten, die die middag niet goed trok, alleen wat zeurderige vlammetjes produceerde en een klamme rookzuil omhoog zond. Het kwam in haar op dat de manier om het initiatief weer in handen te krijgen bestond uit het eiland verlaten voordat hij dat deed.

Halverwege tussen Stella's huis en het zijne reed Robert naar de kant van de weg en stopte. Hij streek met zijn hand door zijn haar en rook eraan. Wreef over zijn trui en deed hetzelfde. Rook hij naar haar? Ze scheen geen parfum te gebruiken, maar elk mens had zijn eigen geur, zo uniek en herkenbaar als een vingerafdruk. Hij droeg geen sporen, dat wist hij zeker, zelfs als ze op haar wildst was beet of krabde ze niet. Een beetje meesmuilend dacht hij aan hun eerste ontmoeting; hij wist zeker dat ze een oudgediende was op het gebied van dergelijke ontmoetingen, gewend om geen markeringen achter te laten. Hij wenste bijna dat ze het wel deed, dat hij bij haar de stoppen zo deed doorslaan dat ze zijn huid beschadigde, hem iets blijvends meegaf, dat hij als excuus kon gebruiken. Een reden om haar af te wijzen.

Hij zette de cd-speler aan en nogmaals denderde Rachmaninov door de auto, de componist met een directe lijn naar de emoties. Hij liet de muziek om en door hem heen golven. Het was lang geleden, jaren, dat zijn gevoelens zo heftig, zo intens waren gewekt, en hij was vergeten hoe een mens zich dan gedroeg, hoe je daarmee omging. Ook maakte een ingebakken gevoel voor zelfbescherming dat hij op een signaal van haar wachtte dat ze misschien nooit zou geven. Hij kon haar niet duiden, wist niet waar ze op uit was. Soms was er in bed iets, hij wist het niet zeker... Maar het werd nooit uitgesproken en hij voelde zich afgewezen, alsof ze wellicht aan een ander dacht.

Hij gaf niets en hij nam niets. Als Sian zou vragen: 'Is er een ander?' zou hij natuurlijk nee zeggen en het zou niet eens een echte leugen zijn.

Toen hij thuiskwam zat Sian met haar benen opgetrokken op de bank haar enorm dikke, aanlokkelijke vakantieroman te lezen. Ze had haar leesbril op. Toen hij binnenkwam sloeg ze een bladzijde om en stak haar hand naar hem uit zonder haar blik van het boek te halen. Hij pakte hem aan, koel, veilig, vertrouwd. Ze had wat hij eens had horen beschrijven als een gelukkige hand, zo glad als een ei. In de begindagen van hun relatie had het aanraken van die handen, hun satijnzachte volmaaktheid, hem wild gemaakt van begeerte. Nu hoorden ze gewoon bij haar, net als haar spitse oortjes die bijna geen oorlel hadden, haar 'elfenoortjes', zoals hij ze noemde, haar langere tweede teen, en het fijne waas van donkere haren op haar bovenlip. Tot voor kort bezaten deze haartjes de kracht hem te ontroeren; hij voelde zich gekwetst toen ze naar de een of andere kliniek ging om ze met behulp van elektrolyse te laten weghalen. Maar als ze iets in haar hoofd had deed ze het ook, en hoewel ze plagerig zei dat het haar speet hem zijn kleine fetisj te hebben ontnomen, waren de haartjes sindsdien niet meer teruggekeerd.

Ze wreef met haar duim over de rug van zijn hand. Hij had altijd het gevoel dat ze op die manier zijn emotionele temperatuur aflas. Maar toen ze uiteindelijk opkeek was alles wat ze zei: 'Zou je een kopje thee voor ons willen maken?' En hij ging naar de keuken, blij dat hij iets te doen had.

Stella besloot nog twee weken te blijven. Ze berekende dat ze als het meezat in die tijd nog drie of vier goede nummers kon schrijven, en nog wat aanzetten die ze verder zou uitwerken als ze weer in Londen was.

Ze stelde zich nog meer doelen: nog een keer in De Vuurtoren zingen; om het hele eiland heen wandelen, niet per se in een keer, zich op een etentje in het restaurant van het grote huis trakteren, zich volwassen gedragen en Alan Mercer, haar impresario, bellen, en open kaart spelen met Robert Vitelio.

Alan was verrassend positief over haar vooruitzichten. 'Ik wil je met iemand in contact brengen.'

'En als ik niemand wil ontmoeten?'

'Lieve schat, je bent er dol op mensen te ontmoeten.'

'Dat zeg jij altijd.'

'Geluksvogel. Om iemand tot je beschikking te hebben die je beter kent dan je jezelf kent!'

Stella zweeg even. 'Wie is het?' vroeg ze.

'Wacht maar af.'

'Alan, ik ben hier aan het werk geweest. In mijn eentje. Dat was een zegen. Het deed me eraan denken hoe fijn het is niets te hoeven vragen en overleggen.'

'Aha,' zei hij op irritante toon. 'Juist ja, maar ik heb het over een jaknikker.'

Die opmerking had de tweeledige bedoeling haar heftig te laten ontkennen dat ze een jaknikker wilde, en haar belangstelling wekken voor het soort jaknikker dat Alan had gevonden. Ze legden een datum vast voor de ontmoeting.

Het hele eiland omwandelen kostte haar bij stukjes en beetjes drie dagen, en op de derde dag vond ze bij thuiskomst een briefje van Robert. Het was op de achterkant van een dienstregeling van de veerboot geschreven in zijn gehaaste, slordige, zwarte handschrift.

'Weer bezig met dat verrekte wandelen, neem ik aan. We gaan over drie dagen terug. Nog kans je voor die tijd te zien? Ik bel je.'

Hij belde de ochtend daarop om half zeven, uit een cel.

'Waarom bel je verdomme zo vroeg?' klaagde ze terwijl ze rillend in haar pyjama in de hal stond. Het huis piepte en kraakte in zijn voegen door een striemende noordwester.

'Ik ben er met de boot opuit geweest.'

'Ben je gek geworden? Het is minstens windkracht tien.'

'Bij lange na niet. Maar stevig genoeg om interessant te zijn. Ik kom je een haring brengen.'

'Hou die verdomde haring maar. Ik hoor in bed te liggen.'

'Precies. Enige kans op een ontbijt?'

'Niet als je alles erop en eraan wilt. Je mag thee en toast voor jezelf maken.'

'Ik kom eraan.'

Ze haalde de grendel van de deur, ging terug naar bed en wachtte tot hij kwam. Een kwartier later kwam hij binnenstormen, rende met twee treden tegelijk de trap op, trok een paar lagen doorweekte, naar zout ruikende kledingstukken uit en kroop bij haar in bed. Hij sloeg zijn verkleumde ledematen om haar heen en duwde zijn natte neus in haar hals tot ze kippenvel had. Hij gromde: 'Lazer op met dat ontbijt,' en viel in slaap met zijn verslappende erectie tegen haar dijbeen.

Ze liet hem een halfuur slapen, wurmde zich toen los en ging naar beneden om een blad klaar te maken met thee en toast met pindakaas, maar waarom ze verdomme op hem wachtte begreep ze totaal niet.

'Hee daar.' Ze zette het blad op de vloer en schudde hem ruw bij zijn schouder. 'Wakker worden.'

Hij schoot overeind, en ze zag aan zijn ogen dat hij een fractie van een seconde de kluts kwijt was en niet wist waar hij was.

'Hoe laat is het?' Hij keek op zijn horloge. 'Jezus, vrouw, je hebt me laten slapen!'

'Niet erg lang.' Verbaasd keek ze toe hoe hij het beddengoed van zich afgooide en aan de andere kant van het bed op de been krabbelde. 'En ik heb niets "laten" doen. Jij bent boven op mij in slaap gevallen. Ik heb verdomme je ontbijt klaargemaakt. Ik heb je wakker gemaakt.'

'Te laat,' snauwde hij, alsof hij een excuus van tafel veegde. Hij begon de kamer door te stommelen, trok zijn kleren aan, vloekte omdat ze nat waren, verloor zijn evenwicht en greep zich aan het voeteneinde van het bed vast. Vastbesloten zich er niet mee te bemoeien ging ze op de stoel bij de toilettafel zitten. Ze haatte hem.

Toen hij zijn sokken aantrok struikelde hij en kwam met zijn ene voet op de rand van het theeblad terecht, waardoor de thee en de melk over de vloer liepen.

'Sodemieter op!'

Hij gaf een schop tegen het blad en het spul vloog alle kanten op. Stella schoot naar voren, pakte een porseleinen kopje en gooide het naar zijn hoofd. Ze gooide verkeerd, maar raakte met een harde, bevredigende klap zijn elleboog. Ze verwachtte half en half dat hij het terug zou gooien, maar op een kreet van pijn na reageerde hij niet.

Een minuut later was hij weg.

Ze zei bij zichzelf dat ze hem nooit meer terug zou zien, en dat het haar niet kon schelen. Alleen het eerste was waar, maar ze was voldoende gehard om te weten dat het tweede met de tijd vanzelf waar zou worden. Als ze een wens had mogen doen was het dat ze de klok kon terugzetten, dat ze geen thee en toast had gemaakt en zelf weer was gaan slapen. Dat ze was blijven liggen en lui had toegekeken hoe hij zijn toneelstukje had opgevoerd. Dat ze had gegeeuwd en zich uitgerekt en hem gezegd het rustig aan te doen. Dat ze zich kalmpjes onder het dekbed had genesteld toen hij de trap afdenderde. Dat ze die ruwe, theatrale klootzak op zijn nummer had gezet.

Het etentje dat ze zichzelf had beloofd leek in het licht van dit alles een aanfluiting. Wat eerst een uitbundig plan was om toe te geven aan genotzucht na weken van in de schil gekookte aardappels, vegetarische chili en reformbrood, leek nu een treurige, eenzame poging tot pleziermaken. Maar ze belde en reserveerde een tafel in een stemming van eens-kijken-of-het-me-iets-kan-schelen.

Terwijl ze over het eiland reed, op een ongewoon heldere avond met sterren zo groot als lampionnen, zei ze tot zichzelf dat dit uitstapje in alle opzichten belachelijk was. In Londen zou ze voor geen goud een tafel hebben besproken in een dergelijk restaurant. Om de een of andere reden was dat een troost. Normale regels golden hier niet. Maar ze was niet voorbereid op de chique sfeer van die zaak. Een oprit kronkelde tussen pijnbomen door naar een huis uit de tijd van Jacobus, van een stralende pracht, smaakvol beschenen met voetlicht, waarvan de vergulde, op toneeltjes lijkende erkers waren bezet door welvarende acteurs.

Ze parkeerde buiten, en tuurde boos uit het raampje. Ze droeg een van haar lange, fluwelen jurken, maar het was niet het soort lange jurk dat bij het personeel of de cliëntèle van deze zaak – het establishment – in de smaak zou vallen. Ze had hem op de vlooienmarkt gekocht. Hij deed niet gekleed aan, eerder het tegendeel, en de naad in de linkeroksel was gebarsten toen ze hem aantrok. Plotseling werd ze overvallen door een heftig verlangen naar de gewone straten van Noord-Londen, de troep, de mengelmoes en de krioelende anonimiteit. Een plek waar je erbij hoorde door er niet bij te horen. Ze voelde zich niet zozeer *déclassé* als wel rebels. Ze wenste bijna dat ze de jurk niet had aangetrokken, maar in haar spijkerbroek was gegaan of in een van haar rafelige rokken, zodat zo'n klerelijer van de hoteldirectie haar op het matje zou roepen. Ze zag zich al zeggen: 'Al goed, meer hoef ik niet te weten,' of iets dergelijks, en met bekwame spoed in de avond verdwijnen, ontslagen van de noodzaak om verder nog moeite te doen. Anderzijds was ze nu hier. Ze had het geld bij wijze van spreken in haar achterzak en om negen uur hing haar maag zowat tegen haar ruggengraat aan.

Ze stapte uit, trok de ceintuur van haar ruime, zwarte jas strakker om haar middel en smeet het autoportier dicht. Haar stemming klaarde onmiddellijk op door de frisse avondlucht, de hartveroverende, met sterren bezaaide schoonheid van de hemel, het gesuis van de zwarte pijnbomen en ja, het geluid van een piano die op knappe, speelse wijze improviseerde op 'Love is The Sweetest Thing'.

Aan de voorzijde van het huis lag een trap met ronde, lage treden die eerst naar een brede zuilenportiek leidde, en vervolgens naar statige houten deuren, die openstonden. Binnen zag ze een man die luisterrijk was gekleed in een kilt en een fluwelen jasje, als een soort gastheer, maar ze werd verschoond van zijn attenties omdat hij een echtpaar in hun jassen hielp.

In het portiek ging Stella opzij om ze door te laten. De vrouw droeg een lila, geitenharen *pashmina* over haar hoofd en schouders.

Ze hield de arm van haar echtgenoot vast, niet uit genegenheid van haar kant of uit hoffelijkheid van de zijne, maar om hem te ondersteunen. Robert Vitelio was zo zat als een aap. Zelfs als hij niet onvast ter been was geweest, met zijn gezicht vochtig en slap en zijn blik vertroebeld, dan viel zijn toestand wel op te maken uit de ijzig beleefde opluchting op het gezicht van de man met de kilt en de toegewijde concentratie op dat van de vrouw.

Stella deed nog een stap opzij, maar op het moment dat ze dat deed slingerde Robert naar opzij, in haar richting. Zijn vrouw zei: 'Kalm aan.' Stella stak in een impuls haar hand uit en hield hem heel even tegen terwijl de twee probeerden hun evenwicht te hervinden. Zijn echtgenote keek in haar richting en glimlachte dankbaar. De sjaal was van haar donkere haar gegleden, en Stella herkende de vrouw van de golfbaan. In deze afschuwelijk genante situatie had haar kalmte haar niet verlaten; de glimlach slaagde erin vrouwelijke waardering over te brengen, zonder verlies van waardigheid. Er was geen sprake van een samenzwering, van zich met iemand anders aansluiten dan bij haar man.

'Dank u.'

Stella knikte, en kromp ineen. Ze durfde niets te zeggen. Maar Robert had haar niet eens gezien en was te bezopen om haar te herkennen als hij haar wel had opgemerkt. Huiverend keek ze toe hoe ze bij de trap aankwamen, die in hun ogen levensgevaarlijk moest lijken. Ze had een visioen van de kinderwagen in 'Kruiser Potemkin' die over eindeloos lange stenen trappen naar beneden hotste en botste, en ze wilde juist een stap naar voren doen om te hulp te schieten toen een jongeman in een wit overhemd zich langs haar heen haastte en in de bres sprong. Hij nam Robert bij de andere arm met een geroutineerd: 'Staat u mij toe, meneer?'

'Goedenavond, mevrouw, welkom in Loch Ailmay.' De begroeting door de man in de kilt gaf onmiskenbaar aan dat er al meer dan genoeg aandacht aan de onmatige gast was besteed.

Stella nam, in een diepe, roze pluchen stoel bij de open haard gezeten, een drankje, bestudeerde het handgeschreven menu en werd naar haar tafel begeleid. Dikke, witte tafelkleden hingen tot op de grond, de kaarsverlichting gloeide; witte vazen waren gevuld met weelderige boeketten hyacinten en narcissen; het hoge plafond wemelde van de zacht glimlachende nimfen, en de pianist zette zijn gevoelig ironische parafrase op 'Dancing Cheek to Cheek' in. De bediening was totale verwennerij. Ze kon wel huilen om de volmaaktheid van dit alles, ware het niet dat ze diep was geschokt. Het was net als wanneer je je pijn deed als je alleen was: een reactie was zinloos en ongewenst. Haar acteertalent kwam haar goed van pas. Ze doorstond zonder ongelukken drie gangen en twee glazen champagne door zich in te leven in de rol van de nieuwsgierige, levendige bezoekster uit de metropool. Ze stelde zich voor dat de omgeving haar toneel was. Ze was altijd in staat geweest dat te doen; in haar eentje en zonder een woord te zeggen kon ze zichzelf tot het middelpunt van de aandacht maken. Het was een soort sex-appeal, een houding die ze gewoon kon aannemen. Het was de reden dat haar toehoorders verliefd op haar werden.

Toen ze haar koffie had besteld ging ze naar buiten om een sigaret te roken. Onderaan de trap haalde ze haar shag en vloeitjes tevoorschijn en rolde een sjekkie, in de wetenschap dat de man in de kilt haar gadesloeg, met belangstelling, maar veel te afstandelijk en beleefd om een gesprek met haar aan te knopen.

Toen ze bij haar tafel terug was werd de koffie gebracht. De kelner zei: 'Neem me niet kwalijk, mevrouw, maar ik heb een boodschap voor u van onze pianist, meneer Jackman. Hier is zijn kaartje.'

'Goed.' Ze nam het behoedzaam aan.

'Hij heeft u herkend en vraagt zich af of u een nummer met hem zou willen zingen. Hij is kennelijk een van uw fans.'

Stella merkte het 'kennelijk' op; de kelner was tegen de twintig. Een blik op meneer Jackman bevestigde dat hij de vijftig was gepasseerd. Zich van het gesprek bewust ving hij haar blik en hield vragend zijn hoofd scheef terwijl hij overging tot 'The Way You Look Tonight'. Hij zondigde tegen de etiquette, wat ze allebei wisten. Hij maakte van de gelegenheid gebruik, maar het was troostrijk in zo'n onwaarschijnlijke omgeving een opportunist tegen te komen.

'Ik ga even met hem praten.'

'Ik denk dat hij uit zijn dak gaat, mevrouw.'

Ze schonk haar koffie in en nam die mee naar de piano, en bespeurde een golf van nieuwsgierigheid.

Jackman stak even zijn rechterhand uit. 'Aangenaam, miss Carlyle, nietwaar?' Hij was geen Schot, maar een zuiderling met hangwangen en een ongezonde gelaatskleur en met Oost-Londense klinkers.

'Dat klopt.'

Hij maakte een zwierig gebaar. 'Dacht al dat ik het goed had. Hoop dat je niet boos bent dat ik je heb uitgenodigd.'

'Dat zou ik eigenlijk moeten zijn, maar ik ben het niet.'

'Ik heb je gehoord in De Vuurtoren. Je had het helemaal.'

'Bedankt, dat was een nieuw nummer, de eerste keer dat ik het uitprobeerde.'

'Wil je het nog eens proberen?'

'Ik heb er geen muziek van, ik heb zonder piano gewerkt.'

'Muziek?' Hij trok zijn mondhoeken omlaag. 'Heb je hier muziek gezien? Het is gewoon een kwestie van volgen. Ik improviseer; jij zingt, schat. Ik kom er wel uit.'

Zijn vingers dansten over de toetsen en hielden het laatste akkoord aan. Hij glimlachte, boog naar het beleefde applaus en schoof de microfoon opzij. Ze had een beroepsmatig gevoel van sympathie voor hem.

'Ze zijn op je gesteld.'

'Ze zijn op iedereen gesteld, het is een welopgevoed publiek. Ik zeg dat nu wel, maar er was er daarstraks een bij die dat niet was. Een bek als een plee, en hij dacht dat hij in Glasgow was.' Hij schudde zijn hoofd. 'Mij kon het niet schelen, het was wel ouderwets.'

Ze gaf geen commentaar, maar hij ging over op andere zaken. 'Luister.'

Met zijn ene hand speelde hij de melodie van 'Are you there?' met maar een paar foutjes. 'Hoe klonk dat?'

'Ik ben onder de indruk.'

'Niet perfect, dat weet ik. Ik kan een wijsje horen, het uit mijn hoofd naspelen en de boel arrangeren. Je doet in je eentje het werk van acht, maar dan anders.'

'Er zijn alleen een paar stukjes...'

Hij legde zijn handen op zijn knieën. 'Laat horen.' Ze zong een paar woorden om het hem duidelijk te maken. Hij sloeg op zijn knieën. 'Prima. Zullen we ze eens laten horen hoe het gaat?'

'Waarom niet?'

'Wil je een intro?'

'Alleen een akkoord.'

'Komt voor mekaar. Aan de slag.'

Hij had zijn nek uitgestoken en keek wel uit om dat nog een keer te doen door haar te introduceren. Hij zette alleen de microfoon in de juiste stand, begon te spelen en kondigde op zijn brallerige, clichématige manier aan dat ze een splinternieuw liedje zouden gaan horen, en vooral niet moesten vergeten dat zij de eersten waren.

Ze zong het nummer, maar niet echt goed. Jackmans begeleiding was verrassend gevoelig; hij volgde haar als een schaduw en ging mee met haar stemming. De dinergasten hielden op met eten om te luisteren, beleefd nieuwsgierig, maar onzeker. De portier met de kilt verscheen in de hoge deuropening. Maar de omgeving was niet de hare, en het was niet haar publiek. Ze dreigde te worden verstikt door verdriet en boosheid; haar stem raakte zijn resonans kwijt, haar stijl was verkrampt, ze kon haar gevoelens niet overbrengen. Ze voelde dat ze een vertoning van zichzelf maakte.

Toen het uit was applaudisseerden ze hartelijk en keerden naar hun maaltijd terug.

Jackman redde haar door het in haar plaats te verwoorden. 'Lang niet zo goed als de vorige keer. Niet jouw soort plek.'
'Dat is geen excuus.'
Hij begon 'Yesterday' te spelen. 'Sorry dat ik je voor het blok heb gezet, had ik niet moeten doen.'
'Het heeft me goed gedaan. Ik wil niet te populair worden.'
'In elk geval bedankt. Ik heb je optreden in Bristol gezien, dat was te gek.' Hij stak nogmaals zijn hand uit. 'Neem het niet te zwaar op. Je weet wat je nodig had, niet?'
'Hoezo?'
'Die klootzak met die grote bek die hier daarstraks was. Hij zou je op je gemak hebben gesteld.'

De dag daarop ontving ze een ansichtkaart die in de stad was gepost, met een foto van de haven van Ailmay, onder een onwaarschijnlijk blauwe lucht gelegen.
'Ik heb me als een zwijn gedragen,' stond erop. 'En vandaag voel ik me klote, dus er bestaat nog rechtvaardigheid. Mijn elleboog doet verrekt veel pijn. Misschien kan ik nooit meer ogen opereren, en dan zal het jou berouwen.'
Ze wist niet of ze moest lachen of huilen en gooide de kaart in de vuilnisbak. Voor een medicus was hij een grote praatjesmaker.

Ze was zes weken van huis geweest, maar toen ze terugkwam werd ze geconfronteerd met het feit dat tijd op verschillende plaatsen niet hetzelfde betekende. Op Ailmay leek meer tijd te zijn omdat er meer ruimte was, en omdat de structuur er anders was; de dagen en weken gingen ongemerkt in elkaar over, getekend door het land, het licht en het weer.
Ze was vergeten hoe hier in Londen de tijd in vlagen verliep: jachtend, stoppend en weer beginnend, niet gereguleerd door een natuurlijk ritme, maar door activiteiten zoals winkelen, werken en reizen, boodschappen en bijeenkomsten. Een dag lang was ze niet in staat zich weer aan te passen, voelde ze zich als iemand die was vrijgelaten uit een inrichting, en in wier afwezigheid het dagelijks leven bijna te druk en veelbewogen was geworden.
Maar er moest worden aangepakt. Tussen de stroom post op haar mat lagen minstens drie rode aanmaningen, een koel briefje van Apollonia, een rekening van een notaris, een uitnodiging van Alan waarin de datum van hun afspraak werd bevestigd, een welkomthuiskaart van haar ouders en een brief van Jamie waarin hij haar bedankte voor de cheque en voor het zingen op zijn feestje. Ze was dat al vergeten, het leek wel een vorig leven. Maar om eraan te worden

herinnerd was heilzaam – de afgelopen tijd was ze drie keer gevraagd solo op te treden, een zeker teken dat ze te snel gevleid was –
ze moest ervoor waken niet te weekhartig te worden. Trouwens, behalve dat een profeet in eigen land niet werd geëerd, schatten de
mensen iets dat ze gratis kregen gewoon niet op waarde.
Robert had weliswaar gezegd: 'Dat liedje... dat ging niet over
geld.' Maar hij had dan ook geen snars verstand van de business.

Degene die Alan voor haar had gevonden was Jude Romilie, een
geestige, goedgebekte, seksueel onduidelijke cabaretier die tegen de
dertig liep, met wolken succes achter zich aan, goed genoeg op weg
om een serieuze bedreiging te vormen. Maar zelfs als het duidelijker
was geweest wie wie een zetje in de goede richting gaf, dan was hij
nog ongeschikt op elk niveau dat naam mocht hebben, bovenal
omdat hij Stella te glad was. Zo glad als zijde, als zeep, als kunststof,
te glad om greep op te krijgen, zo gesloten dat er geen doorkomen
aan was. Tenminste, voorzover ze het kon zien. Beroepsmatig, zo
vertelde ze Alan tijdens de lunch, had ze ze graag een beetje ruig.
Hij was gekwetst. 'Stella, je kunt Sorority toch moeilijk ruig noemen.'
'Kan wezen, maar wij waren schroot vergeleken bij die zak.'
'Hij is heel slim,' zei Alan. 'En zit in de lift.'
Ze wachtte tevergeefs of er nog een aap uit de mouw zou komen
alvorens zwaar sarcastisch te vragen: 'Wat bedoel je precies?'
'Helemaal niets, behalve dat het geen kwaad kan een jonger pu-
bliek aan te trekken.'
'Ik zal helemaal geen publiek aantrekken zonder de juiste partner.'
'Dat is waar. Maar denk eens na, engeltje. Je kunt de straten pla-
veien met de verbleekte botten van talentvolle artiesten die geloofden wat hun moeder zei en dachten dat het voldoende was jezelf te
zijn.'
'Alan.' Ze glimlachte hem toe over haar glas. 'Ik heb hier geen behoefte aan.'
Hij raakte haar arm aan en glimlachte terug. 'Ik ben gek op je. Ik
wil dat je als een komeet omhoog schiet.'
Ze liet haar stem dalen zodat die siste als het lemmet van een
scheermes. 'Ik heb daar geen behoefte aan, en ook niet aan hem. Of
aan jou.'
Hij geloofde haar natuurlijk niet, en ze schepte er boosaardig genoegen in hem hardop te horen lachen, om het haar daarna, toen hij
onzeker werd, al schertsend uit het hoofd te praten. Hij was beurtelings teder en vaderlijk, kortaf en zakelijk, niet in staat een trillinkje
van ongerustheid te verbergen, voor het geval dat. Hij doorliep in de

drie minuten die het haar kostte haar wijn op te drinken al deze stadia, en toen schoof ze haar stoel naar achteren en stond op. 'Bedankt voor alles, Alan. Wil je de post doorsturen?' Dag...' ze kuste hem kort op allebei zijn wangen, '...schattebout.'

'Stella...' Hij probeerde overeind te komen, maar hij zat op de bank en zij had de tafel wat te dichtbij geschoven, zodat hij in de val zat. 'Stella, ik bel je nog, ja?'

'Als je dat nodig vindt. Maar ik schrijf wel.' Een kelner kwam met haar jas, die ze over haar arm gooide. Ze wierp hem een overdreven, veelbelovende glimlach toe. 'O, en Alan...'

'Ja?'

'Zeg tegen die knul van Romilie dat hij op moet passen.'

Tot haar intense verrukking liep hij haar achterna en rende de stoep op terwijl hij haar naam riep. Het was net een filmscène. Ze liep niet langzamer en keek ook niet om. Ze wilde dat ze iets van hem had, iets persoonlijks dat ze uit haar zak kon halen en achteloos in de goot laten vallen, net als het meisje uit de advertentie. Bij gebrek daaraan wuifde ze met haar ene hand op schouderhoogte, met haar middelvinger stijf omhoog, en werd beloond met een kreet – 'Kreng!' – en een verrassend, klaterend applaus van de omstanders.

Tegen de tijd dat ze terug was bij haar flat was haar opgetogenheid weggeëbd, en elk snippertje positief gevoel daarmee door de afvoer weggezogen. Wat, zo vroeg ze zich af, was toch de bron van haar ziekelijke behoefte mensen van haar te vervreemden? Wat probeerde ze te bewijzen? Het was een feit dat ze geen spijt had van haar acties, alleen begreep ze ze niet.

Ze belde Georgina, maar haar antwoordapparaat stond aan en Stella liet geen boodschap achter. Met gekruiste benen op een vensterbank gezeten en met een halve fles Jack Daniels, vroeg ze zich af hoe het zou zijn een man in haar leven te hebben. Niet zo een als Robert Vitelio, maar een man die om haar gaf, naar haar luisterde en tedere dingen zei zoals: 'Denk eraan, liefste, wat er ook gebeurt, ik zal er altijd voor je zijn,' terwijl hij haar in zijn armen nam met zachte lippen en een harde pik. Op de een of andere manier brachten die mijmeringen haar Gordon in gedachten. Ze realiseerde zich dat ze min of meer wist hoe het was, en dat het haar gek had gemaakt van ergernis.

Ze dronk een stuk of zes JD's en rookte hetzelfde aantal sjekkies, waarna alles op was: ze had geen wijn en er was geen kruimeltje dope in huis. Droevig gestemd liep ze naar de slaapkamer, maakte de rechter bovenlade van de kast open en vond tussen de warboel panty's en sokken het doosje met het restant van haar gelukspillen. Ze had ze jarenlang gebruikt, maar het was anderhalf jaar geleden dat ze iets anders dan drank had gebruikt om haar stemming te beïnvloeden. Ze voelde het gewicht en het oppervlak van het plastic buisje in haar hand; bedachtzaam pakte ze de roze met witte capsules eruit, zoetig van kleur als kindersnoepjes, die de macht hadden elke crisis te laten lijken op geschreeuw dat in een andere straat plaatsvond. Maar terwijl ze het deed zag ze zichzelf in de spiegel, en dwong ze zich niet weg te lopen maar te blijven kijken. Kijk en herinner je. Een moderne fabel, gevangen door de camera. Zo ziet de top van het hellende vlak eruit. Bottige sloerie met pillen. Vrouw op de rand van de ondergang. De beslissing. Het ogenblik van de waarheid. Dat soort onzin.

Ze gooide de pillen niet weg; ze had ze per slot van rekening op recept gekregen, ze mocht ze in haar bezit hebben, maar stopte ze terug in de la en ging naar buiten.

Voor Stella waren de middagen als een onbekend land zonder taal, landkaart of geld; ze was er niet in thuis en had er geen idee van wat de opties waren. Behalve om te neuken, en dat was niet altijd voorhanden. Tijdens de voorbereidingen voor een optreden waren er repetities. Tijdens een rondreis of een vliegtournee betekende de middag wachten, twee of drie uur waarin ze per taxi naar het vliegveld gingen, om vervolgens warm te draaien voordat ze opstegen.

Ze nam aan dat de mensen hun routine hadden. Ze keerden opgefrist terug naar kantoor, haalden kinderen uit school, deden boodschappen. Ze gingen zelfs winkelen. Zijzelf was voorzover ze wist nog nooit gaan winkelen op de therapeutisch aanbevolen manier, maar ze besloot het nu te doen. Ze zou shag en drank kopen, en dan de winkels in en uit gaan tot ze nog iets vond om te kopen. Ze was niet kooplustig, ze kon niets bedenken waar ze naar hunkerde, maar als ze zich maar lang genoeg aan al die spullen blootstelde vond ze wel iets waar ze niet buiten kon. En als ze het kocht was haar leven weer de moeite waard. Zo werkte het. Tenminste, dat had ze eruit begrepen.

Zelfs in deze stemming van grimmige, vastbesloten frivoliteit waarschuwde een inwendig stemmetje haar tegen buitensporigheid. Ze zat zonder werk en praktisch zonder vrienden: het zou verstandig zijn de tering naar de nering te zetten. Ze nam honderd pond op om uit te geven: zo'n dik pak geld dat ze de kaartjes in haar portefeuille moest verplaatsen om het te kunnen opbergen. Het verbaasde haar dat er vrouwen waren – over wie ze in de krant had gelezen – die een veelvoud van dat bedrag uitgaven voor een jurk. Ze wilde het proberen om haar geestelijke gezondheid te redden.

In het begin was het verrassend moeilijk, niet omdat ze zuinig was, maar gewoonweg omdat ze nergens naar snakte. Maar toen ze een deel van de bundel bankbiljetten in de slijterij had besteed en haar fles JD en haar blikje shag bij Jamal achter de toonbank had achtergelaten kwam ze meer in de stemming. Ze kocht koffie van een goed merk bij Must Have Beans en een zak kleurig Indiaas snoepgoed, en ging daarna, aangezien bederfelijke waar niet de moeite waard was, naar Secondhand Rose en vond er een fluwelen blouse en een gitten halsketting.

Ze was drie kwartier buitenshuis en had nog maar veertig pond uitgegeven, maar het waren al meer onnadenkende uitgaven dan ze normaal in een maand deed. Bij een dubbele espresso in de koffieshop, zelfs om vier uur in de middag omringd door krakelende Jamie-achtige jongens en meisjes, zei ze bij zichzelf dat ze het voor een beginner niet slecht had gedaan.

In tegenstelling tot wat veel mensen dachten had Robert Vitelio geen hekel aan zijn patiënten. Hij kreeg, door de verpletterende druk van het systeem en de daarbij behorende overduidelijke gebreken, niet de kans hen goed genoeg te leren kennen om een hekel aan hen te krijgen.

Maar de meesten irriteerden hem mateloos. Hij wilde hen alleen maar genezen, hun leven veraangenamen, zijn kundigheid zo accuraat en voordelig mogelijk toepassen, maar door de pure stupiditeit van de patiënten en hun familie stagneerde het proces. Ze stroomden zijn diverse klinieken binnen met hun honderden levensverhalen, voldoende om een aantal schandaalbladen te vullen, waarvan ze hem er een groot aantal in uitputtende emotionele details probeerden te vertellen, terwijl ze zouden moeten weten dat er intussen tientallen anderen zaten te wachten in de beangstigende binnenwereld van de slechtzienden, die zich niet tot het *Hello*-magazine konden wenden.

Hij was allang genezen van het idee dat de ogen de vensters van de ziel waren. Welke uitdrukking ze ook hadden, of wat de stemming, leeftijd of conditie van hun eigenaar ook was, als je het goed bekeek vormden ze niet meer dan een bundeltje weefsel, vezels en bloedvaten in slechte staat. Ze konden absoluut mooi zijn. Als je de diepliggende, tranende ogen van een zieke oude man met postretinale occlusie door de microscoop bekeek zag je een plaatje als een gloeiende, karmijnrode eclips, omgeven door een vurige stralenkrans van opgevangen licht, vol oplichtende aderen, als een opaal. Het deed hem dikwijls denken aan de schilderijen van Bacon, die waren gebaseerd op ontstekingen in de mond, vol weelderig purper en scharlakenrood, stralend geel en zwoel roze. Op dezelfde manier als onkruid gewoon een plant was die op de verkeerde plek groeide, was een ziekte alleen afstotelijk omdat we niet wensten dat ze er was. Blindheid mocht dan in de praktijk een grijze mist en strompelen betekenen, de oorzaken waren exquise.

Hij wist wat zijn medewerkers over hem zeiden, meestal rechtstreeks tegen de patiënten: 'Hij is de beste die er is, maar hij heeft geen manieren.' De verpleegkundigen, van de eenvoudigste leerling tot het meest gevreesde afdelingshoofd, beschouwden hem als een soort *enfant terrible*, een houding die hij zowel bevoogdend als behaagziek achtte, en waarvoor hij volgens hem niets deed om die te rechtvaardigen of aan te moedigen.

Hij trok zich dan misschien weinig aan van zijn imago, maar hij was praktisch. Zijn patiënten waren niet ongeneeslijk ziek, en er waren talrijke hulpverleningsinstellingen buiten het ziekenhuis, die advies, therapie en materiële hulp konden bieden. Hij was hooguit beleefd, maar hij beschouwde het als zijn taak zich op de kwaal in te stellen en die zo snel mogelijk af te handelen, of in elk geval te verlichten. Als ze hun meestal bibberende kin op het steunapparaat legden voor het onderzoek, zorgde hij dat hij zo snel mogelijk aan hun smekende, emotionele gelaatsuitdrukking ontsnapte en overging tot de klinische realiteit.

Hoewel hij er zelf geen had, hield hij van kinderen en ging hij beter met ze om. Dat was feitelijk niet zo vreemd. Kinderen, hoe moeilijk ook, waren er net als hijzelf, alleen om andere redenen uitsluitend in geïnteresseerd zo snel mogelijk weg te komen. Ze waren niet behaagziek en hadden er geen behoefte aan hun hart uit te storten. In diepste wezen halsstarrig (net als hij, zouden sommigen zeggen) en opereerden ze op een simpel, dierlijk niveau van plezier en straf, pijn en beloning. Hij speelde daarop in en hield een blik minireepjes bij de hand, die hij schaamteloos en bijna altijd met succes als steekpenningen gebruikte. Het was een eerlijke, brute ruil. Hij was wel degelijk meelevend. Zijn eigen uitstekende ogen had hij altijd vanzelfsprekend gevonden, tot hij na een ongeluk met rugby wekenlang slechts vaag had kunnen zien. De mate van de handicap, de belemmering, zelfs het verlies van hersenfuncties en motoriek die het had veroorzaakt, hadden hem de stuipen op het lijf gejaagd, en hij was het nooit vergeten.

Hij wist wat de staf dacht. Ze dachten dat hij aan het begin van een spreekuur nog tamelijk tolerant was, maar gaandeweg de moed opgaf, zoals het heette. Hij wilde dat hij ze eens bij hem in dat kamertje kon opsluiten om ze te laten zien dat de strijd hier niet werd opgegeven, maar gewonnen. Naarmate de dag vorderde, groeide de tijdsdruk en werden de patiënten lastiger, zodat zijn professionele instelling zich haarfijn toespitste, zo scherp als een laserstraal. Tegen vijven kon hij onderzoeken, een diagnose stellen, een behandeling voorschrijven en een prognose geven met angstwekkende snelheid en accuratesse. Het was niet zijn humeur, het was een talent dat op adrenaline liep.

De opinie van zijn collega's verschilde kwalitatief van die van de staf van het ziekenhuis. Wat hij van hen meekreeg, zelfs tot op zekere hoogte van de mannen, vooral de jongere, was het idee dat hij een lieve ouwe schat was die niet in staat was met emoties om te gaan, en onder zijn ruwe bolster een blanke pit verborg. Dat vond hij nog het ergst van alles. Christabel was er zo een, een intelligente vrouw en een competent arts, die gewoon volhield dat ze hem beter kende dan hijzelf.

'Bo-hob,' placht ze op een plagerig, moederlijk toontje te zeggen. 'Rustig aan een beetje...' En als hij haar botweg zei dat hij geen flauw idee had waar ze het verdomme over had, voegde ze er iets aan toe als: 'Goed, best, elk vogeltje zingt zoals het gebekt is.'

Soms had Robert het angstige idee dat Christabel misschien verliefd op hem was. Ze was ongetrouwd, en van de leeftijd en het type dat niet erg goed in de markt lag. Waarschijnlijk hield zich in de periferie van haar bestaan een zielige, ongeschikte alibi-vriend schuil met wie ze naar het filmhuis en concerten van Max Boyce ging. Maar ze kwam in wezen naïef over. Het was eerlijk gezegd een vreesaanjagend idee dat al die opgekropte latentie op hem werd losgelaten.

Een van de eigenschappen van zijn vrouw die hem het meest aanstond was haar onafhankelijkheid. In de jaren zeventig had ze voor het vaderland weg geneukt, met het neusje van de zalm, vervolgens hem ontmoet en was met hem getrouwd. Ze was een knappe, toegewijde echtgenote geworden, zonder ooit een greintje van haar ondoordringbare afstandelijkheid en trots te verliezen. Net als haar porseleingladde handpalmen leek ze zich door het leven te kunnen bewegen zonder erdoor getekend te worden. Ze was niet sexy meer, maar bleef bewonderenswaardig. En anderen bewonderden het ook, wat voldoening gaf. Ze zagen hem als een geluksvogel die totaal niets had gedaan om zoveel mazzel te verdienen.

Tot voor kort was hij nooit echt ontrouw geweest, hoewel er wel afspraakjes waren geweest. Het was heel goed mogelijk dat Sian ervan wist, maar als dat al zo was liet ze het nooit merken. Ze was veel te gewiekst om haar kruit te verschieten. Bovendien konden ze het heel goed samen vinden, en ze had zich evenmin als hij iets te verwijten. Hoewel... afstandelijk was ze, niet koel. Tijdens hun relatie had ze nog nooit het initiatief tot vrijen genomen, maar ze had zich wel altijd volledig aan hem gegeven. De afgelopen jaren, toen het er nauwelijks van kwam, had ze zich niet beklaagd of het er zelfs maar over gehad. Als ze over die dingen nadacht gebeurde dat stilzwijgend.

Zijn laatste patiënt was mevrouw Jowett, met haar dochter. Dat was een combinatie die hij vooral vreesde, de lastige ouder met de strijdlustige, jonge spruit die erop toezag dat er alles aan werd gedaan. En deze twee vormden het klassieke voorbeeld van de soort. Mevrouw Jowett was dik en trillend en huilerig; haar ongeveer veertigjarige dochter, die zich voorstelde als Carol Hopkins, maar geen trouwring droeg, was een zakenvrouw in een goedgesneden pak. Ze bezat de bestudeerde kalmte die hij herkende als het resultaat van anderhalf uur wachten in de drukke wachtkamer met alleen mevrouw Jowett, de toiletten en het voorbereidende onderzoek als afleiding.

Behalve een knikje bij binnenkomst maakte hij er onder de omstandigheden geen punt van de derde partij te negeren, omdat hij ervan uitging dat ze, als ze iets wilde toevoegen of uitleggen, dat heus wel zonder aanmoediging van zijn kant zou doen.

Hij deed een stapje naar achteren toen Hopkins haar moeder hielp haar brede derrière in een stoel te laten zakken, hetgeen ze deed met een sidderende zucht. Hij bekeek haar dossier.

'O, dokter, ik hoop dat u iets voor me kunt doen...'

'Dat hoop ik ook, mevrouw Jowett.'

'Mijn leven is tegenwoordig niet meer de moeite waard.'

'O nee? Dat moeten we niet hebben.'

'Waar wilt u dat ik ga zitten?' vroeg Hopkins.

Dat was een van de stompzinnige, steeds terugkerende vragen. Er stonden verder maar twee stoelen in de kamer, en een ervan was die achter zijn bureau, waaruit ze hem net hadden zien opstaan. Hij trok de hoofdsteun omlaag en antwoordde zonder haar aan te kijken: 'Waar u maar wilt.'

'Hier?' Ze wees naar de tweede stoel. Hij gaf geen antwoord en ze zei zachter, alsof ze in zijn plaats antwoord gaf: 'Hier,' en ging zitten. Ze deponeerde haar tas en de tas, jas en stok van haar moeder naast haar op de grond.

'Goed, wilt u uw kin hierop leggen en recht voor u uit kijken?'

Mevrouw Jowett gehoorzaamde, met bezorgd gefronste wenkbrauwen. Het was alsof een zielige, smekende hond zijn kop op je schoot legde.

'Nog even eraf, hij moet nog ietsje hoger.' Weer een ongelukkige zucht. 'Dank u, daar gaan we.'

Om duidelijk te maken wat er het eerst moest gebeuren deed hij altijd eerst een kort onderzoek, stelde vragen, deed daarna een tweede, uitgebreider onderzoek en gaf zijn mening. Op die manier bestond er bij de patiënt noch bij de aanhang enige twijfel over dat het een medisch consult betrof en geen sessie in de stoel van de psychiater.

De ogen van mevrouw Jowett waren in slechte conditie, maar het was een duidelijk geval. De spier aan de achterkant van haar rechteroog atrofieerde, en links ging het dezelfde kant op. Aan het rechteroog viel weinig meer te doen, maar het linker kon worden geopereerd. Hij duwde zichzelf naar achteren. 'Goed, staat u maar op.' Hij wachtte en bestudeerde nogmaals de aantekeningen terwijl zij met veel misbaar overeind kwam.

'Gaat het, moeder?' vroeg Hopkins nadrukkelijk.

'Het lukt wel.'

'Nu,' zei hij. 'Vertelt u eens, wanneer heeft u voor het eerst iets afwijkends aan uw ogen opgemerkt?'

'Wel, dokter,' zei mevrouw Jowett, op een genietende toon die weinig goeds voorspelde. 'Ik ben nu vier of vijf jaar alleen en ik heb jicht, zoals u wel gemerkt zult hebben, dus het leven valt niet mee...'

'Wanneer zijn uw ogen achteruit gegaan?' herhaalde hij, met nauw merkbare nadruk op de lettergrepen. Hopkins haalde haar benen van elkaar en kruiste ze opnieuw op een manier die even weinig van Sharon Stone weghad als een heggenschaar. 'Weet u het nog?' vroeg hij.

'Niet echt,' zei mevrouw Jowett. 'Eerst heb je er geen erg in, het gaat ongemerkt, nietwaar? En als je helemaal alleen bent zijn er een heleboel dingen die je moeilijk vallen. Maar je moet toch verder, nietwaar?'

'Laten we eens kijken. Twee jaar? Een jaar? Een halfjaar?'

'Het is zo moeilijk te zeggen...'

'Ongeveer driekwart jaar, was het niet, moeder?' zei Hopkins.

'Driekwart jaar?'

'Als jij het zegt, liever.'

'Het was een maand of negen, want het was hoogzomer,' zei Hopkins dit keer rechtstreeks tegen hem.

'Dank u.'

De dochter was even geïrriteerd door het ouwe mens als hij – balend dat ze vrij had moeten nemen om dit te doen, balend van het lange wachten, moedeloos door haar moeders toestand. Maar haar ergernis zou natuurlijk op hem worden afgereageerd; zo werkte het nu eenmaal.

'En nu,' zei hij tegen mevrouw Jowett, 'wil ik u vragen precies te beschrijven welke problemen u hebt bij het zien. In uw eigen woorden.'

Op het ogenblik dat die laatste zin zijn mond verliet had hij hem wel terug willen roepen. Het was niet iets dat hij normaal zei, hij had het er dit keer aan toegevoegd als zoethoudertje voor de dwarse Hopkins. Maar nu was het te laat, en mevrouw Jowett barstte los. 'Het is alsof de helft van mijn leven me is afgepakt,' begon ze. 'En de moeilijkheid is dat ik zo depressief ben dat ik niet goed kan functioneren. Carol is met me mee naar de huisarts gegaan en die heeft me pillen gegeven tegen de depressie, maar daar kon ik niet tegen...'

'Wil u me even excuseren?'

Zonder naar hen te kijken ging hij de kamer uit en deed de deur achter zich dicht. Er zat nog één patiënt te wachten, een operatiecontrole voor Tony Woong. De verpleegkundigen stonden bij de balie te kletsen. Ze bleven staan, maar werden opmerkelijk stil.

'Alles goed, meneer Vitelio?' vroeg de dienstdoende verpleegster.

'Ja, dank u.'

Hij liep naar de receptie. De receptioniste was haar hokje aan het opruimen.

'Hallo, meneer Vitelio, alles goed?'

'Ja.'

Hij ging naar de waterautomaat en schonk een glas in, dat hij snel naar binnen goot. Daarna schonk hij er nog een in. Hij was enigszins buiten adem. Hij voelde de blik van de receptioniste op hem rusten.

'Het is nogal benauwd, nietwaar?'

'Ja.'

'Maar de dag is bijna voorbij...' Ze wierp een blik op haar horloge. 'En het is een lange dag geweest.'

Deze keer gaf hij geen antwoord, maar gooide het papieren bekertje in de afvalbak en ging naar zijn spreekkamer terug. Woongs patiënt was naar binnen gegaan en de verpleegsters keken niet naar hem.

Toen hij binnenkwam was mevrouw Jowett de derde op een rij die vroeg: 'Alles goed, dokter?'

'Ja hoor.'

'Alleen dachten we toen u zo hard wegliep zonder iets te zeggen...'

'Ik meen dat ik me heb geëxcuseerd. Zullen we doorgaan?'

'Ik ben vergeten wat u hebt gevraagd.'

'Ik dacht dat u vandaag was gekomen om over uw ogen te praten.'

Hopkins stond op. 'Ja, maar nu gaan we weg.'

'Pardon?'

'Kom mee, moeder.'

'Wat gaan we doen?' vroeg mevrouw Jowett terwijl haar dochter haar uit haar stoel hielp.

'Weg.'

'Zijn we klaar, is het dat? En wat gebeurt er nu verder?'

'Hier, uw jas.'

'Moet ik nog terugkomen?'
'In elk geval,' zei Robert. 'Want het onderzoek is nog niet klaar.'
'Maak u geen zorgen, moeder, alles is geregeld,' zei Hopkins op ferme toon. Ze overhandigde mevrouw Jowett haar stok en nam haar bij de arm. Daarna voegde ze er wat zachter tegen hem aan toe: 'Het zou prima zijn als er geen patiënten waren, hè?'
'Pardon?'
Ze verhief haar stem tot de normale sterkte. 'Ik maak bij de receptie een nieuwe afspraak, meneer Vitelio. En natuurlijk hoort u nog van ons.'
'Prima.'
Hij hield de deur voor hen open en Hopkins wierp hem een giftige blik toe toen ze langsliep.
'Dag, dokter,' zei mevrouw Jowett. 'En dank u wel.'
Hij deed de deur dicht en plofte neer in de stoel die zojuist door Hopkins was vrijgemaakt. Als mevrouw Jowett hem niet had bedankt had hij zijn woede nog even volgehouden. Maar toen ze vertrok bleven haar onverdiende woorden als een verwijt in de lucht hangen. Het was een aardige, beleefde, goedmoedige vrouw die haar gezichtsvermogen kwijtraakte en die zielsdankbaar was voor elk snippertje aandacht. Maar haar dochter was van de nieuwe patiëntengeneratie: veeleisend, niet geïmponeerd en op haar qui-vive. Toen ze zei dat hij nog van hen zou horen twijfelde hij er niet aan wat ze bedoelde: tegen het einde van de week zou er een boze brief in de bus liggen.

Hij liet zich met gesloten ogen op zijn gevouwen armen zakken. Terwijl hij het consult nog eens naliep wist hij vrijwel zeker dat hij niets had gezegd of gedaan dat een ernstige inbreuk op zijn beroepsmatige houding betekende. Hij was prikkelbaar en onaardig geweest, en was de kamer uitgelopen om een glas water te drinken – niet bepaald dr. Kildare, dat was waar, maar ook geen halsmisdaad. Maar als Hopkins die brief schreef zou dat wel de derde van het afgelopen jaar zijn, hetgeen gevoegd bij zijn bestaande reputatie over het geheel genomen een negatief beeld zou opleveren. Het had weinig zin een eersteklas specialist te zijn als de patiënten niets met je te maken wilden hebben.

Plotseling was hij volkomen van de kaart. En het vooruitzicht naar huis, naar Sian te gaan, met wie hij er nooit toe kwam zoiets te bespreken, was weinig aantrekkelijk.

Stella. Hij wilde Stella, hunkerde naar haar. Kon met bijna pijnlijke nauwkeurigheid het gevoel van haar pezige ledematen oproepen die stevig om de zijne heengeslagen waren, geklemd, haar kutje en haar mond als twee grote zachte bloemen in haar ranke lichaam.

O, god. Hij wilde haar suf neuken en dan in haar armen alles opbiechten. Hij had het gevoel dat ze hoe dan ook begrip zou hebben voor zijn gedrag, ook al keurde ze het niet goed, en iets amusants en snijdends zou weten te zeggen waardoor hij om zichzelf zou kunnen lachen en zich geen totale flop meer voelen.

Maar hij had het bij haar net zo verbruid als bij mevrouw Jowett. En zij zat nog wel in de showbusiness, een planeet die hij zich nauwelijks kon voorstellen, waar het wemelde van de kleurrijke, creatieve en zakelijke types die ze naar haar hand kon zetten en die haar vermoedelijk hevig bewonderden.

Er werd geklopt, hij zei: 'Binnen.'

Tony Woong stak zijn hoofd om de deur. 'Ik ga ervandoor.'

'Ik ook.'

'Je ziet er afgeschoten uit.'

'Ja, nou, er werd vandaag met scherp geschoten.'

'Zolang je maar niet terugschiet. Iets drinken?'

'Nee, bedankt.'

'Zie je donderdag.'

'Als ik dan nog leef.'

Tony lachte terwijl hij de deur dichtdeed. Robert bleef nog tien minuten onbeweeglijk in de stoel zitten, in een toestand van door hem zelf veroorzaakte shock.

Toen Stella in de flat terug was, zette ze het merendeel van de inkopen binnen bij de voordeur neer, haalde de chocolade eruit en nam die samen met een van de tassen mee naar de erker. Met twee stukjes chocola als smeltend fluweel op haar tong pakte ze een foto uit die ze had gekocht en zette hem rechtop voor zich neer. Het was haar beste aankoop, die haar tocht de moeite waard had gemaakt. Ze bestudeerde hem enkele minuten aandachtig, dacht toen aan iets anders en ging haar portemonnee halen.

Het pak bankbiljetten was bijna op, maar de visitekaartjes zaten nog steeds door elkaar. Prima, want daar was het kaartje dat ze zocht. Ze haalde het eruit en legde het voor de foto op de vensterbank, tevreden over de symmetrie van het geheel. Er was een goede geest aan het werk geweest, want ze was er in een ellendige stemming op uit gegaan om haar sombere bui te verdrijven en was teruggekeerd met deze schatten, en wat was overgebleven van maar honderd pond.

Op het kaartje stond te lezen: 'Derek Jackman – Meneer Piano. Uw favoriete muziek: pop, cabaret, klassiek, voor elke gelegenheid. Achtergrond, filmliedjes of dans.' Daarna telefoon- en faxnummers en een e-mailadres.

Ze keek nogmaals naar de foto. Het was een Victoriaanse foto die op karton was geplakt. Vanwege de datering nam ze aan dat er zorgvuldig voor was geposeerd, maar dat deed niets af aan het simpele, emotionele effect. Een paard lag op de grond, met zijn rug naar de camera, met gestrekte hals. Een man in uniform lag met zijn hoofd tegen de flank van het paard, met zijn ene arm over de hals van het dier. De omgeving bestond uit een weidse, grazige vallei die haar enigszins deed denken aan het platteland rondom het huis van haar ouders, nabij het Witte Paard.

Op de wijze van die dagen had de fotograaf zijn werkstuk van een titel voorzien. Die was in sierlijk schuinschrift onder de foto gedrukt. 'Slapend.'

9

Groot-Brittannië mag u misschien wat armoedig
en groezelig voorkomen. Maar de Britten doen hun best
u te laten weten dat u hun land niet op z'n best ziet.

'Over There', instructies voor Amerikaanse
militairen in Groot-Brittannië

Spencer 1943

Ze noemden de kisten 'zij', en de P-51 was de Betty Grable onder
hen. Spencer noemde de zijne 'Crazy Horse'. Mo di Angeli, de mecanicien, de vliegtuigschilder, maakte een kunstwerk van de kisten.
Hoewel niet zonder meningsverschil.
'Wil jij geen meisje?' vroeg hij ongelovig en spreidde zijn portefeuille uit over het bed. 'Ik verander meisjes in engelen, zo kom ik
aan mijn naam, snap je. Moet je kijken... en hier... Wat zeg je daarvan? Moet je van schieten met je pik, hè? En een cowgirl, om die
twee ideeën te combineren?'
De meisjes waren absoluut spectaculair, met boezems en billen
die de zwaartekracht trotseerden, tepels waarmee ze je de ogen konden uitsteken, en soms, maar niet altijd, een miezerig stukje tule op
zijn plaats houdend. Een waterval van weelderige haren en satijn-
gladde benen van onwaarschijnlijke lengte, meestal eindigend in
schoenen met een open teen en twintig centimeter hoge hakken. Het
was een grap op de basis dat Mo er geen probleem mee had over de
toestellen te klauteren om zijn werk te doen omdat hij een derde
been had. Decennia daarna, toen Hannah Spencer meesleepte naar
de film *Who killed Roger Rabbit?* (hij vond er niets aan, te veel gladde
gewelddadigheid) bleek het enige behoorlijke karakter Jessica
Rabbit met haar zandloperfiguur en Veronica Lake-haar te zijn, die
prima op de vliegtuigromp had gepast.
Mo had zijn best gedaan, hij was een echte zakenman. 'Dit zijn
Amerikaanse meisjes, hè. Die zie je niet in de buurt van Church
Norton, dat kan ik je verzekeren. Nee, dit zijn echte Amerikaanse
mokkels.'

Dat was natuurlijk niet waar, het waren meisjes uit een land dat alleen in de fantasie van mannen bestond, hoewel er iets in hun vrolijke, uitnodigende glimlach lag dat Spencer aan Trudel deed denken. Een beetje. Of de Trudel zoals ze was voordat ze wegging. Heel even had gefantaseerd over iets als 'Apple Pie', Het Stuk, het wulpse meisje uit zijn geboortestreek. Maar dat was al zo lang geleden en ze waren allebei veranderd.

Nee, hij wist wat hij wilde. Toen Mo het uiteindelijk had opgegeven hem te prikkelen van gedachten te veranderen, maakte hij het mooiste plaatje van de hele groep: een bokkend, wild paard, gebogen op het hoogtepunt van zijn geweldige, zwiepende sprong. Een fantasiepaard, net zoals de meisjes fantasie waren. Een paard dat nooit over een echte vlakte had gedenderd, nergens ter wereld. Dit was een mustang uit zijn verbeelding, met spieren als een gewichtheffer, een vacht als gesmolten metaal, manen en een staart die als vlammen van zijn lijf lekten, rode neusgaten en waanzinnige kobaltblauwe ogen, met in elk oog, volmaakt tot in het kleinste detail, een naakt meisje afgebeeld.

'Goed, goed,' protesteerde Mo. 'Een van de voordelen van mijn werk. Laat me nou. Wie komt er ooit achter behalve jij en ik?'

Weldra stonden er twee kruisjes onder het wilde paard, als kusjes aan het eind van een brief. De twee kruisen voor twee keer raak schieten; niet dat Spencer wist wat doden was. Bij sommige piloten waren hun airs zo vals als een driedollarbiljet, maar dit was menens. De rest van de zomer was hij in de zevende hemel. Of in het paradijs misschien, want hij was jong en wachtte nog op iets, hoewel hij niet wist waarop.

Dat vliegtuig hield hem zo in de ban dat hij voortdurend high was. Als oude man, als hij zich niet meer kon herinneren waarom hij de kamer was ingegaan of waar hij zijn bril had gelaten, waren er bepaalde dingen die hem altijd bijbleven, die in zijn zintuigen stonden gegrift. De geur van de winkel in Moose Draw, het verfijnde Engelse accent van zijn moeder, het geluid van het wilde paard dat in zijn stal een woedeaanval kreeg, het gevoel toen hij de eerste keer bij Trudel naar binnen ging. En het vliegen van de Mustang.

Hij had nooit op een wild paard gereden, maar hij nam aan dat het zo moest voelen. Alleen in de cockpit van de P-51 zat je schrijlings als een cowboy op de donderende Merlinmotor. Het toestel was op hoogte het meest wendbare in het Europese luchtruim, maar het vermogen maakte van elke vlucht een gelukstreffer. Geluk, dat in zijn geval nooit op de proef was gesteld. Er was die warme walm van landbouwgrond en kerosine, de geur van de aarde en van de lucht. Het moment als na een onregelmatige, dreunende start alle cilinders aansloegen en jij en de kist schudden op het typische gejank van de Merlin, en de propeller van wentelde wieken overging in een cirkelvormige, grijze mist, als het molentje van een kind op de kermis. En dan het bonkende, slingerende wegtaxiën van de parkeerplaats op het platform, over de randrijbaan, de startbaan op, zigzaggend vanwege het slechte zicht. Dan begon het goed te voelen. Je zag de mensen toekijken, niet het luchtmachtpersoneel, maar de plaatselijke bewoners die toegestroomd waren op de weg naar het vliegveld om de show te zien...

En dan dat ongelooflijke ogenblik, de grootste gok van allemaal, als de snelheid het onstuitbare hoogtepunt bereikte, net als seks, en het vliegtuig van de grond kwam, optrok naar waar snelheid weer iets anders betekende, en de Cadillac van de lucht de ruimte doorkruiste, in haar element. De bakens die trillend waren langsgevlogen toen het toestel aan de grond snelheid maakte dreven nu kalm onder hem door: de twee kerken, het rasterwerk van smalle straten, de plukjes bosgebied, de kleine akkers en popperige schuren. Op een gevechtsmissie leek het hele luchtruim vol vliegtuigen, een zwerm luchtvaartuigen die als trekvogels boven het Engelse landschap hingen.

Spencer en Frank Steiner en een heethoofd van negentien, Si Santucci uit Albuquerque, zaten bij hetzelfde escadrille. Hun *wingman* was een vent die Eammon – 'Amen' – Ford heette. Mo was hun commandant. Het was zo'n gemengd stel als maar mogelijk was. In het niemandsland van het wachten vervielen ze zonder mankeren in hun eigen gewoonten. Spencer zat met een boek in zijn hand, maar kon zich niet voldoende concentreren om de letters te zien; Frank had er ook een. Hij las wel. Met de regelmaat van de klok sloeg hij bladzijden om. Si was onrustig en opgenaaid, wilde praten, of naar buiten gaan om te honkballen, iets waartoe hij Spencer nu en dan overhaalde. Maar het was geen gelijke partij: Si was een topsporter en ze waren slecht toegerust. Hij hield er ook rare ideeën op na; schreeuwde op een dag tegen Spencer terwijl hij hem de bal toesmeet.

'Weet je, je zou een bal kunnen vangen met een van deze vogels!'
Spencer kreunde toen de bal tegen zijn handpalmen smakte. 'Vast wel, maar hoe?'
'Onder de buik! In de uitlaat, ik wed dat het lukt!'
'Ben je van plan dat te proberen?'
'Zeker. Wil jij werper zijn?'
'Nee, dank je.'
Eammon Ford was godsdienstig, en de enige die niet kettingrookte. Hij was nog openlijker vroom dan de aalmoezenier, die als

een van de jongens beschouwd wilde worden. Eammon was ook ouder dan de meesten, midden dertig en rustig, met thuis een vrouw en dochter, en een baby op komst. Hij duwde echter niemand de Heer door de strot, en ook al was hij niet iemand die je mee de stad in kon nemen, toch hadden ze respect voor hem. Vóór elke missie schreef hij in een boekje. Hij had een heel klein handschrift, alle lettertjes apart en duidelijk als hiërogliefen.

Si had de grootste pin-upcollectie van de hele basis. Hij werd verteerd door nieuwsgierigheid naar Eammon en zijn boekje, en dus was het slechts een kwestie van tijd voordat hij eropaf ging om ernaar te vragen.

'Zeg eens, Amen, voel je je daarboven dichter bij God?'

'Nee.'

'Kom op, daar boven de wolken... *Closer my God to thee?*'

'God is daar niet,' legde Eammon geduldig uit. Spencer had met hem te doen: hij werd voor het blok gezet, en de andere jongens spitsten onmiskenbaar hun oren. Ze deden alsof ze zaten te schaken of de krantenstrips lazen of een brief naar huis schreven, maar ze wisten wanneer er vermaak op til was.

'God woont in je hart,' voegde Eammon eraan toe, misschien in de hoop dat dat afdoende was. Maar Si was zich nu bewust van zijn publiek.

'Niet in het mijne.'

Er klonk onderdrukt gelach.

'Jij denkt van niet, maar toch is Hij er.'

'Wil je zeggen dat ik moet geloven?'

Eammon sprak nog zachter. 'Ik zeg niet dat je iets moet doen. Zeg, zullen we hierover ophouden?'

'Goed.'

Eammon ging door met schrijven, en Si met toekijken. 'Mag ik je iets vragen?'

Eammon keek op.

'Wat schrijf je daarin?'

'O, dat is privé.'

'Hemel, dan wil ik het niet lezen. Ik bedoel, wat voor iets? Is het een dagboek of zo?'

'Het is geen dagboek.'

'Oké.' Si knikte ernstig. Zijn geplaag grensde aan wreedheid, maar het wachten vóór een missie was zo'n bizar, apart tijdsbestek dat de gewone regels er niet golden.

'Schrijf je een boek?'

Heel even bleef het stil, en Eammon bloosde licht alvorens te antwoorden: 'Ik schrijf voor mijn plezier.'

Si wendde zich tot de zaal. 'Zeg, horen jullie dat? We hebben een echte schrijver in ons midden!'

Het pijnlijke ogenblik was voorbij, want Si had de informatie die hij wilde. Er klonk gemompel, het een beleefder dan het ander, en dat was dat. Frank was de enige die niet had opgekeken. Maar natuurlijk was het kwaad al geschied – iedereen wist nu dat Eammon Ford een boek schreef, en hij kon dat nooit meer doen zonder dat men zich afvroeg waar het over ging.

Dat was ook een kwestie van vertrouwen. In de lucht moest je de andere piloten vertrouwen, vooral die van jouw escadrille, en vooral de *wingmen*, omdat zij jou moesten vertrouwen. Als jij in een steile duik zat en de naalden van de hoogtemeter als een razende ronddraaiden en de granaten je om de oren vlogen, wilde je mannen om je heen hebben die een beetje bij hun verstand waren. Dat was de reden dat Si's voorstelling hem er niet populairder op had gemaakt, zelfs al hadden ze gelachen.

Dus dat was het afwachten. Vervolgens was er de oorlog.

En ten slotte Engeland, dat Frank aanduidde met 'de kennismaking met onze cultuur en geschiedenis', Mo met 'het aanpappen met de inboorlingen', en dat Si 'rokkenjagen' noemde. Iedere man op de basis was toegerust met een fiets, als hulpmiddel bij zijn vrijetijdsbesteding. Frank was oprecht meer geïnteresseerd in oude kerken en kunstgaleries dan in andere soorten genoegens. Nu en dan ging hij mee naar een dansavond in de mess, waar hij met een wat spottende glimlach bleef staan toekijken, heel ontspannen. Maar hij deed niet mee.

Mo was degene die wist hoe hij met vrouwen moest omgaan, met een kin als een parfumerie, en de gladde praatjes en de pakjes met nylons en lekkers, en het leek te werken. Voor een man met het uiterlijk van een mopshond en de bijpassende grove conversatie had hij verbazend veel succes bij de andere sekse. Ze stonden hem rijen dik op te wachten bij de hoofdingang; hij deed ontzettend zijn best om eerlijk te zijn, en het vreemdst van alles was dat ze hem, ondanks de concurrentie die hij niet probeerde te verbergen, toch de grootste schat vonden. Ze brachten eieren voor hem mee en tomaten, en zelfgemaakte cadeautjes, en uitnodigingen, meer dan hij aankon. Spencer vroeg hem hoe hij dat in vredesnaam voor elkaar kreeg.

'Moeilijk te zeggen, hè? Ze zitten vast niet achter mijn goddelijke lijf aan, dus wat kan het wel zijn?'

'Ik wou je niet...'

'Vast niet. Luister, Spence, ik *hou* van vrouwen. Dat vertel ik ze ook aldoor. Ik geef ze aandacht, begrijp je wat ik bedoel? Laat ze op de eerste plaats komen, is Di Angeli's regel voor *ladykilling*.' Hij legde zijn hand op zijn hart alsof hij de eed van trouw aflegde. '*Ladies first*, altijd.'

Het was een filosofie van zo'n verbluffende eenvoud dat hij ergens moest haperen. 'Maar Mo, hoe hou je ze allemaal tevreden, hoe komt het dat ze niet jaloers zijn?'

'Op mij?' Mo stak zijn armen opzij, wiegde met, waar als hij tien kilo lichter was geweest, zijn heupen hadden gezeten. 'Ik hou ze uit elkaar, ze vertrouwen me. Probleem met jullie knappe kerels is dat de mokkels zich niet veilig voelen. Tegen mij moeten ze volgens zichzelf aardig zijn. En zoals ik al zei: ik vertel ze dat ze mooi zijn, geef ze cadeautjes, zorg dat ze zich als prinsessen voelen...' Hij boog zich voorover. 'En nog wat.'

'Vertel.'

'Ik laat me niet in de kaart kijken, begrijp je wat ik bedoel?' Hij trok zijn wenkbrauwen zo hoog op dat elke wenkbrauw bekroond werd door een reeks halfcirkelvormige groeven. 'Ik laat niet merken dat het nest het enige is waar ik aan denk.'

'Echt waar?' Spencer vond dat nogal moeilijk te geloven van de beruchte man met het 'derde been', de man die letterlijk honderden onwaarschijnlijk weelderige schoonheden het luchtruim boven Europa had ingestuurd om hun charmes te tonen.

Mo las zijn gelaatsuitdrukking. 'Goed, ik geef toe dat dat het enige is waar ik aan denk. Net als jij, net als iedereen, vind je het gek? Ik geef het toe. Maar als je ze het laat merken schrik je ze af. Rustig en vriendelijk, elke keer, Spencer, onthoud dat goed.'

Spencer knoopte die raad in zijn oren, en hoewel hij niet hetzelfde aantal veroveringen maakte als Mo, had hij het reuze naar zijn zin in de kroegen, op de dansavonden voor officieren en de fuifjes in het dorpshuis, in de cafés en restaurants van Cambridge, en (als hij het zich kon veroorloven) in de vleespotten van Londen. Daar had hij een paar keer geluk, vooral met een meisje van het Windmill Theatre, en (bij een andere gelegenheid) met een oudere vrouw die getrouwd bleek met een ambtenaar van het Ministerie van Oorlog. Beide veroveringen waren de moeite waard, de eerste omdat ze het lichaam van een godin had en veel ervaring, en de tweede omdat ze knap was, over veel fantasie beschikte en over zo goed als geen ervaring. Bovendien was het Londen in oorlogstijd. Daardoor was het eenvoudig om ze een van de twee of allebei op te zoeken als hij toevallig in de stad was, zonder verplichtingen; geen problemen.

Rondom de basis in Church Norton was het vooral dikke pret. Er was geen gebrek aan meisjes, en in tegenstelling tot de eerste indruk was de bevolking verre van vijandig. De mannen, hoewel beleefd, waren begrijpelijk op hun hoede, maar de vrouwen en kinderen vonden de Yanks fantastisch. Daar werkten ze natuurlijk ook aan.

Het instructieboekje stond vol goedbedoelde tips waarvan er enkele hout sneden, maar waarvan ze de meeste negeerden, en ze waren er allemaal op berekend hun gastheren gelukkig te maken, de meisjes zo gelukkig dat ze niet in tranen zouden achterblijven en henzelf uit de kliniek voor geslachtsziekten te houden.

Het joch dat Spencer op zijn eerste ochtend had ontmoet heette David Ransom, Dave voor zijn vrienden, en Davey voor de Amerikanen. De jongens waren trots als ze een koosnaampje kregen van de Amerikanen en ze boden maar al te graag hun diensten aan. Hij was elk beschikbaar ogenblik op het vliegveld te vinden, kwam tijdens elke schoolpauze aangefietst en bracht er tijdens het weekend het grootste deel van de dag door met rondhangen en luisteren, en met boodschappen doen. Het was alsof je een grote, vriendelijke hond had die je aanbad, die alles zou doen wat je vroeg en die voor je door het vuur zou gaan – iets dat een jongeman als Spencer in een roes bracht, aangezien hij nog nooit eerder als een held was beschouwd.

Davey drong er bij Spencer altijd op aan bij hem thuis thee te komen drinken met zijn moeder en zijn tante. Ze woonden een heel eind van de hoofdstraat van Church Norton af, in het laatste huis van een straat met rijtjeshuizen die Craft Cottages heette. Spencer had zijn twijfels, want hij wist niet of de dikwijls herhaalde invitatie door Daveys moeder werd gesteund, en zo niet, dan zou ze niet erg verguld zijn met een opzichtige vreemdeling over wie haar zoon onophoudelijk praatte, en die kwam aanzetten in de verwachting van een gastvrij onthaal. Omzichtig informeerde hij bij Davey naar zijn vader.

'Hij is krijgsgevangen in Duitsland.'

'Arme kerel. Dat moet moeilijk zijn voor je moeder.'

'Ze redt zich wel. Ze zegt: hoofd omhoog, borst vooruit, en schouders naar achteren.'

Hieruit en uit andere opmerkingen omtrent mevrouw Ransoms stoere houding vormde Spencer zich een nogal intimiderend beeld van haar en haar zuster, Daveys tante, hetgeen hem min of meer deed besluiten dat het niet verstandig was uitnodigingen te accepteren, tenzij ze als bij wijze van spreken van het hoofdkwartier kwamen.

En toen hoorde hij op een zondagmiddag in het begin van juli, toen ze met een groepje wat wankel terug fietsten uit de kroeg, zijn naam roepen. Hij keek over zijn schouder, en zag Davey zo'n honderd meter achter hem fietsen, rechtop op de pedalen. De anderen plaagden hem ermee. Davey was een leuk joch, reuze aardig en behulpzaam, maar een beetje te opdringerig.

'Je hebt bezoek, Spence!'
'Zet hem nu eens op zijn nummer!'
'Ik haal je in.'
'Dat betwijfel ik!'
Spencer duwde zijn fiets naar de kant en ging ernaast zitten wachten tot Davey de helling was opgezwoegd. Het was heet. Hij ging achterover liggen. Niet zo heet als thuis, maar je voelde het hier meer omdat de omgeving ongewoon was. Het gras was niet gemaaid, het was warm en geurig en vol spichtige wilde bloemen en zoemend, vliegend, kruipend leven. De lucht was zachtblauw, geen vliegtuig te zien, maar ergens daarboven zong een leeuwerik uit volle borst. Zijn oogleden zakten. Dit was het, bedacht hij: vrede. Waarvoor ze vochten.
Het roestige geknars van de fiets en het snorkende ademhalen kondigden Davey al aan voordat hij naast hem neerplofte.
'Hi, Spence!'
Spencer draaide zijn hoofd om, en beschutte zijn ogen tegen de zon. 'Hallo, knul.'
'Ik heb iets voor je. Hier.' Hij duwde Spencer een envelop in de hand. 'Van mijn moeder.'
'Oké, wat hebben we hier...' Spencer duwde zich op zijn elleboog omhoog en maakte de envelop open, zich ervan bewust dat hij werd gadegeslagen, dat er iets van hem werd verwacht. Het was een briefje van mevrouw Ransom, geschreven op zachtpaars papier met de afbeelding van een viooltje erboven, en keurig voorzien van het adres en de datum.

Geachte luitenant McColl,
David vraagt al een poos of u een keer kunt komen, maar ik wil u er niet mee lastigvallen, omdat ik weet dat u belangrijkere zaken aan uw hoofd heeft. Maar ik weet dat het veel voor hem betekent, dus wilde ik u vragen of u aanstaande zondag om vier uur op het bovengenoemde adres bij ons op de thee wilt komen. U hoeft niet officieel te antwoorden, zegt u het maar gewoon tegen David.
Hoogachtend,
Janet Ransom

Iets in de nogal formele toon van het briefje overtuigde hem ervan dat het goed was geweest zich niet op te dringen. Hoewel mevrouw Ransom beleefd genoeg was om het te laten klinken als beslag leggen op zijn kostbare tijd, was dit duidelijk een invitatie die onder druk tot stand gekomen was.
'Dat is reuze aardig van je moeder,' zei hij. 'Zeg maar dat het goed is, en dat ik me erop verheug.'

'Goed.' Davey was bijna sprakeloos van verrukking; zijn hoofd was rood en glimmend en zijn haren stonden als stekels overeind van het heuvel-op peddelen. 'Ik zal dus met iedereen kennismaken?' vroeg Spencer. 'De hele familie?'

'Ja. Mijn moeder, mijn tante en mijn kleine zusje.'

'Fantastisch. Ik breng natuurlijk een paar cadeautjes mee, maar vraag je moeder of er iets is dat ze nodig heeft, waar ik voor kan zorgen...'

'Nee, d'r is niks niet nodig.'

Zelfs zonder de drievoudige ontkenning maakte Davey's toon duidelijk dat zijn moeder op haar hoede was voor Yanks die cadeautjes meebrachten en dat zelfs jongens als hij lucht hadden gekregen van een veronderstelde ruilhandel die op een onbegrijpelijke manier niet acceptabel was.

Spencer zei tot zichzelf dat wat de oorlog deze week ook voor hem in petto had, hij al zijn beschikbare krachten nodig zou hebben om het bezoek van de komende zondag zonder kleerscheuren te doorstaan.

Het weer bleef mooi en ze maakten de daaropvolgende zes dagen vier gevechtsvluchten. Het hele noorden van Europa lag als een landkaart onder de heldere hemel uitgespreid. De *Little Friends* hadden een manoeuvre en Spencer voegde een dodelijke voltreffer aan zijn lijstje toe toen ze een vliegveld bij Bremen bombardeerden.

De *Blue Flight* leek onkwetsbaar, vooral Si Santucci, die eropuit was zijn naam in de boeken te krijgen. Hij hield niet alleen van vliegen, hij was ook dol op doden. Het was niet iets waarover hij wilde nadenken; hij zwelgde erin, genoot ervan, nam enorme risico's om het gezicht van degenen te zien die hij had neergehaald. Hij was een heethoofd, maar ook lastig, vooral voor zichzelf. Het was duidelijk dat hij, als hij dit niet had gedaan, ergens anders moeilijkheden zou hebben veroorzaakt. Hij had al bewezen dat het mogelijk was die verrekte bal te vangen met de uitlaat onder op het vliegtuig, tijdens een arrogant vertoon van zo'n gevaarlijke vlucht dat de mannen zich op de grond hadden geworpen. Als het gras iets langer was geweest had hij de blaadjes van de margrieten afgezwiept. Een reprimande van de generaal gleed bij Santucci langs zijn koude kleren af. Spencer bedacht dat als er één ding, behalve de P-51's, was waarvoor de oorlog goed was, het was om de gekken van de straat te houden en ze iets goeds te laten doen.

Frank had een schurftige hond aangeschaft die Ajax heette, met spieren als een wedstrijdbokser, kaken als een krokodil, lepe ogen en de angstaanjagende strijdlust van Shirley Temple. En, zoals Mo het uitdrukte, veel fundament. Frank had in de kroeg gehoord dat zijn baas was gestorven en dat het dier nergens heen kon. Een blik op de afschuwelijk knappe Ajax was genoeg. Het was zoals Si zei, liefde op het eerste geschrik. Toen ze met z'n allen buiten bij de kantine naar de nieuwe aanwinst stonden te staren, die zijn roze tong opzij uit een hondengrijns van oor tot oor had hangen, stootte Mo Spencer aan. 'Spence, zie je dat? Dat is nou een mormel naar mijn hart, met een goed figuur. Hij heeft geen mooie kop, maar hij is absoluut van plan vriendjes te worden. Met dergelijke capaciteiten moet Frank oppassen. Voor je het weet vliegt het die verrekte kist!'

Spencer gaf toe dat zoiets de nazi's de stuipen op het lijf zou jagen. Maar het was goed om te zien hoe Frank en Ajax samen optrokken. Ze leken voor elkaar geschapen, een subliem voorbeeld van uitersten die zich tot elkaar voelen aangetrokken. Franks magere, houterige gestalte die met de zwaargebouwde, waggelende hond rondliep werd een normaal verschijnsel op de basis. En als Frank ergens lag te lezen, tegen de zijkant van de barak in de zon, of 's avonds op zijn brits, nestelde Ajax zich knus tegen hem aan met zijn dikke, gedrongen achterste naar een kant als een zeemeermin, en zijn piemel eruit. Dan liet hij zijn grote haaienkop met zo'n verzaligde toegewijde blik op Franks schouder rusten dat je er bijna tranen van in je ogen kreeg.

Aan het einde van die week kreeg Spencer een brief van Trudel. Het was een keurig getypt exemplaar, maar het 'Liefs, Trudel' had ze met inkt geschreven om het persoonlijk te maken.

Ik ben aangenomen voor de verpleegstersopleiding in Laramie, die komende september begint, en ik heb het gevoel dat ik het afgelopen jaar genoeg ervaring heb opgedaan. Die arme papa is in mei gestorven, en ik weet dat mama niet wil dat ik vertrek, maar ik kan niet mijn hele leven in Moose Draw blijven, dat snap je. Ik ga kijken of ik een aardig mens kan vinden dat wil dat ik bij haar in huis kom wonen, om haar gezelschap te houden en te helpen. Ik denk veel aan je, en hoop dat je gauw kunt schrijven.

Je moeder kwam laatst langs en zei dat ze hoopt dat je kunt uitzoeken waar haar familie heeft gewoond, en misschien een foto maken. Ze mist je, Spencer, net als wij allemaal, en als we bidden voor 'onze jongens' ben jij het aan wie ik denk. Ik weet dat je gevaar loopt, maar wees alsjeblieft voorzichtig...

Spencer voelde zich schuldig vanwege zijn moeder, en omdat hij haar en Trudel niet had geschreven. Hij schreef hun beiden, nogal gehaast, die zaterdag vóór het concert van de band, en verzekerde Caroline dat hij de eerstvolgende keer dat hij anderhalve dag vrij had zou proberen naar de omgeving van Oxford te gaan om de voorouderlijke plek te bezoeken. Hij was echt van plan het te doen, wilde het al doen sinds ze hier waren, maar als hij vrij was leken er altijd dringender zaken te zijn die zijn aandacht vroegen.

De zondag veranderde van heet in tropisch benauwd. Jenny, het Engelse meisje van Vrouwelijke Vrijwilligers dat met de theewagen kwam – thee, broodjes en donuts – zei dat ze vreselijke hoofdpijn had, wat betekende dat het ging onweren, en een paar grappenmakers merkten op dat die hoofdpijn meer met het ruwe weer van de avond daarvoor in de danszaal te maken had. Ze antwoordde een tikje ijzig dat het daar niets mee van doen had, en of iemand alsjeblieft die monsterlijke hond bij haar karretje kon weghalen, anders kon ze niet voor de gevolgen instaan, hetgeen nog meer goedmoedige spot uitlokte.

Hoeveel waarheid Jenny's voorspelling ook bevatte, toen Spencer naar het dorp fietste was het smoorheet, en hij was genoodzaakt op de weg omhoog naar het adres van de Ransoms in de Craft Cottages af te stappen om zijn voorhoofd te betten en even onder een boom bij de speelweide af te koelen. Hij had zorgvuldig nagedacht over wat hij mee zou brengen. Het moest iets zijn dat niet te aanmatigend zou lijken en ook geen omkoperij, en had zijn keus laten vallen op een blik koekjes en een blik ham, goede, praktische dingen voor het gezin. Het zat hem dwars dat de Amerikanen op de basis vergeleken bij de ongelukkige meneer Ransom, die op een schraal rantsoen stond in het een of andere verre *stalag*, een stel verwende schooljongens was, maar hij kon er niet veel aan doen, behalve uiterst beleefd zijn en niet te veel uit te pakken.

De deur van het huisje stond open. Toen hij zijn fiets tegen de tuinmuur zette, kwam Davey met een hoogrode kleur naar buiten, met zijn ogen op steeltjes en zijn mond vol tanden, ten teken dat hij opgewonden was.

'Dag!'

'Dag, kanjer.'

'Kom binnen.'

Het huisje was klein, en de deur kwam direct op de zitkamer uit, waar de rest van de familie op hem zat te wachten. In de krappe ruimte was een ronde tafel voor de theemaaltijd gedekt met een geel tafelkleed en gebloemd porselein. Midden op de tafel stond een blauwe kan met een eenvoudig boeket vlinderachtige bloemetjes, roze, lila en wit, die onvoorstelbaar zoet geurden. Het was koel in de kamer, maar er was maar één raampje, wat maakte dat het er nogal donker was, en de tafel liet weinig bewegingsruimte over. Spencer wurmde zich naar binnen; zijn voeten leken een paar maten te groot geworden. De manier waarop ze als een ontvangstcomité stonden opgesteld deed hem de moed in de schoenen zinken. Maar ook al kwam deze vormelijkheid overeen met zijn bangste vermoedens, erger dan dit werd het niet.

'Luitenant McColl, hoe maakt u het? Ik ben de moeder van David.'

'Aangenaam, mevrouw.'

Hij schudde haar de hand, die warm en droog was en geen botten leek te hebben, en keek naar haar droevige gezicht. Ze was tenger en donker, even lang als hij en ongeveer tien jaar ouder, de mooiste vrouw die hij ooit had gezien. Net een Indiase met een Europese huid. In de kromming van haar arm hield ze een zwartharig meisje in een geruite jurk op haar heup, met een speldje in de vorm van een lieveheersbeestje in haar haren.

'Dit is Ellen.'

'Hoe maak je het, Ellen?'

'En dit is mijn zuster Rosemary.'

'Hoe maakt u het, mevrouw?'

Ze lachte. 'Hoe maakt u het, luit'nant?'

En dit was de tante? De oude, degelijke totebel? Rosemary was een weelderiger versie van haar oudere zuster, met kastanjebruin haar, een brede glimlach, een smalle taille en een stem die boter kon doen smelten. Ze leken op elkaar, maar op een vage, ondefinieerbare manier; hij zou het niet kunnen beschrijven. En ze was hooguit zestien.

Hij overhandigde zijn offergaven, die met precies de juiste mate van dankbaarheid werden ontvangen, als de bijdrage van een beleefde gast, meer niet. Daarna nam Janet ze mee naar het keukentje aan de achterkant van het huis en liet hem met Rosemary op de bank achter, terwijl David op de vloer met zijn kleine zusje speelde. Die drie leken zich heel wat meer op hun gemak te voelen dan hij. Hij strekte zijn ene arm over de rug van de bank, trommelde met zijn vingers om te laten zien dat het niets speciaals te betekenen had; hij trok zijn been op en liet zijn enkel op zijn knie rusten, voelde zich stom en zette hem weer neer. Een ogenblik was het zo stil dat je een vlinder in het nauw tegen de vensterbank kon horen fladderen.

'Zo,' zei hij. 'Het is prettig Davey's familie dan eindelijk te ontmoeten.'

'Wij hebben ook naar uw komst uitgekeken,' zei Rosemary, met een zonnige, open blik. Ze droeg een roze met witte jurk met een rond kraagje en korte mouwen, en platte, kinderlijke sandalen. Ze had een donzig amberkleurig waas op haar armen en benen. 'Hij heeft het de hele tijd over u.'

'Niet waar,' zei Davey.

'Ik denk dat de basis ineenstort zonder hem,' zei Spencer, hem te hulp schietend. 'Hij maakt zich zo verdomd nuttig dat hij op de loonlijst zou moeten staan.'

'Ik hoop dat hij niet in de weg loopt,' zei Rosemary met gemaakte preutsheid. 'Janet vindt dat hij daar te veel tijd doorbrengt.'

Spencer stak zijn handen omhoog. 'Daar blijf ik buiten. Als hij andere dingen te doen heeft...'

'...zoals huiswerk maken,' vulde Rosemary aan.

'Ik wil niet...'

'Jawel!'

'Geef je over!' Als een tackelende voetballer deed Davey een uitval naar Rosemary's knieën, en ze kronkelde en schopte. Het was meer een stel jonge honden dan een tante en een neefje. Ellen speelde verder met met haar boerderij alsof er niets aan de hand was, maar Spencer, die niet aan dit soort geravot gewend was, keek een tikje nerveus toe. In plaats van een opschepper die zich uit beleefdheid moest inhouden, voelde hij zich als een vis op het droge.

Janet kwam terug met een blad en zette het op tafel. 'Wat is er aan de hand?'

Dave ging rechtop zitten. Rosemary zei met een sluwe blik op Spencer: 'Hij probeerde me te vermoorden, nietwaar?'

'Daar leek het wel op.'

'Nu,' Janet stak haar hand uit naar Ellen, 'de thee is klaar, dus hij kan het uitstellen tot straks.' Ze nam de baby mee om haar handjes te wassen, en de anderen gingen aan tafel zitten. Voordat hij zijn plaats innam, comfortabel met zijn rug tegen de muur, zag Spencer dat hij onder een ingelijste trouwfoto van de Ransoms kwam te zitten. Geen witte bruidsjapon, Janet droeg een soort gleufhoed met een veer, maar er stond een bruidsmeisje naast hen dat volgens hem Rosemary moest zijn.

Nu hij dichterbij kwam zag hij dat de zoetgeurende bloemen in de kan werkelijk op vlinders leken, omdat er fijne, spiralende hechtranken en op voelsprieten lijkende bladeren uit de stengels ontsproten.

'Zeg eens, hoe heten ze?'

Janet kwam terug in de kamer. 'Lathyrus.'

'Mooi zijn ze. En ze ruiken heerlijk.' Toen hij dat zei zag hij dat Rosemary van terzijde naar hem keek, en hij besloot het niet meer over de bloemen te hebben.

De thee was lekker en sterk. Sandwiches, cake... Janet had wat van zijn koekjes op een schaal gelegd, maar meer uit beleefdheid dan dat ze nodig waren om het feest op te luisteren. Het gesprek ging een voorspelbare kant op toen Janet informeerde naar Amerika, naar zijn ouders en de plaats waar hij vandaan kwam, en Rosemary naar het vliegen en naar filmsterren.

De baby at het middelste deel van haar boterhammen op en legde de korsten onder de rand van haar bord, waar Janet ze weghaalde, met de vriendelijke opmerking dat ze ze moest opeten als ze wilde dat haar haren gingen krullen. Davey zat geconcentreerd te eten. Hij keek en luisterde alsof hij bij een voorstelling zat.

Nadat de baby op de grond was gezet om te spelen, voelde Spencer zich veilig genoeg om te zeggen: 'Zijn jullie, dames, ooit naar de basis geweest, naar de dansavonden of de voorstellingen?'

'Nee,' zei Janet. 'Nog nooit.'

'Jawel, één keer, we hebben dat stuk gezien dat de RAF speelde toen ze er waren,' verbeterde Rosemary. Ze sprak het uit als 'raaff'. 'Het was vreselijk. De personages praatten voortdurend over zichzelf en het decor stortte in.'

'Echt waar?' Spencer kon het niet helpen dat hij een tikje leedvermaak voelde over deze ramp. 'Wat is er gebeurd?'

'De deur viel eruit,' verklaarde Janet. 'Maar ze hebben het heel goed opgelost.'

'Nee, niet waar, ze kregen de slappe lach en vergaten hun tekst.'

Janet legde uit dat het per slot van rekening een komedie was, en Rosemary herhaalde met een blik op Spencer: 'Het was vreselijk.'

'Heb jij het gezien, Davey?' vroeg Spencer.

Hij schudde zijn hoofd en verplaatste de cake naar de ander kant van zijn mond. 'Het was te volwassen.'

'Niet volwassen genoeg als je het mij vraagt,' vond Rosemary.

'We hadden gisteravond een uitvoering van de band,' zei Spencer, de conversatie afleidend van het familiedrijfzand. 'Misschien mag ik het niet zeggen, maar het was behoorlijk goed. Sommige jongens kunnen echt spelen, ze waren vóór de oorlog beroeps. Geen zangers, maar je kunt niet alles hebben. Als er weer een is willen jullie misschien wel komen, als mijn gasten?' Hij wees op de tafel. 'Dat is het minste dat ik tegenover jullie gastvrijheid kan stellen.'

'Dat is erg vriendelijk van je, je weet maar nooit,' zei Janet. Hetgeen betekende: bekijk het maar, vermoedde hij. Maar plotseling nam Davey voor het eerst onuitgenodigd het woord.

'Tante Rosie zingt.'

Spencer meende een afkeurende blik vanaf Janets plaats aan het eind van de tafel over de cakekruimels te zien flitsen, maar die was voor Davey bedoeld, niet voor hem, en dat soort tekenen kon je niet negeren.

'Echt waar? Wat voor liedjes zing je?'

Rosemary trok een gezicht. 'Psalmen, jammer genoeg.'

'Ze zit bij het kerkkoor,' zei Janet beslist. 'Onze vader had een mooie stem, maar Rosemary is de enige die hem heeft geërfd.'

'Heb je ambities in die richting?' vroeg hij.

'Daar heb ik nog niet over nagedacht.'

'O jawel,' zei Davey. 'Je moest haar kamer maar eens zien. De muren hangen vol foto's van zangers en bandleiders.'

Rosemary keek hem vernietigend aan. 'David,' zei Janet. 'Wil je de borden afruimen?'

'Je moet eens bij onze band komen zingen,' opperde Spencer.

'Zou dat kunnen?'

'Nee, Rosie, natuurlijk niet,' zei Janet met zo'n lachje waaronder een waarschuwing schuil ging. 'Je bent nog veel te jong.'

'Ik maakte maar een grapje,' zei hij. 'Hoe je het ook bekijkt, je zou te goed zijn voor hen.'

Het meisje zond hem een wantrouwende blik, voor het eerst onzeker, en er zich niet van bewust dat Spencer zelfs nog onzekerder was.

Toen hij vertrok kwamen de vrouwen naar buiten om hem uit te laten, Janet net als daarvoor met Ellen op haar heup. Ze leken duidelijk op elkaar, zoals dat met zussen vaak het geval is, maar waren totaal en onmiskenbaar anders. De een donker, wereldwijs, gereserveerd; de ander roodblond, uitdagend, haar grenzen verkennend. Zowel apart als samen de meest fascinerende vrouwen die hij ooit had ontmoet. Janet had wat lathyrus geplukt. Ze bood ze niet echt aan, maar zei: 'Ik weet niet of het raar staat om bloemen te geven, maar als u ze wilt hebben...'

'Heel graag, dank je.'

Hij nam het boeketje aan, en toen deed Rosemary een stap naar voren, haalde er een uit en stak die in zijn knoopsgat. Haar gezicht was vlak bij het zijne terwijl ze ermee in de weer was.

'Nu heb je een onderscheiding, luit'nant.'

Ondanks een lucht met de kleur van een blauw oog, die dreigde Jenny's hoofdpijn waar te maken, fietste Davey met hem mee terug naar de basis.

'Dat was leuk,' zei Spencer. 'Ik heb er echt van genoten kennis te maken met je familie.'

'Ze zijn geweldig, hè?' zei Davey.

Spencer glimlachte. 'Absoluut. Jullie zullen je vader wel missen.'

Hij voelde zich verplicht de onfortuinlijke, afwezige meneer Ransom te berde te brengen, die was afgesneden van het huis vol vrouwelijk schoon dat bij hem hoorde. En dus was hij verbaasd toen Davey nogal nuchter antwoordde: 'Ik niet.'

Spencer paste zijn toon aan. 'Hij is al lange tijd weg. Ik neem aan dat je eraan gewend raakt.'

'Het is prettiger zonder hem,' zei Davey. 'Ik had liever u gehad.' Er leek hem niets anders te doen dan te lachen, maar het was een hol geluid. 'Ik voel me gevleid!'

'Komt u nog een keer?'

'Als ik word uitgenodigd, zeker.'

Ze peddelden voort. Davey's wielen maakten twee keer zoveel knarsende omwentelingen dan die van Spencer, als een statig dansritme.

'Ze kan echt goed zingen, weet u, tante Rosie.'

'Dat geloof ik graag.'

'Ze zingt als iemand van de radio. Ze kan het echt heel hard. Mamma en ik vragen haar altijd om er een sok in te stoppen.'

Spencer moest lachen. 'Nou, dat is belangrijk. Het heeft weinig zin om te zingen als je niet wordt gehoord.' Vlug, voordat hij de kans kreeg zich te bedenken, vroeg hij: 'Hoe oud is ze?'

'Vijftien.'

'Juist, ja. Het moet leuk zijn zo'n jonge tante te hebben.'

'Jawel.'

Plotseling begon het te regenen, eerst een paar trage, kletterende druppels, en daarna een stortbui.

'Haast je,' zei Spencer. 'Sukkel!'

Toen hij in de barak droge kleren aantrok zei Frank zonder hem aan te kijken: 'En, hoe was je theemiddag met de dames?'

'O...' mompelde hij door de trui heen die hij over zijn hoofd trok, '...wel aardig.'

'Goed, goed,' zei Frank. 'Hou ze maar voor jezelf, het kan me heus niets schelen.'

En dat was wat hij deed.

De zondag daarop ging Spencer naar de ochtenddienst in de dorpskerk. Hij sloop naar binnen en bleef achterin staan, maar viel daardoor in feite niet minder op, want er waren maar weinig mensen in de kerk en die zaten allemaal op een kluitje in het midden. Niet vooraan natuurlijk, hij begon te begrijpen dat dat niet de Engelse gewoonte was.

Er waren ook maar weinig koorleden. Vier schichtig rondkijkende kleine jongens van Davey's leeftijd, drie oudere mannen en vier vrouwen, inclusief Rosemary. Ze droegen lange, blauwe gewaden die in ongeveer dezelfde maat waren gemaakt, zodat de jongens in de hunne verzopen. De langste man zag eruit alsof hij bij de kapper zat en de flinkste van de dames leek op een ingesnoerd pakketje. Hij vond dat Rosemary er in de hare uitzag als een engel. Of misschien een gevallen engel; ze had iets verrukkelijk, onmiskenbaar aards in haar jongemeisjesgezicht en figuur.

Ze zongen een psalm toen ze binnenkwamen, geen die hij kende, maar hij was dan ook in jaren niet naar de kerk geweest, behalve bij een enkele verplichte luchtmachtaangelegenheid. Eigenlijk gaf hij niet om de zang, zijn aandacht was elders, maar zij concentreerde zich, met haar ogen op het liedboek of recht vooruit, en leek hem niet te zien. Hij kon haar stem niet van de anderen onderscheiden toen ze bij het kruispunt van de gangpaden aankwamen en uit zijn richting wegliepen naar het altaar en de koorbanken.

De dienst was lang en saai, de priester had een stem als een schaap, en er klonk een hoop gemompel in een archaïsche taal dat Spencer langs zich heen liet gaan. Verder had hij er problemen mee de liturgie te volgen – het knielen en opstaan en het opzeggen van de gebeden, de willekeurige inkorting van sommige dingen en de eindeloze verlenging van andere. Hij zette mee in met het onzevader, maar bleef tijdens het credo zwijgend staan, omdat hij net genoeg eerbied voor de Almachtige had om niet glashard te liegen. Ze zongen – dat wil zeggen het koor, de congregatie hobbelde mee in hun kielzog – een paar middengedeelten die geen melodie hadden, maar alsmaar doorgingen. De organiste was een gebogen, oud dametje dat elk stuk langzaam inzette, en steeds langzamer ging spelen. Hoe langer het was, des te trager eindigde het. Al met al was het een weinig verheffende ervaring. Hij betrapte zich op de gedachte dat als dit Gods huis was, en Hij om te beginnen thuis was, Hij zich waarschijnlijk allang voor het einde uit de voeten had gemaakt.

Maar toen werd hun gezegd te gaan zitten terwijl het koor de hymne zong. Het koor ging staan en keerde zich enigszins naar het schip van de kerk. Het was een mooi, oud lied. Rosemary zong een paar regels solo. Hij was sprakeloos. Bevrijd van de beperkingen van de koorzang liet ze een stem horen van zo'n rijke, aardse kracht dat die de hele kerk vulde. Voor het eerst gebeurde er iets dat God waardig was, maar tjongejonge, bedacht Spencer, van ontzag vervuld, of het ook tot de mensen sprak! Haar stem had een pittig timbre dat het tegenovergestelde van spiritueel was. Hij wist nu precies wat Davey bedoelde toen hij zei dat zijn tante hard kon zingen. Het was een flinke, maar beheerste stem en het was duidelijk dat ze nog minstens eens zoveel volume in petto had. En toen ze zachter ging zingen – de woorden hadden iets met vrede van doen – gingen zijn nekharen overeind staan.

Toen was haar korte solo voorbij, en vielen de anderen weer in tot aan het einde van de lofzang en de priester zei: 'Laat ons bidden.' Hij kwam naar beneden en ging in het gangpad staan voor zijn aandeel, eindeloos voortzoemend over de koning, de oorlog en vergeving. Spencer moest een stukje opzij schuifelen om Rosemary te kunnen zien. Ze zat aan het eind van een rij en zag er eerst nogal devoot uit, met gevouwen handen en gesloten ogen. Maar na een paar minuten liet ze haar kin in haar hand rusten en waren haar blik en haar aandacht afgeleid. Eén moment gleed haar dromerige blik als een waas over hem heen, maar als ze hem had gezien liet ze dat niet blijken.

Ze zongen 'O, God, Our Help in Ages Past'. Dat kende hij, maar hij raakte in verlegenheid toen hij geen losgeld bij zich bleek te hebben toen de collecteschaal langskwam, en daarna stak de priester een preek af die deels propaganda, deels religieus scheen te zijn, over het haten van de zonde, niet de zondaar. Maar de preek zat zo vol met lange, diepzinnige pauzes en kwezelachtige wendingen dat Spencer zijn aandacht verloor en alleen nog maar naar Rosemary staarde.

Tijdens de laatste hymne trok het koor weer weg door het gangpad. Dit keer leed het geen twijfel dat ze hem zag. Hij zag het aan haar ogen en het verstrakken van haar mondhoeken; de glimlach die ze hem had geschonken als het had gekund. En hij ving ook het sexy aanzwellen van haar ongelooflijke stem tussen de andere stemmen op, als een ondergrondse rivier.

Na de zegen bleef hij echter niet wachten. Hij was de kerk al uit toen de priester naar buiten kwam om handen te schudden. Als spirituele ervaring had de dienst Spencer koud gelaten. Als aardse ervaring was het een openbaring geweest.

Diezelfde middag ging hij weer op de thee. Deze keer gingen ze, toen de tafel was afgeruimd, bij elkaar zitten en deden een kinderkaartspelletje dat Old Maid heette. Ellen zat op haar moeders schoot en koos een kaart uit Spencers hand toen het haar beurt was. Het was rustig, hij had het gevoel dat hij daar altijd al was geweest. Met trots herinnerde hij zich Davey's opmerking dat hij hem liever had gewild dan zijn eigen vader. De deur van het huisje stond open naar de zonnige straat en hij vatte dat als een teken van acceptatie op, dat hij welkom was en dat iedereen dat mocht weten.

Boven de kaarten zei hij tegen Rosemary: 'Ik heb je vanochtend in de kerk horen zingen.'

'Vanaf de basis?' vroeg Davey. 'Ik zei toch al dat ze hard kan zingen.'

Janet zei hem niet brutaal te zijn. Spencer negeerde hem. 'Ik was in de kerk.'
'Dat weet ik, ik heb je gezien.'
'Je hebt een ongelooflijke stem.'
'Dank je.'
'Daar moet je iets mee doen.' Hij was bang dat hij pretentieus overkwam, en voegde eraan toe: 'Niet dat mijn mening er iets toe doet.' Hij wendde zich tot Janet. 'Wat vind jij?'
'Het zou prachtig zijn als dat kon.'
Rosie legde nog een stel kaarten neer. 'Maar volgende week begin ik op de kousenfabriek, dus tenzij ik een langdurig verlof krijg zal ik niet beroemd worden.'

Toen het spelletje uit was vroeg hij of er klusjes waren die hij kon doen om zich nuttig te maken in ruil voor hun gastvrijheid. In de hoop nog eens te worden gevraagd.
'Ik weet het niet,' zei Janet. 'Maar ik weet zeker dat ik wel iets kan bedenken.'
'Hij zou het wandelwagentje kunnen repareren,' opperde Rosie.
'Zeker,' beaamde hij gretig. 'Ik ben opgegroeid met dat soort karweitjes. Tractoren, fietsen... Ik ben een kei met een vette lap.'
Janet glimlachte. 'En toch ben je piloot en geen werktuigbouwkundige.'
'Ik heb het verzwegen. Ik neem aan dat we allemaal iets opwindenders willen doen dan waarvoor we geknipt zijn.'
'Vertel mij wat,' zei Rosie gevoelvol.
Het huisje had een strookje tuin tussen de muur en de stoep dat zo dicht met groenten was beplant dat het wel een breiwerk leek. Omdat ze aan het eind van de rij woonden was er nog zo'n zelfde strook aan de zijkant, en daar hadden ze de lathyrus geplant, in een grillige, geurende piramidevorm. Aan de achterkant lag een kleine, afgerasterde tuin met wat kaal, borstelig gras, een loods met fietsen en wat gereedschap, een verzameling speelgoed van Ellen en de gammele grijze wandelwagen.
Het zag er erger uit dan het was; het stoeltje was losgeraakt en een van de assen was ontzet, zodat de schroef was afgeknapt. Davey hield hem gezelschap terwijl Ellen een bed voor haar pop met de warrige pruik opmaakte, en Janet door het keukenraam toekeek. Rosie was in de voorkamer gebleven met de radio aan. Spencer had zich in geen jaren zo gelukkig gevoeld.
Hij kon weinig aan de as doen omdat ze geen schroeven in huis hadden, maar hij zei dat hij de week daarop terug zou komen om het in orde te maken. Janet zei: 'Dat hoop ik.' Hij wist zeker dat ze be-

233

doelde dat ze hoopte dat hij terugkwam, niet alleen dat hij de wandelwagen zou maken.

Naast de adrenaline en de opgewektheid was er de schoonheid, de vergezichten die, zoals ze destijds dachten, geen ander ooit op dezelfde manier te zien zou krijgen. Ogenblikken, een fractie van een seconde slechts, dat je de ronding van de aarde kon zien, en de wolkenformaties die op verre heuvels leken te rusten, doorschoten met wit licht. En andere momenten als het leek alsof ze allemaal, vriend en tegenstander, bondgenoot en vijand, deel uitmaakten van hetzelfde luchtballet, langs elkaar kruisend als zwaluwen, schijnaanvallen, scheervluchten en suizende sprongen uitvoerend. De dood was daarbij niet het doelwit en het enige product, maar eerder een bijkomstigheid, gewoon de zoveelste dansbeweging.

En sinds Spencer de twee vrouwen had ontmoet was de dans veranderd. Het brandpunt was verschoven, het bewoog zich in een ander ritme. Er was een nieuw element in zijn leven gekomen. Hij moest denken aan een verhaal dat zijn moeder hem altijd vertelde. Het heette 'De sneeuwkoningin', en het ging over een jongen die een ijssplinter in zijn hart had gekregen, waardoor hij de wereld op een andere manier was gaan bekijken. Alleen was het in Spencers geval geen ijssplinter, maar de warme, zoete geur van een wilde bloem. Hij was behekst.

Op de donderdag na de kerkdienst voerden ze een manoeuvre bij daglicht uit, waarbij ze de bommenwerpers boven een munitiedepot even ten zuiden van Bremen escorteerden. Na een week van regen, wind en modder brak de ochtend aan met die stralende ongereptheid die typisch Engels was; het soort glinsterende volmaaktheid dat je alleen kreeg als het zomerweer gedurende langere perioden slecht was.

Er was geen tijd te verliezen. Laatste instructies, de uitrustingsruimte, jeep naar de startplaats. Het leken wel voorbereidingen voor een parochiepicknick. Het geleidelijk op de *Crazy Horse* afkoersen leek steeds meer op het ontdekken van de make-upgeheimen van een vrouw bij ongenaakbaar daglicht. Het vliegtuig was nog steeds mooi, maar van dichtbij zag je de zwarte brandstofstrepen, de korsten nieuwe verf en de metalige schaafplekken van de oude, het netwerk van fijne krassen op de plexiglas motorkap, de stigma's van gedeelde ervaring waardoor Spencer alleen maar meer van haar hield. Die gevoelige, roerende gedachtewisseling met de hoofdmecanicien, die zijn mooie schat overhandigde als een vader die zijn dochter weggaf aan een andere man. Hij had het allemaal gedaan, dit volmaakte ding geschapen, hij kende haar van haver tot gort, had met haar problemen geworsteld, haar wonden geheeld en nachten lang met haar opgezeten als het slecht ging, met veel moeite voor weinig beloning. En daar kwam die hanige, jonge knul uit het niets aanzetten, die haar alles kon laten doen wat hij wilde, en elke keer het beste uit haar haalde. Als vader en bruidegom hielden ze van hetzelfde meisje, maar tussen de mecanicien en de piloot bestond al een sterke band van wederzijds respect.

Meestal gaven ze de bommenwerpers twee uur voorsprong, en onder deze volmaakte omstandigheden zelfs meer, zodat ze de P-51's de ruimte konden geven om boven Zuidoost-Engeland en het Kanaal weg te snellen om net voor de Nederlandse kust hun *Big Friends* in te halen. Als ze eenmaal bij de bolwerken waren moesten ze zich intomen en een rustige, zigzaggende beweging maken, op dezelfde manier als op de startbaan voordat ze opstegen, om ervoor te zorgen dat ze hun snelheid op een niveau hielden waarop ze contact konden houden. Het was net als met Rosie, bedacht hij, met haar stem; de zoete, hete kracht van de Mustang was zo groot dat je je er de halve tijd niet van kon losmaken. Het was een kwestie van zweven, heen en weer vliegen, uitkijken, stabiel blijven. En dan was er telkens weer de gelegenheid om haar te laten doen wat ze kon, en telkens was het een ander luchtruim. Toen ze zich voor het eerst bij de bommenwerpers voegden leken ze met hun zware, dreunende romp en bruingeverfde vleugels op grote, harige motten die onhandig voortfladderden, terwijl om hen heen de luxe gevechtsvliegtuigjes als zweefvliegen rondsnorden, klaar om bij het eerste teken van moeilijkheden toe te schieten en te steken.

Vandaag vormde Spencer een risico. Hij wist het wel min of meer, maar dat maakte niet uit, want hij voelde zich zo geweldig dat hij dacht onoverwinnelijk te zijn, en dat was de moeilijkheid. Menigmaal had hij Si Santucci vervloekt omdat hij er in zijn arrogantie alleen op uit trok met de *Fast 'n' Loose* voor zijn eigen kleine zoek- en vernietigingsacties in plaats van zich bij zijn taak van verkenner voor de bommenwerpers te houden; maar als Santucci's probleem was dat hij op te veel zaken geconcentreerd was, was het vandaag Spencers probleem dat hij dat te weinig was.

Heen en weer zwenkend door de ijle, blauwe zonneschijn leek het op dat stadium van een avondje uit, na een paar drankjes, als je net had ontdekt dat je de geestigste, knapste, meest sexy knaap van de hele stad was, terwijl je in werkelijkheid bezig was gezellig dronken te worden. Elke kiesschijf, knop, schakelaar en draad in de krappe cockpit van de *Crazy Horse* was hem even vertrouwd als zijn spiegelbeeld elke ochtend in de scheerspiegel. Hij wist wat hem te doen stond. Zijn hoofd bevatte meer informatie dan hij voor de oorlog voor mogelijk had gehouden, en het paste die kennis onophoudelijk, automatisch, aan de omstandigheden aan, bracht de juiste feiten naar boven, overzag de opties, zoomde in op de beste, hield zijn oren open voor Frank Steyner, en hield als een kat met zijn snorharen de bewegingen van de rest van de *Blue Flight* en hun charges in de gaten. Soms kon hij nauwelijks geloven dat – wauw! hij het was! Spencer McColl uit Moose Draw, Wyoming – die hierboven aan het roer van dit zwaarbeproefde stuk metaal en machinerie zat.

Maar dat was toen, en Spencer was nog erg jong. Op die dag had hij het allemaal kunnen vergooien, zijn leven en dat van anderen, vanwege een onbestorven weduwe en haar jonge zus in een armoedig huisje in Engeland.

Vandaag was het enige wolkje aan de lucht een plukje vederwolken, dat als sneeuwige veren in de blauwe verte zweefde. De bommenwerpers en hun escorte vormden een fantastisch, ingewikkeld luchtkasteel van staal, lucht en geluid, dat massaal boven de Franse kust dreef. Je zag nog net de branding als een kloppende zilveren ader tussen de zee en het zand bewegen.

En toen zagen ze in de verte de eerste witte bogen van luchtafweergeschut, keurig gestippeld met granaten. Terwijl ze dichterbij kwamen zaten ze tussen het geknal van exploderende granaten, die als grote, zwarte bloemen openbloeiden en hun dodelijk scherpe zaad lieten vallen, om vervolgens te verleppen en donkere ranken in de lucht achter te laten, als bloedsporen in het water. Een glimmende splinter raakte een van de bommenwerpers, en nog een. Daarna klonk ratelend, onderbroken vuur van lichtspoorkogels. Ten slotte gebrabbel van stemmen in zijn oor, scherp en gespannen.

Toen de ME's kwamen vormden ze een gemakkelijk doelwit, lomp en traag als ze waren vergeleken bij de P-51's, maar enorm, zoals ze dicht aaneengesloten als stieren op de Mustangs afkoersten. Een passeerde er zo rakelings dat Spencer de twee mannen in de cockpit kon zien. Hij maakte een halve rolbeweging, om op de rij van drie onder hem te duiken, en terwijl hij dat deed kreeg het toestel dat hij net was gepasseerd een lading kogels van Santucci in zijn vleugel. Hij zag de vele ruitjes van de stuurhutkap van de ME gematteerd worden en de kogelgaten als zwarte spinnen contrasteren tegen het web van wit craquelé.

Al die tijd vlogen de bommenwerpers door naar hun doel, onverstoorbaar, vol vertrouwen afrondend op de Hades van het spervuur, terwijl de piloot van de toestellen alleen maar als chauffeur fungeerde en de bombardier zijn werk deed. Weer zo'n actie op goed geluk. Ze moesten door de vuurlinie heen. De *Crazy Horse* en de andere *Little Friends* werden achtergelaten met de schermutselingen met de ME's, als kinderen die in de achtertuin spelen terwijl het de volwassenen ernst wordt.

Die dag leek het Spencer een spelletje. Hij raakte niets, en werd ook niet geraakt. Het leek wel of hij onzichtbaar was, of de kist van flexibel materiaal was gemaakt in plaats van van metaal. Op weg naar huis zaten de ME's hen op de hielen en raakten een van de bastions, de aanvoerder van de Purple Heartformatie, voluit. Bloed ruikend bestookten ze het met kogels en maakten dat ze wegkwamen. Eenmaal gewond maakte het grote toestel geen kans meer. Het stortte met de langzame, tragische onontkoombaarheid van een stier in de arena neer, slagzij makend, omlaag glijdend, in het rond tollend met een geweldige, hartbrekende waardigheid. De bemanning sprong met parachutes het vliegtuig uit. De mannen vielen eerst pijlsnel omlaag en daalden daarna onder hun valscherm als de peulen van een goudenregenboom het grijsgroene Kanaal in. Toen de bommenwerper in zee terechtkwam, leek het water onder zijn gewicht te bezwijken. Het rees en kolkte om hem heen, en wierp hem een ogenblik weer omhoog, als een kind dat op een veren bed op en neer danst, alvorens hem ten slotte te verzwelgen.

De terugweg verliep prima. Engeland lag te dromen, knus in de middagzon. Karwei geklaard, geen verliezen bij de gevechtsgroep. Church Norton lag te bakken in de hitte, en verroerde zich nauwelijks toen de P-51's terugkeerden en hun triomf uitschreeuwden. Ajax slaagde er vanaf zijn plekje in het korte gras bij de hangar net in zijn kop op te tillen, hijgend en met spleetogen, en kloppende zijden. Mo was vol afgunstige bewondering.

'Gefeliciteerd, ze heeft geen schrammetje. Wat is er met jou aan de hand, wil je dat ik mijn baan kwijtraak?'

Pas de dag daarop aan het ontbijt dacht Spencer aan de piloot van de bommenwerper, die door de centrifugale kracht aan zijn stoel gekluisterd zat, zo dood als een pier.

Voor Spencer echter betekende die zomer het leven zelf. Hij bezocht het huisje wanneer hij maar kon en leefde naar die bezoekjes toe. Het kleine interieur nam zijn gedachten volledig in beslag; het was in zijn ogen groter en echter dan wat ook – de basis, zijn vrienden, zijn eigen huis, de oorlog zelf – en hij droomde van Rosie.

Hij kon zich niet herinneren ooit zo naar iets te hebben verlangd als naar haar. De verwarrende combinatie van jeugd en wijsheid, van naïeve eenvoud en gewiekst raffinement, was een mengsel dat hem naar het hoofd steeg, en in zijn lendenen trok. Hij had weinig of geen ervaring met de zoete giftigheid van meisjes in hun tienerjaren, aangezien hij rechtstreeks van angstige onwetendheid naar de oudere, allesomvattende Trudel was overgegaan. Het leek of hij in een carroussel zat en eindeloos in de rondte draaide en op en neer ging, waarbij het uitzicht elke seconde veranderde. Doordat het huisje zo klein was, was hij altijd dicht bij haar. Janet had het vermogen de lucht rondom haar af te sluiten: ze kon de kleine voorkamer in komen zonder dat de ruimte werd verstoord. Als Rosie er was, vulde ze de ruimte zo dat Spencer nauwelijks lucht kreeg. Het ene moment lag ze op de vloer met haar neefje te rollebollen, gillend en lachend, zonder erom te malen dat haar ondergoed te zien was, en het volgende ogenblik lag ze als een arrogante jonge leeuwin op de bank, met haar arm op de welving van haar heup rustend en haar vingers trommelend op de muziek, haar rode haar voor haar gezicht hangend terwijl ze volledig in een filmtijdschrift verdiept was.

Soms lag ze op een kleedje in de achtertuin met haar rok opgetrokken te zonnebaden, en hij moest zijn blik afwenden van haar bleke, mollige dijen en de sproeten die als een spoor tussen de knopen van haar katoenen blouse omlaag liepen. Tien minuten daarna lag ze op haar buik met haar vuile voetzolen in de lucht te zwaaien, terwijl ze met een grashalm tussen haar duimen olifantengeluiden maakte voor Ellen.

Ze was een gevaarlijke flirt, met haar 'luit'nant', en haar sardonisch spelletje waarbij ze deed alsof Janet en hij een soort samenzwering tegen haar hadden opgezet. Als ze hem al eens iets over zijn werk vroeg deed ze dat met een wat uitdagende houding die hem zei dat hij zich op eigen risico uitsloofde. Het was niet verbazingwekkend dat ze geen vriendje had; hij bedacht dat jongens van haar leeftijd als de dood voor haar moesten zijn. En toch vervulde het idee dat de een of andere zweterige, oudere opzichter of bedrijfsleider in de kousenfabriek haar zou aanraken Spencer met afschuw. Ze was al zo gewiekst, zo sensueel, zo speels en grappig en dierlijk, dat hij zich moest bedwingen om haar hand aan te raken; het enige dat hij ooit had aangeraakt. De gedachte aan een kus, laat staan meer, deed hem duizelen.

Maar het was natuurlijk uitgesloten. Haar jeugd, zijn vriendschap met Davey en zijn speciale plaats in het gezin maakten dat ze volkomen buiten zijn bereik viel. En haar eigen status was onduidelijk. Vanwege het leeftijdsverschil tussen de zusters behandelde Janet haar soms als haar gelijke, en soms ook niet, hoewel ze altijd gematigd was. In de tijd dat hij sloten en planken repareerde, de tuin opknapte, de loods van een deur voorzag en de fietsen schoonmaakte, kreeg hij diep ontzag voor Janet. Ze leek een beetje op zijn moeder: ze hield het gezin bij elkaar, maar leek zich nooit overmatig in te spannen. Hij vertelde haar, in wat elegantere termen, over die gelijkenis op een avond dat Davey en Ellen al in bed lagen en Rosie naar koorrepetitie was. Ze gaf toe gevleid te zijn.

'Is je moeder Engelse van oorsprong? Uit welke streek is ze afkomstig?'

'Uit de buurt van Oxford. Ze wil dat ik erheen ga, om te kijken of het huis er nog staat.'

'Dat moet je zeker doen, het zou veel voor haar betekenen. Het is bovendien ook een deel van jouw verleden. Je zou het betreuren als...' Ze stond op het punt iets te zeggen, maar veranderde van gedachten. 'Het zou jammer zijn als je die kans miste.'

Hij wist precies wat ze had willen zeggen, en was blij dat ze het niet had gedaan.

En dan was er de lange schaduw van meneer Ransom, oftewel sergeant Eddie Ransom van de REME, de Royal Electrical and Mechanical Engineers, zoals Spencer inmiddels wist, die over zijn vriendschap met het gezin viel, en als een zwarte, vermanende vinger over zijn hartstocht voor Rosie. Tot er op een dag in het begin van september iets gebeurde dat alles veranderde.

De herfst was in aantocht. De Amerikanen in Church Norton, al chagrijnig bij het vooruitzicht nog een kerst ver van huis te moeten doorbrengen, werden tot het uiterste op de proef gesteld. Behalve verliezen in de lucht hadden er ook twee dodelijke ongelukken op de basis plaatsgevonden, waarbij de piloten in beide gevallen tijdens de start waren gecrasht. Een grote, oude taxusboom, waarvan de sombere zwarte takken eeuwenlang boven het kerkhof hadden gehangen werd door het tweede ongeluk geveld. Zijn geweldige stam had grafstenen verpletterd, en de stompe kerktoren zag er daarna kaal en kwetsbaar uit.

De *Blue Flight* verloor Eammon Ford, en het mysterie van zijn kleine zwarte boekje werd onthuld. Het zou geheim zijn gebleven als Si niet als eerste van de *Blue Flight* ter plaatse was geweest toen het kastje van Ford werd geopend en had aangeboden zijn persoonlijke spullen te verzenden. Hij bazuinde de inhoud wijselijk niet rond, maar Spencer betrapte hem die avond in de barak op het lezen van het boekje, waarbij hij de bladzijden omsloeg alsof hij niet kon geloven wat hij zag.

'Zou je dat wel doen?'

'De knul is dood, Spence, wat maakt het nog uit?'

Frank keek op en zei vriendelijk: 'Daar gaat het niet om. Hij wilde niet dat iemand het las. Stuur het spul nou maar gewoon naar waar het thuishoort.'

Si trok zijn ene wenkbrauw op en gaf ze een brede grijns. 'Willen jullie niet weten wat hierin staat?'

Frank schudde zijn hoofd, maar Si vatte Spencers zwijgen als 'ja' op en las voor uit de eerste bladzijde.

'"Een gebedenboek voor mijn kinderen, Molly en..." Hij heeft hier een open plek gelaten. Het eerste luidt: "Lieve Heer, leer me U in alles te zien, zelfs in de dingen die ik niet prettig vind. Laat me altijd trachten het standpunt van de ander te zien. Leer me het kwaad te verafschuwen, maar niet de daders. Laat me zien hoe ik anderen, en mezelf, kan vergeven. Laat me nooit zelfvoldaan zijn..." Wat een vent – hé, wat doe je?'

Frank was komen aanlopen en had hem het boekje uit zijn hand getrokken. 'Genoeg. Het is privé.' Zijn stem klonk bedroefd en spijtig, alsof hijzelf een vader was die tot een kind sprak dat hem had teleurgesteld. Hij deed het boekje dicht en hield het omhoog, als rechtsdienaar in de rechtszaal. 'Stuur jij die spullen naar zijn huis, of moet ik het doen?'

'Hou je kalm, Frank, ik doe het wel. Ik doe het!'

Spencer bedacht dat naar het weinige te oordelen dat hij had gehoord, Eammon de zaken beter doorhad dan de geestelijke van Church Norton. Twee weken later kwam er een brief voor Eammon met de aankondiging van de geboorte van zijn zoon, Amos John, die zeveneneenhalf pond woog en het evenbeeld van zijn vader was.

Het regende toen Spencer een paar dagen daarna naar de Craft Cottages fietste. De weg naar de luchthaven was glibberig door de modder, en er groeiden bramen in de heg. Het was avond. Door de bewolking en de langer wordende nachten was het donker toen hij aankwam. Janet deed open met haar vinger tegen haar lippen.

'De kinderen slapen.'

'Is Rosie thuis?'

'Nee, ze is naar de film en blijft bij haar vriendin slapen.'

Ze droeg een donkerblauwe jurk die tot de hals was dichtgeknoopt, geen chique japon, maar een beetje gekleed, alsof ze ergens heen moest. Hij had een fles whisky meegebracht, maar door de jurk werd hij verlegen. Rosies afwezigheid op deze donkere avond veroorzaakte een leegte die hij niet wist te vullen.

'Ik heb iets meegebracht.'

'Dankjewel, dat is aardig.' Ze pakte de fles aan. 'Wil je een glaasje?'

'Alleen als jij meedoet.'

'O, jawel.'

Hij ging in de houten leunstoel tegenover de bank zitten, maar toen ze terugkwam met de drankjes ging ze niet zitten. Ze nam een paar slokken, alvorens te zeggen: 'We hebben vandaag belangrijk nieuws gekregen.'

'Ja? Toch geen slecht nieuws hoop ik?'

'Mijn man is overleden.'

240

Geschokt zette Spencer zijn glas neer en stond op. 'Hemel, Janet, wat ellendig. Wat is er gebeurd?'

Ze hield haar glas nog steeds in beide handen voor zich uit. 'Hij heeft kou gevat en bronchitis gekregen. Die is uitgelopen op longontsteking. Hij had altijd al een zwakke borst, en onder de omstandigheden... Hij was ook niet een van de jongsten. Arme Edward.' Haar stem klonk zacht en droevig, maar beheerst. Hij was blij dat ze niet op het punt leek in tranen uit te barsten.

'Wil je dat ik wegga?'

'Nee. Het is fijn dat je er bent, Spencer.'

'Weten de kinderen het? En Rosie?'

'Ja.' Rosie, bedacht hij, was naar de film gegaan. Janets glas was leeg. 'Wil je er nog een?'

Ze glimlachte kort. 'Graag. De fles staat in de keuken.'

Hij ging naar de keuken en schonk haar een flinke bel in. Toen hij terugkwam stond ze daar nog steeds, geconcentreerd, met gebogen hoofd, en ontknoopte sierlijk met haar lange, bleke vingers de voorkant van haar jurk.

Spencer hield zijn adem in. Hij kon zich niet bewegen, stond aan de grond genageld. Toen alle knoopjes los waren keek ze naar hem op. Haar gezicht stond kalm, maar haar ogen smekend.

'Spencer?' Ze stak haar hand uit, haar rechterhand naar zijn linker, net als ze met Ellen deed. Langzaam zette hij zijn glas neer, en legde zijn hand in de hare. Ze trok hem naar zich toe en duwde zijn hand in haar opengeknoopte jurk, terwijl ze keek op een manier die hem deed smelten. Hij voelde een koele, gladde huid en harde tepels.

'Alsjeblieft...' fluisterde ze. Ze deed haar ogen dicht terwijl haar lippen zich openden en verzachtten. 'O, alsjeblieft...'

10

Kunt gij het paard sterkte geven?
Zijn nek met manen bekleden?
Zijn trots gesnuif is een verschrikking.
Het doorwoelt met vreugde het dal,
Met kracht trekt het den strijd tegemoet

Het Boek Job

Harry 1854

Eerst waren het paarden die in zee werden gegooid, nu waren het mannen. De cholera achtervolgde hen tijdens het troepentransport naar Varna en reisde met hen mee toen ze naar het zuiden voeren om zich bij de vloot in Balchik Bay te voegen. Zelfs als ze de besmetting niet bij zich hadden gehad zou die weldra hebben toegeslagen, want de transportschepen waren zo tjokvol dat het op de meeste niet eens mogelijk was te gaan zitten of je om te draaien. Dertienhonderd man werden op een oud oorlogsschip gepakt waar behalve het weghalen van de kanonnen geen voorzieningen waren getroffen voor een dergelijke massa. Ruimtegebrek gebood dat alles, behalve de manschappen, gemist kon worden. Stapels kleding, tenten, wapens en uitrusting werden achtergelaten. Meer dan vijfduizend paarden – de rijdieren voor de officieren en de pakpaarden die met zoveel pijn en moeite in Scutari en Varna waren verzameld – werden in een haastig opgetrokken legerdepot bijeengedreven en overgelaten aan wat volgens Harry een zekere hongerdood zou zijn, of een sneller, maar nog pijnlijker einde in handen van de Turken. Hij was bijna blij dat Piper was ontsnapt. Het was beter het beeld van hem te bewaren van toen hij galoppeerde tot zijn hart het zou begeven van de hitte, dan wegrottend in wat in alle opzichten een gevangenis was.

Emmeline Roebridge werd op de een of andere manier aan boord gesmokkeld, onopgemerkt in de algemene chaos en verwarring, en tegen de uitdrukkelijke wens van divisiecommandant Lord Lucan in. Maar er waren geen plannen gemaakt om de honderden soldatenvrouwen te huisvesten die niet verder met het leger mee mochten naar de Krim. De onfortuinlijke vrouwen vormden een hysterische menigte op de kade. Uiteindelijk zat er niets anders op dan ook hen aan boord van de reeds overbevolkte transportschepen te laden, ten koste van nog meer voorraden.

Aan de overkant brachten de wankele, geïmproviseerde lichters de vrouwen en de paarden aan boord, terwijl op de kade de slordige hopen uitrusting groeiden die zonder vorm van proces werden gelost, zelfs inclusief medicijnkisten en ambulancewagens, tot groot vermaak van de plaatselijke bevolking. Nog geen twintig meter van de hut waar minstens één collega-officier lag te sterven achter een in elkaar geflanst scherm, lieten Fyefield en de anderen de champagnekurken knallen en flirtten met Emmeline. Ze prezen zich gelukkig dat ze haar aan boord hadden gekregen. Harry, die niet preuts wilde lijken, maar niet in de feestvreugde kon delen, ging naar het dek. In het schuimige water om het schip heen waren deinende lichamen te zien, die uren daarvoor overboord waren gezet en nu, al rottend, terug naar de oppervlakte dreven met hun geelgroene gezichten opgezwollen door bederf, als karikatuur van een robuuste gezondheid.

Het inschepen leek eindeloos te duren, met meer verwarring en lawaai dan Harry zich ooit had kunnen voorstellen. Door de rokerige lucht klonk tromgeroffel en het schrille gesnerp van elkaar beconcurrerende militaire kapellen, die waren opgericht om de fut erin te houden, maar een complete kakafonie veroorzaakten. De paarden, ondervoed, oververmoeid en opgehitst door het kabaal, waren kribbig en moeilijk te hanteren. Hoewel hun nervositeit heel begrijpelijk was, vormden ze voor de zeelieden gewoon de zoveelste omvangrijke vracht die moest worden geladen, en daarbij ook nog een ongemakkelijke en koppige. De mannen hadden geen ervaring met paarden, en nauwelijks enige consideratie met hun gevoelens. Oren, staarten, zelfs zwaaiende ledematen werden zonder pardon beetgepakt, soms door meer dan één potige, vloekende zeeman tegelijk, en er werden lukraak klappen uitgedeeld. Betts werd razend door dat gedrag. Ondanks zijn watervrees begaf hij zich naar beneden, tussen de zeelieden, om ze de les te lezen, maar ze waren veruit in de meerderheid.

Misschien vanwege Pipers verdwijning werd Harry niet gedwongen Clemmie achter te laten, maar toen hij naar haar toe ging in het ruim trok er een steek van pijn door zijn hart toen hij zag dat haar benen naar buiten stonden en ze haar hoofd liet hangen alsof ze nog steeds in de transportsingel hing, in een houding waaruit geen vertrouwen meer sprak, maar gelaten, wanhopige uitputting. Misschien verbeeldde hij het zich, maar ondanks Betts' herhaalde opmerking 'We zullen goed voor haar zorgen, meneer!' voelde Harry, toen hij zijn hand op de merrie legde, niet meer dat ze er troost uit putte; ze scheen het eerder te beschouwen als een ophanden zijnd verraad. Toch had Clemmie geluk gehad dat ze bij de eerste groep paarden was die aan boord werden gebracht, want kort daarna kwam er deining opzetten die de wankele lichters op en neer deed zwalken, de dieren in paniek bracht en vele ervan, met de mannen die ze aan de teugel hielden, in het water deed belanden. Hun geschreeuw en gespartel was erbarmelijk om aan te zien, terwijl de dood, op de golven, onbeweeglijk toekeek.

Toen ze de haven uit voeren werd de officier, die de afgelopen uren had doorgebracht met het luisteren naar de klinkende glazen en Emmelines tinkelende lach, in een paardendeken gewikkeld en overboord gezet.

Dat alles leek Harry zo ver verwijderd van zijn lang gekoesterde ideaal van een heroïsche oorlogvoering, dat zelfs als hij in staat was geweest alles naar waarheid in een brief te beschrijven hij die niet had kunnen versturen, en ook niet had verwacht dat ze thuis zouden geloven wat hij schreef. Behalve misschien Rachel, wier gezicht hem helderder voor de geest stond naarmate het verderweg was.

De korte zeereis naar het zuiden verliep bijna dodelijk rustig. Zelfs de meest oplettende, fantasierijke infanterist moest wel constateren dat er geen spoor van leven te bekennen viel – geen vogel, geen vis, en nauwelijks een wolk die niet door hun eigen rook werd veroorzaakt. Het leek alsof de aanwezigheid van de dood tijdens de reis een territorium om hen heen creëerde waar geen enkel levend wezen zich binnen waagde.

In Balchik Bay was het al weinig beter. De majestueuze pracht van de bergen omgaf een tafereel dat even hartverscheurend was als dat wat ze pas hadden verlaten. Ook hier had de cholera de vloot uitgedund. Lijken dobberden als kurken tussen de schepen door. 's Avonds, als de vaartuigen voor anker lagen te wachten op de aankomst van alle troepenschepen, raakten de oren van de mensen- en dierenmassa beneden gewend aan het zachte geplons van de doden die de diepte in werden geworpen.

Zelfs als ze verder voeren, met de hoge masten, de schoorsteenpijpen en de geweldige stoomwolken die het geheel meer op een stel fabrieken deed lijken dan op een flottielje schepen, was het nog steeds niet de Krim, maar weer naar het noorden voor een ontmoeting met de Fransen aan de Donaumond.

Eindelijk, op de middag van de 11e september, zette de gecombineerde vloot koers naar het oosten over de Zwarte Zee, nadat hun aanvoerders ten slotte hadden besloten dat ze bij Eupatoria aan land zouden gaan, bij een plaats die Calamita Bay heette.

Harry las eerst de brieven van zijn ouders, en legde die van Rachel opzij om voor het laatst te bewaren. Zijn moeder had de brieven geschreven, hoewel zijn vader zijn naam er ook, wat beverig, onder had gezet. Maria's stijl was typerend voor haar, vol echte emotie die ze op natuurlijke wijze uitte, maar kortaf en onsamenhangend, grillig van de hak op de tak springend, met halve zinnen die door een pennenstreek waren verbonden, of gewoon in elkaar overliepen. Harry werd op pijnlijke wijze herinnerd aan de laatste brief die hij van Hugo had ontvangen, toen op huwelijksreis in Italië, hoe het handschrift zijn opgetogenheid even sterk had overgebracht als de inhoud.

Ze maakte het goed, schreef Maria, en zijn vader deed zijn best meer te eten. Maar hij werd niet sterker, ondanks de uiterste inspanningen van iedereen om hem heen. Ze had geprobeerd hem op te vrolijken door een paar amusante feestjes te geven met muziek en zang en een paar gezelschapsspelletjes: 'het grappigste dat je je kunt voorstellen als iemand een dagelijkse activiteit moet uitbeelden "in de stijl van het woord" – ik moest "gepassioneerd" croquet spelen! En dan mevrouw Carmichael, die op dezelfde manier moest "fietsen" – ik vrees dat ze ook onbedoeld komisch was, ik moest bijna huilen van het lachen!'

Bij de beschrijving van die bijeenkomst kon Harry, hoewel hij wist dat zijn moeder het goed bedoelde, alleen maar medelijden hebben met zijn vader, die er waarschijnlijk verbijsterd en van streek bij had gezeten terwijl de vrolijkheid toenam. Maar Maria vervolgde met te vermelden dat Rachel ook present was geweest 'en een wonder was, verrassend vol grapjes, maar gezien haar toestand niet geneigd net als de anderen rond te dartelen, dus ging ze bij je vader zitten en kreeg hem werkelijk even los uit zijn geslotenheid, maakte hem zelfs af en toe aan het lachen, maar of het door onze capriolen kwam of door haar, wie zal het weten?' Harry zag dat tafereeltje ook voor zich, en het ontlokte hem een glimlach. Maria zei dat ze ook te weten was gekomen, van mevrouw Carmichael, dat het mogelijk was brieven te verzenden via de koerier van de Horse Guards. Ze was van plan dat zo mogelijk te regelen, omdat ze weinig of geen vertrouwen in de posterijen in oorlogstijd had. Die manier leek resultaat te hebben, want haar tweede brief, die zes weken na de eerste was gedateerd, was kennelijk drie weken eerder aangekomen.

Er sprak bezorgdheid uit.

'Ik kan niet verhullen,' schreef ze, 'dat er geen enkele verbetering is, dus als je bedenkt dat hij nu al vele maanden zo is, wat kan ik dan anders zeggen dan dat hij er slecht aan toe is? Het is niet mogelijk voor een man die zoals je weet zo sterk en vitaal was, eeuwig zo door te gaan, het is zo *geen leven'* – ze had die woorden dik onderstreept – 'en als het een paard of een hond was zou ik hem uit zijn lijden verlossen. En dat zou jij ook doen, Harry, uit louter goedheid en liefde. Ik kan het niet aanzien, en ik weet niet wat ik moet doen. De dokter is aardig maar nutteloos; dat kan hij ook niet helpen...' Hier volgde een kleurrijke litanie van de vele tekortkomingen van de arts die eindigde met: 'De moeilijkheid is dat hij en ik allebei weten dat er niets aan te doen is, maar dat zegt hij niet uit beroepstrots, en ik zeg het niet omdat ik het niet *wil*, omdat ik het niet kan *verdragen* dat...'

Bij dat alles kreeg Harry tranen in zijn ogen. Hij realiseerde zich dat hij, dagelijks omringd door de afschuwelijke gevolgen van grove nalatigheid en gebrek aan organisatie van de leiding, omringd door ziekte en gebrek op een schaal die hij zich een halfjaar daarvoor niet had kunnen voorstellen, aan de gruwelen gewend begon te raken. Maar de gedachte aan zijn vader die thuis in Engeland langzaam opbrandde ondanks alle zorg en aandacht, hoe 'nutteloos' ook, maakte hem ziek van verdriet.

Hij las Rachels brief het laatst. De toon verschilde, zoals hij al verwacht had, hemelsbreed van die van zijn moeder: afgewogen, bedachtzaam en, hij was er zeker van dat hij het zich niet verbeeldde, vol werkelijke belangstelling, niet alleen voor zijn welzijn, maar ook voor zijn gedachten en gevoelens, zowel wat de oorlog als zijn vader betrof.

Je moeder heeft je ongetwijfeld verteld dat je vader erg ziek is, en natuurlijk is ze boos en wanhopig. Zij is iemand die iets wil doen, en er kan niets worden gedaan. Ik geloof dat hij veel filosofischer is ingesteld dan zij, en het is prachtig om te zien hoe hij zijn best doet om opgewekt te zijn, om haar een plezier te doen, zodat ze niet te geïrriteerd raakt. Ze zijn zo verschillend, en toch is hun huwelijk volmaakt, iets waarvan de meeste mensen alleen maar dromen, maar dat Hugo en ik ook hadden kunnen hebben. Beste Harry, ik denk dikwijls aan de gelukkige, liefdevolle jeugd die Hugo en jij hebben genoten, en dat moet deels de reden voor zijn eigen gave om te leven zijn geweest. Ik hoop dat je het niet aanmatigend vindt dat ik zo over de familie schrijf die jij kent en liefhebt, en waarvan je momenteel bent gescheiden. Ik doe het alleen om mijn eigen gevoelens voor hen uit te drukken, en hen wellicht een klein beetje dichter bij jou te brengen.

Ik vraag me af of je moeder de leuke soirées heeft beschreven die ze heeft gehouden om je vader wat afleiding te bezorgen; er waren allerlei mensen uit de omgeving opgetrommeld en ze deden dapper alles wat er van ze werd gevraagd. Niet dat ze veel keus hadden. Maria is zoals je weet geen vrouw om mee te spotten, zelfs niet als het om gezelschapsspelletjes gaat! Ik denk dat die avondjes ook bedoeld waren om haar afleiding te bezorgen, wat ze volkomen verdient, maar haar lachend en onbezorgd te zien maakte dat Percy glimlachte. Hij en ik zaten bij elkaar en wisselden een paar valse – ik mag wel zeggen geestige – opmerkingen uit over de andere gasten en het hele gebeuren.

En nu, beste Harry, vraag ik me af hoe jij het maakt! Ik lees de verslagen in de kranten, maar ze beschrijven alleen de manoeuvres van schepen en manschappen, en niet wat je ziet, de geluiden die je hoort, de geuren, de ervaringen, de opwinding en ontberingen. Zelfs de gruwelen, als die er al zijn. Als je weer schrijft, probeer me dan eens iets over dat alles te vertellen, want ik wil proberen in de geest bij je te zijn. Dat is denk ik waarvoor brieven zijn bedoeld, vind je niet? Niet alleen voor de opsomming van gebeurtenissen, hoewel ik die ook graag wil horen, maar voor gedachten en indrukken, zodat het meer is dan een conversatie, niet alleen zien wat de ander ziet, maar ook hoe hij het ziet.

Maar natuurlijk zeur ik als een kind om dingen die je waarschijnlijk niet kunt geven. Begrijp dat ik alleen vraag om wat jou verlichting kan brengen, je goed kan doen, of alleen afleiding bezorgen door het te schrijven, als je er ten minste tijd voor hebt. En natuurlijk pas als je je vader en moeder hebt geschreven, die zoveel meer recht hebben op je brieven. Niets is te onbeduidend of te erg om het me te vertellen; ik zal niet geschokt zijn, ik verlang het allemaal te weten. Er is iets dat ik wil vragen: hoe gaat het met Piper?

Ik ben volkomen geduldig en kalm zoals het een vrouw in mijn toestand betaamt. Ik hoop dat je goed op jezelf past, in zoverre de bevelen en je eigen dapperheid dat toelaten.
Je altijd liefhebbende schoonzuster,
Rachel

Harry las de brieven de eerste avond van hun oversteek, maar de troost die hij vooral uit Rachels brief putte was van korte duur. De avond daarop werd hij ziek, met braken, diarree en koorts. De sanitaire voorzieningen aan boord van de *Simla* waren minimaal, en waren niet verbeterd of uitgebreid in verband met het aantal mensen aan boord. Het was maar goed dat hij dacht dat hij cholera had en dood zou gaan, anders was zijn incontinente toestand hem te veel geworden. Hij werd aan zijn lot overgelaten, behalve tot zijn verbazing door George Roebridge, die zijn beschamende behoeften met een soort ruwe tederheid tegemoet kwam, terwijl de kieskeurige Emmeline aan dek bleef met een boek en een kanten zakdoekje. In werkelijkheid waren er waarschijnlijk meer akelige, intieme handelingen om dankbaar voor te zijn dan hij besefte, want hij had meer dan vierentwintig uur liggen ijlen.

Toen de koorts daalde en hij in staat was zijn omgeving te herkennen, kon hij bijna niet geloven dat hij nog leefde. George was al even ongelovig.

'Als je dit akkefietje niet heelhuids doorkomt, bestaat er geen gerechtigheid. Je bent een man van staal, *sir!*'

'Anders jij wel,' zei Harry emotioneel. 'Ik ben je veel verschuldigd, George.'

'Blij je van dienst te kunnen zijn. En natuurlijk weet ik dat jij voor mij hetzelfde zou doen.'

Harry, bleek en zwetend en zo zwak als een jong katje, kon nog net de twinkeling in Georges ogen zien. Hij zou niet zo opgelucht geweest zijn als hij had geweten hoe profetisch die opmerking zou blijken te zijn.

Twee dagen daarna, bij de dageraad, kwam de kust van de Krim in zicht, een dunne, bruine lijn tussen de zon en de zee.

Rachel was eerst van plan geweest een landschap te schilderen met het Witte Paard als onderwerp en centraal punt, maar ze was er niet tevreden over en hield ermee op. Dat kwam doordat het element dat haar zo boeide, de grilligheid en beweeglijkheid van het paard, onmogelijk te vangen was, of dat ze er niet de vaardigheid voor bezat. Soms leek het dier net op de heuvel te zijn neergekomen, en het volgende moment leek het zich klaar te maken om weg te springen. Op dagen dat het weer en het licht veranderlijk waren, leek het zich te bewegen terwijl ze het observeerde, en scheen zijn silhouet te trillen van leven. Soms leek het trots en boos, een wild paard dat zijn territorium verdedigt, en dan weer dartel als een veulen. In die stemming deed het haar aan Piper denken, en dus aan Hugo.

Hoewel ze teleurgesteld was haar oorspronkelijke plan te moeten opgeven, had ze te veel respect voor haar onderwerp om door te zetten en het te laten mislukken. In plaats daarvan besloot ze een gezicht op het huis te schilderen (ze was van plan het aan Hugo's ouders te geven) waarin het paard zijdelings te zien was, als een flits wit licht op de voorgrond.

Toen ze dat had besloten ging ze elke dag met haar materiaal naar de westkant van het park, bij de rand van het bos, en bracht daar twee of drie uur door als het mooi weer was. Ze ging vroeg in de ochtend, en doorbrak haar gewoonte rond die tijd te helpen bij huishoudelijke en zakelijke besognes, omdat dan de late zomerzon op de goede manier over het huis en ook op haar viel terwijl ze aan het werk was. Jeavons volgde haar altijd door het gras, met in zijn ene hand de rieten stoel en in de andere twee kussens, redderend als een kloek tot ze naar zijn tevredenheid was geïnstalleerd en geen pogingen deed om zelf de stoel te verplaatsen. Als ze er tot na de middag bleef, kwam hij steevast uit het huis opdagen met een dienblad met opstaande randen waarop alles stond waarvan de kokkin had bepaald dat ze het moest eten 'vanwege de baby'.

De hele huishouding was bezorgd, en zelfs wat bezitterig, om haar conditie. Dat waardeerde ze. Ze aanvaarde het als teken van hun toenemende aandacht voor haarzelf, maar ook van hun genegenheid voor Hugo; maar ze werd er ook haast gek van. Want het was een feit dat ze zich nooit beter had gevoeld. In plaats van ziek, oververmoeid of zwak te zijn blaakte ze van gezondheid, met een flinke eetlust en tomeloze energie. Elke dag dankte ze God dat ze ondanks haar leeftijd toch zo snel zwanger was geworden, en daardoor nu deze kostbare erfenis van Hugo in zich droeg. Ze vroeg zich niet af of het een jongen of een meisje was; ze hoopte alleen maar op een gezond kind dat op zijn vader leek. Het had in elk geval zijn rusteloosheid. Als een jong katje met een bolletje garen sprong de baby in haar rond, ofschoon er naarmate het groter werd minder bewegingsruimte overbleef en het met armen en benen tegen de baarmoederwand leek te duwen, zich buigend en strekkend, gretig om geboren te worden.

De baby was een herinnering aan Hugo's liefde, het bewijs ervan. Ze zou er alles voor hebben overgehad, en dus was haar buitengewoon goede gezondheid een onvoorziene zegen. De fysieke warmte en geestelijke rust die ze genoot waren zijn geschenk. Het stevige, vruchtbare gewicht van haar buik en borsten waren als zijn omhelzing; ze maakten het grote bed 's nachts wat minder leeg.

Rachel had voordien geen liefde gekend, en die had haar getransformeerd. Darius Howard was een intelligente, afstandelijke, ambitieuze man geweest die van haar hield, maar voornamelijk met zijn werk bezig was. Omdat ze goed alleen kon zijn en niet naar aandacht snakte, was ze volkomen tevreden met hem. Hun huwelijk was een harmonieuze overeenkomst met wederzijdse acceptatie, en het lichamelijke aspect volgde hetzelfde patroon van tactvol begrip. Er bestond geen reden waarom ze geen kinderen zouden krijgen. Ze had aangenomen dat die op den duur vanzelf zouden komen, maar toen ze er na een paar jaar nog niet waren had ze ook dat aanvaard; over het gemis van een gezin werd nooit gesproken. Hun leven samen op Vayle Place werd gekenmerkt door het rustige in acht nemen van de fatsoensnormen. Rachel hield van haar man, en was tevreden, zij het een tikje verveeld. Maar toen Darius de hand aan zichzelf had geslagen was het aspect van de tragedie dat haar het meest met afschuw vervulde het feit dat hij gekweld moest zijn geweest, en dat voor haar verborgen had gehouden. Op dat moment werd het hele weefsel van hun huwelijk in stukken gescheurd en haar in het gezicht geworpen.

Afgezien van zijn persoonlijk lijden was zijn dood keurig geregeld. Zijn privé-papieren waren nauwgezet bijgewerkt, zijn financiën veilig, zijn ontwikkelingsproject bij de Great Western Railway gewetensvol afgewerkt. Op de dag van zijn dood was hij met de trein naar Londen vertrokken, had een volle dagtaak op het hoofdkantoor van de maatschappij verricht, was (zo bleek naderhand) naar de barbier gegaan om zich te laten knippen en scheren, had dezelfde trein terug genomen en zich midden in een weiland, niet ver van het station, doodgeschoten. Hij had een plek gekozen waarbij hij vanaf de weg te zien was, en een gunstig lot had ervoor gezorgd dat hij met zijn hoofd tegen een pol lange boterbloemen viel, zodat de klont hersenen en geronnen bloed die door de kogel uit de wond was gedreven niet helemaal zichtbaar was voor de twee kinderen die hem vonden.

In de lange, redelijke brief die in zijn tas werd gevonden en die was geadresseerd aan 'mijn lieve vrouw' vertelde hij Rachel hoe akelig hij het vond haar hiermee te moeten opzadelen, maar dat hij niet kon doorgaan met haar te betrekken bij het veel ergere kwaad van zijn onoprechtheid.

'En ik kan evenmin,' vervolgde hij, 'nog langer de last van mijn slechtheid torsen. Laat het voldoende zijn, liefste Rachel, dat, hoewel ik nog een ander leven heb geleid, op een veel lager peil dan het onze, mijn beste, nobelste gevoelens altijd voor jou waren, en voor jou alleen.'

Ze was razend. De mensen dachten dat ze erg moedig was, maar het was uit woede, niet uit dapperheid, dat ze haar ogen droog en haar hoofd hoog hield. Woede dat haar man zijn geheimen bewaarde, zelfs in de dood; woede dat hij 'nog een ander leven' nodig had gehad, zonder te overwegen dat ze zo'n leven ook samen hadden kunnen hebben; woede dat hij 'zijn beste, nobelste gevoelens' voor haar had gereserveerd, alsof daar nooit hartstocht onder kon vallen.

Darius' dood liet haar goed verzorgd achter: aantrekkelijk, kinderloos, nog jong, financieel onafhankelijk en lichamelijk nog in slaap. Nog vier jaar daarna had ze haar leven slaapwandelend ervaren, tot Hugo door de doornhaag heendrong, verliefd op haar was geworden terwijl ze sliep en haar wakker had gekust.

Met hem sloeg de wereld, die eerst een duffe, trage, vage plek was, als een lawaaiige vloedgolf over haar heen. Haar ogen, oren, reuk- en zelfs smaakzin werden plotseling intenser. Zijn passie en openheid waren haar een openbaring. En met haar liefde voor hem kwam de genezende vergeving van haar man. Toen ze openbloeide in Hugo's warmte liet ze de bittere wrok los, die eenvoudig wegzweefde, als distelpluis. Na hun huwelijk, tijdens die zwoele weken in Umbrië, besefte ze dat de liefdesdaad meer was dan een eenvoudige bevestiging, maar een inwijding was, een begin; voor haar een wedergeboorte.

Toen ze dus voor de tweede keer weduwe werd was haar houding op vrede gebaseerd, niet op boosheid. Zelfs in haar diepste ellende, net na het ongeluk, toen ze zich bedrogen voelde en bijna gek werd van verdriet, had ze niet de verlammende bitterheid ervaren die op Darius' dood was gevolgd. Nu, met Hugo's kind in haar baarmoeder, kwamen de gelukkige herinneringen langzaam terug, als goede vrienden, om haar te troosten.

Ze leek ook Harry voor het eerst echt te zien. Misschien doordat Hugo zo'n stralend licht was, dat zijn jongere broer in de schaduw stelde. Eerlijk gezegd had ze hem in het begin nauwelijks opgemerkt. Er was een diner waarbij ze aan elkaar waren voorgesteld, maar behalve een prettig, ernstig gezicht en hoffelijke manieren, meer die van een jonge arts of geleerde dan van een cavalerieofficier, had hij weinig indruk gemaakt. Sindsdien was hij een vriend. Wat de regeling van Hugo's begrafenis betrof stemde hij niet alleen in met haar ideeën, maar bracht ze in praktijk op een manier waaruit bleek dat hij de herkomst ervan begreep, dat hij haar begreep. Hij drong zich nooit op de voorgrond, wat hij gemakkelijk had kunnen doen, en betwistte haar nooit, ook niet in toespelingen, het recht op het nemen van gevoelig liggende besluiten. Ze herinnerde zich elke stap van die lange, stille tocht naar de kerk op de heuveltop; de mannen, ook Harry, trokken de kar, met Piper er dansend en zijwaarts stappend ernaast. Op het kerkhof was Maria zwaar gesluierd, zag Percy er vertrokken uit, met een verbeten mond, en stonden er meer dan honderd rouwenden in stilte te wachten, een menigte gezichten die als bleke bloemen naar haar toegewend waren en haar droefheid weerspiegelden.

Harry had met heldere, jongensachtige stem een paar regels uit het boek Job gelezen, beginnend met: 'Kunt gij het paard sterkte geven?' En toen hij de bijbel dichtklapte zag ze dat zijn officiershanden rauw waren van de zijkanten van de kar.

Bij zijn laatste bezoek, om afscheid te nemen voordat hij naar de Krimoorlog vertrok, had ze iets opgemerkt, een diepte van gevoel, waarvoor hij te achtenswaardig was om het te laten blijken. En toen hij haar op het paard terugleidde was er iets deemoedigs in zijn houding dat haar ontroerde. Dit was, besefte ze, een waarlijk goed mens.

Na zijn vertrek had er een incident plaatsgevonden dat hem onverwacht dichterbij had gebracht, iets dat anders nooit gebeurd zou zijn. Mevrouw Bartlemas was aan de deur gekomen, met een bleek gezicht van de schok, om Rachel op de hoogte te brengen van de dood van haar zoon. Het was geen verrassing dat ze alleen kwam: haar man, Dan Bartlemas, was een vriendelijke, zwijgzame reus die in de tuin en de kelders van het Witte Paard werkte, en alle netelige onderhandelingen en familiezaken werden door hem als vrouwenwerk beschouwd. De beide vrouwen zaten stil bij elkaar in de zonnige salon. Rachel, die zich scherp bewust was van hun verwante positie, zij in verwachting van haar eerste kind en mevrouw Bartlemas beroofd van het hare, kon niet anders doen dan mevrouw Bartlemas laten praten. Ze had Rachel de brief laten zien die haar door kapitein Latimer was gestuurd.

Beste meneer en mevrouw Bartlemas,
Ik schrijf u om u mee te delen dat uw goede, dappere zoon, mijn dierbare jeugdvriend Colin, hier in Varna aan de cholera is bezweken. Hij heeft zijn einde moedig gedragen, en heeft een waardige begrafenis gehad, waarvan ik zelf getuige ben geweest. Aanvaard alstublieft de innigste deelneming van iemand die ook onder een pijnlijke verlies lijdt, hoewel zoveel minder erg dan u het moet voelen.
Altijd uw dienaar,
Harry Latimer

Rachel had kunnen huilen als Colins moeder zich niet zo'n ijzeren zelfbeheersing had getoond. In plaats daarvan las ze hem twee keer door om de inhoud in zich op te nemen en gaf hem toen terug.

'U beiden kunt trots zijn op uw zoon, mevrouw Bartlemas, hoewel ik weet dat trots geen troost kan bieden.'

'Hij heeft niet eens gevochten...' Haar stem trilde.

'Hij heeft met zijn ziekte gestreden, dat zegt kapitein Latimer. Je pijn dapper dragen is een overwinning.' Ze hoorde hoe clichématig ze klonk, en legde haar hand op die van de andere vrouw. 'Het spijt me zo voor u. Ik kan me niets ergers voorstellen dan je kind verliezen.'

'Nee, m'vrouw... dank u.' Mevrouw Bartlemas snufte. 'Het is een aardige brief.' Ze vouwde hem zorgvuldig op en stopte hem in haar zak. 'Mijn Mercy heeft hem voorgelezen. Colin was een lieve jongen, en kapitein Latimer zou ons nooit leugens vertellen, nietwaar?' 'Nee,' had Rachel geantwoord. 'Dat zou hij nooit doen.'

De plek waar ze nu zat te schilderen lag op nog geen tweehonderd meter afstand van waar Hugo was gestorven. Ze kon het zich herinneren zonder dat de pijn ondraaglijk werd, elk detail herhalen alsof het een gedicht betrof. Ze had aan haar bureau in de salon gezeten en in de spiegel aan de muur links van haar Piper zonder berijder met loshangende teugels naar het huis terug zien denderen, alsof hij gewoonweg door het glas heen zou breken en over haar heen galopperen. Ze was opgestaan en naar het raam gesneld terwijl hij tot stilstand kwam, en Colin hem bij de teugels had gegrepen. Ze zag direct wat er was gebeurd en was rustig de kamer uit gelopen, de hal door en de voordeur uit. Aan de rand van het bos tussen de roomkleurige vlekken vroege narcissen zag ze de beide broers, de een liggend, de ander geknield. Maar toen Harry haar zag was hij overeind gekomen en eerbiedig opzij gegaan. En was daar gebleven, een stukje terzijde, met gebogen hoofd, als een erewacht om haar verdriet te beschermen.

De gecombineerde vloot voer naar de kust van de Krim alsof het een parade was. Er school een zekere pracht in zulke overmoed, bedacht Harry. Maar overmoed was het zeker, toen de Russen op de wallen van Sebastopol samendromden om hen voorbij te zien varen. 's Nachts vormden ze een stad op zee met twinkelende lichtjes en lampen.

Ze zouden de ochtend van de 14e september van boord gaan. Harry voelde zich nog steeds zwak en slap, zijn ingewanden leken wel water en zijn maag kwam in opstand tegen alle voedsel, op een klein beetje drinken na. Desondanks moesten de officieren in vol ornaat met zwaard en al van boord gaan, en alle manschappen met een driedaags rantsoen gezouten varkensvlees, biscuits en volle watertanks. De algemene zwakte van de troepen had ertoe geleid dat ze hun bepakking moesten achterlaten en alleen konden meenemen wat ze in hun dekens konden wikkelen.

Om acht uur in de morgen was het prachtig weer, dat de waarschuwing meedroeg voor de brandende hitte later op de dag. De baai was breed en zanderig, een van de reeks baaien die de kust in beide richtingen uitschulpte. Onderweg waren ze stukken strand gepasseerd met hutten, gestreepte canvas tenten en badkarren, met dappere vlaggetjes getooid. Ook hier was het heel aangenaam; het zand ging op sommige plaatsen over in duinen, op andere in lage kliffen. Daarachter lagen lage, grazige heuvels die op die in Norfolk leken, waar Harry en Hugo als jongens met hun gouvernante, de vriendelijke maar besnorde Salter, eens een vakantie hadden doorgebracht. De zee was over zo'n lange afstand ondiep dat Harry, die toen nog niet kon zwemmen, zich er wel honderd meter ver in had gewaagd, met de golfjes om zijn benen heen spelend terwijl hij spetterde en sprong, en Hugo een stuk verderop, waar het dieper was, op en neer zwom. Salter, die doodsbang van water was, kwam nu en dan uit haar strandstoel omhoog, zwaaide wild met haar armen en riep waarschuwingen die in de verte verloren gingen. De huidige omgekeerde versie van het kindertafereel had iets lugubers – hij stond keurig uitgedost op het dek van de *Simla* te wachten tot hij door het water zou waden naar het lege strand en wat erachter lag.

Hij leek niet de enige te zijn die in gedachten verzonken was. Na alles wat er de afgelopen weken was gebeurd, met het verlies van zoveel manschappen en dieren en zoveel zieken, was het uiteindelijk louterend zo dicht bij hun bestemming te zijn. Tijdens het wachten op de orders om van boord te gaan ontstond er even een stilte in het scheepskabaal, terwijl angsten en herinneringen als een schaduw over hen heen trokken.

Hector Fyefield spiedde het land af met zijn kijker, en zei zachtjes: 'We zijn niet alleen.' Hij gaf de kijker aan Harry en wees met zijn andere hand. 'Kijk jij eens en zeg me wat je ziet.'

Een rij ruiters stond opgesteld op de top van een van de kleine heuvels. Er konden er nog een paar honderd in het dal erachter zijn. Ze zagen er alert uit. De aanvoerder was druk bezig aantekeningen in een boek te maken. Hij had een groot document onder zijn arm, mogelijk een landkaart. Toen Harry keek hief hij zijn verrekijker die om zijn hals hing en leek hem recht aan te kijken. Harry had de misplaatste, kinderlijke aanvechting om te wuiven.

Fyefield stak zijn hand uit naar de kijker en Harry gaf hem terug. 'Kozakken... Ze lijken weg te gaan.' Hij klapte de kijker dicht en produceerde een hautain lachje. 'Je kunt je nauwelijks voorstellen wat het effect van dit alles op die arme kerels is.'

Harry hield zijn mening voor zich, dat het rustige, nauwgezette onderzoek van de kozakken en hun onverstoorbaar aantekeningen makende officier nu niet bepaald blijk gaven van dodelijke angst.

Toen het commando kwam ontplofte de rust ineens in hectische bedrijvigheid en lawaai. De muziekkorpsen rukten op en de ontscheping begon. De zon, de activiteit, de uitnodigende leegte en toegankelijkheid van het Russische strand, en bovenal de langverwachte doelgerichtheid, verdreven de ongerustheid.

De Lichte Cavalerie moest wachten tot de infanteriedivisies aan wal waren. Emmeline bemachtigde de kijker van George en gaf onafgebroken commentaar op wat iedereen toch al zag: de soldaten die als mieren langs de boorden van het schip krioelden op weg naar de wachtende boten, de zeelui die hun grove bemoedigingen toeschreeuwden (die haar deden blozen, vooral als ze rechtstreeks aan het adres van de Schotten in hun kilts waren gericht) en het fraaie gezicht van de troepen die enthousiast de boten uit sprongen en tot hun dijen in het water naar de kust waadden.

'Eindelijk!' riep ze uit met stralende ogen en ze klapte in haar gehandschoende handen. 'We zijn er dan echt!' Precies, herinnerde Harry zich, zoals Hugo en hij hadden gedaan toen ze eindelijk bevrijd waren van hun schoenen, sokken en jacks en ze 's avonds na de eindeloze reis met Salter naar het noorden over het koele zand renden.

De operatie ging de hele ochtend door. Het brede strand en het achterland vulden zich met manschappen, en de lucht met wolken, tot het om drie uur begon te regenen. Met de regen daalde de temperatuur abrupt; Emmeline ging naar haar hut terug. Er stak een harde wind op, geen storm zoals tijdens de reis vanuit Engeland, maar hard genoeg om de onderneming flink wat hachelijker te maken. Zenuwen raakten uitgeput en humeuren verslechterden. Het geschreeuw van de zeelieden, dat eerst goedmoedig was, werd nu ongeduldig en snauwerig. Een karwei dat zij in een dag zouden hebben geklaard – langs het steile boord van een stoomschip aan slingerende, doorweekte touwen afdalen naar bootjes waar de golven in alle richtingen aan rukten en tegen beukten – was een wanhopige klus voor de ongelukkige infanteristen, waarvan velen aan koliek, dysenterie en ergere ziekten leden. Angst en ongemak voegden zich bij verontwaardiging. De regen nam toe, striemde hun in het gezicht, en een groot aantal plunjezakken viel in zee.

Harry ging 's avonds na het eten naar beneden om naar de paarden te kijken. Sinds ze uit Varna waren vertrokken was hem nog een strijdros toebedeeld, Derry, een zwaarder dier dan Piper, waarnaast Betts, een flets aapje van een man, een dwerg leek. Betts was pas vijfentwintig, dezelfde leeftijd als Harry, maar hij kon elke leeftijd tussen de twintig en de veertig hebben. Tot aan de oorlog had hij de kost verdiend in een van de beroemde Londense brouwerijen. Een van de grote sleperspaarden was een paar jaar terug zonder kwade bedoelingen voluit op zijn voet gaan staan, en hij hinkte, wat zijn brutale air van onverzettelijkheid alleen maar versterkte. Dat mocht ook wel, want ondanks zijn kreupelheid, zijn gammele skelet en zijn dodelijke hoest, had hij al diverse aanvallen van ziekte overleefd en was er ongedeerd vanaf gekomen.

Beneden in het ruim ging Harry eerst naar Derry toe, een eenvoudige, roodbruine ruin met vetlokken aan zijn hielen en een witgespikkelde mond, niet erg fraai, in de eerste plaats doordat de ontberingen van de zeereis zijn uiterlijk hadden aangetast. Harry gaf hem wat extra aandacht, en hij knikte en strekte sidderende, hoopvolle lippen uit. Derry was stoer en gewillig, een paard waarop een kind kon rijden, maar volkomen onervaren. Ondanks zijn Engelse naam vermoedde Harry dat hij een van de paarden was die waren geronseld in Varna, en daarom niet gewend aan verwennerij.

Betts zat bij Clemmies benen gehurkt en wreef haar koten in met een smeersel. Toen Harry eraankwam wilde hij overeind komen, maar Harry gebaarde dat het niet hoefde.

'Kapitein Latimer.'

'Ga door, Betts.'

'Meneer.'

Toen Harry naar Clemmies hoofd liep duwde ze haar snoet tegen zijn borst op een manier die alleen als wanhopig kon worden aangeduid. Betts hees zich overeind en steunde met zijn ene hand op haar flank. Hij zwaaide een beetje als gevolg van de beweging van het schip, en knipperde zoals gewoonlijk een paar keer wat verward met zijn ogen alvorens te spreken.

'Wanneer laten ze ons van boord gaan, meneer?'

'Morgen, geloof ik.'

'Het weer is slecht, meneer. Hoe denken ze de paarden zo van boord te krijgen?'

'Ik weet het niet.'

'Ik hoop dat er voer voor ze is, meneer.' Hij sloeg Clemmie op haar flank. 'Anders zie ik u en de andere heren nog achter de Russen aanhollen, in plaats deze arme drommels te berijden. Hun zadel is zelfs te zwaar voor ze.'

'Maak je geen zorgen, Betts,' zei Harry, meer uit plichtsgevoel dan overtuiging. 'Voor alles wordt gezorgd.'

Het regende de hele nacht, en bij het aanbreken van de ochtend goot het nog steeds. Door de verrekijker gezien verschilde de aanblik van het strand hemelsbreed van de opgewekte bedrijvigheid van de dag ervoor. Er stonden maar enkele tenten. Op de hoger gelegen delen van het strand en in de duinen lagen de manschappen in de openlucht te slapen, in hun kletsnatte dekens gewikkeld, als doden in lijkwaden. Stapels bevoorrading, nog steeds op de plek waar ze waren gelost, zagen er niet langer bemoedigend uit, maar schamel en verwaarloosd. Officieren, die in vol ornaat zo fier door de branding hadden gewaad, zaten op kruitvaten terwijl het water van hun rubberen cape stroomde. De wind was gaan liggen, en de ontscheping van de Lichte Brigade begon. Betts en de andere stalknechten bleven achter om te helpen bij het uitladen van de paarden. Toen de cavalerieofficieren de ladders afdaalden hielden de zeelieden hun mond, eerder behoedzaam dan eerbiedig, hoewel Harry de indruk kreeg dat ze er niet rouwig om zouden zijn als hij of een andere officier mis zou stappen. De hand die de zijne greep toen hij de ladder afstapte was zo hard als leer en zat vol eeltknobbels. De boot, met twintig van hen aan boord, als een speelgoedbootje voortgetrokken door een groep zeelui in een lichter vaartuig, deinde weg van de betrekkelijke veiligheid van de *Simla* naar de troosteloze chaos en onbekende gevaren van Calamita Bay.

Het was een tochtje van maar ruim zeshonderd meter tot aan de kust, maar het hoofd van George Roebridge tolde en hij zag doodsbleek. 'Ik dacht dat ik nu onderhand wel zeebenen had,' murmelde hij wanhopig en braakte moeizaam over het boord heen. Dat zouden zijn laatste samenhangende woorden zijn.

Toen de boot de grond raakte sprongen de anderen, waaronder Fyefield, van boord en waadden driftig voort. Het kostte Harry en een van de schippers een paar minuten om George het water in te helpen, die, eenmaal op gang, zo traag en wankel liep als een dronkaard. Zijn verzwakte benen waren nauwelijks in staat zijn gewicht te dragen, laat staan in de ondiepe golven. Al na een paar meter viel hij op zijn handen en knieën, en moest met een vreselijk gekreun nogmaals overgeven. Het geluid en de stank, en de blauwige tint van de cholera zat onmiskenbaar om zijn mond toen Harry hem op zijn voeten hees. Emmeline was nog op het schip: de vrouwen van de cavaleristen zouden als laatsten van boord gaan. In dit tempo, berekende Harry, was George dood voordat zij op de Krim landde.

Aan wal was geen onderdak, geen organisatie, geen duidelijke hiërarchische structuur aanwezig. Harry sleepte zijn metgezel naar de bovenkant van het strand en legde hem in de luwte van een duin, op zijn eigen cape, en bedekt met die van Harry. Hij reutelde nu bij elke ademtocht, en had diezelfde blik van doodsangst in zijn ogen als de paarden: onontkoombare paniek in het aangezicht van het onvermijdelijke.

Zijn eigen vrees onderdrukkend ging Harry op zoek naar onderdak. De meegebrachte tenten (en in de verwarring van Varna waren dat er maar weinig) waren als eerste op de troepenschepen geladen, zonder eraan te denken dat ze ook als eerste nodig zouden kunnen zijn.

Harry benaderde een oudere infanterie-officier die in elk geval constructief leek op te treden. Hij organiseerde groepen mannen met *araba's* om de voorraden verder landinwaarts te brengen. Toen ze de uitgeputte paarden over het volle strand begonnen te leiden, waarbij de levenden en de doden ruw terzijde werden geduwd, vroeg hij: 'Meneer, is er ergens onderdak voor de zieken?'

De officier keek hem aan met een lusteloze uitdrukking die wilde zeggen: Daar heb je weer zo'n imbeciel die een stomme vraag stelt. 'De zieken moeten terug naar het schip.'

'Als ze daartoe in staat zijn, maar het is onmogelijk zolang er nog zoveel mensen aan land komen.'

'In dat geval kan ik u alleen maar aanraden te doen wat iedereen heeft gedaan. Probeer ergens onderdak te vinden en breng de zieken erheen,' zei de officier. Dit bijna beledigend voor de hand liggende advies maskeerde een harde waarheid: er kwamen geen nieuwe tenten.

Harry bedankte hem en ondernam een snelle zoektocht door de omgeving. Het strand was overvol en zo lawaaiig als een markt. Er werden bevelen gebruld, er klonk gekreun en gehoest, boerenkarren kraakten en ratelden, de officieren in de landingsvaartuigen en de Koninklijke Postboten schreeuwden zich tevergeefs hees in een poging de regimenten te verzamelen. Sommige mannen hadden beschutting gezocht onder de karren, maar toen de ochtend aanbrak werden die in beweging gezet en werden de mannen er als patrijzen onderuit gejaagd. Hij kwam echter langs een stel geweerlades die in noordelijke richting zij aan zij onder een overhangende rots stonden opgesteld en die met een cape eroverheen enig onderdak zouden bieden.

Hij had moeite George terug te vinden. Toen hij de juiste plek ontdekte zaten en lagen er zoveel moedeloze mannen in de duinen dat het hem nog enkele minuten kostte om zijn vriend te vinden. Als hij tegen beter weten in nog hoop had gekoesterd, was het nu wel duidelijk dat zijn pogingen om George te redden totaal geen effect meer zouden hebben. De arme drommel vertoonde alle verschrikkelijk vertrouwde, universele verschijnselen van stervenden aan de cholera: het uiterlijk van officieren en manschappen, van hoog tot laag, zonder aanzien van leeftijd of nationaliteit. Zijn gezicht leek gekrompen en verouderd in het halfuur dat Harry weg was geweest, en zijn lichaam beefde en verkrampte terwijl zijn leven wegebde. Harry zou zelfs de vrees hebben verwelkomd die niet lang daarvoor in de ogen van zijn vriend te lezen was geweest. Vrees was tenminste nog een teken van leven en een menselijke reactie, maar zelfs de vrees was nu vervangen door de gesluierde, naar binnen gekeerde blik van de stervenden. De diverse regimenten vonden elkaar langzamerhand. Op een paar meter afstand zag hij een opgewekte kluit cavalerieofficieren, nog steeds schitterend en herkenbaar, omdat ze de nacht niet in de openlucht hadden doorgebracht. Fyefield en een jonge officier met uitpuilende ogen die Philip Gough heette, stemden ermee in de in erbarmelijke toestand verkerende George te helpen verplaatsen.

'Het is natuurlijk heel droevig, maar we verspillen onze tijd,' zeurde hij terwijl ze George over het strand sleepten.

'Als hij toch niet in leven blijft kan hij net zo goed een beetje comfortabel doodgaan,' zei Harry. 'En in afzondering.'

Gough, die zwaar hijgde, vroeg: 'Wanneer komen de paarden aan land?'

'Heel gauw, dacht ik.'

'Goed,' zei Gough. 'Dan kunnen we landinwaarts rijden en ergens een behoorlijk kamp opslaan.'

Alledrie begrepen ze dat het niet alleen om het opslaan van het kamp ging dat de komst van de paarden zo wenselijk maakte. Het gemis van de paarden was een grote gelijkmaker nu het leger aan land was, en de trotse centauren van de Lichte Brigade tot de status van gewone stervelingen terugbracht.

Ze kwamen bij de geweerlades. Er was in Harry's afwezigheid nog een man onder gekropen, maar toen ze hem aanstootten bleek dat hij het als een zieke hond had gedaan, om er te sterven. Ze trokken de ongelukkige eronderuit, legden George op zijn plaats, rolden hem stevig in zijn eigen cape en hingen die van Harry over de zijkanten erboven.

'Het heeft geen enkele zin hier te blijven,' merkte Fyefield op en veegde zijn handen af. Gough gluurde, onzeker van waar de macht lag, van de een naar de ander.

Harry zei: 'Zijn vrouw moet het zo spoedig mogelijk weten. We moeten ervoor zorgen dat haar een bericht wordt gestuurd.'

'Die arme vrouw,' zei Gough. 'Ze is toch niet nog aan boord?'

'Nee, nee, de dames zijn al bij ons,' zei Fyefield. 'Ik zag ze naar de tenten gaan.'

Met lood in zijn schoenen liep Harry op de groep tenten af die een paar honderd meter verderop in een laaggelegen stuk grond stonden opgesteld. Tot zijn schrik stond Emmeline buiten. Met haar ene hand hield ze haar hoed vast en met de andere beschutte ze haar gezicht tegen de striemende regen. Vanwege de grootse gebeurtenissen van de dag had ze zich passend, op militair aandoende wijze gekleed: in een donkerblauw rijkostuum met gouden knopen. Toen ze hem zag aankomen wuifde ze even en liep hem tegemoet, terwijl ze goed uitkeek waar ze haar voeten neerzette op de oneffen grond. Bevallig hield ze haar rok op boven het modderige gras. Hij kon alleen maar denken aan haar opwinding van de vorige dag, aan de manier waarop ze als een kind in haar handen had geklapt en uitgeroepen: 'Eindelijk zijn we er!' alsof ze met vakantie was; en daarna aan het gezicht van George zoals hij het het laatst had gezien, in de lekkende schaduw van de geweerlades.

Hij kon niet op de woorden komen die hij moest zeggen. Hij bad dat God, of zijn intuïtie, hem uit de nood zou helpen. Maar toen ze dichterbij kwam stond hij stil en salueerde, en ze moest iets op zijn gezicht hebben gezien, want zij stond ook stil, en bracht haar handen naar haar gezicht.

'Heeft u me iets te zeggen?'

'Ja. Ik vrees dat uw man erg ziek is.'

'Dus hij is niet dood!'

Ze klampte zich vast aan een strohalm. Harry wist dat hij voorzichtig moest zijn. 'Toen ik hem voor het laatst heb gezien leefde hij nog. We hebben een beschut plekje voor hem kunnen vinden. Ik kan u erheen brengen.'

'Dank u.'

Hij hoorde haar snelle, oppervlakkige ademhaling terwijl ze zich naast hem over het strand haastte, en haar onderdrukte snikken, maar toen hij haar zijn arm bood om haar door de menigte te leiden wees ze hem af, met een moedeloos, vertrokken gezicht. Hij hoopte dat haar man al dood was als ze bij de geweerlades kwamen, zodat ze hem niet op het dieptepunt van zijn lijden zou hoeven zien.

George Roebridge was overleden, maar of het kwam door de ziekte of door het ijzeren wiel van het kanon dat dwars over hem heen lag, was moeilijk te zeggen. Het liet zich gemakkelijk raden: de artilleristen hadden hem voor een lijk aangezien en toen ze het voertuig zonder meer in beweging zetten had dat hem ongetwijfeld uit zijn lijden verlost.

Emmeline zonk op haar knieën op het zand en huilde. Harry zag dat ze George niet aanraakte, maar zich over hem heenboog alsof ze hetgeen ze voor zich zag in overeenstemming probeerde te brengen met de echtgenoot die ze zich herinnerde. Toen ze zich tot Harry wendde was hij geschokt door de blik op haar gezicht.

'U zei dat hij nog leefde!' schreeuwde ze. 'U zei dat u onderdak voor hem had gevonden!'

'Dat hebben we ook gedaan, mevrouw, maar de geweerlade is verplaatst toen ik naar u op zoek was.'

'En kijk eens!' Ze gebaarde met een uitdrukking vol afkeer naar het lichaam. 'Hij is gewond.'

'Daar kan ik niets aan doen. Misschien dat de kar...'

'Hij is gewond! Ik herken hem nauwelijks...' Haar stem brak door snikken. 'Ik zou hem nooit herkend hebben. Hij is helemaal...' Ze schudde met haar hoofd als een gewond dier en Harry ving haar laatste woorden op: 'Alles... voor niets.'

Nog geen uur daarna zag hij dat Emmeline naar het schip terugkeerde, met het lichaam van haar man zonder enige twijfel naast haar in de boot, terwijl de zeeman roeide. Diep gekrenkt hield ze haar hoofd afgewend van het land dat haar zo in de steek had gelaten. Ze zou haar man nooit zien deelnemen aan de beroemde charges van de Lichte Cavalerie. Ze waren nog niet aangekomen of ze vertrokken alweer, en het grote avontuur was voorbij. Alles voor niets.

Toen Betts aan Harry vroeg hoe de paarden moesten worden ontscheept had hij niet kunnen voorzien welke methode er uiteindelijk zou worden toegepast. Pogingen ze op gammele, eigengemaakte vlotten te laten zakken en ze naar de kust te laten drijven bleken niet effectief, om dezelfde reden dat het in Varna was mislukt. De dieren waren uit hun doen na de lange zeereis en gewoonweg onhandelbaar doordat ze te onrustig waren; ze zwaaiden hulpeloos met hun benen terwijl ze omlaag gingen. Ze konden ze niet stilhouden toen ze eenmaal op het vlot stonden, zelfs niet met behulp van de stalknechts en de minder subtiele aan pak van de zeelui. De laatsten gingen al spoedig over op een geslaagdere aanpak: de paarden werden simpelweg overboord gezet en moesten verder naar kust zwemmen. Ze werden begeleid door de mannen die konden zwemmen, maar velen, waaronder Betts, konden dat niet en waren te bang om het te proberen. Het resultaat was dat, terwijl de niet-zwemmers naar de kust werden vervoerd, een aantal paarden vrij over het strand rende, wild, koud en angstig, en zonder iets om ze aan te herkennen of vast te grijpen, behalve een nat, glibberig hoofdstel.

Toen Betts arriveerde was hij buiten zichzelf. 'Zoiets heb ik nog nooit meegemaakt, meneer! Ze waren er aan boord van het schip al erg genoeg aan toe, en die ruwe zeelui maken het alleen maar erger met hun geschreeuw en hun rotgeintjes!'

Dat was niet minder dan de waarheid. De zeelieden redeneerden dat het leger zonder hen niet had kunnen landen en hier zelfs niet had kunnen komen, en dat ze dus recht hadden op bepaalde privileges, waaronder vrij paardrijden. Terwijl de trillende paarden uit de branding kwamen gerend werden ze door de juichende zeelui achterna gezeten. Die klauterden op hun rug, hingen als apen om hun hals en galoppeerden roekeloos in het rond door het lage water. Nog afgezien van de verzwakte conditie van de paarden was het een demonstratie van onvakkundig ruiterschap dat op weinig sympathie kon rekenen van degenen die op zoek waren naar hun rijdier.

Betts, die al terneergslagen was door zijn onvermogen om te zwemmen, was razend van woede. Toen hij een paard zag dat op Derry leek rende hij het strand op om het te vangen. Maar een kleine man met een kreupel been was geen partij voor een groot, nerveus paard dat met hoge snelheid werd bereden. Gelukkig voor Betts verloor de betreffende marinekorporaal zijn evenwicht toen hij hem probeerde te ontwijken en viel in het water. Harry had geen enkele moeite zich de stroom vindingrijke verwensingen voor te stellen die Betts over hem uitbraakte alvorens het paard terug te halen, dat tot stilstand was gekomen, met flanken die op en neer gingen als een blaasbalg. Gelukkig werd Clemmie naar de kust geleid. Tegen het eind van de middag trok de Lichte Brigade met de meeste van hun paarden landinwaarts om hun tenten op te slaan voor de nacht.

Hun driedaags verblijf in Calamita Bay was een vreugdeloze, ontmoedigende aangelegenheid, die nog werd verergerd door de duidelijke superioriteit van de Franse kwartiermeester. Ondanks zelfs nog ernstiger overladen transportschepen ontscheepten de Fransen eerder en sneller in een iets noordelijker gelegen baai, lieten een zwierige driekleur wapperen en richtten een dag eerder dan hun bondgenoten een goed functionerend, welvoorzien kampement in. Als gevolg daarvan waren ze ook in staat het omringende land te verkennen en extra voedsel, transport en voer voor de paarden te bemachtigen. De aanblik van de rijen goedingerichte Franse tenten en de verleidelijke geur van kookvuren die door opgewekte *vivandières* waren aangelegd, droegen niet bij tot de vreugde van de Britten, die zich verspreid in de open lucht ophielden, met alleen hun schrale basisrantsoen voor drie dagen.

Er waren tenten voor de hogere officieren, maar Harry en zijn collega's moesten zich tevreden stellen met een miezerig vuurtje van vochtig sprokkelhout en een maaltijd van varkensvlees, beschuit en kleffe gekookte rijst, die alleen te verteren was met wijn. Buiten, op de troosteloze, grazige vlakte leken de paarden op een laag, donker bos. Damp steeg als mist op uit hun vacht. In de verte, achter het Franse kamp, was het feestgedruis van de *bashi-bazouks* te horen, voor wie er kennelijk geen ellende zo groot was dat ze niet met *raki* kon worden bestreden.

'Eindelijk een volmaakt geschikt terrein voor de cavalerie,' merkte Fyefield op en stak een sigaar aan. 'Ik kan bijna niet wachten om erop los te gaan.'

Harry verwarmde zijn glas bij de fletse vlammen. 'We hebben toch echt een paar dagen respijt nodig, al was het maar voor de paarden.' Fyefield maakte een wegwerpgebaar. 'Die paarden knappen vanzelf op als ze worden ingezet voor het doel waarvoor ze hier zijn gekomen. Net als wij.'

Wat later kregen ze koffie aangeboden, bitter en waterig en vol korrelige troep, maar desondanks een overwinning van de zijde van de koks, die de bonen tussen stenen moesten malen en een kilometer of drie verderop water halen om koffie te kunnen zetten. En het gaf tenminste wat warmte; naarmate het weer opklaarde en het avond werd, koelde de lucht af, en kropen ze dichter om het vuur.

Toen ze daar zaten dook een vreemd gezelschap op uit de duisternis. Het bestond uit drie uitgeput ogende mannen. De ene droeg een hooivork en de andere twee sleepten een koeienkop tussen hen in, niet pas gedood, maar nog met één oog, en voldoende vlees om haar een volslagen macaber uiterlijk te geven. Terwijl ze langsdeinde hing haar enorme tong zowat tot op de grond. Twee van de mannen hadden dekens om hun schouders en de derde een juten zak. Hij had zo'n zelfde stuk om zijn hoofd gebonden als een zigeunerbandeau, met bloed bevlekt. Alledrie waren ze vuil en nat. Je kon het gesop van hun schoenen horen toen ze langsliepen en de stank ruiken die de mannen en hun gruwelijke last afgaven. Het effect van het geheel, gecombineerd met de hooivork, was griezelig. Ze waren te moe om de officieren bij het vuur op te merken, maar toen ze in de nacht verdwenen liet Fyefield een langgerekt gefluit horen.

'Wat voor de duivel was dat?'

Gough lachte zenuwachtig. 'De duvel en z'n ouwe moer, zo te zien, die ons een lugubere waarschuwing geeft!' En hij voegde er weinig overtuigend aan toe: 'Plaatselijke bewoners, neem ik aan.'

'Misschien,' opperde Harry, zijn glas heffend, 'moeten we niet drinken op de voedselschaarste.'

Bijna een uur daarna daagde het hun wat ze hadden gezien, en zei hij zacht: 'Arme drommels.' Hij bedacht wat er was geworden van de Britse soldaten.

De ochtend daarop toen de zachte bries de geur van verse koffie en brood uit het Franse kamp aandroeg kregen tweehonderdvijftig man van de Lichte Brigade het bevel op te zadelen om eenzelfde aantal infanteristen op een verkenningstocht te begeleiden teneinde voedselvoorraden te bemachtigen. Toen de Lichten langskletterden, lag aan de rand van het kamp de koeienschedel, schoongeschraapt en blinkend in de zon.

Die dag werd het zo verzengend heet als ze sinds Varna niet meer hadden meegemaakt. Het leek erop dat ze voortdurend werden blootgesteld aan extreme temperaturen en dito omstandigheden, en ze waren voor geen van beide toegerust. De mannen die de avond daarvoor genoodzaakt waren zich bij het voedselverzamelen in dekens en juten zakken te wikkelen rukten deze ochtend zwetend en vloekend aan hun boord. De vriendelijk glooiende vlakte, het volmaakt geschikte terrein voor de cavalerie waarover Fyefield het had gehad, zinderde inmiddels als een woestijn, een indruk die werd bevestigd door het nu en dan opduiken van kamelen. Die fantastische schepselen doorbraken in elk geval de eentonigheid van de brandende hitte, en wisten de infanteristen op te vrolijken, die lachten en schreeuwden toen de dieren in hun komieke, zwaaiende gang overgingen.

Er waren nauwelijks boerderijen; er was maar heel weinig voedsel en voer en praktisch geen water. De hele middag werden ze gekweld door beelden die trilden en glinsterden, altijd ergens halverwege. Ze kwamen langs een groot meer, maar de paarden toonden er uiteraard geen belangstelling voor, want toen de manschappen er met open mond indoken bleek het bremzout te zijn. Om het nog erger te maken raakten degenen die de zoutoplossing niet van hun huid hadden geveegd ernstig verbrand. De cavalerie slaagde erin een stuk of zes *araba's* te bemachtigen, maar de enige last die ze naar het kamp droegen bestond uit infanteristen die waren geveld door dysenterie, cholera of uitputting, en verschillende bleken bij terugkeer te zijn overleden.

Fyefields halsstarrige voorspellingen wat de paarden betreft kwamen niet uit. Ze verkeerden in een rampzalig slechte conditie en moesten nodig worden beslagen. Harry was niet de enige officier die die avond te voet naar het kamp terug ging, met zijn voeten glibberig van het bloed binnen in zijn laarzen (wat hem zich deed afvragen wat de overlevende infanteristen wel niet te lijden hadden) en Derry, als een strandezel met zijn hoofd zwaaiend aan het einde van de teugel. Hij was alleen blij dat hij Clemmie niet had bereden, die deze dag absoluut niet zou hebben overleefd, en die hij aan de tedere zorgen van Betts had toevertrouwd. De hele ellendige weg terug werd hij achtervolgd door de herinnering aan Hugo op Piper, zoals ze tussen de bomen door denderden in de frisse groene Engelse lente en aan de woorden die bij zijn begrafenis waren gesproken: 'Het doorwoelt met vreugde het dal... Het lacht om de vrees en is onvervaard... Zijn trots gesnuif is een verschrikking...' Misschien was het waar dat de arme strijdrossen 'het gevecht al in de verte moesten ruiken', maar onder deze demoraliserende omstandigheden was het heel goed voorstelbaar dat ze zich alleen maar terneergeslagen voelden bij het vooruitzicht.

Hoewel het een paar dagen duurde voordat het de cavalerie ter ore kwam dat Lord Raglan order had gegeven dat ze pas op de plaats moesten maken, leed het geen twijfel dat ze rust moesten nemen, en dat er dientengevolge de eerstkomende zesendertig uur niet zou worden opgerukt. De tijd werd heel nuttig doorgebracht: de zadelmakers en hoefsmeden maakten lange dagen; de uitrusting en de wapens werden schoongeschraapt en geïnspecteerd, herstellende zieken dito, en de normale exercities voor de mannen en paarden die sterk genoeg waren om eraan deel te nemen.

Elk van die twee avonden in het kamp schreef Harry, met pijn en blaren na een dag die om vijf uur was begonnen, zijn antwoord aan Rachel. Hoewel hij had besloten niet 'alles' te schrijven zoals ze had verzocht, bracht haar beeld, dat door het schrijven werd opgeroepen, en haar uitdrukkelijke wens dat hun correspondentie de vorm van een gesprek zou hebben, hem tot andere gedachten. Hij trachtte de gebeurtenissen echter te beschrijven zoals hij ze zag, en er geen droge opsomming van voornamelijk deprimerende feiten van te maken. Dus hield hij zijn eigen verdriet niet achter toen hij haar over Piper vertelde, maar voegde er naar waarheid aan toe dat het, gezien de omstandigheden, een glorieuze ontsnapping was. Hij beschreef het dorp, de ziekten, de dood van zovele goede mannen, onder wie Bartlemas en Roebridge, de liefde waarmee Roebridge hem had verpleegd, de toewijding van Betts en zijn galgenhumor, het lijden van de paarden, en de chaos van het leven in het kampement. Hij beschreef de zeelui die door de branding galoppeerden; het vreemde, diabolische gezelschap dat de avond daarvoor langs het kampvuur was getrokken; de kamelen met hun soepele gang, en de wrede hallucinaties. Het was een troostrijke bezigheid, en hij begon steeds losser te schrijven. Maar toen het tot meer persoonlijke aangelegenheden kwam hield hij even op, en koos zijn woorden met de grootste zorg.

Ik heb gedaan wat je vroeg en je niets bespaard. En ik hoop alleen maar dat ik niets te veel of te bot heb gezegd, maar ik geloof dat jij van alle vrouwen het best in staat bent dit alles te verwerken. Het was me een grote troost dat ik zo vrijuit kon schrijven. Misschien wist je dat toen je erop aandrong dat ik het zou doen. Als dat zo is, dank ik je uit het diepst van mijn hart. Ver-

der kan ik je niet zeggen hoeveel het voor me betekent dat jij dicht bij mijn ouders bent in een tijd dat ik daartoe niet in staat ben, en dat je zo goed voor hen bent. Het zijn, zoals je zegt, bijzondere mensen die niet altijd gemakkelijk te begrijpen zijn. Dat jij dat wel doet, na de betrekkelijk korte tijd dat je ze kent, die ook nog is vertekend door de tragedie, noem ik een wonder. Nogmaals, liefste Rachel, mijn dank.'

Zijn pen bleef even boven het papier zweven terwijl hij met zichzelf overlegde of hij 'liefste' zou doorstrepen, maar hij liet het staan en eindigde met: *Ik heb er geen idee van of deze brief je zal bereiken, maar ik hoop vurig dat ik er weer heel spoedig een van jou zal ontvangen, in zoverre onze beproevingen en rampspoed het toelaten. Ik blijf je toegenegen zwager en vriend, Harry.*

De ochtend dat hij de brief had voltooid braken de geallieerde strijdkrachten het kamp op. De Fransen waren twee uur eerder klaar dan de Britten, wier voorbereidingen voor het vertrek werden gekenschetst door de gebruikelijke verwarring.

Eindelijk, om negen uur in de morgen, was er zesduizend man bijeen, klaar voor vertrek. In deze tijd van de ochtend deed de zon weldadig aan, was de lucht zacht en zoet door de geur van bloemen, warm gras en wilde tijm; de uitgestrekte vlakte ging uitnodigend in de nevel op. IJl en zuiver zong een leeuwerik boven het gerommel van het kamp uit.

En daarna vertrokken ze, een kilometerlange golf schitterend rood, groen en blauw, met stralende flitsen wit, glinsterend goud en zilver, met de zwaaiende capes, de statig op en neer deinende onderscheidingen, het gerinkel van de tuigage en het gekraak van leer. Een prachtige, machtige strijdkracht die uitreed in de hoop op een verpletterende overwinning.

11

When you first start to tease and flirt
Nobody tells you it's going to hurt,
Nobody warns you 'cause nobody cares
You'll get yours the way they got theirs

Als je pas met flirten begint
Zegt niemand je dat het pijn doet,
Niemand waarschuwt je omdat het niemand iets kan schelen
Je moet het maar ervaren zoals zij dat deden.

Stella Carlyle, 'Nobody tells you.'

Stella 1996

Stella werd omgeven door bloemen, een weelde van kleuren om haar voeten heen. Geel, rood, blauw en wit, zoveel dat ze ze niet kon tellen of onderscheiden, te veel om op te rapen. Verblind door het licht en het lawaai bukte ze zich en raapte er een op, een pluizige, gele anjer. Toen ze dat had gedaan wist ze niet goed wat ze ermee aan moest, dit was een nieuwe ervaring voor haar. Ze draaide zich om en keek naar Derek, die aan de piano zat, met zijn gezicht naar het publiek, zijn grote handen op zijn knieën en zijn gezicht in een glimlach geplooid. Ze stak haar hand naar hem uit, en hij kwam te midden van een nieuwe golf kabaal naar voren, pakte haar hand en bracht die naar zijn lippen, en mimede: '*Brava*, schatje.'

Het gordijn schoof met een sissend geluid dicht, en hij sloeg zijn armen om haar heen in een verstikkende omhelzing die haar bijna van de vloer tilde. Ze hadden het allebei snikheet en zweetten alsof ze een gevecht of een wilde vrijpartij achter de rug hadden.

'Ja!' Derek ging in een andere versnelling over en drukte haar tegen zijn dikke buik. 'Wat een meid, wat een avond!'

Hij liet haar los en voerde een kleine *haka* van eigen vinding uit; hij draaide met zijn heupen en zwaaide zijn vuisten op en neer als de kleppen van een trompet. Over zijn schouder heen kon ze net de ploeg in de coulissen zien, met klappende handen die als vogels in het donker fladderden. Vanaf de andere kant van het doek klonk het gedreun van stampende voeten, en een waterval van kreten: 'Encore!' Ze gluurde naar de coulissen aan de linkerkant; ze herkende Miles, hun producer, aan zijn opvallende witte première-smoking. Hij stak zijn armen in de lucht en gebaarde 'meer, meer'. Er kwam geen eind aan het enthousiasme van het publiek.

Ze wendde zich weer tot Derek. 'Wat gaan we doen?'

'Laat ze lachen, laat ze huilen – laat ze wachten.' Zijn gezicht was één grote grijns. 'Jij bent de baas.'

'Goed dan. Eentje maar.'

'Mij best, we moeten allemaal nog ergens iets gaan drinken.'

'Are You There?'

Hij knikte instemmend. 'Toen kwam ik erbij.'

'Begin en eind doe ik alleen.'

'Zoals je wilt, schat.'

Hij ging terug naar de piano, zij knikte naar de coulissen, het doek ging op en het applaus golfde over hen heen. Ze hield nog steeds de anjer vast, en stak die tussen de met stof beklede knoopjes van haar jurk, wetend dat ze het leuk vonden, want op dat ogenblik kon ze geen kwaad meer doen.

Laat ze wachten...

Ze bleef onbeweeglijk staan, voeten een stukje uit elkaar, handen in haar zij, en creëerde haar eigen cel van geconcentreerde stilte, die zich als water onder een deur door verspreidde, totdat ze het publiek bereikte, dat ook bedaarde.

Laat ze wachten...

Ze liet de stilte voortduren tot een voor hun schier ondraaglijk punt, en liet toen de eerste woorden met een zucht de tot rust gekomen zaal in zweven.

'Lieverd, je was geweldig!'

Daar hadden de schatjes het van, bedacht Stella, van hun moeders. Er bestond geen bijval zo warm, zo bewonderend, zo doortrokken van blinde bewondering als die van je moeder.

'Goed gedaan, meisje, schitterende voorstelling...'

Ze omhelsde haar ouders, daarna George en Brian. De laatste was misschien met opzet in de artiestenfoyer een beetje misplaatst met zijn blazer en regimentsdas.

George zei: 'Ik wil graag worden voorgesteld aan Derek Jackman, het lekkerste stuk dat ik in tijden heb gezien, op mijn gezelschap na.' Ze stompte haar man in zijn middenrif. '*I like men around me who are fat.*'

'Dat is niet bepaald aardig,' zei Brian zonder rancune. 'Vooruit maar, opgedirkte slet, en laat je voorstellen.'

Zodra ze buiten gehoorafstand waren pakte George Stella bij haar arm. 'Vlug, ik moet het weten, ga je met hem naar bed?'

'Pardon?'

'Jackman. Zijn jullie...'

'Goeie genade, nee!'

'Zeg dat niet zo, hij is schattig!'

'Schattig en getrouwd.'

George trok een gezicht. 'Ik wil dat er nota van wordt genomen dat ik afzag...'

Stella wenste dat haar zuster door zou krijgen dat ze dit niet leuk meer vond.

'Is ze hier?' vroeg George.

Stella schudde haar hoofd. 'Ze zijn niet zo hevig getrouwd. Derek – neem me niet kwalijk – dit is mijn ernstig bijziende zus George, die jou schattig vindt. Wees lief voor haar en je maakt een kansje.'

'Aangenaam, en dat meen ik echt...'

Ze liet hen alleen. Behalve haarzelf, haar familie en Derek dronken er slechts een stuk of tien mensen van de door de bedrijfsleiding scherp geprijsde champagne, maar zelfs dat waren er tien te veel. Ze wilde ze geen van alleen zien. Miles niet, de stralende, jeugdige toneelploeg niet, en ook het handjevol theatervrienden en de paar stelletjes niet. Ze droeg hun geen kwaad hart toe, maar ze wilde niet dat ze er waren. Het opgewekte feestgedruis klonk hol door het ontbreken van de enige persoon die er niet was, die niet had gebeld, of een kaart gestuurd, of bloemen, of zelfs een berichtje. Die verdomme niet was komen opdagen.

Ze ging terug naar haar ouders, die gezelschap werden gehouden door Brian. Haar moeder was gaan zitten, en de beide mannen, die haar als waaierbedienden flankeerden, vormden een interessant contrast met elkaar. Brian droeg ondanks de blazer zijn golvende haar aan de achterkant iets langer dan gebruikelijk, op de manier van wat vrijere legerofficieren. Hij pronkte met een marineriem die versierd was met varkens en had een streepje rode sok tussen broekspijp en bordeelsluiper. Het *tout ensemble* was op een beschaafde manier hip.

Anderzijds was Andrew Carlyle er sinds zijn pensionering niet modebewuster op geworden. Bij de première van zijn dochter droeg hij een pak dat er nieuw uitzag, maar dat hij zoals gewoonlijk haastig en goedkoop had gekocht, zodat de broek een fractie te lang was en een vouw vertoonde bij de enkel. Hij had ook toegegeven aan zijn voorkeur voor double-breasted colbertjasjes, waardoor hij op een gangster leek in een amateurproductie van *Kiss Me Kate*.

'We hadden het net,' kondigde hij aan terwijl hij zijn arm om haar heen sloeg, 'over de charme van op ons afstralende roem. Wel alle bewieroking en niks van het zweet.'

'En excuseer de uitdrukking, maar je stond daar te zweten als een otter!' zei Brian. 'Het was geweldig sexy.'

'Ho ho,' Andrew stak zijn vinger op. 'Paarden zweten, mannen transpireren, maar dames gloeien slechts.'

'Wie had het over dames?' Brian gaf zijn snorkende, wellustige lach ten beste.

'Wacht eens even...' Mary kwam overeind. 'Ik geloof dat het tijd wordt dat ik me met het gesprek ga bemoeien.'

'Liefste Mary, alsjeblieft,' zei Brian. 'Je gaat ons toch niet in dit late stadium tot de orde roepen?'

'Het is nooit te laat.' Ze tikte met haar vinger op de revers van haar schoonzoon alvorens zich tot Stella te wenden. 'Maar schat, zoveel hard werk, en al dat nieuwe materiaal, hoe lang gaat de voorstelling lopen?'

'Een maand. We zijn al drie weken uitverkocht. Met een beetje geluk redden we het wel.'

'Zul je niet uitgeput zijn?'

'In godsnaam, het is haar werk!' riep Brian nogal geïrriteerd uit. Het ergerde hem dat de showbusiness als zwaar werk werd bestempeld. 'Het is haar lust en haar leven, de roes van schmink en applaus. Ik bedoel niet dat het niet hard werken is, en ik zou het niet kunnen als iemand zo gek was het me te vragen, maar ik weet zeker dat zelfs Stella daar geen microbenoorlog voert, toch? Je geeft gewoon een verdomd goeie voorstelling om een stel mensen te vermaken, die voor hun plezier zijn gekomen.'

'Precies.' Stella had het allang opgegeven in dat aas te happen. 'Echt makkelijk verdiend geld.'

Met gefronsd voorhoofd keek Andrew het vertrek rond. 'Zijn we hier niet al eerder geweest?'

'Ik dacht van niet,' zei zijn vrouw nadenkend. 'Of hebben we hier die musical over Al Jolson gezien?'

'Nee,' zei Stella. 'Dat was het Palladium.'

'Het komt me bekend voor,' hield Andrew vol. 'Misschien ben ik hier in mijn eentje geweest.'

Brian lachte daverend. 'Van geheimzinnigheid gesproken. Met hoeveel andere acteurs ben je gewend in het geniep te drinken?'

'Je bedoelde gewoon de ruimte, nietwaar?' zei Mary. 'Ik kan het ene theater nooit van het andere onderscheiden als ik binnen ben.'

Andrew wendde zich tot Stella. 'Waar zijn de meiden, zijn ze er ook?'

'Welke meiden?'

'Waar je mee optreedt.'

'Nee, die zijn er niet.'

Mary overhandigde Brian haar glas. 'Wees eens lief en haal wat sinaasappelsap om erbij te doen.' Ze keek hem na alvorens eraan toe te voegen: 'Ik neem aan dat Stella hen niet meer uitnodigt nu ze niet met hen werkt.'

Andrew keek vragend. Hij gedroeg zich even levendig als altijd, dat was het pijnlijke. 'O nee? Ben je dan in je eentje?'

'Nee,' zei Stella. 'Derek speelt piano.' Ze hield het toevoegsel 'weet je wel?' in. 'Hij staat daarginds.'

Andrew keek. 'O ja, natuurlijk, dat is waar ook. Hij is een goeie vondst, hè? Je kunt horen dat hij het meer heeft gedaan.'

'Wat zijn jullie de rest van de avond van plan?' vroeg Stella, zich tot hen beiden richtend, om de vicieuze cirkel van misverstanden te doorbreken. 'Willen jullie naar het restaurant komen?'

'Probeer me maar eens tegen te houden!' Haar moeders opgewektheid had glas kunnen breken. 'De benen mogen zwak zijn, maar de geest is overal voor in. Dit is onze grote avond, en ik ben gewoonweg uitgehongerd.'

'Wij moeten hier nog minstens anderhalf uur blijven, maar als jullie vast willen gaan, geef ik je de naam van de zaak.' Ga, dacht ze, ga alsjeblieft.

Mary had altijd haar gedachten kunnen lezen. 'Misschien is dat het beste. Waarom doen we dat niet, Drew? Een taxi pakken en naar het restaurant gaan, dan heeft Stella niet het gevoel dat ze zich met ons bezig moet houden in plaats van rond te lopen.'

'Mij best. Kom mee dan, maar wees een beetje aardig voor me.' Andrew legde zijn handen op Stella's schouders en boog zich naar voren voor een kus. 'Dag kind, kom ons gauw weer eens opzoeken.'

In plaats van rond te lopen stond ze er nog steeds toen Brian terugkwam met het sinaasappelsap. 'Waar zijn ze heengevlucht?'

'Ze gaan de tafel warm houden.'

'Mooi zo. Wil jij dit? Ik raak het smerige spul nooit aan.'

'Geef maar op, het wordt tijd dat ik verdund raak.'

'De oude baas heeft het naar zijn zin,' merkte Brian op. 'Het doet hem oneindig goed. Hij is tegenwoordig wat vaag, maar vanavond is hij er met hart en ziel bij. Hij moet er vaker uitgaan.'

Stella dacht: Met hart en ziel? Misschien, maar waar is de geest gebleven?

In de dameswc in het restaurant zei George, naast Stella voor de spiegel: 'Sorry.'

'In orde.'

271

'Je weet hoe ik ben, ik leid een erg beschermd leven, dus spring ik op feestjes uit de band. Derek is een aardige man.'

'Zeker.'

'En ik wed dat hij een aardige vrouw heeft.'

'Ik heb geen idee, ik heb nog geen kennis gemaakt.'

'O.' George tuurde naar haar spiegelbeeld en slaakte een diepe zucht. 'Goeie hemel, ik kan niet meer. In elk geval zijn jullie te gek. Ik gloeide van trots daar in de zaal, wij allebei.'

'Dank je.'

Er viel een stilte, waarin Stella op haar haar kauwde en ermee draaide, en George toekeek. Ze dacht: niet doen. Niet vragen, of meeleven, of laten merken hoe goed je me doorhebt... niets zeggen. Maar ze voelde de vraag aankomen als een luchtvlaag in de metro die aan een naderende trein vooraf gaat.

'Zie je Robert nog steeds?'

'Af en toe. Goed,' zei ze en wendde van de spiegel af. 'Zullen we?' George verroerde zich niet. 'Hoe gaat het met hem?'

'Hetzelfde. Kijk, George, ik weet dat...'

'Nog steeds getrouwd?'

'Voorzover ik weet.'

'Dat meen je niet.'

'Ja.'

'Dat duurt nu al, hoelang, zeven jaar? Bijna een decennium...'

'Zes jaar om precies te zijn.'

'Goed, maar te lang. Te lang voor een adembenemend pracht-mens als jij om bij de telefoon te moeten zitten afwachten tot de spreekwoordelijke getrouwde engerd belt, die zijn pleziertje wil en 'm dan smeert.'

'Kap ermee, George.' Stella's hoofd begon pijn te doen. 'Zo zit het niet in elkaar.'

'Zo zit het altijd in elkaar.'

'O ja?' Ze lachte zuur, en maakte de deur open toen er nog een vrouw binnenkwam. 'En ik zou het moeten weten, hè?'

Toen ze de trap op liepen probeerde George tactvol zich te verontschuldigen, in een oorverdovend gesis. 'Stella, het spijt me. Alweer. Maar ik geef om je.'

'Fijn!' Ze liep met een brede grijns naar het restaurant terug. 'Laten we hopen dat we elkaar nooit tegenkomen als het je geen barst kan schelen.'

Ze kwam het diner door op de automatische piloot. Hield een korte speech vol zelfverachting. Zei dat ze hoopte dat ze het al hun vrienden zouden vertellen. Vertelde dat Derek en zij beschikbaar waren voor barmitswa's, zilveren bruiloften en verjaarspartijtjes. Zei dat het succes haar niet zou veranderen, dat ze even krenterig als altijd zou blijven. Vroeg of ze haar jurk mooi vonden, en zei dat het maar goed was ook, want dat ze voor die prijs geen nieuwe kon krijgen. Bedankte Derek, Miles, God en haar ouders. Speelde daarna drie volle uren haar Stella Carlyle-rol. Dronk twee keer zoveel als alle anderen en werd maar half zo dronken. Wilde alleen maar haar hoofd tussen de kruimels, de asbakken en de wijnvlekken leggen en huilen van woede en eenzaamheid.

Tegen het einde duwde George haar een programma, een menu en een ballpoint in de hand.

'Neem me niet kwalijk, maar ik mag maffe dingen doen, ik ben je zus. Signeer die even, dan ben je een schat. Deze en nog een extra.'

'Voor de kinderen?'

Brian bulkte van het lachen. 'Vergeet dat maar, wij zijn degenen die het sociale prestige nodig hebben.'

Op het menu had George met eyeliner geschreven: 'Ben je verliefd op de klootzak? Antwoord alsjeblieft, x als het ja is, xx als het nee is.'

Ze signeerde met 'Stella Carlyle, met liefs,' en het programma met 'Voor twee kanjers, George en Brian, met veel liefs, Stella,' zonder er kusjes aan toe te voegen.

'Spelbreekster,' zei George. 'Ik vat het op als nee.'

Stella had een taxi besteld voor haar ouders om hen terug naar hun hotel te brengen, en toen de ober kwam zeggen dat die er was, liep ze met hen mee tot de stoep. Haar moeder kuste haar en hield haar gezicht even vast. Ze streelde haar wangen zacht met haar duimen als om tranen af te vegen.

'Het was een triomf, schat, goed gedaan.'

'Dankjewel, ik ben blij dat jullie genoten hebben.' Het klonk stijfjes, maar ze kon er niets aan doen. 'En bedankt voor het mooie boeket.'

Mary lachte. 'Het bleek water naar de zee gedragen!'

'Het betekende veel voor me, ik neem het mee naar huis. Dag, pap.'

'Dag, kind, pas goed op jezelf. Groeten aan de meiden.' Stella vermeed het haar moeder aan te kijken toen Andrew zich tot de chauffeur wendde. 'Paddington, en trap 'm op z'n staart.'

'Het Royal Lancaster, Drew.' Mary glimlachte naar haar dochter. 'Je ziet wel hoe weinig we in de stad komen.'

Andrew haalde overdreven zijn schouders op, met opgeheven armen en zijn ogen ten hemel geslagen. 'Royal Lancaster dan maar, vrouwmens, mij maakt het niks uit.'

'Zo is het, makker, doe maar wat ze zegt, dat is volgens mij de beste politiek.' Toen ze instapten grinnikte de chauffeur kameraadschappelijk, maar Andrew was de enige die meelachte.

Toen de anderen weg waren namen Stella en Derek een drankje van de zaak. Een jenever voor hem, Jack Daniels voor haar. 'Tevreden?' vroeg hij. 'Dat mag wel.' 'We hebben de recensies nog niet gelezen. En we hebben de hele serie nog voor ons.' 'Wel verdomme,' zei hij opgewekt. 'Als ik ooit een halfleeg-glas-opmerking heb gehoord is dit het wel.' Hij zong, met wapperende handen als een negerzanger op een rivierboot: 'Live, love, laugh and be happy! Ga je gang.' 'Ik ben blij, ik ben blij, ja?' Ze rommelde wat rond, stak een sigaret op. 'Derek...' 'Voor de dag ermee.' 'Hoort een nummertje tot de mogelijkheden?' 'O-oh, nee! Je krijgt mij niet als plaatsvervanger. Of invaller.' 'Dat ben je niet.' 'Maak het een beetje, meisje,' zei hij vriendelijk. 'Je vriendje is niet komen opdagen.' 'Nee.' Hij legde zijn hand op haar hand, een grote hand die de hare helemaal bedekte. 'Hij kon niet komen, maar hij komt wel een andere keer. Hij is toch arts? Die hebben een raar leven, dat heb ik op de teevee gezien.' Ze wierp hem een wrange, bittere glimlach toe. 'Nog even en je gaat me vertellen dat ik hem moet vertrouwen.' 'Dat zijn mijn zaken niet, schatje.' 'Dat is waar. Nee...' Ze schudde haar hoofd. 'Dat bedoelde ik niet. In feite waardeer ik het dat je zijn kant kiest. Dat bespaart mij de moeite te zeggen wat een smerig, vals, onbeschrijflijk kloterig stuk onderkruipsel hij is.' 'Ga door, Carlyle!' zei Derek. 'Is de liefde geen monster?'

Toen ze om vijf uur uit de flat vertrok was ze opgeladen voor de voorstelling. Ze was zo opgefokt dat ze zich niet kon herinneren wat ze had uitgevoerd, behalve zich voorbereiden op wat komen ging. Maar toen ze in de kleine uurtjes thuiskwam was het bewijs van haar voorbereidingen duidelijk aanwezig. De schone, witte lakens en de neergelaten jaloezieën, de extra handdoek en de zeep van Crabtree & Evelyn, de cd van Courtney Pine op zijn plaats, de gekoelde champagne en verse pot Marmite... De kerkkaarsen, god beware haar, op de schoorsteenmantel.

De kaarsen vormden een uitnodiging om iets te doen wat ze altijd al had willen doen: met haar arm over de lengte van de schoorsteenmantel vegen en ze eraf maaien. Het was een bevredigende actie, met een mager resultaat, want de kaarsen braken in stukken die bijeengehouden werden door hun lont, en ze probeerde ze dronken en wel weer aan elkaar te plakken. Stomme, stomme trut, bedacht ze, je kunt zelfs niet meer behoorlijk iets kapotgooien. Er stond geen boodschap op haar antwoordapparaat, geen e-mail, geen briefje. Alleen maar het grote niets, en de gebroken kaarsen, die als de ongelijke torens van kinderblokken op de grond stonden. Ze haatte ze. Bezwoer dat ze, als ze niet te trots was geweest om zijn nummer te vragen, hem nu zou hebben gebeld om zijn klereleven aan barrels te gooien, en er dan verdomme mee te kappen. Ze pakte zelfs de telefoongids, maar hij woonde niet in haar district, en ze had zelfs zijn huisadres niet om het bij de inlichtingen op te geven. Vernederd door haar wanhoop en onwetendheid smeet ze het telefoonboek door de kamer.

Ze ging naar bed, maar kon niet slapen. Dat was dat, zei ze bij zichzelf, nu was het genoeg. George had gelijk, het ging altijd al zo. Ze had met genoeg getrouwde mannen geslapen om te weten dat het de lulligste wezens ter wereld waren. Daarom kon het haar niet schelen hoe ze hen behandelde. Derek had ook gelijk. Wat de liefde betrof, nam ze aan. Misschien. Iedereen had verdomme gelijk! Zij had ook gelijk, in godsnaam, ze was niet achterlijk, ze wist hoe het zou lopen, ze had deze toer al zo vaak gemaakt dat ze hem met haar ogen dicht kon doen.

Ze had zich niet eens uitsluitend op Robert Vitelio gericht. Dat zou pas echt treurig zijn geweest. Ze had een hapje genomen van wat er nu en dan, hier en daar, beschikbaar was, om zich eraan te herinneren dat ze een vrije vrouw was en dat het nog steeds kon. Maar de kick, het machtsgevoel dat de losse contacten haar altijd gaven was er eenvoudig niet meer. Ze liep tegen de veertig, het voelde niet meer goed, alsof ze probeerde iets te bewijzen maar daar niet in slaagde. Met uitzondering van de mislukte poging bij Derek eerder die avond, waarvan ze in elk geval had geweten dat hij het voorstel zou afwijzen, was ze al bijna een jaar alleen. Alleen, en met hem.

Het was alsof er een groot, zwaar tandrad in haar rondwentelde, dat op pijnlijke wijze in een andere versnelling overging. De weerstand was krachtig, maar het rad zou doordraaien tot waar het uiteindelijk moest zijn. En dan zou ze moeten accepteren dat ze verliefd op deze man was, en eventueel besluiten wat eraan te doen viel. Het gebrek aan x-en op het menu van George was een smoes, maar net zoals een liegende alcoholist was ze nog niet bereid op te staan en voor haar probleem uit te komen.

Er was de afgelopen paar jaar misschien een keer of tien gelegenheid geweest om een paar dagen samen te zijn, nooit meer dan een lang weekend. Stella had zenuwachtig ontdekt hoe het zou zijn als ze een stel waren; ze begon uit te vinden waar ze bij elkaar pasten en waar ze botsten, niet alleen in bed, maar ook in de echte wereld van de supermarkt, wegenkaarten, de badkamer, de bioscoop en huiselijke beslommeringen. Van welk eten ze beiden niet hielden, wie wat zou klaarmaken, wie er in bad ging en wie er douchte, op welk tijdstip van de dag, wie er van koffie hield en wie van thee, welke kranten ze lazen, hoe vlug en wanneer, hoe hun respectieve biologische klok was afgesteld. Hoe (ze kon de zinsnede niet meer vermijden) ze tot een compromis konden komen.

De meeste weekends waren in Engeland doorgebracht, een paar in Italië en Frankrijk, en een paar in haar appartement. Ze vroeg hem principieel nooit hoe hij er tijd voor kon vrijmaken, welke leugens hij had verteld, welk risico hij liep. Ze wist dat ze, zodra ze zijn problemen tot de hare maakte, haar kostbare onafhankelijkheid op een presenteerblaadje aanbood. Het was al moeilijk genoeg die beperkte tijd alleen met hem door te brengen. Ze had nog nooit zulke grote brokken tijd van haar leven met een man gedeeld, en haar verbijsterend grote, onwillige respect voor mensen die vrijwillig een huwelijk aangingen werd erdoor verveelvoudigd. Ze kregen niet veel slaap als ze samen waren; hij stond altijd vroeg op en was niet gewend overdag een dutje te doen. Haar afwijkende werktijden betekenden dat ze gewoonlijk lang uitsliep. Dientengevolge bleef er dikwijls maar een paar uur midden op de dag over dat hun stemming en energieniveau overeenkwamen. Ze raakte de tel kwijt van de films waarvan ze hem de afloop moest vertellen, en de ochtenden dat hij haar ongeduldig om elf uur wakker schudde, niet in staat de dag nog langer uit te stellen.

Ze vond dikwijls dat hun relatie net een fruitautomaat was, die bijna altijd op een willekeurige manier hun stemming en gedragspatroon saboteerde, maar hen nu en dan, als alle aardbeien op een rij lagen, onder een regen van emotionele jackpot bedolf. En die glimp van waartoe ze in staat waren deed hen voortgaan met de lange uitputtingsslag van bedrog, ongeduld, rivaliteit en wroeging. En hartstocht – ze mocht nooit de hartstocht vergeten, het medium om te communiceren als woorden en gebaren te kort schoten.

Er was een etmaal ontsnapping in een stad in het noorden waar Stella en Derek op tournee waren en Robert een conferentie bijwoonde. Een dergelijk toeval, dat hun onverwacht de gelegenheid bood zonder leugens samen te zijn, was op zichzelf al zeldzaam, maar om de een of andere reden (misschien was het ontbreken van leugens de oorzaak) waren ze daar op hun best. Ze ontmoetten elkaar op de zondagochtend en waren naar het hoge, woeste platteland gereden, hadden kilometers ver gewandeld in een vlagende, door de regen schoongewassen wind en een grillig zonnetje. De openheid en het gevoel dat ze bij elkaar mochten zijn maakte hen ontspannen. Ze hadden beiden de dag daarvoor in hun eigen domein doorgebracht en waren nu klaar om af te wikkelen, te luisteren en ruimte voor elkaar te maken. Ze lunchten in een café. Daarna zetten ze in de koele, naderende middagschemering hun schreden weer naar de auto. Terug in de stad namen ze een kamer in een pub, bedreven de liefde, en gingen slapen. Vroeg op de avond zochten ze een gelegenheid om te eten en kwamen dicht bij de kathedraal terecht, waar ze binnenliepen om achterin naar het koor te luisteren dat liederen van de avonddienst zong. Ontvankelijke ongelovigen als ze waren werden ze geroerd door de ijle stemmen, de onveranderlijke grootsheid van het gebouw en de vloeiende intonatie van de woorden.

'Betekent het iets?' vroeg ze toen ze naar buiten liepen, de donkere avond in.

'Moet dat dan?'

'Het zou handig zijn als het zo was.'

Ze liepen dicht naast elkaar, in de pas, maar raakten elkaar niet aan, hadden hun handen in hun zak. In het openbaar hield hij nooit haar hand vast en sloeg hij zijn arm niet om haar heen, dat was zijn stijl niet. Ze vond die uiterlijke koelheid absoluut niet storend, integendeel, ze vond het bijna ondraaglijk prikkelend. Voordat ze vanuit de schemerige beslotenheid van de muziek in de prozaïsche helderheid van de straat kwamen stond Robert stil en keek naar de lucht.

'Dat hangt ervanaf,' zei hij. 'Of je goddeloos of vrij van God bent.'

'Wat is het verschil?'

'Net zoiets als kinderen. Veel mensen hebben er geen, maar sommigen willen ze wel en sommigen niet.'

'En waar hoor jij bij?'

'Wat God betreft? Minder, niet vrij. Ik ben net als jij, ik zou graag een van hen daar zijn. Maar dat gezegd hebbend...' Hij liep weer verder. '...zou ik behoorlijk wat overtuigingskracht nodig hebben.'

Op dit ene korte gesprek na kon Stella zich nauwelijks herinneren waarover ze het die avond hadden gehad. Dat kwam doordat ze die keer zo in harmonie waren, zo ontvankelijk voor elkaar, dat ze bijna niet wist waar hij begon en zij eindigde. Een ogenblik lang, toen ze met de tweede fles bij de flakkerende kaars zaten, betrapte ze zich erop dat ze dacht: dit moet geluk zijn. Ze was geschokt door de misplaatstheid van die gedachte. De nacht die volgde was ook anders dan andere nachten, een onwezenlijk, tijdloos de liefde in- en uitglijden, een diepe, sensuele wederkerigheid. De ochtend daarop was er niets te bespeuren van die sfeer van bozige, scherpe kantjes en onafgemaakte ruzies die hun afscheid zo dikwijls vergezelden. Ze waren rustiger, zekerder dan ze ooit waren geweest.

Toen hij het autoportier voor haar openhield tilde hij haar hand op en drukte de palm tegen zijn mond, niet zozeer kussend als wel erin ademend.

Met gesloten ogen fluisterde hij: 'Ik ben bang om iets te zeggen.'

'Ik ook. Laten we het dus niet doen.'

'We zijn zulke lafaards.'

'Als jij het niet erg vindt, vind ik het ook niet erg.'

Hij gaf haar haar hand terug, legde die op haar hart, en liep weg.

Nog dagenlang had ze in het nagloeien, de naadloze harmonie en de diepe vreugde van dat weekend geleefd.

Het bleek echter de uitzondering die de regel bevestigde. Alles was tegen hen, tenminste, dat maakte ze zichzelf wijs. Ze probeerde hem te hanteren zoals ze andere mannen had gedaan, door afstandelijk te blijven en geen vragen te stellen, maar ze had dan ook nog nooit zo'n langdurige verhouding gehad. Vroeg of laat kwam je meer van de ander weten dan via seks en waarneming en gedeelde activiteiten mogelijk was. En dus kwam ze erachter dat hij oogspecialist was in een Londens academisch ziekenhuis, twintig jaar was getrouwd (dat was inmiddels drieëntwintig jaar) en dat zijn vrouw huisarts was. Ze hadden geen kinderen, maar hij had dat zonder spijt vermeld, als een bijkomstigheid, niet als het gevolg van een keuze. Hij was de zoon van tweede generatie Schotse Italianen, die een café en een broodjeszaak hadden in Glasgow. Zijn moeder was een paar jaar terug overleden en zijn vader had de zaak verkocht en woonde nu in een tehuis, waar hij de oude dames het hoofd op hol bracht, zoals Robert het uitdrukte.

Hij was Roberto gedoopt, en had drie oudere broers wier namen Guido, Seppi en Ricardo luidden. Alleen Seppi werd nog zo genoemd, de andere twee hadden net als hij voor de verengelste naam gekozen, Guy en Richard. Seppi leek het meest op hun vader, een stevige, oppassende, harde werker. Zijn vrouw en hij hadden een volwassen, getrouwde dochter en kleinkinderen, en dreven een goedlopende zaak in babykleding in Edinburgh. Richard, glad, knap en opportunistisch, was met de dochter van een stinkend rijke meubelfabrikant uit Milaan getrouwd en naar Italië teruggegaan, waar hij de zaak had overgenomen. Guy was een tweemaal gescheiden beroepsmusicus, begaafd maar chaotisch, klarinettist bij het Noordelijk Symfonieorkest.

Seppi was de enige die Robert met enige regelmaat zag, en zelfs dat niet vaak. Richard was losgeraakt van zijn achtergrond en zocht zelden contact. Wat Guy betrof: Robert leek hem nogal eigenaardig te vinden, vooral zijn chaotische emotionele leven, een houding die ze onder de omstandigheden bevoogdend vond.

Dat was de aanleiding voor haar om op een avond laat in bed te zeggen: 'Ik begrijp niet waarom je hem zo'n ramp vindt.'

'Ik heb nooit beweerd dat hij een ramp is, hij weet alleen, romantisch gesproken, niet waar Abraham de mosterd haalt.'

'En wat houdt "de mosterd halen" precies in?'

Haar hoofd lag op zijn schouder. Ze voelde dat hij naar haar keek voordat hij antwoordde: 'Een relatie kunnen aangaan. Ik weet wat je gaat zeggen.'

'Wij zijn niet bepaald in een positie om kritiek te kunnen leveren.'

'Je bedoelt dat ík dat niet ben.'

'Daar zijn er twee voor nodig...'

'Als je eens wist,' zei hij mat, en hij trok zijn arm onder haar uit om zijn sigaretten te pakken, 'hoe weinig overtuigend je klinkt.'

'Goed.' Ze ging rechtop zitten. 'Goed. Je broer is twee keer gescheiden, wat jij als een vorm van falen beschouwt. En toch...' Ze keek naar hem. '...ben jij hier bij mij. Hoe verklaar je dat dan?'

Hij blies de rook over zijn schouder. 'Wil je dat ik ga scheiden?'

'Daar gaat het niet om.'

'Ha!'

Ze hield vol. 'Dat is het punt niet. Maar als alles dik in orde was, was jij nu niet hier. Guy erkende tenminste dat het niet ging en kapte ermee. Beide keren.'

'Hij is weggelopen. Kon het niet hanteren.'

'En jij wel, is dat het? Is dit wat je "hanteren" noemt? Het huwelijk hanteren, en de maîtresse, en van twee walletjes eten?'

Hij leek erover na te denken, alvorens vlak te antwoorden: 'Dat zal dan wel.'

Nu kon ze haar woede niet langer verbergen. 'Luister eens naar jezelf! Het klinkt alsof het je allemaal overkomt, alsof de vrije wil nog niet was uitgevonden.'

'Mijn oprechtheid kreeg een opdoffer,' zei hij. 'Ik ben het duidelijk ontwend...'

'Doe niet zo ontwijkend.'

'...terwijl jij, dat weet ik, altijd goudeerlijk bent, en geleefd hebt als een non.'

Het waren niet zijn woorden die pijn deden, het was de bedoeling om te kwetsen. 'Sodemieter op.'

'Prima. Jouw flat, jouw telefoontje.' Hij maakte zijn sigaret uit.

279

'Maar laat me je iets vragen, Stella. Als ik door het een of ander goddelijk ingrijpen plotseling vrij zou zijn, geen ballast, geen wroeging, geen financiële of emotionele schulden, welk verschil zou dat voor ons maken?'

'Als je dat nog moet vragen, ben ik niet van plan het je te vertellen.'

'Echt een meisjesantwoord.'

Geprikkeld bitste ze: 'Een groot verschil.'

'Aha.' Hij stak zijn vinger op. 'Maar is dat wel zo? Zouden we meer tijd samen doorbrengen? Samen gaan wonen? Kinderen krijgen?' Onverwacht stak hij zijn hand uit, pakte haar bij haar kin, draaide hard haar hoofd om om hem aan te kijken. 'Wil je met me trouwen, Stella?'

Om tijd te winnen trok ze zijn vingers weg. 'Laat dat!'

Hij glimlachte sarcastisch. 'Precies.'

Daarna was hij weggegaan. De klok wees twee uur in de ochtend aan; hij was goed in weggaan op onmogelijke tijden. De auto – tegenwoordig een BMW – zoefde weg door donkere, lege straten en elke hogere versnelling zei haar dat ze het kon vergeten. Ze had de tijd niet gekregen om haar snijdende, scherpzinnige punten te berde te brengen wat zijn vrijheid precies voor verschil zou maken: dat ze hen voor het eerst in de gelegenheid zou stellen elkaar werkelijk te bezien, zonder het allesoverschaduwende drama van zijn ontrouw; op een rijtje te zetten wat ieder te winnen had, en te verliezen; en om vermoedelijk tot de conclusie te komen dat ze vergif waren voor elkaar, en uit elkaar moesten gaan voor het te laat was.

Vanavond was het hetzelfde. Weer was ze beroofd van de gelegenheid hem te zeggen hoe diep ze hem verachtte, hoe zielig hij was, en hoe weinig het haar kon schelen of hij leefde of dood was.

Stella was bijna in slaap, had net dat abrupte gevoel van te vallen dat ontstond als het lichaam het uiteindelijk opgaf, toen het brandalarm van Victoria Mansions afging. De rode cijfers op de wekker gaven 3:37 aan. Ze kon het haast niet geloven en draaide zich nog eens om, maar binnen een minuut klonken er buiten stemmen. Een sociaal ingesteld persoon bonsde op de buitendeur van de flat en riep: 'Brand! Iedereen naar buiten!'

Ze kon zich maar twee keer herinneren dat het eerder was gebeurd, en allebei de keren was het alleen maar een oefening geweest, die tactvol een paar weken van tevoren was aangekondigd. Maar nu leed het geen twijfel dat er mensen in de gang waren. En het alarm loeide maar door, tot ze ten slotte uit bed kroop, een jas en laarzen aandeed en gehoor gaf aan de oproep.

Buiten op straat stonden een stuk of veertig bewoners van de

Mansions, onder wie minstens zes oudere mensen die ze nog nooit had gezien, twee gezinnen met peuters en een huilende baby, en een Indiaas echtpaar met drie tieners. De tieners waren volledig gekleed in een broek, een slobberige parka en grote schoenen. Ze waren kennelijk nog niet naar bed geweest. Een politiewagen met blauw zwaailicht stond bij de stoep geparkeerd.

De voorzitter van de bewonersvereniging was een en al hoffelijke efficiëntie; hij voorzag in een Burberryjas en kaplaarzen zijn kudde van informatie.

'Stella!' zei hij, alsof ze elkaar bij de voedingswarenafdeling van Harrods tegen het lijf liepen. 'We begonnen ons juist zorgen te maken.'

'Blij dat te horen,' zei ze. 'Waar is de brand?'

'Nee, geen brand, een bommelding.' Hij stak zijn hand op om de aanzwellende paniekgolf te bedwingen. 'De Aziatische jongens zagen in de achtergang een reistas die er volgens hen al stond toen ze uitgingen. De jongens in blauw stellen nu een onderzoek in, maar ze hebben me verzekerd dat het bij dit soort dingen in negen van de tien gevallen om vals alarm gaat.'

'Wanneer weten we dat?'

Hij haalde genietend zijn schouders op. 'Joost mag het weten. Als ze de zaak niet binnen een kwartier naar bevrediging hebben opgehelderd zullen ze ons voor de rest van de nacht ergens anders onderbrengen.'

'Het is kwart voor vier. Er blijft weinig nacht over.'

'Misschien niet. Loopt er momenteel een voorstelling?'

'De tournee is gisteravond van start gegaan.'

'O jee...' Hij deed een tikkeltje berispend, dat was per slot van rekening een noodgeval. 'Er zal toch niets aan te doen zijn. Misschien krijgt je invalster vanavond een kans.'

Hij had geen idee, en ze deed zelfs niet alsof ze lachte. Ze was kapot van vermoeidheid, ze had op de stoep in slaap kunnen vallen. Het laatste dat ze wilde was dat er iemand tegen haar praatte, maar haar medebewoners hadden kennelijk besloten zich eensgezind tegen de vijand op te stellen. De geest van de Blitz was weer in het spel, verhaaltjes over de wonderbaarlijke redding van ringen en beren en kookboeken. De mannen zeiden dat je dit soort zaken serieus moest nemen, de vrouwen maakten grapjes over eyeliner en een schone onderbroek. Ze ging op de and van het groezelige stenen muurtje zitten, afzijdig en knorrig. Er waren maar twee dingen die ze had willen meenemen, en het ene was haar autosleutels. Het andere (en nu kreeg ze een beetje sympathie voor de verhalenvertellers) was het boek *Slapend*. Het zou een misdaad zijn als de knappe militair en zijn paard na al die tijd volledig werden weggevaagd, en hun opwekkende boodschap van troost aan gruzelementen werd geblazen door de IRA.

De Rolls glipte tussen haar en haar gedachten door. 'Ik weet dat het weinig origineel is,' zei Robert, opzij hangend om door het passagiersraampje te kunnen praten, 'maar mag ik je uitnodigen voor de neukpartij van je leven?'

Haar antwoord was al even weinig origineel. 'Wat doe jij hier?'

'Een vrouw oppikken, stomkop. Stap in.'

'Ik kan niet zomaar weg, we zitten midden in een bommelding.'

'Wat was je dan van plan, ze op jouw versie van 'We'll Meet Again' vergasten?'

'Ik weet niet wat er zal gebeuren, ik heb mijn sleutels niet bij me – waar heb ik het over, de hele boel kan worden opgeblazen!'

'Ze hebben jullie niet afgezet. Kijk, wil je nou instappen, anders komen de smerissen achter ons allebei aan.' Hij duwde het portier open.

'Niet wegrijden.'

'Doe ik ook niet. Ik wilde worden uitgenodigd voor een kop koffie. Stap in. Nu.'

Ze stapte in. De warmte van de auto, de zachte stoelen, de geur van sigaren en pepermunt, de klaaglijke, verlokkende tonen van Miles Davis waren als een omhelzing. Ze kon zich bijna niet herinneren hoe erg ze hem haatte.

'Ik moet zeggen...' en hij bulderde van de lach toen hij haar hoofd naar zich toe trok, 'dat je er niet uitziet.'

Ze viel in de auto in slaap. Een uur daarna klopte de voorzitter op het raampje om te zeggen dat ze weer naar binnen mochten. De tas bleek vol te zitten met wat hij 'vieze blaadjes' noemde, wat leek aan te geven dat het een grap kon zijn. Niemand piekerde erover een vinger uit te steken naar de tieners die aangifte hadden gedaan, maar iedereen koesterde verdenkingen. De huismeester ging rond met zijn loper om de deuren voor de mensen te openen.

Robert ging met Stella mee naar binnen, en toen kwam alles weer terug. De gebroken kaarsen, de telefoongids die tegen de muur gesmeten lag... Ze ging voor hem staan, nog steeds in haar dikke jas, met haar armen over elkaar.

'Kijk, ik weet eigenlijk niet of ik je hier wel wil hebben.'

'Ik kan niet zeggen dat ik het je kwalijk neem.'

'En waar heb jij uitgehangen?'

'Seppi belde, zijn dochter is ziek.'

'Je nichtje.' Ze wist niet precies waarom ze dat zei, het had iets met pikorde en prioriteiten te maken. Het klonk zuur en kribbig, zelfs in haar eigen oren.

'Ja,' zei hij. 'Natalie. Ze is ongeveer van jouw leeftijd, moet een radicale borstamputatie ondergaan.'

'Het spijt me,' mompelde ze onelegant, vuurrood van schaamte. Maar ook met de gedachte: het kreng, het kreng om me zo krengerig te laten lijken.

'Hoe dan ook,' vervolgde hij, 'de prognose is statistisch gezien heel redelijk. Maar Seppi was begrijpelijkerwijs nogal overstuur, hoe het met iedereen moest als ze in het ziekenhuis lag, dat soort dingen, een manier om niet aan het slechtste scenario te hoeven denken. Ik kon niet weg.'

'Dat begrijp ik.' Ze kreeg de onredelijke aanvechting hem klem te zetten. 'En hoe kreeg je het voor elkaar om op dit onzalige tijdstip hierheen te komen?'

'Sian is er niet. Vrouwen Gezondheids Conferentie, ironisch genoeg. En ja, ik ben aanvankelijk je première vergeten, maar toen het kwartje viel zou ik je uren geleden al hebben opgespoord als Seppi niet zo laat nog had gebeld.'

'Vergeet het maar, het doet er niet toe.' Ze kon weinig meer van die stortvloed van rationele verklaringen velen. 'Je kunt blijven als je wilt.'

Hij wierp een blik op zijn horloge. 'Ik ben bang dat die grappenmakers een spaak in het wiel hebben gestoken. Jij moet slapen en ik moet werken.'

'Moet jij ook niet slapen? En je patiënten dan?'

'Ik knap wel even een uiltje als ik daar ben. Mijn vakkundigheid lijdt er niet onder en mijn omgangskunde was al jaren geleden op een dieptepunt. Zoals je weet.'

Hij wilde haar kussen, maar ze kon niet toegeven. Ze hield haar armen gekruist en haar lippen op elkaar. Hij weigerde haar afwijzing te accepteren, sloeg zijn armen om haar heen en zei zachtjes in haar haren: 'Hoe is het gegaan?'

'Goed.' Kom op, Stella. 'Nee, het ging prima.'

'Dat is geweldig. Ik kom kijken, heel gauw.' Zijn hand gleed op en neer over haar rug en zijn stem werd schor. 'Toen ik zei dat je er niet uitzag... Dat meende ik niet.'

'Jawel, en je had gelijk. En ik mócht er verschrikkelijk uitzien: het was vier uur in de ochtend en er was een bommelding.'

Ze voelde dat hij schudde van het ingehouden lachen alvorens haar los te laten. 'Dat is waar.' Dit keer wist hij een snelle kus op haar lippen te drukken 'Hebbes.'

Hij bekeek zich in de spiegel, mompelde 'Christus,' en wreef heftig met zijn handen over zijn gezicht en door zijn haar. Naast de spiegel stond de Victoriaanse foto. Hij tikte er met zijn vinger tegen. 'Het is me een raadsel waarom je daarop gesteld bent.'

Ze haalde haar schouders op. 'Hij is vredig.'

'Het is quasi-religieuze, bedrieglijke, sentimentele troep, engeltje,' zei hij. 'Luister. Ik bel je voor het eind van de week. Slaap lekker.' En met die karakteristieke cynische noot vertrok Robert Vitelio.

Maar niet voor het laatst die ochtend, zoals ze ontdekte toen ze uit bed strompelde. Bij de post op haar mat lag een briefje van de portier met de mededeling dat er een pakketje bij haar deur was achtergelaten. Het was een pak kranten in een plastic zak met de naam van een slijterij erop. Bij de kranten zat een wenskaart met de afbeelding van een snoezig stekelvarken in een tuinbroek en met een strohoed op, met het onderschrift: 'Jij bent mijn zonnetje.' Binnenin had Robert Vitelio geschreven: 'Sorry voor de vreselijke kaart, het beste dat jouw nachtwinkel in huis had. Dacht dat je deze gelukwens op prijs zou stellen. Stella is je naam, ster ben je van nature.' xRx.

De recensies varieerden van goed tot jubelend, met hoegenaamd niets dat de bloeddruk deed stijgen, en met veel stof voor de publiciteitsagent van de voorstelling. Er stonden die ochtend diverse berichten op het antwoordapparaat. Ze luisterde ze af terwijl ze brunchte met een kop zwarte koffie en een broodje bacon.

Het eerste was van Miles, dat de reserveringslijn roodgloeiend stond en dat er alle kans bestond dat ze de reeks voorstellingen moesten verlengen. De tweede was van George, die een kater had maar juichte: 'Heb uitgerekend dat ik die handtekeningen van jou voor een aardig bedrag kan verpatsen, gezien de fantastische recensies, jij ouwe dondersteen. Het spijt me vreselijk dat ik je gisteravond zo voor het blok heb gezet. Tegen de tijd dat we bij het restaurant waren was ik echt te ver heen om te weten wat ik deed. Jouw affaires zijn niet mijn zaak! Brian stuurt je zijn beste wensen met een dikke natte zoen – je kunt je wel voorstellen hoe nat na wat hij gisteren heeft ingenomen. Geef ons een seintje als je tijd hebt. Doei!'

Het derde was van Derek, met zijn typische opgewekte geklep. 'Het ziet ernaar uit dat we het hebben gemaakt, moppie, maar dat verbaast me niets. Ik ben naar Porchester Baths voor een Turks bad en een koude duik voor vanavond, en wie weet heb ik geluk. Zie je later.'

Het laatste was van haar moeder. 'Ik denk niet dat je de *Telegraph* hebt gezien, dus lees ik even voor wat ze over je schrijven... Daar gaat-ie: "Stella Carlyle," blablabla, "ziet eruit als een straatjongen, zingt als een betoverende sirene," blabla, nu komt het: "straalt een buitengewoon sex appeal uit, vol kracht en pathos. Carlyle..." Ik wou dat ze dat niet deden, maar ja, "is vandaag de dag een van de

weinige sterren die je bijna gelijktijdig kan laten lachen en huilen."
En zo gaat het maar door, is het niet geweldig? Ik neem aan dat je
uitslaapt, maar bel als je zin hebt. Je vader is vandaag niet op zijn
best, het zal de anticlimax wel zijn, ik weet zeker dat hij je stem
graag zal horen.'
Ze wilde er niet te lang over nadenken en belde direct.
'Met mij.'
'Stella, schat, we zijn zo trots op je. Luister, je vader staat hier
naast me, ik geef hem even...' Ze hoorde haar moeder zachtjes, maar
duidelijk zeggen: 'Drew, het is Stella, Stella voor jou. Weet je nog dat
we gisteravond naar de voorstelling zijn geweest?' En toen, weer
tegen haar: 'Hier is hij.'
'Stella?'
'Hallo paps, hoe gaat het vandaag met je?'
'Redelijk. Hoe was de voorstelling?'
De moed zonk haar in de schoenen. 'Heel goed.'
'En de meiden?'
'Prima.'
'Het is hier reuze saai en stil, wanneer kom je weer eens?'
'Misschien lukt het zondag, maar ik bel nog om het te laten weten.'
Hij zei: 'Ze komt zondag,' en daarna: 'Mijn kop doet het niet meer
helemaal goed, kindje, ik haal de dingen soms door elkaar, je moet
het me maar vergeven.'
'Ik heb er niets van gemerkt,' loog ze.
'Maak het een beetje,' zei hij. 'Het zou me verbazen als je het niet
had gemerkt.'
'Iedereen vergeet wel eens wat.'
Even was het stil, toen zei hij: 'Dat is waar.' En toen: 'Tot kijk, hou
je haaks.'
Mary kwam weer aan de lijn. 'Dus we zien je zondag?'
'Misschien lukt het, dat weet ik nog niet. Zal ik je bellen?'
'Natuurlijk! Lieverd...'
'Ja?'
'Je moet nooit denken dat het moet, hoor. We weten dat jullie van
ons houden, jij en George, je hoeft niet steeds op bezoek te komen
om het te bewijzen.'
Toen ze de telefoon neerlegde ging ze met haar hoofd in haar han-
den zitten, beschaamd door haar moeders liefde, haar gulheid, haar
stralende, onaantastbare trouw.

Stella redde het die zondag niet. Ten eerste was ze uitgeput; deze
voorstelling leek meer van haar te vergen dan de andere. En ten
tweede, de ware reden was: ze kon haar ouders niet onder ogen ko-

men nu de kloof tussen hun situatie en de hare meer dan ooit onoverbrugbaar leek. Aan de andere kant had Robert nog niets laten horen, en wilde ze er niet zijn als hij belde.

Ze belde Jamie en vroeg of hij zin had met haar te gaan lunchen. Sinds zijn achttiende verjaardag, waarna hij niet meer voorkwam op wat zij beschouwde als de peetmoederlijke loonlijst, was er een subtiele verandering in hun relatie ontstaan.

'Te gek!'

'Ik trakteer,' zei ze gewoontegetrouw.

'Dat zien we nog wel.'

'Als je iemand mee wilt nemen...'

'Nee, bedankt, ik ben even vrij van afspraakjes.'

'Prince Jaipur om één uur dan.'

Nadat Jamie in Manchester een 9 voor Engels en mediakunde had gehaald, had hij werk gevonden als productieassistent bij een vroege, adembenemend lawaaiige, vulgaire ontbijtshow, een baantje waar hij enorm van genoot. Het had cachet, geloofwaardigheid, veel ontmoetingskansen en geen kledingvoorschriften. Nu en dan belde hij Stella om haar te laten weten dat er iets van hem werd uitgezonden. Dat hield meestal het wekken van argeloze sterretjes in, die werden uitgenodigd in de uitzending hun slaapkamer te laten inspecteren, of iets soortgelijks met de kijkers. Stella had hem gewaarschuwd dat, als hij het ooit waagde zo'n stunt met haar uit te halen, het ter plekke uit was tussen hen, maar hij had haar gerustgesteld door uit te leggen dat Victoria Mansions ten aanzien van de televisie ongeveer zo toegankelijk was als de Sing-Sing, en dat ze dus volkomen veilig was.

Hij zat op haar te wachten in de Prince of Jaipur, aan een tafeltje bij het buffet, gekleed in jeans, een gestreept rugbyshirt en versleten sportschoenen.

'Zullen we eerst iets bestellen voordat we praten? Ik heb gisteren nogal veel gedronken.'

Dat kwam niet als een verrassing. Hij was op grote hoeveelheden gebouwd, maar nu was er duidelijke een rol boven de tailleband van zijn broek te zien.

Toen ze met hun voorafje terug naar hun tafel liepen vroeg hij: 'Is dat alles?'

'Ik kan altijd nog bijhalen.'

Ze bestelden iets te drinken, een glas jus en Evian voor hem, en een glas witte wijn voor haar, en Jamie viel met smaak op zijn eten aan.

'Dit was een geweldig idee, bedankt dat je erop kwam, ik ben zo verdomd nalatig, ik bel jou nooit.'

'Maak je geen zorgen, het was eigenbelang, ik had een opkikker nodig.'

'Maar de voorstelling is een knaller, ik heb een recensie gelezen. Ik kon niet eens kaartjes krijgen voor Jonno en mij,'

'Zeg me voordat we weggaan wanneer je wilt komen, dan zorg ik dat er een paar bij het loket klaarliggen.'

'Het was geen hint.'

'Maakt niet uit wat het was. Je hoeft me geen hint te geven, schat, vraag het maar gewoon, daar zijn peettantes op leeftijd voor.'

'Op leeftijd, jij?' Jamie wierp haar gekscherend een flirtende blik toe. 'Goed als ik nog wat bij ga halen?'

Toen hij weg was nam ze een slokje wijn. Het was enig hem te zien, maar de kerrieschotel leek niet zo'n goed idee meer. Ze schoof de vettige stukken *samosa* over haar bord heen en weer; haar maag kwam in opstand. Toen hij terugkwam, zijn bord volgeladen met pilaurijst en rode, bruine en groene saus besloot ze verder commentaar te voorkomen.

'Sorry, maar ik kijk verder alleen toe hoe jij eet. Ik heb geen trek.'

'We leven in een vrij land.' Hij prikte de *samosa* aan zijn vork. 'Ik neem het wel. En waarom ben je depri?'

'Ben ik niet.'

'Je zei dat je een opkikker nodig had.'

'Een zondagshumeur.'

Hij maakte draaiende bewegingen in de lucht met zijn vork terwijl hij zijn mond leegat. 'Hoe staat het met je liefdesleven?'

Ze lachte, en herinnerde zich dat ze hem dat altijd vroeg. 'Rustig aan.'

'Ik geloof er geen barst van. Of heb ik het bij het verkeerde eind, is rustig aan juist goed?'

Ineens wilde ze haar hart bij Jamie uitstorten. In tegenstelling tot anderen die ze in vertrouwen kon nemen, zoals haar moeder, George, zelfs Derek, wist ze dat ondanks zijn achteloze genegenheid voor haar, het bij zijn jeugd horende egocentrisme garandeerde dat hij er weinig belangstelling voor zou hebben en dat discretie dus was gewaarborgd.

'Mag ik het eerlijk zeggen?' vroeg ze.

'Ga je gang.'

Ze vertelde hem alles, zonder namen te noemen. Hij luisterde en at verder. Toen hij zijn bord leeg had schraapte hij de restjes van haar bord op het zijne en at die ook op. De enige keer dat hij haar onderbrak was om nog iets te drinken te bestellen, dit keer een biertje voor hem. Ze praatte een halfuur door, tot de druk van de ketel was.

'Nou weet je het. Het is een hele opluchting, ik merk ineens hoe banaal en clichématig het allemaal is.'

'Ja, maar een cliché is een cliché omdat het waar is.'

Ze glimlachte flauwtjes. 'Dat zal best.'

'En trouwens, de situatie mag dan banaal zijn, maar dat ben jij niet, en hij is wie hij is, dus de chemie is verschillend. Wat ga je doen?'

'Wat zou jij doen?'

'O, nee...' Hij stak zijn handen omhoog. 'Nee, nee! Ik blijf hier absoluut buiten. Jij hebt mijn raad niet nodig.'

'Daar vraag ik ook niet om. Ik vraag uit louter wetenschappelijke belangstelling wat jij in mijn plaats zou doen.'

'In het ideale geval, of de realiteit?'

Ze trok een 'kom nou'-gezicht. 'Wat vind je?'

'Vanuit zijn standpunt of het jouwe?'

'Maakt niet uit.' Ze haalde haar schouders op. 'Allebei.'

'Goed,' zei hij. 'Nou, hij is simpel. Als ik hem was zou ik geen flauw idee hebben waar ik met jou aan toe was, waarschijnlijk doodsbang voor je zijn – nee, je hebt erom gevraagd, nu is het mijn beurt – en dus zou ik maar door blijven sudderen tot er iets gebeurde waardoor de situatie zou veranderen. Ik ben waarschijnlijk op mijn vrouw gesteld, zelfs zonder dat we het doen, en ik heb het gevoel dat ik haar iets verschuldigd ben. Daarom kan ik haar niet zonder gegronde reden in de steek laten. Hij hoopt vermoedelijk dat hij betrapt wordt, zodat zij hem eruit zal gooien, of dat zij iets met de buurman begint, zodat hij met een schoon geweten de benen kan nemen.'

'Wacht eens even.' Stella stak haar hand op. 'Geen gegronde reden? Ik dacht dat ik je de hele tijd had doorgezaagd over de reden.'

'Maar weet hij dat? Heb je het hem verteld?'

'Wat?'

'Shit!' Jamie kreeg een rooie kop en sloeg met zijn vuist tegen zijn voorhoofd. 'Kweetnie, dat je van hem houdt, of zoiets?'

'Niet met zoveel...' Ze schraapte haar keel. 'Niet met zoveel woorden.'

'Vat het niet verkeerd op, ik wil het niet aanprijzen, ik weet niet eens of het wel waar is, ik zeg alleen maar dat als ik in zijn schoenen stond, nou, dat ik een flinke duw nodig zou hebben om de hele boel overhoop te halen.'

'Goed. En in mijn geval?'

'Ik geef het op.'

'Nee, vooruit nou, je hebt het beloofd, je doet het prima.'

'Ja, maar dat was het makkelijkste stuk, voor mannen weet ik het wel.'

'Zie het als een uitdaging.'

'Mooi. Dan zou ik de dingen waarschijnlijk op hun beloop laten.'

'Echt waar?' Ze was stomverbaasd. 'Nou, dat klinkt echt reuze opwindend.'

'Doe niet zo lullig.' Hij zag er gekwetst uit. 'Zoals jij het verteld hebt is het behoorlijk opwindend. Iedereen kan zich uitleven en gaat daarna naar huis. Wie houdt er niet van een beetje theater? Vooral jij. Daar is niks mis mee.'

O, nou, dacht ze toen ze naar huis liep, kinderen zeggen immers de waarheid... Ze had gekregen waar ze om had gevraagd. Geen advies, maar de harde, onverteerbare waarheid.

Robert belde haar woensdagochtend vroeg vanuit het ziekenhuis en zei dat hij tussen de middag weg kon, kon hij haar komen opzoeken?

Het eerste dat hij tegen haar zei toen ze hem binnenliet was: 'Je ziet er mager uit, laten we een hapje gaan eten.'

'Liever niet. Ik heb eten in huis, en ik heb trouwens geen trek.'

'Ik wel.' Verliefd sloeg hij zijn armen om haar heen. 'Maar niet in eten.'

Hij vrijde kort, maar intens teder met haar. Hij hield zich niet in, alsof hij haar zijn hartstocht gewoon inblies. Tegenwoordig, na zo'n lange tijd, was het dikwijls alsof ze weer voor het eerst bij elkaar waren: een blinde, woordeloze wederzijdse inprenting.

Hij hijgde, liet zich achterover vallen, en begroef toen zijn hoofd in haar borsten. 'God beware me...'

Ze streelde hem over zijn hoofd, kuste hem op zijn haar. 'Waarom zou Hij? Je besteedt niet de minste aandacht aan Hem.'

Hij schudde van het lachen. 'Ik heb horen zeggen dat Hij wel van een uitdaging houdt.'

Ze bleven een paar minuten rustig liggen, veilig en wel. Dit waren de bijna volmaakte momenten, als ze hadden gevrijd en elkaar moeiteloos begrepen, en al het andere op afstand was, te ver weg om hen te storen. Als de essentie van die ogenblikken eens kon worden gebotteld, bedacht Stella, dan zouden ze op een lepeltje per dag kunnen overleven. Ze legde haar arm onder zijn hoofd en wiegde hem. Zijn ademhaling was diep en regelmatig, maar hij sliep niet. Hij bewoog zijn hand over haar middenrif, haar heupen, haar rug. Na een poosje hield hij zijn hoofd schuin achterover om naar haar te kijken.

'Weet je, je bent echt te mager.'

'Ik ben graag vel over been.'

Hij gromde en ging met zijn duim over haar sleutelbeen. 'Dat ben je zeker... Ik neem aan dat het door het optreden komt.'

'Misschien.' Omdat ze zich ongemakkelijk voelde bij dat onderwerp vroeg ze: 'Hoe gaat het met Natalie?'

Hij duwde zich overeind naar haar toe en kuste haar op de wang. 'Ze is geopereerd, en tot dusver is alles goed verlopen. Nu moet ze goed in de gaten worden gehouden. En natuurlijk moet het arme kind leren leven met de prothese.'

'Ja, natuurlijk.'

In de stilte die volgde speelde hij met haar haren. Ze voelde dat er nog iets kwam, en was niet verbaasd toen hij zei: 'Over twee weken gaan we naar Glasgow om hen op te zoeken, ik heb dan een paar dagen vrij.'

'Dat zal ze fijn vinden.'

'Wat, een bezoekje van oom Bob?' zei hij met een plat Glasgows accent. 'Dat weet ik niet, het is meer voor ons goede geweten dan voor hun welzijn, maar dit soort dingen moet nu eenmaal. Het enige is dat jij zo verrekt populair bent dat ik in de tussentijd geen kaartje heb kunnen bemachtigen.'

'Kom gewoon wanneer je kunt. Er is er altijd nog wel een over. Ik geef je naam op.'

'Wil je dat doen? Bedankt, ik zou het voor geen geld willen missen.' Hij liet zijn kin op haar schouder rusten. 'Zei je dat er eten in huis was?'

Ze lunchten met bruin brood, ham, tomaten, een homp brokkelige, pittige cheddar en rode wijn. Het picknickachtige karakter van de maaltijd betekende dat haar gebrek aan eetlust nagenoeg onopgemerkt bleef. Na afloop gingen ze terug naar bed, en zoals gewoonlijk was het de tweede keer anders: langduriger, gespannener, minder spontaan. Meer te zeggen, en minder tijd om het te zeggen. Ze dacht zeker klaar te komen, en voelde zich treurig toen het niet gebeurde.

'Maak je geen zorgen,' zei hij plagend vanwege haar gêne. Zoals zo vaak dacht hij dat zij niet had gezien dat hij op zijn horloge keek. 'Je hoeft niets te bewijzen.'

Dat was precies wat haar moeder en Jamie tegen haar hadden gezegd. Ze dacht: de wereld is vol mensen die menen beter dan ikzelf te weten wat ik voel. Die gedachte weerhield haar van het antwoord dat ze anders zou hebben gegeven, namelijk wat die gevoelens inhielden.

Op zaterdagavond lag er een briefje voor haar bij de artiesteningang.

Lieve Stella,
Dit is alleen maar om je te zeggen dat ik vanavond in de zaal zit en je de hele tijd zal toejuichen. (Niet dat je dat nodig hebt, gezien de kran-

ten!) Ik woon en werk nu tot volle tevredenheid in Colchester, op bovenvermeld adres. Ik zeg dat even om je te laten weten dat ik er altijd voor je ben als je me nodig hebt. Het is een aantal jaren geleden dat ik je heb gezien, behalve natuurlijk voor het voetlicht, en het zou leuk zijn als we elkaar een keertje konden ontmoeten, gewoon om iets drinken en te praten. Maar ik laat de beslissing helemaal aan jou over.

Voor eeuwig de jouwe,
Gordon

Terwijl ze zich omkleedde en schminkte bedacht ze vertederd dat Gordon de enige was die kon ondertekenen met 'voor eeuwig de jouwe' en serieus genomen worden. Dat was op zichzelf genomen al een troost, waar troost schaars was en ze die nodig had. Jamie en zijn flatgenoot Jonno zaten vanavond ook in de zaal, ze hoefde zich niet verlaten te voelen. In een opwelling riep ze de podiumassistente en stuurde haar naar de hoofdingang met een uitnodiging voor Gordon om zich na de voorstelling bij Derek, haar en de anderen te voegen (ze zocht ze met zorg uit) voor een drankje.

Het was stom toeval dat ze hem zag. Het kleine raam van haar kleedkamer zag uit op de steeg tussen de twee belendende theaters, waarop de nooduitgang van de aan de rechterkant gelegen stallesplaatsen uitkwam. Tijdens de pauze had ze het zo warm dat ze het raam opendeed en er even voor bleef staan om de verfrissende dampen van het West End in te ademen en naar de mensen beneden te kijken. En daar stond hij, een sigaar te roken. Hij stond in een typerende pose, midden in de steeg, met zijn ene hand in zijn zak, alsof hij op het punt stond een zaal toe te spreken. Nu en dan langskomende stelletjes moesten elkaar loslaten om langs hem heen te kunnen.

Ze wilde hem net roepen toen hij de sigaar liet vallen en onder zijn voet uittrapte. Zijn vrouw kwam naar hem toe, ze had een programma in haar hand, niet dat goedkope, maar het boekje met foto's, o jee, van de repetities. Stella stond te staren, ingespannen te turen of ze de lichaamstaal van hun lippen kon aflezen toen ze enkele woorden wisselden, maar het was alsof ze Hebreeuws las, ondersteboven, van achteren naar voren, onherkenbaar, een gesloten boek. Hoe zou ze hen ooit kunnen doorgronden, met al die jaren huwelijk op hun naam? Zij mochten dan daarbuiten staan, en zij hierbinnen, maar zij was de buitenstaander.

Hij wierp een blik op zijn horloge, dat was tenminste een vertrouwd gebaar, en ze liepen het theater weer in.

Toen Stella ging zitten was ze duizelig, haar handen waren bleek en koud, als dode muizen. Ze kreeg een zure smaak in haar mond, en ze haalde maar net op tijd de wc.

'Je hebt vanavond een prachtprestatie geleverd,' zei Derek. 'Ik dacht dat je met de meeste van deze liedjes alles al had gegeven. Dat zegt maar weer eens hoe een mens zich kan vergissen. Ik kreeg een paar keer tranen in mijn ogen. Geef me de vijf, moppie... Goeie genade, wat een koude vingers!

Na afloop was Stella op haar stralendst, volkomen uitgelaten van de drank, het applaus en van ellende. Ze nam ze allemaal mee uit eten: Derek, Jamie, Jonno en Gordon, in een groot, chic restaurant waar je nog echt entree kon maken. Zij, die nooit op haar strepen ging staan, bestelde een tafel in het midden, en kreeg die ook. Kelners zweefden af en aan, kaarslicht gloeide, champagnekurken knalden, hoofden werden omgedraaid. Is dat niet...? Heb je de voorstelling gezien... Ze zeggen dat-ie fantastisch is. Ze omringt zich nogal graag met mannen, is het niet? Denk je niet dat die jonkies haar neefjes zijn? Ik had nooit gedacht dat ik het zou zeggen, maar dat is echt te mager...

Ze wist dat ze helemaal te gek was, kon het van hun gezichten aflezen. Dat van Derek vergenoegd, trots, een tikje verbijsterd, dat van Jamie innig tevreden, een onverwachte triomf, en dat van Jonno met 'als mijn vrienden me nou eens konden zien' erop. Gordon, die goeie Gordon, was verreweg de gelukkigste man in de zaal. Ze legde ze in de watten, flirtte met ze, vleide, onthaalde en amuseerde ze.

Ze straalde, want morgen zou ze sterven.

Buiten op het trottoir nam ze hun bedankjes en kussen in ontvangst, maar stak haar arm door die van Gordon.

'Laat me een taxi voor je nemen,' zei hij. 'Dan kan ik je afzetten en doorgaan naar Liverpool Street.

Ze zat met haar voeten op de bank en haar hoofd op zijn schouder. Alles ebde weg, en ze had het koud. Koud, moe en ziek. Toen ze bij Victoria Mansions waren maakte hij haar zachtjes wakker.

'We zijn er.' Hij hield zijn arm om haar middel terwijl hij tegen de chauffeur zei: 'Ik breng mevrouw even naar de deur, als u zo goed wilt zijn om even te wachten.'

Hij bracht haar naar de lift, ging mee, en zocht haar sleutel voor haar. In de deuropening sloeg ze haar armen om zijn hals.

'Gordon... ga niet weg.'

'Maar eh... ik denk dat je moet slapen.'

'Als je blijft doe ik dat ook.'

'Ik heb de taxi gezegd te wachten.'

'Zeg dan dat hij weg moet gaan.'

'Stella, ik... Denk je dat dit verstandig is?'

'Stel je niet aan, Gordon.' Ze kuste hem op zijn mond. 'Ga naar beneden en betaal die man.'

Met schokkende schouders wankelde ze van hem weg. Gordon, altijd nederig, dacht vast dat ze hem uitlachte, maar hij had het helemaal bij het verkeerde eind.

12

Op een klein, dichtbevolkt eiland waar vijfenveertig miljoen
mensen wonen, leert eenieder zijn privacy zorgvuldig bewaken,
en zorgt ervoor die van anderen niet te schenden.

'Over There', instructies voor Amerikaanse
militairen in Engeland.

Spencer 1944

Spencer was gedurende een halfjaar Janet Ransoms minnaar, maar hij
had nooit het gevoel dat hij haar kende. De reserve die ze in het dagelijks leven tentoonspreidde veranderde in de slaapkamer in een diepe
geslotenheid. Er was geen gebrek aan lichamelijke hartstocht, maar het
was alsof ze een andere taal sprak, of dat ze hem geblinddoekt aanvoelde en zijn aanraking via de hare interpreteerde, op een manier die
hij niet kende of begreep. Dat was opwindend, maar ook bedroevend.
De wens om door die onzichtbare barrière heen te breken, haar zijn
naam te horen noemen, of zelfs haar ogen open te maken zodat ze naar
hem kon kijken, maakte hem gek. Als dat dan opnieuw niet gebeurde,
voelde hij zich terneergeslagen, hoe fantastisch het ook was geweest.
Er was ook geen enkele gelegenheid om te zeggen hoe hij zich voelde, of om haar te vragen wat ze dacht, want de rest van hun verhouding bleef in alle opzichten hetzelfde als tevoren. De aanwezigheid van
Davey en Ellen, en minder vaak die van Rosemary, bracht restricties
mee, maar zelfs zonder die beperkingen bestond er weinig kans. Hij
ging zondags naar het huisje, en als het kon nog een avond in de week.
Zondags was er de middagthee, en op een doordeweekse dag iets dat
ook thee werd genoemd, met een theepot die klaarstond, maar dat later
werd geserveerd en uit iets substantiëlers bestond. Spencer nam op zijn
beurt lekkers mee van de basis en deed klusjes. Als ze alleen waren en
niet gestoord konden worden, gingen ze naar boven, naar bed. Het signaal daarvoor was altijd hetzelfde. Ze stak haar hand uit en zei: 'Kom
maar,' alsof ze het tegen een kind had. En als een kind ging hij mee. Hij
merkte dat ze nooit enig risico nam, en altijd te vertrouwen was.
Davey had de kamer ernaast. De wieg van de baby stond in de-

zelfde kamer, achter een kamerscherm. Om te beginnen voelde hij zich als een kat op een heet zinken dak voor het geval ze wakker zouden worden. Maar Janet verzekerde hem dat de kinderen overal doorheen sliepen, luchtgevechten en bombardementen; er was meer dan dat nodig om ze te wekken. Uiteindelijk raakte hij gewend aan het idee. Als het voorbij was kuste ze hem altijd op de wang en zei zachtjes: 'Dank je.' Die bedankjes maakten dat hij zich ongemakkelijk voelde, alsof hij het zoveelste karweitje had opgeknapt. Na een paar minuten stond ze op, kleedde zich aan en ging naar beneden. Ze kwam nooit terug naar boven, riep hem ook nooit en na een poosje ging hij ook maar naar beneden. Dan zat ze in de salon te wachten met een theeblad, en whisky als die er was, met een glas voor hem.

Op een avond pakte hij haar hand toen ze op het punt stond uit bed te stappen en zei: 'Schatje, bedank me niet.'

'Waarom niet?'

'Het hoeft niet. We doen het samen. Ik ben gelukkig, jij bent gelukkig...' Hij wiegde zijn hoofd op het kussen heen en weer.

Ze keek op hem neer, met haar hand rustig in de zijne. 'Dat weet ik.'

'En dus geen bedankjes meer, hè. Alsjeblieft.'

Ze had geglimlacht als om ja te zeggen, maar het had geen zier veranderd. Bedanken was voor haar net zoiets als ademhalen. Daardoor vroeg hij zich eens te meer af wat er in haar hoofd omging als ze het deden, zo stil en hartstochtelijk.

Op een keer namen ze Ellen in haar wagentje in het dorp mee uit wandelen. Hij had geleerd zich daar ook geen zorgen om te maken, zelfs al wist hij dat er werd gekeken. Janet zei dat het oké was, dus was het dat ook. Het leek alsof ze, wat men ook over hem zei, een aura om zich heen had waar de mensen zich van bewust waren, dat ze een natuurlijke waardigheid bezat die men respecteerde.

Het was eind oktober, en ze waren met gezwinde pas de hoofdstraat doorgelopen, de heuvel af naar waar het stroompje voortkabbelde dat bekend stond als het Norton Water. Ze noemden het een rivier, maar het was niet meer dan een sloot, waarbij vergeleken Moose Creek wel de Mississippi leek. Hier was het beschut; ze liepen langzamer. Ellen was in slaap gevallen. Haar glimmend rode wangen puilden uit haar blauwe, gebreide puntmutsje. Spencer vatte moed om naar Edward Ransom te informeren.

'Vertel eens iets over je man.'

'Wat wil je weten?'

Alles, dacht hij. Hoe jullie elkaar hebben ontmoet, wat voor iemand het was, of je van hem hield, waarom je *du moment* dat je wist dat hij dood was met mij naar bed ging...

'Ik weet niet,' zei hij. 'Wat je me wilt vertellen.'

'Eens kijken.' Uit de manier waarop ze het zei maakte hij op dat ze niet van plan was iets noemenswaardigs prijs te geven. 'Hij zag er heel goed uit; je hebt onze trouwfoto gezien.'

'Een knappe kerel. Een mooi paar.'

Ze glimlachte zoals gewoonlijk met haar lippen op elkaar. 'Hij was automonteur, hier in de garage van Deller. Gouden handen, net als jij.'

'En waar hebben jullie elkaar ontmoet?'

'We kenden elkaar al jaren. Niet goed, maar we groetten elkaar.'

'En toen, wat gebeurde er toen? Jullie keken elkaar aan, jullie handen raakten elkaar...?'

'Niets van dat alles. Hij vroeg me mee uit.'

'Jullie gingen uit. Waarheen?'

'De eerste keer gingen we naar de film, *The Thirty-nine Steps*, met Robert Donat.'

Spencer schudde zijn hoofd. 'Nooit van gehoord. Weet je nog waar die over ging?'

'Bijna woordelijk, hij was prachtig.'

'Dus jullie gingen naar de bioscoop, naar de film. En daarna? Dansen? Sporten?'

'Hij danste goed.'

Ze waren inmiddels bij de kerk aanbeland. Het was nog maar krap een kilometer voordat ze terug zouden zijn, dus kon hij maar beter ter zake komen.

'En jullie werden verliefd op elkaar?'

'Daar zijn we getrouwd,' zei ze, met een knikje naar de kerk. 'En Rosie was bruidsmeisje.'

'Is zij dat op de foto?'

'Ik heb haar jurk gemaakt. Behalve het smokwerk. Dat heeft moeder gedaan.'

'Ze zag er leuk uit.'

Janet knikte bevestigend. 'Ze was die dag vreselijk ondeugend, echt ontzettend. Ze dreef ons tot wanhoop!'

Spencer keerde naar het onderwerp terug. 'Janet, stoort het je niet dat ik er ben?'

'Nee.'

Hij had zitten vissen, en gehoopt op een excuus, een verklaring, een uitleg, iets, maar er kwam niets.

Op de basis werd zijn verhouding met Janet niet met hetzelfde respect bejegend als door de plaatselijke bevolking. Iedereen scheen het te weten toen hun relatie meer dan puur vriendschappelijk werd en legde hem het vuur aan de schenen.

'Hallo Spence, hoe gaat het met de vrolijke weduwe?'

'Weer aan het babysitten, hè?'

'Hoeveel planken heb je gisteravond opgehangen, Spence?'

Hij deed zijn best het goedmoedig op te vatten. De meeste jongens hadden iets met een Engels meisje; er werd zelfs gefluisterd dat de kolonel de dochter van een aristocratische familie het hof maakte, en misschien na de oorlog, als hij het overleefde en het goed speelde, wel zou eindigen als kasteelheer. Frank legde de vinger op wat iedereen wat Spencer en Janet betrof intrigeerde. 'Ze is een stuk ouder dan jij. Ze heeft al die kinderen. Je doet karweitjes in en om het huis. Spence, het is nou niet direct de bloemetjes buiten zetten met die dame.'

'Nee.'

'Ben je verliefd op haar?'

Dat had Spencer zich ook al afgevraagd. 'Dat weet ik niet.'

Frank verschafte hem op zijn droge manier het antwoord. 'Je bent dus niet verliefd op haar. Wat is er dan aan de hand? Nee, zeg maar niks, stomme vraag, ik weet wat er gaande is. Maar wees voorzichtig, Spence, zo'n vrouw kon wel eens een heleboel meer willen dan jij.'

Ofschoon Spencer het grootste respect koesterde voor Franks mening, geloofde hij niet dat Janet op iets uit was. De afstandelijkheid tussen hen, zelfs in hun intiemste momenten, overtuigde hem daarvan. Waarom hij dan terug bleef komen? Er waren twee redenen voor, en maar een daarvan had met Janet te maken.

Rosemary was er minder vaak, ze had een kamer bij familie van een vriendin in de stad, dichter bij haar werk. Toen ze op bezoek kwam was ze veranderd. Het was nu een werkend meisje met geld op zak, en enige zelfstandigheid. In een koor zingen behoorde tot het verleden, hoewel ze beweerde af en toe iets te doen met de Debonnaires, een arbeidersband van de kousenfabriek. Haar houding ten aanzien van Spencer was ook veranderd, de flirterige kant was verdwenen. Ze bejegende hem nonchalant, als een deel van het meubilair, maar zei verder niets. Hij had het gevoel dat ze, ofschoon ze er niets over zei, alles afwist van haar zuster en hem. Soms ging ze naar dansavonden en voorstellingen op de basis, maar ze had geen vaste vriend en scheen daar niet mee te zitten. Spencer veronderstelde dat de meeste jongens doodsbang voor haar waren. Er kon geen andere verklaring voor zijn, want ze zag er geweldig uit, als een jonge Katherine Hepburn. Haar natuurlijke vrijpostigheid was onder controle gebracht. Ze had een houding aangenomen die uitdrukte dat ze je met één woord kon strikken, maar je voor deze keer liet gaan.

Een keer brak dat pantser van onverschilligheid. Ze gingen een eindje fietsen met Davey. De jongen en zij begonnen rond te dollen, namen hun voeten van de trappers en staken hun benen uit terwijl ze 'Start!' riepen en 'Moffen achter je!' Op de terugweg toen het donker werd stapten ze hijgend af, en duwden hun fietsen de lage heuvel op, het dorp weer in. Davey was het eerst op adem en stapte weer op. En toen vroeg ze: 'Heb jij iets met Janet?'

De vraag was zo simpel, direct en onverwacht dat hij er even simpel 'Ja,' op antwoordde en er toen aan toevoegde: 'Min of meer.'

'Wat betekent "min of meer" als het zich thuis afspeelt?' Het was typerend voor haar om niet in te gaan op de inhoud van wat hij zei, maar hem op zijn woordkeuze te pakken. Plotseling was hij er zich scherp van bewust hoe zorgvuldig hij zijn volgende woorden moest kiezen.

'Ik bedoel, ik respecteer haar, ik probeer haar gelukkig te maken, maar ze heeft nog maar kort geleden haar man verloren.'

'O!' Rosemary lachte minachtend. 'Die.'

'Het is nogal duidelijk dat ze dol op elkaar waren.'

Ze zweeg even, en bleef regelmatig ademen terwijl ze duwde. 'Maar nu hij er niet meer is troost ze zich met jou.'

'Als je het zo wilt stellen.'

'Spencer...' Ze stond stil. 'Wat zie je in haar?'

Geschokt en in verlegenheid gebracht begon hij te lachen. 'Wat een stomme vraag!'

Een moment keek ze hem aan. Het werd met de minuut donkerder, en al wat hij zag was het silhouet van haar krullende haren, het glinsteren van haar ogen, een glimp van haar mond met de dampende adem, als een klein, schattig draakje dat hem opslokte.

Toen zei ze: 'Je hebt gelijk, een stomme vraag.' En stapte weer op haar fiets.

Al werd hij honderd, bedacht Spencer, dan nog zou hij niets van haar snappen. Maar hoe minder hij haar van begreep, des te meer hij onder haar bekoring kwam.

Oktober '44, alles verliep rustig. Er was een gevechtspauze, terwijl de Luftwaffe er verslagen bij lag en zijn wonden likte. Het was bizar dat ze de ene missie na de andere volbrachten praktisch zonder gehinderd te worden door de EA's, en soms gewoon voor de lol, zonder tegenstand, geïsoleerde, halflege vliegvelden bombardeerden. Er werd verondersteld dat de Luftwaffe door de zware verliezen van de afgelopen maanden was teruggedrongen om zich te hergroeperen, te bevoorraden en te trainen.

De lucht hing lager, de nachten werden langer. Nog steeds was er niets te doen. Op Thanksgiving voerden de hoge pieten de gebruikelijke rituelen op: kalkoen met alles erop en eraan, pompoentaart, sloten drank waarin een overweldigend sentimentele periode de Amerikanen naar huis verlangden. Om te zorgen dat ze zich beter voelden keerde de vijand op het strijdtoneel terug met een wraak-oefening en zwermde met honderdtallen boven de Europese kust; nieuwe vliegmachines die werden gevlogen door jongens met een minimum aan training en een aan zelfmoordneiging grenzend verlangen om de Yankees aan barrels te schieten. Spencers escadrille werd betrokken bij drie missies om B-17's te escorteren bij strategische bombardementen op synthetische oliefabrieken in midden-Duitsland. Bij elk van die gelegenheden werden ze op hun huid gezeten door honderden FE's en ME's, als door een zwerm woedende bijen. Die aanvallen hadden iets desperaats, uitgevoerd zonder raffinement of vakkundigheid, alleen maar met grenzeloos fanatisme. Hun training in het nemen van koelbloedige besluiten werd belachelijk gemaakt; deze confrontaties vroegen om een instinctieve reactie, oog om oog, het overleven van de grootste gek. De mustangs vochten voor hun leven en er volgde een zware afrekening.

In het brandpunt van een ervan, toen het vuur de lucht doorkliefde als een spinnenweb van flitsende lichten, zag Spencer hoe Errol Lovic van de *Blue Flight* uit zijn cockpit explodeerde. Hij wist dat het Lovic was omdat er *Good Time Girl* op de vliegtuigromp stond, verleidelijk knipogend boven haar whisky met vermouth. Het was maar een ogenblik geweest, minder dan dat, maar hij herinnerde zich nog elk detail. Het eindeloze moment dat Lovic tussen de wrakstukken in de lucht scheen te hangen, zich langzaam omdraaide, met zijn armen en benen zwaaiend als een baby in de baarmoeder, om plotseling als een steen in een vijver neer te vallen. De *Good Time Girl* deed haar naam eer aan en raasde zonder hem verder, brokstukken als confetti om haar heen strooiend terwijl ze haar eigen lange, scheve boog naar de ondergang beschreef. Nog een poos daarna draaide en tolde hij in zijn dromen met angstwekkende snelheid tussen bladen gebroken metaal en lange, puntige glasscherven door, met de lucht van brandende kerosine in zijn neusgaten. Tot hij met een geluidloze schok wakker werd, zijn lijf verkrampt, zijn ogen starend in het donker, en een angstig ogenblik lang meende dat hij al dood was.

De winter zette door en bracht het slechtste weer mee dat zelfs de oudste bewoners ooit hadden meegemaakt. De vliegomstandigheden waren afschuwelijk: sneeuw, ijzig koude mist, en donkere natte sneeuw- en hagelbuien die over het vliegveld loeiden en hen aan de grond hielden. Het donker hinderde Spencer het meest. Church Norton mocht dan maar half zo koud zijn als Moose Draw, maar het was twee keer zo naargeestig. Hij miste de harde, heldere schittering van de winters thuis, de stralende uitgestrektheid van door de wind gegeselde sneeuw, de verre rijen bevroren bergtoppen die als scherpe bijlen tegen een lucht afstaken die zo ijl en zuiver was als blauw glas. In Engeland gingen er weken voorbij zonder dat de zon leek door te breken.

Bij het minste probleem met de verwarming werd het bitter koud in de cockpit van de *Crazy Horse*. Hij vatte zo'n zware kou dat hij tijdens het vliegen zijn neus dicht moest stoppen, wat uitliep op een oorontsteking die hem pijn en afscheiding bezorgde en gedeeltelijk doof maakte. Gezien het verminderde aantal beschikbare vliegers was er geen sprake van dat er iemand rust kon nemen, behalve de ernstig zieken, en dus schreeuwden ze tegen hem over de golflengte voor de piloten. Maar de doofheid gaf de wereld buiten de *Crazy Horse* toch iets onwezenlijks. Ze beïnvloedde zijn gevoel voor de ruimte en zijn inschatting van snelheid – het wegsterven van geluid kon betekenen dat een vijandelijk vliegtuig dat het ene moment nog stipje was, het volgende ogenblik kon veranderen in een razend monster. En net als bij donder en bliksem leek er een minieme, ontregelende pauze te bestaan tussen geluid en zicht, zodat de zware klap van een voltreffer pijnlijk op zijn trommelvliezen drukte vlak nadat het versplinterende vuurwerk van een explosie hem had verblind. Tijdens een duikvlucht was de druk op zijn oren zo pijnlijk dat ze gingen bloeden en hij bijna van zijn stokje ging. Het trillende geraamte en de klapperende vleugels van het onder spanning staande toestel leken een verlengstuk van zijn eigen lichaam, op het punt in te storten. Elke vlucht voelde aan als een reeks ontsnappingen op het nippertje, zodat hij bevend en in zijn zweet badend terugkeerde; zijn zenuwen aan flarden.

Maar de hoge omes waren niet achterlijk. Toen hij begin december een verlofpas van zesendertig uur aanvroeg kreeg hij die. Hij verzekerde zich van het gebruik van een oude zwarte Austin, die door iemand op de basis tegen een goedkoop tarief was gehuurd, met eigen risico voor de gebruiker, en was van plan naar Kinnerton te rijden, in de buurt van Oxford, om het familiehuis van zijn moeder te gaan zoeken. Hij vroeg Janet of ze mee wilde, maar tot zijn opluchting zei ze nee. Hij wilde alles in zijn eigen tempo en op zijn manier doen, om zelf zijn standpunt te kunnen bepalen.

'Je moet naar de kerk gaan,' zei ze. 'Daar hebben ze allerlei gegevens. En naar het gemeentehuis, en de plaatselijke krant.'

Hij zat met Ellen op zijn knie en hielp haar bij het aantrekken van een jasje van haar pop. 'Je weet veel van dat soort dingen af.'

'Nee, nee,' zei ze met een kleur, alsof hij haar op iets had betrapt. 'Niet waar. Je hoort dat soort dingen gewoon.'

'Hoe dan ook, wat ik vooral wil is het huis vinden, Waverley Road nummer veertien, als het er nog is.'

'Ik zal voor je duimen,' zei ze.

De reis van Church Norton naar Oxford duurde vier uur. Spencer wenste bijna dat hij niet elk ander aanbod om hem gezelschap te houden had afgewezen. Frank had aangeboden mee te gaan, en de benzinekosten te delen, maar hij had het geweigerd. Hij wilde met niemand rekening hoeven houden. De oude auto had echter kuren, een stugge koppeling en de neiging af te slaan in een lage versnelling. Ook was het een bitter koude dag, met een snijdende wind die recht van de toendra leek te komen, vol korrelige sneeuwvlokjes die op gemalen glas leken, te klein om te blijven liggen, maar genoeg om een rijplaag op de voorruit te vormen en door de slechtsluitende portieren heen te dringen. Tegen de tijd dat hij in Oxford aankwam waren zijn handen en voeten bevroren, en had hij visioenen van een hamburger van de Diamond Diner, het zachte, geurige broodje en sissende, hete vlees, centimeters dik met alles erop, druipende gebakken uien, ketchup, mayo, eersteklas rundvlees, augurken...

Het smakeloze broodje cornedbeef dat hij bestelde haalde het er niet bij, maar hij besmeerde het rijkelijk met mosterd, en het glas bier erbij was goed. Hij begon van het Engelse bier op lichaamstemperatuur te houden, dat de kleur van te lang getrokken thee en een hopachtige, voedzame geur had, en meer op soep leek dan op bier.

Hij liep een kiosk binnen en kocht een kaart van de omgeving, maar het leek een goed idee bij de winkelier te informeren, die bijzonder behulpzaam was, hem instructies gaf en ze hem ook op de kaart aanwees.

In een opwelling van vertrouwelijkheid zei Spencer: 'Mijn moeders familie kwam daar vandaan.'

'Echt waar?' zei de man. 'Mijn vrouw ook. Weet u het adres?'

'Waverley Road.'

'Ja, ja, Waverley Road,' zei de man, alsof de naam gelukkige herinneringen opriep. 'Het was daar vroeger erg aardig.'

Maar nu niet meer, zoals Spencer ontdekte. Kinnerton was niet langer de aangename, met bomen omzoomde voorstad uit zijn moeders herinnering. Dat deel van de stad was een uitgebreid industrieterrein geworden, met vliegtuigonderdelen, autobanden, militaire laarzen en blikvoedsel: een grote, lelijke momentopname van het Engelse leven in oorlogstijd.

Aangezien Waverley Road aan de westelijke buitenkant van een vijf vierkante kilometer groot netwerk van gelijksoortige straten lag, moest de straat jaren terug, zoals zijn moeder had beschreven, het mooist zijn geweest. Nu was ze het lelijkst, want wat ooit een weiland was waaraan de achtertuinen grensden, was nu het sportterrein van een fabriek, bezaaid met naargeestige, versleten voetbalnetten en een enkel gammel doel, met een opslagplaats aan de ene kant en de grove, blinde bakstenen muren en smalle schoorstenen van de fabriek erachter. Aan de zuidkant van de weg, waar Caroline volgens haar zeggen in het bos met haar vriendin wilde hyacinten had geplukt, bevond zich in elk geval een zanderig parkje, met de weidse naam Victoria Gardens. Spencer liet zijn auto bij het hek van het park achter en begon zijn pelgrimstocht met een wandeling over de met sintels bedekte paden. Op deze ijzig koude middag was hij de enige, op een geüniformeerde parkwachter na die bladeren en takken bij elkaar harkte.

Spencer zocht naar bijzonderheden, iets dat deze vreugdeloze plek in verband bracht met zijn moeders jeugdherinneringen. Er waren enkele karakteristieke dingen: een veld beemdgras dat onderbroken werd door ronde, afgedekte bloembedden die er in deze tijd van het jaar uitzagen als reusachtige molshopen; een vijver met rondzwemmende goudvissen; een houten afdak met banken, zoals je dat op de perrons van een station aantreft; een soort boog over het pad die aan de top spits toeliep, als een kerkraam, en een apeboom.

Aangezien er in december weinig kans was op wilde hyacinten stak hij het grasveld over naar de rand van het park en bestudeerde de bomen. Behalve de apeboom met zijn verwrongen zwarte takken was het mogelijk dat er nog meer oorspronkelijke exemplaren stonden, die men had gespaard om de bezoekers van het park schaduw en beschutting te bieden. Hij had eik, esdoorn en lariks gezien, toen hij een kreet hoorde, zich omdraaide en zag dat de parkwachter de hark in zijn richting stak.

'Hé daar!'

'Pardon?'

Nu wees de hark naar een bordje aan de rand van het gras. 'Kun je niet lezen?'

'Neem me niet kwalijk, meneer, ik had het niet gezien.'

'Er staat: niet op het gras lopen.'

'Goed.'

Hij liep naar het pad terug terwijl de parkwachter hem nauwlettend in de gaten hield, alsof hij elk moment in een wilde holpartij kon losbarsten, graszoden in het rond schoppend en bloembedden vertrappend. Het leek een verdere bespotting van het verleden dat dit schamele lapje groen zo streng werd bewaakt, maar Spencer was in uniform, en als hij in overtreding was kon hij maar beter beleefd blijven.

'Mijn excuses, ik moet het over het hoofd gezien hebben.'

De parkwachter maakte een geluid dat betekende dat iedereen dat zei, maar van dichtbij zag Spencer dat hij oud was en er zwak uitzag. Tranen van de kou rolden uit zijn ooghoeken. 'Weet u iets over dit park?' vroeg Spencer. 'Ik bedoel: hoe lang bestaat het al?'

'Vlak na de Eerste Wereldoorlog.' De man gaf een knikje met zijn hoofd. 'Het jaartal staat op het hek.'

'Nog iets dat ik niet heb gezien.' Spencer glimlachte, maar kreeg geen antwoord. 'De reden dat ik het vraag is dat mijn moeder hier in deze straat is opgegroeid; ze weet nog dat ze wilde hyacinten ging plukken in een bos hier.'

'Dat klopt.' De gezichtsuitdrukking van de parkwachter veranderde niet, maar zijn stem ontdooide een beetje. 'Barton Wood.'

'Het moet hier in het voorjaar mooi zijn geweest.'

''t Park ziet er ook aardig uit, in de juiste tijd van het jaar.'

'Vast wel.'

De oude man sloeg zijn handen, in vingerloze wanten, ineen om de steel van de hark. 'Waar woont je moeder nou?'

'In Amerika.'

'Met een Yank getrouwd?'

In details treden had geen zin. 'Ja.'

'Goed dat je hier bent.' Of dat op Spencers persoonlijke missie sloeg of op de Amerikaanse bijdrage aan de oorlog was moeilijk te zeggen. 'Waar is die boog van gemaakt?' vroeg hij. 'Zijn het een soort spanten?'

'Ga maar eens kijken,' antwoordde de parkwachter met iets van trots. 'Er zit een bordje op waarop alles vermeld staat.'

Zich ervan bewust dat hij in het oog werd gehouden hield Spencer het pad aan. De boog mat op zijn hoogste punt zes meter, en was op ongeveer een meter afstand van de beide paden geplaatst. Aan de binnenkant van de linker staander was een gegraveerd metalen plaatje bevestigd.

'Het kaakbeen van een grote blauwe walvis, gevangen in de Indische oceaan door Thomas Adolphus Peake, 21 april 1900, en bij zijn dood op 7 juni 1928 welwillend aan dit park geschonken door zijn weduwe Lucilla. *O hear us when we cry to thee, For those in peril on the sea.*'

'Ongelooflijk...' Spencer liep om de boog heen, verbijsterd door de gedachte aan een schepsel dat zo groot was dat het een kaak van dit formaat had. Hij keek naar de parkwachter. 'Het is ongelooflijk!'

'Groot genoeg naar je zin?' antwoordde de oude man. 'Hebben jullie zoiets in Amerika?'

'Nee, meneer.'

Nummer veertien zag er precies zo uit als elk ander halfvrijstaand huis van drie verdiepingen: smal, rode baksteen, met een voortuintje, een erkerraam op de begane grond, en het nummer met grafiet op het bovenlicht boven de deur. Behalve dat het een naam had; 'Charlmont', en een bordje dat tussen de vitrage en het glas was geklemd met het opschrift: KAMERS TE HUUR.

Dus het was tegenwoordig een pension. Hij bleef op de stoep staan kijken om deze informatie in zich op te nemen. Terwijl hij dat deed verscheen er een oudere vrouw.

'Kan ik u helpen?'

'Nee, dank u wel, mevrouw. Ik keek alleen maar. Mijn moeder heeft lang geleden in dit huis gewoond.'

'Echt waar? Wilt u niet even binnenkomen om te kijken?'

Het was koud en de vrouw was, in tegenstelling tot de parkwachter, vriendelijk en toeschietelijk.

'Als het niet te veel moeite is?'

'Helemaal niet.'

Ze ging hem voor in een donkere vestibule met een hoog plafond, en zei hem zijn jas, pet en sjaal op een stoel te leggen. Naast de stoel hing een grote spiegel. Het glas was enigszins gebarsten, zodat hij toen hij naar zijn spiegelbeeld keek leek hij te golven en vervormen als een spook.

Ze stelde zich voor als mevrouw Brock, en toen hij zich ook had voorgesteld vroeg ze: 'Waar komt u vandaan, luitenant? Ik bedoel: waar bent u gestationeerd?' Toen hij het haar vertelde merkte ze op: 'Dat is een koud stukje van de wereld, u zult de zon wel missen.'

Hij besloot haar niets te zeggen over de jaarlijkse vijf maanden sneeuw in Moose Draw, dat elk haartje op je lijf bevroor als je je buiten waagde, inclusief die in je neus, zodat je nauwelijks adem kon halen.

'Het is wel wat somber,' gaf hij toe. 'Maar vliegvelden zijn tamelijk naargeestige plekken, hoe je het ook bekijkt.'

'Mijn zoon dient bij de koopvaardij,' zei ze met trots in haar stem. 'Die jongens gaan er in weer en wind op uit.'

Spencer bespeurde iets van de gebruikelijke rivaliteit tussen de militaire branches, nog verscherpt doordat hij een Yank was. 'Ze doen prachtig werk.'

'Goed.' Ze deed haar schort af. 'Zal ik u een rondleiding geven? Het huis zal maar weinig veranderd zijn sinds uw moeder hier woonde.'

De kamers waren gerieflijk en gezellig, gemeubileerd met goedkope, goed onderhouden spullen, en vol versieringen. Op elke muur hing in het midden een schilderij of een spiegel, en de ramen aan de voorzijde waren allemaal bedekt met smetteloos gewassen en gestreken vitrage. In de keuken stond een grijs metalen fornuis; er hing een heerlijke geur van vet en warme doeken.

'Om halfzes serveer ik de maaltijd,' zei ze, deels om de geur te verklaren en deels, veronderstelde hij, uit een ingebakken gewoonte huurders rond te leiden.

'Hoeveel huurders heeft u?' vroeg hij beleefd toen ze hem voorging de trap op.

'Momenteel twee. We kunnen er drie hebben, dus is er op het ogenblik een kamer vrij.'

'Ik neem aan dat er genoeg huurders te vinden zijn in een universiteitsstad?'

'Ja, maar we hebben vooral zakenmensen, alleenstaanden, weet u. Ik zal u de kamer van meneer Hebditch laten zien, die is het mooist. Hij is een pietje precies, maar hij vindt het niet erg.'

Spencer voelde zich wat opgelaten toen hij de kamer van die vreemde man te zien kreeg, maar de spartaanse soberheid gaf niets prijs. Alleen een haarborstel op de ladekast, een harige, bruine kamerjas aan de achterkant van de deur en de hielen van geruite pantoffels die onder het nachtkastje uitstaken verrieden de aanwezigheid van meneer Hebditch. Een verschoten rozerood dekbed vertegenwoordigde de enige kleurvlek. Het raam keek uit op de achtertuin met de obligate rijen wintergroenten (heel wat florissanter, merkte Spencer op, dan die van Janet) en daarachter het sportterrein, waarop een groep mannen een bal rondtrapte.

'Ja,' zei mevrouw Brock, alsof hij haar iets had gevraagd. 'Dit was de kamer van onze zoon, en de andere twee op deze verdieping worden ook verhuurd. Ik zal u de vrije kamer laten zien.'

Beleefd bekeek hij nog een kleinere kamer, nog kloosterachtiger dan de vorige. Het leek alsof hij een huis zag waaruit elk spoor individualiteit en sfeer drastisch was verwijderd. Hij mompelde dat ze een mooi pension had.

'We doen ons best, en het is een aardige bijverdienste.'

'Wat doet uw man?'

'Hij is in dienst bij publieke werken op het stadhuis.' Dit antwoord klonk Spencer onbegrijpelijk in de oren. Ze moest het hebben gemerkt, want ze voegde eraan toe: 'Riolering en bestrating, en al die dingen waardoor de wereld verder draait. Daarnaast is hij ook hoofd van het rayon.'

'Klinkt alsof de stad zonder hem verloren zou zijn,' zei Spencer. Hij werd met een lachje beloond. Het was een aardige vrouw, met pit.

'Dat zou me niets verbazen! Hier is de wasgelegenheid...' Ze deed

305

een deur open die toegang gaf tot een verrassend grote, zwart-witte badkamer met een slangachtig buizenstelsel net onder het plafond, een gasgeiser, en een kurken badmat die tegen het bad aan stond. 'Dit zal uw moeder zich vast niet herinneren. We hebben een aparte wc gemaakt.'

'Fantastisch.' Hij bedacht dat het tijdverspilling was, dat ze hier geen van beiden iets aan hadden; het zei hem allemaal niets. En voelde zich wat claustrofobisch. Mevrouw Brock wilde kennelijk haar lege kamer verhuren.

'Wij wonen tegenwoordig op de bovenste etage, ik zal het u laten zien, die is nog het minst veranderd nu ik erover nadenk.'

'Dank u, dat zou ik fijn vinden. En daarna moet ik ervandoor...'

'U gaat toch vanavond niet meer terug?'

'Jawel, want het is niet mijn eigen auto, en ik wil nog wat vrienden bezoeken.' Het klonk nietszeggend, maar hij wilde weg.

'Goeie hemel,' verklaarde ze. 'Dat moet u niet doen, het is een heel eind. U kunt hier overnachten.' Ze liep voor hem uit de trap op. Deze trap was steiler dan de vorige en ze maakte er een hele toestand van. Ze zette steeds eerst moeizaam haar rechtervoet op de volgende tree en daarna haar linkervoet ernaast, met haar hand op haar dijbeen. Ze kon niet veel ouder zijn dan zijn moeder, maar had de onzichtbare grens naar de stramme, seksloze ouderdom overschreden; maar het was ook al twee jaar geleden dat hij Caroline had gezien. Vreemd om te bedenken dat hij op de plek was waar zij als kind had gewoond, en dat ze nu in Moose Draw misschien ook een oude vrouw was geworden.

Toen ze op de tweede verdieping waren merkte hij het verschil. De plafonds waren hier laag en liepen aan de linkerkant schuin af; de houten vloer had geen donkere vlekken. Vermoedelijk omdat het het enige deel van het huis was dat de Brocks voor zichzelf hadden, hing er niet zo'n uitgesproken schoonmaaklucht. De vloerkleedjes waren versleten en hadden sliertige franje. De perkamenten kap om de lamp aan het plafond vertoonde een barst, zodat er toen mevrouw Brock het licht aan knipte ongelijk licht doorheen scheen, alsof ergens een onzichtbaar raam was.

De slaapkamer van de Brocks had dezelfde vorm als de overloop, met twee kleine ramen, waarvan het ene uitzag op het sportterrein en het andere, een dakkapelletje, op het zuiden lag met uitzicht op het terras. Op het kussen van het tweepersoonsbed lag een met kant versierde pyjamazak. Er lagen boeken op beide nachtkastjes, op een ervan stond een radio, een kaptafel met een verbijsterend aantal potjes en flesjes en een driedelige spiegel waarin ze werden weerkaatst toen ze binnenkwamen, geflankeerd door het verkorte, vertekende spiegelbeeld van delen van de kamer. 'Dit was waarschijnlijk de meidenkamer toen uw moeder hier woonde,' zei mevrouw Brock. Ze liep naar het grootste raam waar ze afwezig, op de manier van een propere huisvrouw, aan de gordijnen trok en ze gladstreek. 'Zelfs gewone huizen als dit hadden voor de vorige oorlog een dienstmeisje.'

'Dat heeft ze nooit verteld,' zei Spencer. Maar toen herinnerde hij zich dat ze dat natuurlijk wél had gedaan. 'Nu u het zegt,' zei hij. 'Ze kwam hier soms, maar ik denk dat het verboden was.'

'O nee, omgaan met het personeel? Dat deed je niet!' De toon van mevrouw Brock suggereerde dat zij een veel democratischer instelling had.

'Ik geloof dat ze goede vriendinnen waren. Ze zei dat – het andere meisje altijd over haar huis op het platteland praatte.'

'Dus dan moet u daar ook nog heen.'

Hij glimlachte wrang. 'Volgende keer misschien.'

Ze liep naar het kleinste raam. 'Hier is nog een mooi uitzicht.' Ze ging opzij om hem te laten kijken.

Verrassend genoeg had mevrouw Brock gelijk. Nummer veertien was net iets hoger dan het huis van de buren, zodat je over de daken heen het park kon zien. Toch zag je het park zelf niet, alleen de boomtoppen, als van zwart gietijzer tegen de rood wordende middaghemel, en daarachter een streep vlak, zilverig water. Op dat moment had Spencer het gevoel dat hij een blik in het verleden wierp, in het hoofd van dat kleine meisje dat zijn moeder werd en haar vriendin Cissy, het dienstmeisje, het plattelandskind dat heimwee had, dat samen met haar uitkeek over de daken, het bos en het water. Niet erg weids, maar toch een onoverbrugbare ruimte tussen deze kleurloze wereld en een andere.

Hij wendde zich tot mevrouw Brock. 'Wat is dat water dat we vanhieruit zien?'

'Water?' Ze hield haar hoofd naast het zijne en tuurde. 'Ik geloof niet dat er water is.'

'Jawel...' Hij keerde zich om, op het punt zijn bedoeling duidelijk te maken, maar ze had gelijk. Er was geen water, alleen een streepje weg dat glinsterde in de ondergaande zon. 'Potverdrie... Ik heb me vergist.'

'Grappig trouwens dat u dat zegt,' zei Mevrouw Brock. 'Want ik geloof dat er daar in het bos, toen het nog een bos was, een grote, natuurlijke vijver lag. Maar natuurlijk hebben ze die dichtgegooid toen ze hier begonnen te bouwen. Ik heb begrepen dat ze er een hele klus aan hadden dat geval droog te leggen voor de weg.'

Enige ogenblikken daarna ging de zon onder; hij zag hem achter de bomen wegzakken, en de zachte, koele duisternis als water over de daken van de Waverley Road sijpelen. Mevrouw Brock voelde zijn stemming aan, raakte zachtjes zijn hand aan en zei: 'Komt u maar naar beneden als u zover bent.'

Toen hij beneden kwam zat ze in de keuken aardappelen te schillen. 'Ik vraag me af,' zei hij, 'nu u die kamer vrij hebt... Kan ik misschien toch hier overnachten?' Ze knikte. 'Ik denk dat dat een heel goed idee is.' Ze beschikte over een geruststellende, natuurlijk tact. 'Het bed is opgemaakt.' 'U hoeft niet voor mij te koken, mevrouw Brock. Ik eet wel buitenshuis.' 'Er is altijd thee voor drie personen,' zei ze. 'Dus dat maakt niet uit.' 'Dan graag.'

Om halfzes zat Spencer met meneer Hebditch in de eetkamer – de andere gast, miss Mawes, was afwezig – aan een lamsstoofpot die maar heel weinig vlees bevatte, en een roze puddinkje dat met gekleurde korreltjes was bestrooid. Daarna ging hij naar de film en zag Cary Grant en Katherine Hepburn in *Bringing Up Baby*. Mevrouw Brock had hem een sleutel gegeven, maar hij was ruim voor haar sluitingstijd van tien uur terug en ging regelrecht naar bed.

Hij en zijn tandenborstel vulden de lege kamer maar nauwelijks. Maar hij was blij de nacht door te brengen in het huis waar zijn moeder had gewoond. Het was als een ritueel, een sacrament. De schone, koele leegte van de kamer had iets kalmerends. Toen hij het licht had uitgedraaid schoof hij de gordijnen opzij en de verduistering. Tussen de koude, smetteloos gestreken lakens lag hij te kijken naar het stomen van zijn adem en naar de nachtelijke hemel aan de andere kant van het venster. Tegen middernacht kwam de wind weer opzetten en geselde de boomtakken met een geluid alsof er water rond de muren stroomde.

De dag daarop vertrok hij vroeg, voor het ontbijt. Als reden gaf hij de lange rit en het onzekere weer. Toen ze hem uitliet vroeg mevrouw Brock: 'Wat is de meisjesnaam van uw moeder?' 'Ze heette Caroline Wells.' 'Dat zegt me niets, maar ik houd mijn ogen en oren open.'

Het weer was stralend en helder, maar er lag zwart ijs op de weg en hij moest langzaam rijden. Het was maar vijftien kilometer naar het dorp waar Cissy had gewoond; het zou onzin zijn om niet te gaan kijken nu hij toch in de buurt was. Hij stuitte echter op een obstakel in de vorm van een enorm Brits militair trainingskamp, nog groter dan de basis in Church Norton. Golfplaten barakken lagen aan weerskanten van de weg over de velden verspreid, en er was een slagboom waar hij zijn identiteitsbewijs en reispas aan de dienstdoende MP moest laten zien.

'Waar wilt u heen?'

Hij wees Fort Mayden aan op de kaart. 'Hierheen.'

De MP schudde het hoofd en wees naar de weg die hij was gekomen. 'Hier kunt u momenteel niet door. U moet terug, naar de stad, en de zuidelijke route nemen.'

'Laat maar zitten, het was trouwens maar een opwelling.'

'Sorry, maat.'

Hij reed naar de hoofdweg terug en ging op huis aan. Aan zijn linkerhand zag hij in de verte vreemde witte tekens op een heuvelflank. Hij nam aan dat het iets met de legerplaats van doen had, of misschien een oriëntatiepunt voor vliegers was. Gek, want toen de weg een bocht nam en hij het beter kon zien, leken de tekens op het silhouet van een groot, opspringend dier.

Die avond in de Ramrod Club ging hij bij Frank en Si aan de bar zitten. Frank vroeg: 'En, hoe was het? Heb je het landgoed van de familie McColl gevonden?'

'De familie Wells, van moederskant. Het is tegenwoordig een pension. Ik heb er gelogeerd.'

'À la recherche du temps perdu...'

'Zoals je wilt.'

'En was het zoals je moeder had beschreven?'

'Ongeveer. Het is niets bijzonders: oud, nogal donker, hetzelfde als de andere huizen in de straat. Maar vanuit een van de ramen op de bovenste verdieping was er een uitzicht waarover mijn moeder me had verteld, dat ik herkende.'

'En je hebt daar dus geslapen als eerbetoon aan het verleden?'

Dit keer sloeg Frank de spijker op de kop. 'Dat klopt.'

Si trok een gezicht. 'Wat een manier om een verlof door te brengen, in je eentje in een maf pension slapen.'

'Het was het doel van de tocht. En het was best interessant.'

'Ik geloof je op je woord!'

'Ik heb iets gezien dat je niet elke dag ziet.'

Si floot. 'Verbaas ons,' zei Frank.

'Er was een parkje aan het eind van de straat waar ooit een bos lag. Daar stond de kaak van een walvis over een pad heen.'

'Een wat?' Si's gezicht plooide zich al in een ongelovig lachje.

'De kaak van een blauwe walvis. Aan het park geschonken door de man die hem heeft gevangen.'

'Asjemenou!' Ze lachten nu allebei. 'Ik wed dat de plaatselijke bevolking zich rot heeft gelachen.'

'Alleen het formaat al... Het is verbijsterend.'

Si boog zich naar hem toe. 'Dat pension... gedreven door een eenzame vrouw van een zekere leeftijd met een zwak voor Yanks?'

Spencer lachte goedmoedig. 'Een getrouwde dame, met een zoon bij de koopvaardij.'

'Maar we weten toch hoe geweldig goed jij bent met oudere vrouwen...'

Frank schoof zijn glas naar voren. 'Laat die man met rust, Si, en haal nog eens een rondje.'

De volgende dag werden ze paraat gehouden, maar zoals zo vaak het geval was na een koude, heldere nacht, brak in heel het zuiden van Engeland de ochtend aan met een dichte, klamme mist die tot de middag aanhield. Voor de piloten, die in de wachtruimte zaten, met de grijze massa achter de ramen en het licht aan, leek het alsof de dag nog niet was begonnen; het enige dat de saaiheid doorbrak en de tijd van de dag markeerde was de lunch.

Het moreel bleef ook kwetsbaar. Weer een winter weg van huis. Na het grote offensief van juni zou de oorlog voorbij zijn. Helaas bleek dat niet het geval. Dan was er de onvermijdelijke afval door verliezen. Dat alles vergde veel van de zenuwen. Sommige mannen, onder wie Frank, leken altijd wat buiten de kudde te hebben gestaan. Daardoor hadden zij minder last van de wisselende groepsstemmingen. Anderen, onder wie Spencer, namen hun toevlucht tot een soort mentale winterslaap. Ze trokken zich terug in zichzelf, verlaagden bewust hun emotionele temperatuur en spaarden hun krachten. Een paar levendige types, met meer energie dan verstand, de jongens die je in de lucht naast je wilde hebben, werden behoorlijk lastig.

Si Santucci was zo'n voorbeeld. Tijdens die lange, grauwe ochtend werd hij met het uur onrustiger. Hij begon een gesprek met de bedoeling de anderen te stangen; hij floot, friemelde en vloekte en liet zijn bal op de grond stuiteren, tot hem werd verzocht op te houden, waarna hij onmiddellijk met zijn stoel op één poot heen en weer begon te draaien, zodat de poot een knerpend geluid op het linoleum maakte. Voor de piloten was het al erg genoeg, maar Ajax kon er ook niet tegen. Het scheen pijn te doen aan zijn oren. Hij begon te janken en huilen, waarvan ze allemaal stapelgek werden.

Om een uur of drie brak de zon eindelijk door en trok de mist snel op, in vlagen, als de rook van een stoomtrein. Tegen die tijd was het echter al duidelijk dat er die dag geen missie zou zijn. Si en nog een paar rouwdouwers renden naar buiten als kinderen die uit de kleuterschool worden losgelaten. Ajax kwam onder Franks stoel uit en ging kwispelstaartend, met een hoopvolle grijns, voor hem staan. 'Wil je wandelen? Vooruit dan maar, jij je zin.' Frank kwam overeind en keek naar Spencer. 'Spence, zin om de benen te strekken?' Er was niets anders te doen, dus gingen ze op weg langs de buitenrand, met de hond naast hen dravend met zijn vrolijke waggelgang. Ze liepen aan de zuidkant, iets onder het niveau van de parkeerterreinen, toen ze het onregelmatige gebrul van een motor hoorden die het toerental opvoerde om op te stijgen. Het was Si's *Fast 'n Loose*. Ze zagen de roodharige schone op de neus met haar zandloperfiguur uit haar serveersterspakje puilen.

'O nee...' Frank schudde zijn hoofd. 'De idioot! Wat denkt hij wel?'

'Hij moet stoom afblazen.'

'Ja, maar om nou met haar te gaan joyriden? Daar krijgt hij een berisping voor.' Ze zagen de *Fast 'n Loose* over de startbaan denderen en boven de bomen en de kerktoren opstijgen in de bleekblauwe winterlucht. 'Weet hij niet dat je met je leven speelt als je dergelijke stunts uithaalt?'

Het vliegtuig cirkelde verder, zwenkte noordwaarts over Church Norton heen, voerde een langzame, arrogante spiraal uit, en klom hoger alvorens in een halve rol naar beneden te gieren en laag over de hoofdstartbaan te scheren. Si had nu ongetwijfeld zijn zin: een publiek. Mannen van de onderhoudsdienst en het grondpersoneel van de distributie en parkeerterreinen staarden naar boven naar de geïmproviseerde luchtcaprolen. Anderen bij de verkeerstoren, de kantinegebouwen en wachtruimten deden hetzelfde. De laatste mistflarden hingen nog om de zwakke depressies in het noorden en zuiden en gloeiden roze op terwijl de zon zakte. Het maakte de basis tot een schilderachtig decor voor de stunt die Si in gedachten had.

Een paar jongens, de twee knullen met wie Si naar buiten was gegaan, darden rond op het gras tussen de startbanen. Vanuit de lucht leek dat terrein een beetje op een honkbalveld; de jongens waren met een bal aan het gooien. Een van hen had een honkbalhandschoen. Ineens wist Spencer wat Si van plan was, juist nu iedereen na de verveling van het lange nietsdoen stond te kijken.

Frank sprak het voor hem uit. 'Hij gaat dat verdomde ding weer proberen te vangen.'

Fast 'n Loose was momenteel uit het zicht, ze hoorden alleen het lawaai van de motor ergens achter de mist, die dichter werd. De jongens in het midden draaiden zich om, keken naar boven, schermden hun ogen af en wachtten op de grote entree. Plotseling was hij er weer, afdalend uit het noorden, zo laag over de kerktoren heenscherend dat hij de vlag zowat meenam en de luchtpijpen gierden. De man met de handschoen boog zich achterover, richtte en wierp. Het toestel kwam recht op hem af, het dunne wintergras ging plat liggen toen het naderde en de bal opslokte terwijl beide mannen eronder op de grond vielen – het was liggen of onthoofd worden. Tot dan toe verliep alles zo volmaakt mogelijk: vlekkeloos, beheerst en met een snelheid waar je de haren van te berge rezen. Hoe krankjorum je de stunt ook vond, je moest toegeven dat hij vakkundig was uitgevoerd. Maar toen gebeurde er iets. De toeschouwers voelden het meer dan ze het zagen, vooral de vliegeniers. Hij was net iets te laag gegaan, te steil en trok niet vlug of hard genoeg op. Spencer voelde zijn spieren spannen bij de poging dat stampende, gierende vermogen onder controle te krijgen, en voelde het zweet op zijn voorhoofd en in zijn handpalmen uitbreken toen het niet leek te lukken. Een fractie van een seconde kon het nog alle kanten op, je voelde dat het toestel tegen zijn eigen baan opzwoegde en de romp vocht met de tegenstrijdige krachten. Het kwam in een halve rol, maar het ogenblik was al voorbij, de vleugeltip raakte de grond, schroeide het asfalt met een brandlucht en daarna sloeg het over de kop, plotseling groot, lomp en lelijk, een rokende, kapotte doodskist in plaats van de zwenkende vogel die het een paar seconden daarvoor nog was.

Er was een ogenblik van verbijsterde, oorverdovende stilte, waarin geen auto, geen vogel of stem te horen was. Ze staarden als aan de grond genageld naar de zwarte rook die opsteeg en de trillende golven hitte die het wrak uitstraalde.

Twee dingen zou Spencer zich altijd herinneren van de wrede, zinloze dood van Si Santucci. Het ene was dat korte moment van stilte vlak na het gebeurde. Het andere was dat hij voor het eerst tranen op het gezicht van een man zag – toen Frank begon te huilen. Daarna brak de hel los.

Hij schreef Caroline en Mack, en Trudel, over zijn bezoek aan Oxford, maar repte met geen woord over Si's dood. Hij kon niet zeggen waarom dit ongeluk door eigen schuld hem gruwelijker toescheen dan de dood tijdens een gevecht, maar zo was het wel. Dat was volgens hem ook de reden dat Frank het zich zo aantrok.

Si's dood was niet de enige voltreffer die Spencer in die dagen voor Kerstmis '44 te verwerken kreeg. Op 20 december kwam Rosemary naar huis. Hij had geholpen bij een kinderfeest dat door de basis in het dorpshuis was georganiseerd. Mo speelde voor kerstman, maar ze moesten de oudere kinderen, zoals Davey, ervan weerhouden het te verklappen. Een paar mannen die lid waren van de Stars 'n Stripes Big Band in de Ramrod Club kwamen muziek maken tijdens de spelletjes en als de kinderen een hapje aten. Een paar moeders, onder wie Janet, waren aanwezig om toezicht te houden, iets dat door de luchtmacht zeer op prijs werd gesteld.

Aan het eind, toen de kinderen verzameld werden en met hun ballonnen en snoepgoed vertrokken, zat Mo in de keuken met zijn bakkebaarden omlaaggetrokken, zodat ze als een grote, pluizige slab onder aan zijn kin hingen. Buiten sneeuwde het, maar zijn gezicht zag even rood als zijn mantel en was met een laag zweet bedekt dat hij met een zakdoek afwiste. Ellen holde de gang in en uit en speelde kiekeboe met hem, maar hij was helemaal niet in de feeststemming. Janet, die de afwas deed met een aardige, kerkse vrouw die mevrouw Cornforth heette, overhandigde hem een kop thee.

'Vers gezet voor de kerstman.'

'Dank u wel mevrouw. U heeft niet toevallig een koud biertje?'

'Ik ben bang van niet.'

'In dat geval...' Hij nam een luidruchtige slok thee, en de damp maakte de zweetdruppels op zijn neus en voorhoofd nog groter. 'Niet slecht... helemaal niet slecht. Ik zal u wat vertellen: ik heb liever met de hele krijgsmacht van Hitler te maken dan met een stelletje kinderen.' Terwijl de vrouwen lachend vergergingen met hun afwas boog hij zich vertrouwelijk naar Spencer toe en liet zijn blik in de richting van Janet dwalen. 'Leuke vrouw, Spence. Echt knap. Klasse. Goed gedaan.'

'Hé!' Spencer greep Ellen beet, om van verder commentaar verschoond te blijven, en hing haar ondersteboven, zodat haar gezicht rood aanliep. Ze gilde van de lach. 'Laat de kerstman met rust, hij heeft een zware dag gehad.'

Davey kwam binnen, zijn haar en schouders bepoederd met sneeuw. 'Spence en Mo, de chauffeur zei dat ik moest zeggen dat jullie jeep vertrekt.' Zoals alle kinderen, vooral de jongens die elk vrij ogenblik bij de basis rondhingen, had hij de Amerikaanse manier van praten overgenomen, maar het klonk tamelijk vreemd door zijn Engelse streekaccent.

'Jongens, dat klinkt me als muziek in de oren!' Mo zette zijn lege kop in het afdruiprek. 'Nogmaals bedankt, dames, prima kopje. Spence, ga je mee?'

'Zeg maar dat ze vertrekken, ik help de dames hier met opruimen en ga te voet terug.'

Mo trok een samenzweerderig gezicht en sloeg Davey op zijn schouder. 'Hé, wil jij in zijn plaats meerijden met jeep?'

'Mag dat? Ja! Mam, mag ik meerijden in de jeep?'

Janet draaide zich om en veegde haar handen aan haar schort af.
'Is dat goed, sergeant?'
'Ik heb het hem toch gevraagd?'
'Maar je komt regelrecht naar huis als je aankomt, Davey.'
'Ja!'
'Goed dan.' Ze zagen hen vertrekken; de uitgestoken handen om Davey aan boord te hijsen, en Mo, die het, met zijn kap op en zijn bakkebaarden weer op hun plaats tegen de kou, en zijn mantel opgetrokken, onder luid gelach op een lopen zette terwijl de jeep optrok.
'Zoiets zie je niet elke dag,' merkte mevrouw Cornforth op. 'Luitenant, jullie allemaal hebben de kinderen echt een prachtige middag bezorgd, iets onvergetelijks. Hartelijk dank.'
'Het was ons een genoegen.'
'Nu dan.' Mevrouw Cornforth keek naar hen met die volmaakte, afstandelijke beleefdheid die Spencer met bepaalde Engelse dames was gaan vereenzelvigen. 'Zijn we klaar om af te sluiten?'
Dat deden ze. Ze liepen samen tot het einde van het pad, waar ze uiteengingen. Spencer ging op zijn hurken zitten en liet Ellen op zijn rug klimmen voor een ritje. Het was snijdend koud en de sneeuw was poederfijn, piepkleine vlokjes als sterretjes in het donker.
'Weet je,' zei Janet. 'Ik zal het donker missen als de lantaarns weer gaan branden. Zelfs die paar die we hier hebben. Als je er eenmaal aan gewend bent is het prettig. Alleen als je je ertegen verzet lijkt het beangstigend.'
'Misschien wel... op het platteland. Maar de steden moeten verlicht zijn. Londen zal wel verblindend zijn als de lampen branden.'
'Ja, ik verheug me erop het te zien. En de klokken te horen luiden.'
Ze liepen een paar minuten zwijgend verder. Het huisje kwam al in zicht toen ze zei: 'Je moet in dit jaargetijde wel heimwee hebben.'
'Ja, wij allemaal. Maar ik heb geluk, ik heb afleiding.' Ellens hoofd zwaaide slaperig heen en weer op zijn schouder. Hij stak zijn hand naar Janet uit, maar ze haalde haar bekende trucje uit door heel even met haar vingers over zijn handpalm te strijken, en haar hand niet in de zijne te leggen. Hij kon haar gezicht niet zien, maar het zich wel voorstellen: een glimlachje met gesloten mond, haar ogen neergeslagen of afgewend, een ontwijkende Mona Lisa.
Toen ze thuiskwamen deed ze de gordijnen dicht. Hij droeg Ellen naar boven, en ze legden haar in bed zonder haar wakker te maken. Toen, naast Ellens bedje staand, pakte ze tot zijn verbazing zijn hand en zei: 'Spencer.'
'Het kan niet. Davey kan elk moment terugkomen.'
'Nog lang niet, als hij daar met de jeep heen is; hij moet teruglopen.'

'En ik moet gaan.'

'Nog even.'

Ze leidde hem naar het bed. Het was vreemd dat zij altijd het initiatief nam en tegelijkertijd passief leek. Zij bepaalde wanneer ze vreeën en maakte zich dan vervolgens onzichtbaar. Hij wist nooit waar de balans van hun relatie lag, wie het tempo bepaalde, wat er gebeurde; en die merkwaardige vormloosheid maakte deel uit van de bekoring.

Ze trokken hun kleren uit en gingen naast elkaar liggen, hun lichaam uitgestrekt, met hun gezicht naar elkaar toe, hun tenen tegen elkaar, haar armen onder de zijne. Ze waren even lang. Hij staarde naar haar gezicht en probeerde het te lezen. Ze had haar ogen dicht, ze leek warm en aanwezig in zijn armen, en toch had ze zich teruggetrokken op die andere plek in haar hoofd, achter haar oogleden. Hij voelde haar privé-gedachten bijna tussen hen in drijven, als vissen in een donker aquarium. Hij kuste haar op de mond en vroeg zich af waar ze aan dacht toen haar lippen vaneen weken. Haar geheimzinnigheid wond hem zoals gewoonlijk op. Ze wakkerde zijn begeerte aan door zich terug te trekken. En dan was het Spencer die fluisterde: 'Alsjeblieft... alsjeblieft...' Maar ze gaf nooit enig geluid.

Op het hoogtepunt hoorde hij de voordeur, en stemmen. Voortaan zou de herinnering aan seks met Janet verbonden zijn met de schok van dat ogenblik. Voor het eerst gingen haar ogen open, en staarden groot en recht in de zijne. Ze legde haar hand op zijn mond.

Van beneden klonk het als een sirene: 'Mam!'

Ze uitte maar één woord, op heftige gefluisterde toon: 'Nee!'

Toen was ze uit bed, trok haar ochtendjas aan en schikte haar haren voor de spiegel. Hij hoorde haar oppervlakkig en snel ademhalen, onderbroken door kreetjes van bezorgdheid.

'Janet?' Dat was Rosemary's stem. En toen, snel van begrip: 'Laat haar maar, ze is misschien even gaan liggen na het feest, David!'

Davey's voetstappen op de trap, Janet die de deur openzwiepte en weer dicht, maar niet snel genoeg om te voorkomen dat de jongen hem zag, of Spencer te beschermen tegen de uitdrukking van verwarring en verbazing op zijn gezicht.

'Wat doet Spencer?'

'Hij rust even.'

'Spencer!'

'Hij komt zo beneden. Hallo, Rosie, wil jij de ketel vast opzetten? Ga maar, schat...'

Ze kwam weer binnen, keek niet naar hem, kleedde zich aan alsof hij niet bestond, verliet de kamer en klepperde kwiek de trap af. Hij voelde zich verlamd door schuldgevoel, ook het hare, en kon met geen mogelijkheid uit bed komen, zo stond elke beweging, elke lijn van haar lichaam hem tegen.

Toen ze weg was en hij zijn uniform aantrok dacht hij weer aan Mo's opmerking. Hij bedacht dat ook hij liever met de Luftwaffe te maken had dan met wat hem beneden wachtte.

De vrouwen waren achter in de keuken. Davey zat aan tafel te tekenen. Hij keek op toen Spencer binnenkwam.

'Hallo.'

'Hallo Davey. Leuke rit gehad?'

'Ja, maar ze wilden me niet terug laten lopen.'

'Zo, je hebt dus weer een ritje terug naar huis gehad?'

'Een stukje. Tante Rosie stapte uit bij de bushalte en dus hebben ze me daar afgezet.'

Tijdens dit alledaagse gesprek bleef de blik van de jongen op Spencers gezicht gevestigd. Hij leek sprekend op zijn moeder. Spencer kon die verwarde, ongemakkelijke gedachten bijna voelen, de halfgeformuleerde vragen die misschien nog in geen maanden of jaren zouden worden beantwoord. Maar uiteindelijk zou er antwoord komen, en hij wilde er niet bij zijn als dat gebeurde. Angstaanjagend, dat een luttele seconde het tij kon doen keren en een heel leven veranderen.

'Goed,' zei hij. 'Nu, ik moet er weer vandoor.'

'Oké.' Davey boog zich weer over zijn tekening.

Spencer ging naar de keuken. Janet was brood aan het snijden. Rosemary klopte een enkel kostbaar ei met melk in een kom, om Franse toast te maken, die zij wentelteefjes noemden.

'Hé, dag,' zei Rosemary. 'Blijf je voor de thee?' Net als Davey zei ze met haar stem het ene en met haar ogen iets anders, maar bij haar was er geen sprake van verwarring.

'Nee, ik ben al laat, ik moet weg.'

'Davey zei dat het een mooi feest was.'

'Ze hebben blijkbaar genoten. Dag, Janet.'

'Dag.' Ze draaide haar hoofd een stukje in zijn richting, maar ontweek zijn blik.

'Zie je wel weer.'

'Daar ga ik van uit.'

'Goeienavond Rosie.'

'Ik laat je even uit.'

'T'rusten, knul.' Hij woelde door Daveys haar, maar werd afgeschud. Die gebaren was hij gewend, maar dit keer meende hij een verschil te bespeuren.

Rosie kwam naar het hek en bleef daar staan, met haar armen over elkaar geslagen tegen de kou.

'Maak je geen zorgen,' zei ze. 'Het komt wel goed.'
Voor het eerst in een halfuur leek hij weer normaal adem te halen.
'Het spijt me.'
'Hoeft niet.'
'Maar Davey... zijn vader... Ik voel me vreselijk.'
'Ik let wel op hem.' Ze haalde haar schouders op, gekwetst en zwijgend, en dat herinnerde hem eraan hoe jong ze zelf nog was.
'Het is niet het einde van de wereld.'
'Nee.' Hij kuste haar op de wang, die warm was, en raakte haar arm aan, die koud was. 'Dank je voor je begrip, Rosie.'
Haar ogen hadden een ongewone glans toen ze zachtjes antwoordde: 'Ik heb er geen begrip voor. Dat is het probleem. Kon ik het maar opbrengen.'
Hij haastte zich weg.

Dat betekende natuurlijke het einde, met wederzijdse instemming. Maar er kwam nog een vervolg. Op kerstavond nam hij een paar cadeautjes mee en trof Janet alleen aan, terwijl ze haar kerstboompje versierde.
'Rosie heeft ze meegenomen met de bus,' zei ze. 'Ik denk dat ik hiermee klaar ben als ze terugkomen.'
'Kan ik je helpen?'
'Dat is niet nodig, ik ben bijna klaar.'
Slecht op zijn gemak ging hij zitten terwijl zij verderging. De boom was verzwaard met stenen in een gegalvaniseerde ijzeren emmer gezet die met kerstpapier was bekleed. Het zag er stevig genoeg uit, maar hij stond niet helemaal recht; hij kon zich voorstellen hoe de vrouwen er samen mee bezig waren geweest, het soort werkje waarvoor ze hem een paar dagen daarvoor nog gevraagd zouden hebben. Een deel van de versiering was echt: gekleurde glazen ballen, ijspegels en engelenhaar, en een deel was zelfgemaakt, misschien door Davey, van zilverpapier uit sigarettendoosjes en gekleurd karton met een touwtje of katoenen draad erdoor. In de top stond een engel die van een grote kleerhanger was gemaakt, met felgele wollen haren en scharlakenrode lippen.
'Ziezo...' Ze ging weer op haar hurken zitten.
'Mooi. Ik heb een paar dingen meegebracht om eronder te leggen.'
'Dat had je niet hoeven doen.'
'Het minste dat ik kon doen.' Hij legde zijn goede gaven om de emmer heen en legde toen vlug zijn hand op de hare. 'Janet...'
'Niet doen.' Ze trok haar hand weg en deed onnodig iets aan haar haar. 'Het was niet jouw fout.'
'Hoe is het met Davey?'

'Prima. We hebben er niet over gepraat.' Ze dacht misschien dat dat een geruststelling was, maar Spencer vond het juist het tegenovergestelde.

'En Rosemary... Ik weet dat ze je zusje is, dat ligt anders, maar ze is nog jong. Ik voel me ellendig.'

Janet gaf geen antwoord. Ze kwam overeind, klopte haar rok af, en verschikte met haar lange, sierlijke vingers iets aan de koperkleurige engel. Toen ze zich naar hem toekeerde werd hij herinnerd aan die eerste keer, na de dood van haar man; een ogenblik van de waarheid, maar van een waarheid die haar alleen bekend was.

'Spencer, ik moet je iets vertellen.'

Hij knikte, had het gevoel dat zelfs het geluid van zijn stem haar zou afschrikken.

'Je bent de enige persoon op deze wereld aan wie ik het vertel.'

'Weet je zeker dat je dat wilt doen?'

'Ja, je hoort het te weten. Dat helpt de dingen duidelijker te maken.'

Ze zei niet wat er verduidelijkt moest worden, en hij vroeg niets. Hij wachtte af.

'Rosie is niet mijn zusje. Ze is mijn dochter.'

Natuurlijk, was wat hij dacht. Natuurlijk. Dat was het: het vreemde, dat geheimzinnige dat hij nooit had kunnen peilen of begrijpen.

'Weet ze dat?'

Janet schudde haar hoofd. 'Zoals ik al zei ben jij de enige die het weet.'

'Maar je man, Edward?'

'Ja. Toen we trouwden adopteerde hij Rosie, ze woonde bij mijn ouders. Ze zei mamma tegen mijn moeder.'

'Vertel je het haar ooit?'

'Waarom zou ik?'

'En haar eigen vader, waar is die?'

'Weg. Hij heeft het zelfs nooit geweten. Het was de enige keer... en ik wilde het niet.'

Die laatste woorden, zo typisch ingehouden, vervulden hem met afschuw. Hij sloeg zijn armen om haar heen en ze bleef onbeweeglijk in zijn omhelzing staan, zonder te reageren, behalve dat ze haar voorhoofd tegen zijn schouder legde. Hij dacht dat ze misschien huilde, maar toen hij haar losliet stond haar gezicht zo rustig alsof het van was gemaakt was.

'Nu weet je het dus.'

'Ik zwijg erover als het graf.'

Ze knikte. Hij was verbijsterd door haar vertrouwen. Maar pas toen hij van middelbare leeftijd en zelf getrouwd was ontdekte hij hoe in dit Engelse gezin de geheimen, de leugens en de trouw uit zijn eigen jeugd werden herhaald.

De week na Kerstmis vond Jenny, het meisje van de kantinewagen, die al vroeg de ronde deed, Ajax jankend buiten bij een latrinebarak zitten. In een van de hokjes lag Franks dode lichaam. Hij had zijn polsen doorgesneden en was daarna voorover in de wc-pot gaan hangen, zodat er geen troep van kwam.

Zelfmoord was op zichzelf al on-Amerikaans, en er werd zo min mogelijk ruchtbaarheid aan gegeven. Niemand vroeg zich af waarom Frank het had gedaan – de oorlog was een boze heks. Als er een paar waren die verdenkingen koesterden, hielden ze die voor zich. Spencer deed hetzelfde met de inhoud van de brief die voor hem in Franks kastje was achtergelaten.

Sommige zaken kon je het beste met rust laten.

13

Aldus blies hij de paarden moed in.
Ze schudden het stof van hun manen op de grond, en
begonnen vlug de snelrijdende wagen te trekken.

Homerus, *De Ilias*

Harry 1854

Het terrein leek enigszins op het golvende, grazige binnenland van
Engeland, behalve dat er geen bomen en struiken of groen te zien
waren.
Ver weg in het westen, achter de gelederen van de Franse divi-
sies, voer de imposante geallieerde vloot met hen mee; hun schoorsteenpijpen braakten machtige rookwolken uit en hun kanonnen
waren in staat hen tot op drie kilometer landinwaarts in de rechterflank te dekken. Je moest wel trots zijn op het Engelse leger, met
die oogverblindende golf rood met wit van de infanterie en de
ongeëvenaarde pracht van de cavalerie met hun zwierige officieren
te paard, zo opvallend als kemphanen met knikkende, witte pluimen, naast wie de bekwaam uitziende en goed toegeruste Fransen
maar saai leken.
Ze trokken op met colonnes in breedteformatie, in staat bij een aanval van links of van achteren een holle 'doos' te vormen met de bagage in het midden. De Lichte Brigade vormde de voorhoede en de
linkerflank. Vanuit die positie konden ze genieten van de openheid
van het landschap, en zich tevens de vernederende teleurstelling voor
de geest halen die het hun een paar dagen daarvoor had toegebracht
tijdens hun zoektocht naar voedsel. Onder het dunne, droge gras was
de grond steenhard. Het enige teken van begroeiing bevond zich
dicht bij de verspreid liggende boerderijen en verlaten gehuchten. Er
hing een bleke nevel, als de stofwolk van een aan de horizon nade-
rend leger, hetgeen een ontzaglijke hitte voorspelde. Er stond geen
zuchtje wind; de enige luchtverplaatsing kwam door hun marcheren.
De fier gedragen regimentsvlaggen hingen als vodden omlaag.
Harry reed aan de landzijde en voelde sterk het contrast tussen de

lawaaiige, kleurige stroom legers aan zijn rechterhand en de hete, stille vlakten van de Krim, vanwaaruit hun opmars onzichtbaar en onheilspellend werd gadegeslagen.

Overal sprongen hazen op; de mannen van de infanterie vonden het een sport, en de energiekste onder hen braken uit de gelederen, om op ze te jagen. De geïmproviseerde jacht, het onder gejuich in en uit de rijen lopen en de vrolijke marsmuziek van de militaire kapellen schiep een bijna kermisachtige atmosfeer. Sommige jagers hadden succes. Harry zag een triomfantelijke cavalerist met meer jeugdige overmoed dan verstand naar de voorste rij van zijn makkers galopperen, zijn buit opgestoken in de ene hand, zodat het bloed langs zijn arm op zijn gezicht droop. De mannen juichten en lachten, maar het vertrokken, met bloed bespatte gezicht van de cavalerist en de woeste kreten deden Harry huiveren; ze riepen herinneringen wakker, of het voorgevoel van iets vreselijks.

Toen de zon opkwam was het gedaan met hun geestdrift. Ziekte en dorst vergezelden hen nog steeds en vierden hoogtij naarmate ze vermoeider raakten. De trotse glorie van hun vertrek, toen iedere man zich deel had gevoeld van de grootse onderneming, maakte plaats voor de grimmige, harde werkelijkheid. De opwindende oorlogspraal viel uiteen in de smerige details van het individuele lijden. Binnen een halfuur na hun vertrek vielen de eerste slachtoffers ten prooi aan cholera en hitte. De marcherende legers voerden in hun kielzog een vracht afgedankte uitrusting mee, en ook dode en stervende manschappen, kronkelend van de pijn, brakend, lijdend aan diarree, te zwak om verder te gaan. Terwijl het 8e Huzaren in de flank voorwaarts reed, ratelden de *araba's* in tegenovergestelde richting voorbij, beladen met een deerniswekkende menselijke vracht. Hier en daar zag je ondernemende officiersvrouwen armenvol geweren dragen voor de verzwakte mannen, die nauwelijks de kracht hadden om overeind te blijven, zodat die hooggeboren dames er op hun pony's en muilezels uitzagen als boerinnen met een lading sprokkelhout.

Een voor een vielen de muziekkorpsen stil. En nu was er in plaats van de muziek niet de vloeibare puurheid van de leeuwerik te horen, maar het schrille, monotone gegons van vliegen.

Na een uur lopen werd het commando halt gegeven. Het was een vreemd gezicht dat onafzienbare, rood met blauwe lint infanterie op de grond te zien zinken alsof ze door een zeis waren neergemaaid. Iedereen was zich bewust van de kleine, onbetekenende opleving van het moreel dat met verandering gepaard ging. Als ze te lang op een plek verbleven werd de stemming neerslachtig en onrustig; bij het bevel op te rukken raakten ze even geïnspireerd. Duurde de mars te lang, dan verslapten ze in hun afgematte toestand en raakten terneergeslagen. In wat tot dan toe een oorlog van opmars en stilstand was, bleek onzekerheid hun ergste vijand te zijn.

Harry steeg af en liet Clemmies teugel vieren. Ze brieste van opluchting en rekte haar hals. Haar lippen plukten hongerig aan het droge gras en ze knabbelde, even tevredengesteld. Harry benijdde haar simpele wereldje. Ze was de angst en pijn van de zeereis vergeten, en liep niet vooruit op het aanstaande gevaar.

Naast hem had de grijze ruin van Leonard Palliser een hoefijzer verloren.

'Verdomme, die grond lijkt wel van steen, hij zal terug moeten.'

Harry riep tegen hem: 'Als je mijn knecht, Betts, ergens in de achterhoede ziet, vraag hem dan hierheen te komen, wil je?'

'Als ik hem zie. Het is daar achteraan bepaald geen *grand levée*,' zei Palliser knorrig.

Harry maakte Clemmies buikriem wat losser. Het cavaleriezadel werd te zwaar voor de magere rijdieren, ze liepen het gevaar zweren en huidirritaties op te lopen. Haar vacht trilde. Ze schudde haar hoofd toen vliegen op haar romp en om haar ogen neerstreken; maar haar eens zo mooie, lange staart was nu kort en rafelig, en hoewel ze hem heen en weer zwaaide was hij als zweep nutteloos.

De infanterie zat of lag; de cavalerie stond tussen de paarden. Op grondniveau brak Harry het zweet uit, en hij begon te begrijpen wat het voetvolk moest uitstaan. Het tafereel leek een gigantische, kleurige picknick; de mannen praatten of lazen brieven en plunderden hun rantsoen, behalve dat velen van hen alleen lagen omdat ze waarschijnlijk niet meer overeind konden komen. Het opgewekte geluid van stemmen en de ijle, vrolijke muziek van het blikken fluitje overstemden het gezoem van de vliegen. Fyefield zette zijn sjako af, die een zonverbrande striem onthulde, en stak een sigaar op.

'Ik had er geen idee van,' zei hij, een vinger tussen zijn boord en zijn rode vel stekend, 'dat het zo hels heet zou zijn. Ik ben zo stom geweest als het achtereind van een varken. Maar het gekke is dat de Fransen er geen last van schijnen te hebben.'

'Ze lijken te beschikken over wat nodig is,' beaamde Harry.

'Inclusief,' voegde Philip Gough er ernstig aan toe, 'die voortreffelijke, gewillige aanhang.'

Hector bulderde van de lach. 'Als ze zo gewillig waren zouden de Fransen niet zo verdomd hard lopen...'

'Nee, nee,' zei Gough. 'Ik geloof dat het alleen maar kokkinnen en verpleegsters zijn.'

'Dat zal ik geen moment ontkennen! En sommige van onze mannen hebben het puikje van het Engelse vrouwvolk meegebracht. Maar als vrijgezel moet ik zeggen dat de meesten van weinig nut zijn en ook geen sieraad.'

'Ze zijn voor hun man meegekomen,' zei Harry. 'Hetgeen alleen maar bewonderenswaardig is. En ze helpen waar ze kunnen.'

'Hmm.' Hector trok knorrig aan zijn sigaar. 'Maar niet getraind, zoals die Franse vrouwen.'

Harry kon dat niet ontkennen, en ook niet dat het Franse leger in het algemeen beter getraind leek dan het hunne. Tot dan toe vormden een goede voorbereiding en punctualiteit de kenmerken van het Franse leger, terwijl chaos, verwarring en vertraging die van het Engelse waren. De oogverblindende verschijning van het Britse leger die hun hart bij het vertrek aan het begin van de dag sneller had doen kloppen, leek nu lege ijdelheid naast de Fransen, die de ontberingen van de mars zichtbaar beter hadden doorstaan. Ondanks hun zware bepakking onderhielden ze een moordend tempo in hun minder fraaie, maar ook losser zittende, gemakkelijkere uniformen. Bezieling, overdacht Harry, was iets waar het Britse leger en vooral de cavalerie, naar streefde, maar hier bleek bezieling niet afhankelijk te zijn van een fraaie vertoning, maar van comfort en zelfvertrouwen.

'Aha, nu zullen we het krijgen.' Hector wees met zijn sigaar. 'Bezoek uit de hogere regionen.'

Lord Raglan, maarschalk St. Arnaud en een groep stafofficieren van beide nationaliteiten reden langs de voorhoede van de colonnes. Veel van de zittende mannen hesen zich op hun vermoeide voeten, wuifden of gooiden hun pet in de lucht en juichten hen daverend toe.

'Ik denk wel eens,' merkte Hector op, 'dat de gewone Engelsman zijn leider omgekeerd evenredig toejuicht aan de portie ellende die hij veroorzaakt. Het lijkt wel of een kerel gelooft dat hoe slechter hij het heeft, des te beter de algehele strategie moet zijn.'

'Laten we hopen dat hij gelijk heeft.'

Harry sloeg Raglan gade toen hij stilhield om zich tot een dankbare infanterist te wenden. Hij wist dat er achter Hectors wrange, weinig heldhaftige opmerkingen zoals altijd meer dan een grein waarheid school. Deze waardige oude man, met onbewogen gelaat, kreupel van lijf en gereserveerd in zijn optreden, had tot dusver nog niets gedaan om de bewondering te verdienen van de mensen over wie hij het bevel voerde. Zijn ambtstermijn als opperbevelhebber werd gekenmerkt door besluiteloosheid, geheimzinnigheid en traagheid. Hij gaf geen blijk van elan, en ook niet van een normale aanpak. Hij mocht misschien een goed hart hebben, maar zijn hand was koud en zijn aard behoedzaam. Toch was hij een 'fijne meneer'. Zijn aantrekkingskracht op de manschappen berustte uitsluitend op zijn aristocratisch voorkomen. Hij had de verschijning, bedacht Harry, van iemand die zich wijzer en beter tot oordelen in staat achtte dan het gewone volk, zoals hij vanaf zijn kalme strijdros omlaag keek om kort en bondig droge woorden van bemoediging rond te strooien. Harry herinnerde zich het gezicht van Lord Cardigan, die ongegeneerd van zijn desastreuze patrouille bij de Donau was teruggekeerd, zijn knappe, hoogrode, weldoorvoede profiel met de slappe, gemelijke mond en de fletse ogen, en hij vroeg zich af hoe ter wereld het mogelijk was dat de ene mens meende de andere te kunnen commanderen. Niet dat dat het enige conflict was waarbij Lord Cardigan was betrokken. De animositeit die er tussen de divisie- en brigadegeneraals van de Lichte heerste was welbekend en het onderwerp van veel grappen en grollen, zowel in de gelederen als in de officiersmess. Lucan was een gedegen, zij het opvliegend bevelhebber, die de orders punctueel opvolgde. Maar de perverse menselijke natuur schreef voor dat de manschappen, als ze de keuze hadden, door het vuur zouden gaan voor de arrogante lord Cardigan.

'Hoe is het met haar, meneer?' Betts stond naast hem.

'Betts – ze maakt het goed, maar ik vraag me af wanneer ik haar rust zal laten nemen. Wat denk jij?'

Hij liet zijn deskundige blik over Clemmie gaan, en streek met zijn hand over haar vetlokken en koten. 'Geen problemen zover ik zie, meneer. Het is de blakende hitte waardoor ze uitgeput zullen raken.'

'En wij allemaal. Laten we hopen dat we gauw water tegenkomen.'

'Ja meneer. En als dat gebeurt, dan liever geen zeewater, zoals de laatste keer.'

'Maakt Derry het goed?'

'U kent hem, meneer. Als u het niet erg vindt dat ik het zeg: dat is geen cavaleriepaard, het is een werkpaard. Die gaat door tot hij erbij neervalt.' Betts' blik zwierf naar de commandant en de staf die nu recht voor hen uit reden, op zo'n zeventig meter afstand. 'Al kozakken gezien, meneer?'

De vraag werd uitdrukkingloos gesteld, maar Harry had groot respect voor de sardonische intelligentie van de stalknecht. De complete geallieerde invasiestrijdmacht lag, terwijl hun bevelhebbers langs hen heen paradeerden, als een reusachtig, onbeweeglijk doelwit over het gras verspreid, in het land met de meest perfecte cavalerie ter wereld.

Palliser keerde puffend en blazend uit de achterhoede terug met zijn verse paard. 'Latimer, mag ik je knecht lenen?'

'Natuurlijk. Ga maar mee, Betts.'

Twintig minuten daarna kregen ze het marsbevel. De enorme menigte mannen kwam overeind met een geluid als van wind die door het koren suist. Toen trokken de legers opnieuw voorwaarts, de ene trage golf na de andere, over de dorre vlakte.

Rachel ging het huis door, van de ene kamer naar de andere. Vóór Hugo's dood had ze nauwelijks tijd gehad om dat te doen, maar nu had dat proces voor haar een bijna sacrale betekenis. Terwijl zijn kind in haar groeide, begon ze langzaam maar zeker de plek waar hij zelf was geboren beter te begrijpen en er zich minder een vreemdelinge te voelen.

Daarvoor was het nodig dat ze Bells in haar eentje verkende. Als ze iets te vragen had zou ze dat doen, maar voor de rest lieten de bedienden haar met rust. Haar relatie met de huishouding was informeel. Ze verliet zich in hoge mate op de deskundigheid van de bedrijfsleider, Collins, en die van Oliver in de stallen, Morrish in de tuin en Jeavons in het huis. Ze wilde dat het werk goed werd gedaan, maar omwille van het werk zelf, niet omdat het moest. Het was duidelijk dat Maria's beleid werd gekenmerkt door temperament en inconsequentie. Haar schoonmoeder was geliefd omwille van de meester, maar het was een behoedzame liefde. Het ene moment was ze hartelijk en verdraagzaam, het volgende arrogant en veeleisend. Haar werknemers hadden geleerd dat ze nu eenmaal zo was, en dat ze het niet kwaad meende, maar ze bleven op hun hoede. Rachel wist dat zij, omdat ze nooit zo met haar gevoelens te koop liep als Maria, om die reden goed het roer kon houden. Ze streefde niet naar populariteit, alleen naar rust en respect.

Ze had Mercy Bartlemas, die met haar zestien jaar nu de oudste van de kinderen was, als tweede meisje in dienst genomen, om het verloren gegane inkomen van Colin te vervangen, maar toen Mercy bleek en lusteloos werd vroeg Rachel aan Morrish of het meisje karweitjes buitenshuis mocht doen. Aanvankelijk was hij met stomheid geslagen bij het idee dat de traditie doorbroken werd: een jonge vrouw die zijn kostbare territorium binnendrong! Maar Rachel overtuigde hem ervan dat het maar voor een proefperiode was, en toen hij eenmaal schoorvoetend toegaf bleek de regeling een succes. Mercy was een meisje dat niet graag binnenshuis was, een meisje dat graag in de buitenlucht vertoefde, en er niet door glas naar wilde kijken. Toen ze een paar simpele taken kreeg opgedragen in een omgeving die haar lag, bloeide ze op als een roos en daar ze uit een groot gezin kwam, wist ze heel goed met Morrish's knorrige bevelen en het geplaag van de twee tuinjongens om te gaan. Wat haar werd opgedragen voerde ze energiek uit. Ze toonde aanleg voor het werk en ze had groene vingers: planten groeiden onder haar zorgen. Haar stevige figuur in een bruin juten schort en modderige laarzen, met het kroezige haar als van een lappenpop, werd een vertrouwde en al spoedig onvallende verschijning in de tuinen en het park. Voor Rachel was het een waar genoegen dat niet alleen haar familie profijt had (meer in natura dan in klinkende munt) van Mercy's baantje, maar dat er nog een andere verbindingslijn naar het verleden liep; een recente, vitale, die de bonen en kolen deed groeien, terwijl haar arme broer in een gemeenschappelijk graf bij de Zwarte Zee lag.

Ze zette haar gevoelens aan Harry op papier in de brief waaraan ze elke avond schreef, als een dagboek, en ongeveer eens per week deed ze die op de post. Ze kon niet weten hoe lang het duurde voordat hij die brieven kreeg, of dat ze überhaupt aankwamen, maar alleen al het schrijven ervan was een hele troost. En ook al hoorde ze lange tijd niets van Harry, ze volgde de verslagen van W.H. Russell in *The Times* en had zich een beeld gevormd van waar hij was en hoe de omstandigheden waren. Toch lag dat aspect van het heden op afstand en was de toekomst op zijn zachtst gezegd onzeker. Het verleden bood meer stevigheid. Dat was een plek die ze kon bezoeken en verkennen, en die alleen met haar eigen begrip ervan zou veranderen.

Er hing een schilderij in de hal waarbij ze dikwijls stilstond, omdat het het voltallige gezin Latimer liet zien: Percy, Maria, en hun twee zoons, ongeveer twintig jaar geleden. Het was in vele opzichten een traditioneel, goed uitgevoerd schilderij van de familie die op een met gras begroeid heuveltje stond, waarschijnlijk in hun beste kleren, met een enigszins geïdealiseerd gezicht op Bells op de achtergrond. Rachel hield van het verhaal dat werd verteld. Al dan niet terecht bespeurde ze er bepaalde karaktertrekken in die de schilder niet had kunnen of willen ontkennen; dingen die bij een volkomen formele weergave achterwege gelaten zouden zijn. Op de voorgrond in het midden stond bijvoorbeeld een stoel, die daar ongetwijfeld voor Maria was neergezet, om te zorgen dat de familie een traditioneel tafereel zou opleveren: de moeder gezeten, de pater familias bij haar schouder staand, de ene zoon naast haar, de andere op haar knie of vlakbij op de grond. Maria stond echter lang en fier naast haar iets kleinere echtgenoot. Wat Rachel ervan overtuigde dat haar schoonmoeder ervan had doen afzien te gaan zitten was dat de stoel, en dientengevolge ook het middelpunt van de schilder, werd ingenomen door een wit-met-leverkleurige spaniel met zijn tong uit zijn bek. Maria droeg een wijnrode japon, waarvan de strenge elegantie werd gecompenseerd door de rode bloem die juist zichtbaar was in haar haren.

Wat de jongens betrof was het Harry, de jongste zoon, die naast de stoel stond met zijn hand op de halsband van de hond – het zag er eigenlijk uit alsof de hond elk moment kon wegspringen – en Hugo die met gekruiste benen op de voorgrond, met zijn kin in zijn hand, waarbij hij kwajongensachtig grijnsde. Zijn grijns en Maria's dramatisch starende blik waren bijzonder karakteristiek voor moeder en zoon. De gezichtsuitdrukking van Percy en Harry was moeilijker te lezen. In het geval van Percy kende Rachel haar schoonvader inmiddels goed genoeg om te begrijpen dat zijn strenge, ietwat verveelde blik een pantser was dat hij door de jaren heen met veel moeite had ontwikkeld, om zijn gedachten en gevoelens te verbergen. Harry was geheimzinniger, een kleine gestalte – hij kon niet ouder zijn geweest dan drie of vier – die door zijn gedachten in beslag werd genomen. Dikwijls liep Rachel, als ze naar het schilderij keek, er dichter naartoe om de gezichten van de jongens te bestuderen, alsof louter nabijheid haar inzicht kon verschaffen in wat er achter de streken en vegen verf te vinden was. Natuurlijk lukte dat niet, maar ze kreeg altijd dezelfde indruk: dat Hugo er nooit een moment aan twijfelde dat het leven voor hem avontuur, vriendschap en liefde in petto hield, terwijl Harry niet tot een dergelijke conclusie kwam, maar toekeek en afwachtte wat zich zou voordoen.

Die indruk werd nog versterkt door een paar schoolschriften die ze had gevonden in wat de kinderkamer en leskamer van de jongens was geweest voordat ze naar Eton waren gestuurd. Hugo's opstellen waren omvangrijk maar slordig. Ze werden gekenmerkt door het ontbreken van aandacht voor correcte grammatica en interpunctie. Toen hem werd gevraagd zijn 'favoriete dier' te beschrijven had hij drie met inkt bespatte pagina's volgekrabbeld met als onderwerp zijn spaniel, Rowley – Rachel veronderstelde dat het de hond op het schilderij was. Hij had geen detail van het ondeugende gedrag van het dier onvermeld gelaten, van 'achter de kippen aanzitten en de meeste opeten', een misdaad waarvoor Rowley voor straf drie dagen met een dode kip aan zijn halsband had moeten rondlopen, tot het 'blaffen tegen vader tot hij er bijna gek van werd' en het 'stelen van de cricketbal toen Little die uit het veld had geslagen'.

Harry's opstel over hetzelfde onderwerp op zelfs jongere leeftijd was heel precies en zorgvuldig geschreven, en gaf een volkomen andere interpretatie. 'De tijger is mijn favoriete dier omdat hij heel mooi is en heel wild. Hij heeft strepen en gele ogen. Hij eet andere dieren omdat hij honger heeft. Ik heb er nooit een gezien maar hij staat in mijn boek. Ik zou wel eens een tijger willen zien.'

Het verhaal was vergezeld van een levendige tekening van een tijger die over een ongelukkige, hevig bloedende antilope gebogen stond, waarschijnlijk nagetekend uit het boek in kwestie, met het onderschrift: De tijger bewaakt zijn prooi.

Rachel vond het contrast tussen die twee stukken pikant. Hugo was iemand voor het hier en nu, dat was zijn hartstochtelijke, kinderlijke kwaliteit. Harry leek de dromer: de jongen die aan tijgers dacht. Met het idee dat Maria het leuk zou vinden bracht ze de schoolschriften naar haar schoonmoeder, die voor ze aan andere dingen kon worden herinnerd nostalgisch uitriep: 'Die gouvernante, Salter! Die heeft hun geen goed gedaan.'

'Ik vind dat ze heel goed schreven, in aanmerking genomen hoe jong ze waren.'

'Hmm... misschien wel. Maar ze deden altijd precies waar ze zin in hadden.' Maria las wellicht iets op Rachels gezicht, voordat ze antwoordde: 'Ik heb geen gouvernante voor de jongens genomen die zou zijn zoals ikzelf. Ik heb haar aangesteld omdat ze anders was dan ik. Dat is het belangrijkste als je mensen in dienst neemt.'

Dat, bedacht Rachel, was de houding die de bedienden verwarrend vonden. Maar Maria's toon duldde geen tegenspraak. Percy had nauwelijks energie om te lezen, maar Rachel las hem een paar van de opstellen voor en die brachten een spoor van een glimlach teweeg.

'Ik herinner me die hond nog... een slecht ras, was niet te trainen. Tijgers, tja... ik heb nog nooit een tijger een cricketbal zien stelen.'

Toen ze die dag naar huis ging liet ze de schriften op het tafeltje naast Percy's stoel achter.

Het hele einde van die zomer en in de vroege herfst had Rachel het gevoel van de geheimzinnigheid van de tijd; dat het onmogelijk was die categorisch in hoofdstukken in te delen en te zeggen wat wanneer was, en wanneer het voorbij was. Steeds vaker had ze het gevoel dat het verleden in het heden overging en het belichtte. Boven alles geloofde ze in de vrije wil, dat geloof bepaalde zelfs haar voorzichtige religieuze geloof. En toch waren er aspecten van het leven en het gedrag van de mensen dat hen op een spoor zette waarvan geen terugkeer of omleiding mogelijk was. Hugo's ontijdige dood was zijn middel tot genade. Harry's militaire loopbaan was goed voor de hoop op overwinning.

Op een zachte septemberochtend, nog voordat de dag haar kleuren had laten zien, begaf ze zich op weg naar het Witte Paard. Ze was inmiddels zwaar en plomp, de baby leek binnen in haar te slapen, en hing met zijn volle gewicht in zijn wieg van vlees. Bij dergelijke gelegenheden voelde hij groot aan, veel te groot om ooit de baarmoeder te kunnen verlaten zonder haar in stukken te scheuren. Ze moest de primitieve vrees voor die scheiding onderdrukken, hoe die zou plaatsvinden, en wanneer, en hoeveel pijn het zou doen. Ze wenste dat Hugo er zou zijn om haar in zijn armen te nemen en haar akelige angsten met zijn opgewekte zelfvertrouwen zou verjagen. De helling was te steil voor haar. Ze kwam niet tot bij het paard, maar hield stil en liet zich dicht erbij in het gras zakken, bij het punt waar zijn enorme lijf boven haar uittorende, als de koe die over de maan heenspringt. Cato, even uitgeput, zakte naast haar neer, geestdriftig hijgend. Toch kalmeerden de plek en het uitzicht haar. Bells, het dorp, haar eigen voormalige huis in westelijke richting waren allemaal recente aanwinsten in het landschap. Talloze mensen, huizen en nederzettingen waren gekomen en gegaan sinds het Witte Paard daar sprong. Het was een stille ochtend, maar met haar oor op de grond hoorde ze het compacte, murmelende kloppen van een geheim geluid, als de harteklop van de aarde.

Ze sliep maar een halfuur, maar toen ze wakker werd was er een bleek zonnetje doorgebroken. Cato kuierde heen en weer en snoof konijnensporen op. Stijf geworden kwam Rachel overeind en begon aan de tocht naar huis. De heuvel afdalen kostte op de een of andere manier nog meer moeite; ze moest elke spier spannen om haar gewicht naar achteren te houden en haar evenwicht te bewaren. Tegen de tijd dat ze de lichtere helling naar het hek van Bells Wood was afgedaald was ze erg moe maar rustig.

Toen ze terug liep tussen de bomen tegenover het huis deed een geluid haar omhoog kijken, en ze schrok toen ze een gezicht zag dat vanachter de takken naar haar keek. De andere persoon was evenzeer verbaasd, want zijn ogen gingen wijd open, zijn mond vormde een wijde 'O' en het volgende dat ze hoorde was een klap en het gekraak van takken toen een kleine jongen uit de boom viel en met een bons op het pad voor haar neerkwam.

'Gaat het een beetje?' Ze boog zich voorover en stak haar hand uit om hem te helpen, maar hij krabbelde zonder hulp, blijkbaar ongedeerd overeind.

'Sorry mevrouw, ik gleed uit.'

'Dat zie ik. Weet je zeker dat je je niet hebt bezeerd?'

Hij schudde zijn hoofd. Met gefascineerde belangstelling nam hij haar toestand in zich op, terwijl hij een reeks pijlsnelle berekeningen maakte en een en een bij elkaar optelde. Hij was ongeveer acht jaar oud, donker, met heldere ogen en met een gelige huid, als een Italiaan.

'Bent u nevrouw Latimer?'

'Ja.' Ze wachtte glimlachend af. 'Ik vrees dat je meer weet dan ik.'

Hij begreep haar toon meer dan haar woorden en antwoordde: 'Ik ben Ben Bartlemas.'

'Aha, het broertje van Mercy.'

'Dat klopt.'

'Moet jij niet op school zitten?' vroeg ze.

'De meester is ziek.'

'O.' Dat klopte wel, aangezien de dorpsonderwijzer, meneer Prale, op leeftijd was en aan allerlei reumatische en ademhalingskwalen leed, die elk najaar begonnen en tot het voorjaar aanhielden. 'Weet je moeder dat je hier bent?'

'Ja, mevrouw. Ze heeft gezegd het u te laten weten; ze heeft Mercy gezegd het tegen u te zeggen, maar u was er niet.'

'Wel, nu weet ik het, dus is het in orde.'

'Sorry.' Hij trapte tegen de gebroken takken. 'Van de boom.'

'Die staat daar al heel lang, en is veel ouder dan wij allemaal. Ik weet zeker dat hij het overleeft.'

'Ja,' beaamde hij. Hij bezat een kalm zelfvertrouwen dat nog net niet brutaal was. Hij deed haar aan Hugo denken.

'Wil je limonade?'

'Ja, alstublieft.'

'Kom maar mee.'

Hij liep met haar mee over het gras en paste zijn stappen aan de hare aan. 'Mag ik hier komen werken als ik ouder ben?'

Aangezien directheid aan de orde van de dag was gaf ze ook een direct antwoord. 'Ja, als er werk is dat jij kunt doen.'

'Ik hou van paarden.'

'Ik ook,' zei ze opgewekt. 'Maar dat betekent nog niet dat ik genoeg van ze afweet om goed voor ze te kunnen zorgen.'

'Mijn broer Colin zorgde voor de paarden,' verklaarde Ben.

'Dat weet ik.'

Hij vestigde een openhartige blik op haar om haar reactie op zijn volgende vraag te peilen. 'Hij werd gedood in de Russische oorlog.'

'Ja, dat weet ik ook. Het heeft me veel verdriet gedaan.'

Ze wist precies wat hij wilde vragen, en wachtte af of hij het deed. 'Is meneer Latimer gedood in de oorlog?'

'Nee. Hij is omgekomen bij een ongeluk.'

'Hij is van zijn paard gevallen, hè?'

Dus hij wist het antwoord al voordat hij de vraag had gesteld. 'Dat klopt.' Ze waren bij het huis. 'Ongeveer op de plek waar jij uit de boom viel. Kom verder.'

Ze liepen de hal door, door de deur en de achtertrap af. In de keuken waren Jeavons, mevrouw Mundy de kokkin, Little en Mercy Bartlemas bijeen, de laatste met een rood gezicht en haar haren naar

330

alle kanten. Jeavons en mevrouw Mundy hadden een enigszins afkeurende uitdrukking op hun gezicht en Little gniffelde. Alle gelaatsuitdrukkingen veranderden toen Rachel en Ben in de deuropening verschenen.

'Ben!' Mercy liep naar haar broertje toe, te overstuur om Rachel te groeten. 'Waar heb je gezeten? Ik heb je overal gezocht, kleine-je-weet-wel!'

'Ik was in de bomen aan het klimmen,' antwoordde Ben, tegen een achtergrond van hoofdschudden en geklak met de tong van de anderen. Hij keek naar Rachel. 'Ja toch?'

'Als je er niet uit was gevallen,' beaamde ze en wendde zich tot Mercy. 'Hij viel me in de schoot als de appel van Newton.'

'O nee toch m'vrouw? Heeft u zich pijn gedaan? Jij krijgt van mij een flink pak op je billen, Ben Bartlemas! Is alles goed met u m'vrouw? En je vader... Wacht maar! Het spijt me heel erg, m'vrouw!' De toon van Mercy's uitbarsting varieerde op komische wijze van spijt tot wraakzuchtige woede.

'We zijn geen van beiden gewond geraakt, Mercy. En ik begrijp dat je me zou doorgeven dat Ben bij jou was als ik niet was gaan wandelen.'

Mercy's rode kleur verdiepte zich. 'Dat is waar, m'vrouw, dat had ik moeten doen...'

'Hij mag komen wanneer hij wil als hij niet naar school hoeft. Op voorwaarde dat hij zich nuttig maakt.'

Mercy keek bedenkelijk. 'Hij kan nog niet veel, m'vrouw.'

'Zullen we Oliver dat laten beoordelen?'

'Oliver?' Mercy's stem schoot de hoogte in, Little gnuifde, en zelfs Jeavons en mevrouw Mundy, die zogenaamd bezig waren gepoetst zilver op een blad uit te stallen, gaven blijk van hun verbazing. 'Oliver, de paarden?'

'Precies,' zei Rachel. 'Ben heeft me verteld dat hij graag met paarden wil werken, dus kan hij maar beter iets over ze leren.' Ze keek naar hem. 'Lijkt je dat een goed idee?'

Tot haar vermaak deed hij even alsof hij het aanbod in overweging nam. 'Ja, dank u wel.'

Mercy snoof. 'Hij moet verschrikkelijk veel leren, m'vrouw, ik hoop dat u dat tegen Oliver zegt.'

'O, zeker.' Rachel draaide zich om om weg te gaan. 'Trouwens, Mercy, jij hebt heel veel geleerd over tuinieren, nietwaar?' Ze knikte zwijgend. 'Waarom stel je Ben niet aan Oliver voor als je weer naar je werk gaat? En Little, heb jij niets te doen?'

Mercy greep haar broertje zo stevig bij zijn pols dat haar knokkels wit werden, maar het was duidelijk dat niets zijn geluk nog in de weg stond. Toen ze op het punt stond te vertrekken ving Rachel Bens blik op, en werd beloond met een lach die zo breed en vol vertrouwen was, zo vol respect dat niets te maken had met status, leeftijd of geslacht, maar alles met ware genegenheid en dankbaarheid, dat het haar in het hart trof en ze zich uit de voeten maakte.

De hitte nam toe; het landschap werd leger. Er was geen teken van in de natuur levende dieren, zoals schommelende kamelen, opspringende hazen, fladderende vogels en vlinders. Ze waren allemaal verdwenen in de trillende gloed van de zon, die als een oven was. Zelfs de zwerm vliegen was tot bedaren gekomen. En als ze hadden gehoopt vee te vinden om hun rantsoenen aan te vullen, werden ze teleurgesteld. De paar boerderijtjes waar ze langskwamen waren verlaten, een uitgebrande huls waar geen mens of dier te bekennen was. Een paar keer vonden ze het kaalgepikte skelet van een koe, en werden ze eraan herinnerd dat de traag wiekende gieren vanaf een onvoorstelbaar grote afstand in de witgloeiende lucht hun opmars gadesloegen. Er waren er een paar gesignaleerd, de eerste die er naar men zei ooit in dit deel van de wereld waren gezien. De conclusie dat ze de vloot vanaf Varna moesten hebben gevolgd was weinig geruststellend.

Bij de eerste rooklucht trok er weer een trilling van nieuwe energie door de gelederen. De mannen richtten het hoofd op, de paarden sperden nerveus hun neusgaten open. Wat hij nog meer kon betekenen, de rook was de handtekening in de lucht van degenen die daar eerder, en nog onlangs, waren geweest, en de aankondiging van het ophanden zijnde conflict. De vijand was nabij, en verwachtte hen.

In een dodelijke stilte marcheerden ze de volgende helling over, de frontlinie van hun colonnes stabiel en ongebroken, en ze koersten als een kronkelende slang op de verre zee af. En alsof het doek van een theatervoorstelling opging zagen ze voor het eerst hoe het oorlogsdecor eruitzag. Links in de verte lag de oorzaak van de rook: een smeulend dorp dat nog brandde. In de ondiepe vallei voor hen uit zagen ze duidelijk het groenere, met bomen omzoomde pad naast een rivier, die achthonderd meter naar het oosten werd overspannen door de aan het einde van de weg gelegen brug. Net aan deze kant van de brug, tussen legers en rivier, stond een keurig, witgekalkt huis, onopvallend, maar omgeven door een geblakerde schuur en bijgebouwen. De glooiende grond aan de overkant van de rivier was ongeveer een paar kilometer overschaduwd door brede stroken bomen en struikgewas.

De voorhoede van de cavalerie, waaronder Harry, ging onder aanvoering van Cardigan vooruit om te informeren bij wat hun was aangeduid als het Britse postagentschap. Leonard Palliser knikte in de richting van een ruiter in donkere burgerkleding, de Ierse journalist van *The Times.* Zijn lip krulde.

'Alsof we al niet genoeg problemen hebben zonder dat de vierde stand ons achterna zit.'

Harry had vluchtig contact met Russell gehad, en hij mocht hem wel. Het was een oprecht, nieuwsgierig, onbeleefd soort kerel die niet om zijn eigen veiligheid maalde en de oorlogsconventies aan zijn laars lapte.

'Hij lijkt me een prima vent. En het thuisfront wordt in elk geval behoorlijk en naar waarheid op de hoogte gehouden.'

Palliser schraapte zijn keel. 'Onwetendheid is een zegen.'

'Tot het ergste gebeurt.' Harry dacht even aan Colin Bartlemas, en Roebridge, zelfs aan Piper. 'Dan wenste je dat je beter was voorbereid.'

'Niet mee eens,' zei Palliser, die totaal voorspelbaar was. 'De mensen in Engeland moeten geloven dat we absoluut succesvol zijn. Want als iemand dan sterft is het een eervol offer en geen verdomde schande, denk je ook niet?'

'Misschien.'

Naarmate ze dichter bij het postagentschap kwamen bleken de donkere vlekken halverwege die ze voor bomen hadden aangezien een woud van gecamoufleerde massa's kozakkenruiters te zijn.

'Aha,' merkte Palliser op alsof hij het rijtuig van een kennis in Kensington Gardens passeerde. 'Eindelijk. Onze vrienden de vijand.'

Aan een deel van het peloton werd de order gegeven zich in een rij parallel aan de rivier op te stellen. Ze hadden gehoord dat het de rivier de Boelganak was. Cardigan zelf zat bij de brug roerloos in het zadel en spiedde met zijn kijker de tegenovergelegen heuvels af. Een stuk of tien ruiters, onder wie Harry, Palliser, Fyefield en de journalist Russell daalden af naar het huis en stegen af.

Tot hun verbazing na zoveel levenloze desolaatheid stapte er een naar voedsel pikkende pauwin bij de open deur rond. Ze krijste weinig overtuigend bij hun komst en klapperde met haar vleugels, waarbij ze maar een paar centimeter van de grond kwam alvorens terug te keren naar haar gepik. Harry putte troost uit haar redderende, huiselijke bedrijvigheid, haar aandoenlijk dwaze pauwen-onbenul van twee machtige legers die elkaar achter de omheining van de binnenplaats gingen treffen.

Russell dacht duidelijk hetzelfde, want hij raapte een van de lange, vaalbruine veren op die de pauwin had laten vallen en stak hem in zijn revers, alvorens zijn revolver te richten en haar dood te schieten. Het enkele schot in die besloten ruimte deed de paarden steigeren en zijwaarts lopen. Toen Russell de nog nafladderende vogel opraapte, ving hij Harry's blik en gaf hem een vrolijke knipoog.

'Dood, maar niet vergeten,' zei hij.

Eerbied voor de Britse status had het gebouw misschien van brandstichting gered, maar er was weinig van betekenis in achtergelaten. Een plaatje van een droevig blikkende heilige hing in een van de lege kamers. In een andere lag een kapotte stoel op zijn kant, met ernaast een gescheurd geel kussen, omgeven door een berg donzige veren.

In de keuken stonden potten en pannen op het aanrecht en een vijzel met stamper op de vensterbank. Bossen aromatische kruiden hingen aan het plafond. Hun geur was boven de rookstank uit te ruiken. Harry stak zijn hand omhoog en trok een handvol takken uit een van de bossen. De grijsgroene bladeren en de bloempjes vielen in zijn hand in kleine korreltjes uiteen en vulden zijn hoofd met hun heerlijke parfum. Hij stopte de restanten in de zak van zijn broek.

De aanwezigheid van de cavalerieofficieren deed misplaatst aan in deze besloten huiselijke ruimte; hun felle kleuren leken te hard, hun hoge petten streken langs het plafond en hun sporen rinkelden. Fyefield stak de punt van zijn sabel in een van de hangende juspannen en liet hem klinken als een schoolbel.

Buiten wachtte hun een ongewoon schouwspel. De arme, oververhitte infanteristen, die bij de rivier waren aangekomen, waren er niet in geslaagd in het gelid te blijven. Ze kropen, uit slagorde, naast de dorstige paarden op handen en voeten over de oever, likten het water op en sprenkelden het over hun hoofd en schouders. Zwichtend voor het onvermijdelijke werd het bevel tot halthouden gegeven, zodat iedereen kon drinken en zijn veldfles kon vullen. Harry zag Russell naar de achterkant rijden, met de pauwin aan zijn zadel vastgebonden, waarschijnlijk om haar naar de koks te brengen. In de tegenovergestelde richting, misschien twee kilometer verderop, was een glimp zonlicht op de lansen van de kozakken zichtbaar.

Na een pauze van ongeveer een kwartier, waarin de kozakken zich niet verroerden, werd het bevel gegeven in het gelid te gaan staan en verder te marcheren, met de cavalerie voorop. Terwijl Cardigan en zijn staf, zoals altijd vergezeld van Russell, nu zonder zijn last fier over de smalle brug aan het eind van de weg draafden, waadde de rest van hen door de rivier. Het water stond laag en toen de paarden er aan de zuidkant weer uitkwamen waren ze tot aan de schouder, en de ruiters tot halverwege hun laarzen, bedekt met een laag modder die op gesmolten chocolade leek.

Het bevel tot verspreiden werd gegeven. Ze reden in een rustig, gedisciplineerd tempo verder. Nu ze over de bodem van het rivierdal reden hadden ze niet langer vrij uitzicht. Wat uit de verte de stevige voorkant van een oever had geleken, doorsneden door smalle kloven, bleek nu een reeks oplopende heuvelkammen te zijn. Terwijl ze naderden leek de vijandelijke cavalerie achter de eerste ervan weg te smelten. Harry voelde zich onbehaaglijk, het grensde aan de illusie van een fata morgana, behalve dat deze een reëel gevaar inhield. Wat wachtte hun achter die eerste lage, bescheiden heuvel? De hitte was intens; de modder op Clemmies flanken en op zijn laarzen was opgedroogd en gebarsten. De oren van de merrie gingen nerveus naar voren en naar achteren; hij sprak haar met zachte stem toe.

Ze bleven voortgaan, en nu zagen ze een handvol cavalerievedettes op hen neerkijken vanaf de flank van de eerste helling. In een oogwenk waren ook die verdwenen. Ze draafden inmiddels door een meloenenveld. Toen de paardenhoeven het rijpe fruit beschadigden en vertrapten werd de lucht vervuld van een heerlijke zoete geur die Harry het water in de mond deed lopen. Het was vreemd om in slagorde door dit vruchtbare boerenland te trekken, een leger dat fruit tot moes reed.

Het ging nu heuvelopwaarts. Ze kwamen uit het veld tevoorschijn en de paarden moesten harder werken om tijdens het klimmen dezelfde beheerste, regelmatige gang aan te houden. Clemmies hals werd donkerder en glinsterde van het zweet op de stevige zwelling van haar spieren. Toen ze bij de top van de heuvel aankwamen kregen ze het bevel stapvoets te gaan. Harry gunde zich een blik over zijn schouder. De smalle rivier wemelde nog steeds zover het oog reikte van de drinkende en afkoeling zoekende troepen, en achter hen kwamen er nog steeds meer aan. Op deze oever van de Boelganak kwamen ze door het meloenenveld aangereden. De jongere, baldadige knullen spietsten meloenen en zwaaiden ermee door de lucht terwijl ze het druipende sap in hun mond opvingen. Hun geravot stond in grote tegenstelling tot de onheilspellende stilte aan de andere kant van de helling.

Ze bereikten de top, en kregen daarmee een volledig zicht op hun positie. Nog een, maar een iets kleiner dal van niet meer dan vierhonderd meter scheidde hen van de kozakken, die op de steile helling tegenover hen stonden opgesteld. Er werd halt geroepen. Harry en de verkenners behielden hun positie. Van deze kortere afstand bood de kozakkenstrijdmacht, donker gekleed en zwaarbepakt op hun gedrongen, kleine paarden, nog steeds een indrukwekkend schouwspel: een leger op de thuisbasis, gewend aan de condities en het terrein. Voor het eerst ging er een siddering van angst door zijn buik, en een kinderlijke steek van heimwee bij de gedachte dat de aanblik van deze woeste, bikkelharde kleine ruiters het laatste zou zijn dat hij op deze aarde zou zien. Het bevel: 'Verkenners, trek uw sabel – mars!' werd gegeven, maar werd onmiddellijk weer ingetrokken toen men zag dat Lord Lucan op Lord Cardigan toereed. Ze hielden halt; de mannen dampten, de paarden beten op het bit. Achter de verkenningspatrouille was inmiddels de hele Britse cavalerie in vol ornaat opgetrokken, schitterend in het scharlakenrood, blauw en goud, en werd in zijn vaart geremd als een epische versie van het spel van *Grandmother's Footsteps* dat Harry zich herinnerde met Hugo en Salter te hebben gespeeld. De discussie werd voortgezet. Lord Airey kwam erbij, de geheime afgezant van de opperbevelhebber. Het zweet sijpelde de mannen en paarden langs het lijf terwijl ze passen op de plaats maakten. Toen het eerste karabijnschot weerklonk was iedereen opgelucht. Met die smalle streep witte rook ebde de spanning weg. Nu was het dan eindelijk begonnen! In het daaropvolgende salvo kwam geen enkel schot dicht genoeg bij om schade aan te richten, maar aan de verkenners werd de verbazingwekkende order gegeven zich terug te trekken en zich weer bij hun eskader te voegen. Van zover te zijn gekomen, en zo lang te hebben gewacht, om in het aangezicht van de slag af te druipen – dat was onverdraaglijk! Op dat ogenblik begreep Harry hoe sterk de impuls tot aanvallen was als het sein eenmaal was gegeven. De drang om het paard de vrije teugel te geven en met volle vaart voorwaarts te stormen, erop of eronder, was overweldigend. De angst was niet verdwenen, maar joeg in hem rond als een stevige borrel, die een energie gaf die als gal in zijn keel bleef steken nu ze geblokkeerd werd. Tussen het karabijnvuur door hoorden ze de juichkreten van de kozakken die hen uitjouwden, wat de verbittering om de aftocht nog vergrootte.

Naast deze vernedering ontdekten de mannen van de Lichte ook nog hoe angstaanjagend het was een gemakkelijk doelwit te vormen, toen de gesloten colonnes vijandelijke cavalerie zich splitsten om ruimte te maken voor de kanonnen. Een witte rookpluim ging aan het eerste schot vooraf, dat suizend langs hen heen denderde, en met moorddadige snelheid over het oneffen terrein sprong en stuiterde. De meeste schoten misten doel, maar op nog geen twintig meter verwijderd van Harry werd een paard onder zijn berijder getroffen. Zijn buik barstte door de kogel van voor naar achter open, en zijn ingewanden puilden er uit als exotische bloemen: glinsterende rood, paars en zwart. Nog steeds volmaakt gedisciplineerd trokken ze zich met afgemeten pas terug en keerden zich ongeveer elke vijftig meter om voor het geval er een charge zou worden uitgevoerd, hun geweer in de aanslag om het vuur te beantwoorden. De Koninklijke

Artillerie was inmiddels op de plek aangekomen die door de Lichte was vrijgemaakt, en het eerste salvo van hun kanonskogels scheen een van de vijandelijke kanonnen te hebben geraakt. De Lichte Infanterie was nu bij de heuvelrand aangekomen en schoot ook. De cavalerie had geen orders gekregen en kon niets doen. De wederzijdse beschieting raakte hier en daar doel, en richtte verschrikkelijk veel schade aan. Een cavalerist naast Harry verloor zijn been vanaf de knie, en keerde toch om om naar de achterhoede te rijden met de waardigheid die een vaandelwacht betaamde, met een gezicht dat groenbleek zag van de shock. Ze voegden zich weer bij hun eskaders. Het schieten had een kwartier geduurd, maar het leek uren; uren waarin ze in formatie waren opgesteld, trots en onvervaard, maar zonder doel, alleen in staat de schokken te verwerken, terwijl de infanterie manmoedig terugvocht. Na dat kwartier trok de vijand zich in de oorspronkelijke positie bij de rivier de Alma terug. Ook voor hen kwam het bevel dat te doen. Het was moeilijk te zeggen wat voor voordeel er was bereikt, zo dat al het geval was. Een handvol gewonden was afgevoerd, of zelf weggetrokken, naar de achterhoede van de colonne. Een stuk of zes verminkte paarden lagen over de heuvelkam verspreid. Toen hij langs een van hen kwam – het eerste had hij zien vallen – maakte Clemmie zijwaarts bewegingen en legde haar oren naar achteren. Harry voelde haar trillen en zag de nerveuze glinstering rond haar ogen. Het dode paard bood een vreselijke aanblik, niet alleen door het grote aantal verwondingen, maar door de uitdrukking op zijn hoofd, bevroren in een schreeuw van pijn en angst.

Na de verzengende hitte van de dag bracht de nacht een vochtige, herfstige kou, die aanvankelijk welkom was, en vervolgens in hun hondse vermoeidheid begon te bijten. In de omringende duisternis werd de Russische positie gemarkeerd door de zes kilometer lange lijn wachtvuren in het zuiden en oosten.

Ze zetten de geweren rij aan rij en bivakkeerden in slagorde langs de Boelganak, klaar voor een aanval waarvan ze zeker wisten dat die zou komen. Toen de rum- en vleesrantsoenen waren uitgedeeld werden de vaten uit elkaar gehaald en gebruikt om vuur mee te stoken, met onkruid, gedroogd gras en brandnetels, en wat ze verder ook maar aan brandbaar materiaal konden vinden.

De cavalerie – Palliser zei dat het maar een zoethoudertje voor hun beroepseer was – werd nogmaals als voorhoede opgesteld in het gebied tussen de rivier en het meloenenveld. Ze legden hun spullen bij elkaar en knoopten de paarden met het hoofd aan de binnenkant eromheen vast. Het gerucht ging dat Lord Cardigan bijna stikte van woede toen hij het bevel hoorde en een ongelukkige groep officieren, die alleen maar orders hadden opgevolgd, had toegeblaft dat ze een stel oude wijven waren, het uniform van de koningin niet waardig. Wat dat betrof waren zij er zelf goed vanaf gekomen, maar waren desondanks twee keer op bevel van hun woedende, gefrustreerde brigadecommandant verplaatst, om uiteindelijk te eindigen waar ze waren begonnen, en in een veel slechter humeur.

Harry, Leonard Palliser en Hector Fyefield gingen naast hun zadel zitten, in hun mantel gewikkeld, en vulden hun portie vlees en biscuit aan met stukken pappige meloen en een ondefineerbare soep die door hun vindingrijke kok in elkaar was gedraaid.

Harry smakte met zijn lippen. 'Niet slecht.'

'Echt waar?' Hector snoof weifelend aan zijn soep. 'Nou, we kunnen net zo goed het risico nemen, want morgen zullen we, als het God en onze commandanten behaagt, mogen vechten.'

'Als we tenminste vannacht niet worden aangevallen.'

'We hadden ze moeten achtervolgen!' riep Leonard uit, die razend was dat de beker van de roem van zijn lippen was weggegrist. 'Ze lieten ruimte voor ons vuur en we waren verplicht toe te kijken.' In zijn verontwaardiging sloeg hij op de grond. Hij stak zijn handpalm uit om de modder te laten zien. 'Heer in de hemel, we lopen op deze manier meer kans een verkoudheid te vatten dan de vijand te vatten.'

Harry nam de rijen vuren halverwege in ogenschouw. 'Ze hebben een goede, hoge positie en zijn met een onbekend aantal. Ze hebben een voorsprong op ons.'

'Des te meer reden waarom we ze ervanlangs hadden moeten geven toen het nog kon.' Fyefield legde zijn hoofd op zijn zadel en voegde er sarcastisch aan toe: 'Wees zo goed me wakker te maken als er iets gebeurt.'

Er gebeurde niets. Het was een vreemde nacht. De stemming langs de Boelganak was onzeker, balancerend tussen sombere bespiegelingen over de voorbije dag en angstige voorgevoelens om de komende. Harry kon de slaap niet vatten. Zelfs als hij in staat was geweest zijn geest leeg te maken en even te slapen, dan was er nog geen rust, want onophoudelijk kwamen de onfortuinlijke uitvallers uit de achterhoede langs, op wagens en te voet, en riepen als verloren schapen naam en nummer van hun regiment, terwijl de sergeant-majoors als boze feeksen lopend langs de rijen hun antwoord schreeuwden.

Terwijl hij daar zo zat, zag hij tot zijn verbazing een groepje soldatenvrouwen naar de rand van het veld komen om fruit te plukken. Twee van hen gingen op hun hurken zitten om de meloenen van de stam te snijden, en de anderen hielden hun rokken als manden uitgespreid. Ze hoorden daar niet te zijn, maar ze moesten behalve de mars nog een aanzienlijke afstand hebben afgelegd alleen om bij het veld te komen. Harry wilde geen eind maken aan hun vindingrijke manier van voedsel verzamelen. Bovendien had het iets troostends die vrouwen te zien: de degelijke, praktische gratie van hun bewegingen in het zwakke licht van de vuren, en het zachte geluid van hun stemmen te horen die samen mompelden. Een van hen lachte, het was een gewaagde escapade. Om ze te laten merken dat ze waren gezien kwam hij overeind en droeg zijn zadel dichter naar het vuur toe. Vlug liepen ze weg. Toen hij weer ging liggen moest hij aan Rachel denken, die bijna zou moeten bevallen.

Ben Bartlemas was haar onafscheidelijke metgezel. Als hij niet op school zat was hij op Bells, en als hij niet in de stallen was volgde hij zijn weldoenster als een schaduw. Als ze Ben zagen, wisten ze dat mevrouw Latimer niet ver weg kon zijn. Hij probeerde geen wit voetje te halen, maar hield behoedzaam afstand, als een jong dier dat zijn spoor zoekt, maar nog steeds de onzichtbare band met zijn ouder voelt. De hoofdstalknecht Oliver, een vriendelijk, zachtaardig jongmens, was tevreden over zijn nieuwe hulp. Toen Rachel voor de eerste keer naar hem informeerde, was Oliver opgehouden met het zwarten van de hoeven van de koetspaarden, en had verbijsterd zijn hoofd geschud.

'Het is een raar ventje, mevrouw.'

Ze nam de kruk aan die hij haar aanbood. 'Laat me je niet van je werk houden, Oliver. Hoezo raar?'

'Dank u, mevrouw.' Hij ging weer op zijn hurken zitten, spuugde en wreef de glimmende hoef op. 'Het is moeilijk te zeggen. Het is geen echt kind hè.'

'Ik weet het niet. Ik heb nog niet veel ervaring met kinderen, maar toen ik hem voor het eerst zag viel hij uit een boom,' verklaarde Rachel.

'O, hij heeft genoeg streken,' beaamde Oliver, 'maar het lijkt wel of hij hier zijn hele leven heeft gewoond. Soms moet ik mezelf eraan herinneren dat ik hier als jongen en man al vijftien jaar werk.'

'Ik neem aan dat je onder Colin bent begonnen.'

'Ja, mevrouw.' Hij schuifelde zijdelings op zijn hurken naar de overgebleven voorhoef. Het paard leek in de ban van zijn verzorging, haar blik was zacht en afwezig en ze liet haar hoofd hangen. 'Ik was niet veel ouder dan Ben toen ik begon, dertien of zo, en Colin Bartlemas niet veel ouder dan ik, maar een mirakel met paarden.'

'En Ben? Heeft hij dezelfde gave?'

Oliver glimlachte bij zichzelf en schudde zijn hoofd, niet zozeer als ontkenning als wel van verbazing. 'Ik zou het niet weten, mevrouw, en zo is het. Hij heeft iets, en ik heb geen klachten, maar het is een wisselkind, als u begrijpt wat ik bedoel. Een die niet bij de rest hoort.' Rachel meende te begrijpen wat hij bedoelde. Ben was in bijna alle opzichten typisch een jongen van zijn leeftijd en achtergrond, maar het opzicht waarin hij verschilde was vreemd en opmerkelijk. Hij bezat een kalmte en aanvoelend vermogen, dat het onderscheid tussen hem en andere mensen oversteeg. Zelfs de onverstoorbare Oliver herkende het, maar ze had het idee dat het een eigenschap was die op haar het duidelijkst overkwam. Hij glipte haar bewustzijn en haar dagelijks leven binnen alsof hij daar altijd was geweest, en als hij er niet was miste ze hem. Toch was het nog steeds moeilijk te verklaren waarom het zo was; ze voelde zich gewoon bij hem op haar gemak. Als ze buitenshuis aan het tekenen of wandelen was, of in het dorp, was hij soms op twintig meter afstand met een jongen bezig, over een stuk touw, een stok of een pennenmes, maar als ze zijn richting op keek leek hij dat direct te weten en ontmoette altijd rustig haar blik, soms glimlachend, soms niet. Hij deed boodschappen, maar zeurde er niet om. Als ze bedroefd en stil was hield hij eerbiedig afstand, aanvaardde haar stemming zonder die te willen veranderen en bood troost door zijn rust. Als ze opgewekt en energiek was kwam hij dichterbij en rende en duikelde hij als een clown.

Niet iedereen wist die merkwaardige vriendschap naar waarde te schatten. Het moeilijkst was het voor Cato, haar trouwe metgezel door de tijden heen, die ten onrechte, maar begrijpelijk, het gevoel had dat hij was overvleugeld en opzij gezet. Uit elke spier en elke haar straalde zijn somberheid. Hij leek ontroostbaar, tot Ben op zijn onnavolgbaar slimme manier vriendschap met hem sloot. Dat leek Rachel het zoveelste bewijs van een gevoelige, sympathieke natuur. Korte tijd, een kwestie van een paar dagen, sloten Ben en Cato een verbond waar zij niet bij scheen te horen, en pas toen de hond hem met ongeëvenaard enthousiasme begroette keerde het driemanschap geleidelijk aan tot zijn vroegere evenwicht terug: Cato lijfelijk het meest nabij, en Ben geestelijk.

'Dankjewel dat je Cato bij me hebt teruggebracht,' zei ze.

'Geen dank. Het kwam niet door u dat hij afhaakte, het kwam door mij.'

'Dat is waar, maar jij hebt hem voor je gewonnen.'

'Het is een goeie hond. De grootste die ik ooit heb gezien.' Hij aaide Cato over zijn brede, zware kop. 'Houdt hij van baby's?'

De vraag werd discreet gesteld, maar de bedoeling was duidelijk. 'Hij heeft er nog nooit een gezien. Maar ik hoop in elk geval van wel.'

'Ik zorg er wel voor,' zei Ben, alsof het probleem daarmee was opgelost. Het was totaal niet duidelijk of hij de hond of het kind bedoelde, maar Rachel had het sterke vermoeden dat hij beiden bedoelde.

Wie ook weinig enthousiasme kon opbrengen voor Bens aanwezigheid was, begrijpelijkerwijs, zijn zus Mercy, die op een dag in de namiddag haar opwachting bij haar maakte toen Ben er niet was. 'Bezorgt hij u overlast, m'vrouw?'

'Helemaal niet, Mercy. Integendeel. Ik geniet van zijn gezelschap.'

Mercy toonde openlijk haar scepsis. 'Als u het zegt, m'vrouw.'

'Ja.'

'Moeder zei me u te zeggen dat u hem naar huis moet sturen als hij ondeugend is of u vermoeit.'

'Maak je geen zorgen, dat doe ik heus wel. Zeg maar tegen je moeder dat Ben hier zeer welkom is. En dat Oliver blij met hem is. Maar natuurlijk zal er een eind aan de overeenkomst komen als ik hoor dat hij zijn huiswerk niet heeft gemaakt. Dat weet hij.'

'Ja m'vrouw.'

Uit dit gesprek bleek dat Bens moeder en zusjes een lagere dunk van de jongen hadden dan zij, hetgeen heel natuurlijk was. Merkwaardig genoeg was het Maria die de aard van de vriendschap leek te begrijpen en te accepteren. Op een ochtend, toen ze langskwam om de kinderkamer te bewonderen, vroeg ze toen ze de trap opliepen: 'Zeg, Rachel, waar is je kleine page?'

'Op school.'

'Wat saai voor hem, terwijl hij zo dol op je is.'

'Het zal later nog veel saaier voor hem zijn als hij nu niet gaat.'

'O, wat ben je toch verstandig.' Maria slaakte een zucht. 'En hij lijkt zoveel op Hugo op die leeftijd... Maar wees voorzichtig.' Ze bleven op de overloop staan. De regen sloeg tegen het lange raam.

'Waar moet ik voorzichtig mee zijn?'

'Als de baby komt zal alles veranderen.'

'Dat mag ik hopen,' zei Rachel geanimeerd.

Het commentaar van haar schoonmoeder deed Rachel denken aan dat van Ben op Cato. Behalve dat Maria niet suggereerde iemand tegen iets te zullen beschermen.

Om twee uur in de morgen sliep Harry korte tijd. Toen ze een uur daarna allemaal werden gewekt door de harde hand van de sergeant – er was bevolen dat er geen trompetreveille of tromgeroffel mocht klinken – was het nog donker, maar de aard van de duisternis was veranderd: het was de ochtend van de gevechtsdag.

Langs de strook land tussen de Boelganak en de Alma doofden de honderden twinkelende wachtvuren net als de sterren langzaam uit in de ondoordringbare grauwheid van de naderende dageraad. De vuren hadden op onnavolgbare wijze zowel de sterkte van de Russische strijdmacht als haar dominante positie op de riffen ten zuiden van de Alma aangetoond. Maar toen de vuren een voor een waren uitgegaan leek de vijandelijke macht een ontelbare, geheimzinnige massa, die met het aanbreken van de dag wegsmolt.

Harry at iets, waste zich, controleerde zijn wapens en uitrusting, en wachtte af, zich ervan bewust dat tienduizenden andere mannen aan beide kanten deze alledaagse handelingen verrichtten op een dag die allerminst alledaags was. Zulke kleine, onbeduidende rituelen vormden de voorbereiding zowel voor een grote, beslissende veldslag als voor een dag die rustig thuis zittend werd doorgebracht. Vanuit de positie van de cavalerie konden beide partijen elkaar bijna bij een verrassingsaanval bespringen en in mootjes hakken, en toch schoren ze zich, kookten ze, verzorgden de paarden, menden wagens, maakten schoon en spraken met zachte stem over onbelangrijke dingen. Wat een vreemde schepselen, dat ze zich zo ongelooflijk beschaafd gedroegen terwijl de order van de dag afslachten luidde.

Betts kwam aanzetten met Derry, omdat Clemmie rust nodig had, en de ligging van het terrein uit een reeks barre opgaande glooiingen bestond waarvoor een sterker paard nodig was. Zoals gewoonlijk was hij kort in zijn beoordeling van de situatie.

'Jammer dat u gisteren bent tegengehouden, meneer.'

'We hadden iets kunnen bereiken... Maar Lord Raglan zal ongetwijfeld zijn redenen hebben gehad.'

'Een oogje op u houden, meneer,' zei Betts met zijn stalen gezicht.

'Een oogje op u houden, zodat u vandaag die heuvels kunt bestormen.'

'We krijgen onze orders te gepaster tijd.'

'Ja meneer. Orders zijn orders.'

Harry keek Betts na die met zijn typische kreupele gang Clemmie wegleidde, en hij bedacht dat op een andere plaats en in een andere tijd zijn knecht een prima hofnar zou zijn geweest, met zijn geslepen openhartigheid, die net niet onbeschaamd werd.

Het ochtendgloren ging over in de dag, stralend en helder, maar nog steeds kwam er geen bevel om op te rukken. Buiten het postagentschap dat dienst deed als ad hoc hoofdkwartier voor de staf zagen ze Raglan overleggen met een aantal stafofficieren, allen met hun steek op, hetgeen spijkers met koppen moest betekenen, maar de inhoud en conclusie van hun overleg bleven duister. Het uitstel verspreidde het gewone onbehagen, niet het minst doordat de opgaande zon de formidabele sterkte van de Russische positie nogmaals onthulde. De grimmige stilte en gerichte discipline die bij zonsopgang de boventoon voerde begon af te nemen. Een aantal meereizende burgers die het leger op eigen kosten en om hun eigen redenen vergezelden, werd onrustig en begonnen in het rond te rijden alsof ze op een plezierreisje waren. Een van hun pony's was erg prikkelbaar en gooide met zijn hoofd, hinnikte en brieste als een hengst met een merrie in zicht, en zijn gedrag had effect op een paar van de minder ervaren cavaleriepaarden, die op hun beurt ook opgewonden raakten. Palliser reed eropaf om bij de heren zijn beklag te doen, maar zijn rode gezicht en nijdige houding bij terugkeer duidden erop dat het een felle woordentwist was geweest. 'Gekken en dwazen!' riep hij uit. 'Erger dan de vrouwen en met minder manieren.'

Meer dan vier uur na zonsopgang traden ze aan, zwenkten en hergroepeerden zich, maar gedurende enige tijd was het duidelijk dat beide legers het contact met elkaar kwijt waren, en dus duurde het, net als met paarden die bij de hindernisbaan naar de startstreep worden gebracht, diverse onbeholpen pogingen voordat de gehele gecombineerde krijgsmacht in slagorde was opgesteld, klaar om op te rukken. Een groot deel van het Britse leger was op het oosten gericht om de bagagetrein en de reservevoorraden tegen een mogelijke flankaanval te beschermen, en zo'n groot aantal manschappen een draai van negentig graden laten maken was een omslachtige, tijdrovende onderneming. Zelfs Derry raakte bezweet. Het begon er steeds meer op te lijken dat de Russische artillerie, knus verschanst in versterkingen in de heuvels van de Alma, gewoon haar geduld en elk besef van eerlijk spel zou verliezen, en hen aan flarden zou blazen terwijl ze als speelgoedsoldaatjes over de hoogvlakte heen en weer paradeerden. Zelfs Betts' droge voorspelling dat de Lichte zou worden opgedragen 'die heuvels te bestormen' leek te verkiezen boven de martelende kwelling van het wachten.

Maar het bleek dat er geen sprake was van bestorming. Na de vernederende afgebroken aanval van de dag ervoor had Lord Raglan besloten dat de kostbare cavalerie tot nader order terug moest in haar hok. Toen de legers ten slotte om half elf aanvielen werden ze samen met de Vierde Divisie in reserve gehouden. Hoewel de mannen van de Lichte enige sympathie hadden gekoesterd voor Lucans benarde positie tussen twee vuren, was er nog nauwelijks iemand te vinden die hun divisiecommandant niet stiekem of openlijk aanduidde als Lord Look-on. Alle vuur en trots en schitterende uitmonstering ter wereld kon hun verbanning naar de achterhoede niet vergoeden terwijl de Lichte Infanterie zich in grandioze kleurenslingers van colonnes in formatie opstelde en optrok om de vijand met trompetgeschal en wapperende vaandels tegemoet te treden.

'Het is een magnifiek gezicht, iets om trots op te zijn,' zei Harry tegen Hector Fyefield. 'Wat een orde en discipline. En toch zijn die mannen in opmars om onder vuur te worden genomen.'

'Wij kunnen tenminste zeggen dat we er ook iets van hebben meegemaakt,' zei Hector. 'De discipline onder vuur, zij het niet de opmars.'

We zaten op onze paarden, tussen fruitbomen, en keken toe. Het was het vreemdste dat je je kunt voorstellen, te weten dat die goede, dappere mannen met honderden en duizenden ten strijde trokken terwijl wij toekeken. Na alle kilometers die we hebben gereisd en de ontberingen die we hebben doorstaan was het bitter om nogmaals te worden tegengehouden. De vijand stak het dorp Boelganak boven onze positie in brand, zodat de rook tussen de bomen en tussen ons en de vechtenden door dreef, maar we konden het vreselijke geschreeuw van de artillerie horen, en een glimp van de gewonden opvangen die terugkwamen, als geestverschijningen uit de rook opdoemden. Sommigen waren zo zwaar gewond dat louter shock en het bizarre effect van de oorlog ze in staat kan hebben gesteld te lopen. Een man was geraakt aan de zijkant van zijn gezicht: zijn wang en bijna zijn hele onderkaak waren verdwenen. Als hij in leven blijft, bedacht ik, hoe zal zijn leven er dan uitzien? Is er een echtgenote of liefje in Engeland die zich moet instellen op de gruwel die hij is geworden? We zagen er nog een, zonder arm, en een ander die zijn ingewanden vasthield omdat ze anders op de grond zouden vallen.

Het spijt me, lieve Rachel, dat ik je dergelijke dingen moet vertellen. Misschien zal ik deze brief nooit posten. Maar ik geloof dat het ons gevoel van nutteloosheid en hulpeloosheid was waardoor dat verschrikkelijke zo moeilijk te verdragen was. Omdat we de dag ervoor iets van het effect van het kanonnenvuur hadden meegemaakt, konden we ons in de verste verte de benarde toestand van de nog ernstiger gewonde soldaten niet voorstellen die bleven liggen waar ze waren gevallen, niet in staat zich te bewegen. We begrepen dat het bevel was gegeven dat niemand mocht stilstaan om zijn kameraad te bemoedigen of hulp te verlenen, want dat was de taak van de hospikken die naderhand zouden komen. Daaruit viel op te maken dat er nog veel meer gruwelijk gewonden waren die we niet te zien kregen.

En dit is vreemd, Rachel, een van de burgers aan onze kant, de man wiens pony eerder zo overstuur was, vertelde dat hij naar het punt was geweest waar hij Telegraph Hill door zijn kijker had kunnen zien, en dat hij een soort miniatuur tribune had ontwaard waarop een menigte keurig geklede mensen zat, waaronder dames met picknickmanden, parasols en toneelkijkers, uitgenodigd, nemen we aan, om de smadelijke nederlaag van de vijanden van Rusland gade te slaan – ons dus. Het komt me bizar en bijna ongelooflijk voor dat mensen een activiteit, waaraan de kwetsuren en vernietiging te pas komen waarvan we vandaag getuige zijn geweest, vanuit een bijna emotieloos standpunt als vermaak beschouwen. Ik heb geen klap uitgedeeld, ben ook niet geraakt, zelfs niet benaderd in het vuur van de strijd van deze dag, en toch ben ik meer gedeprimeerd en uitgeput dan ooit. En dat na een overwinning!

Want het was een overwinning, en een glansrijke, heb ik je dat verteld? Ondanks wat een onneembare positie van onze vijand leek (en in dit vreemde spel is het raar dat de vijand 'van ons' wordt, alsof we een eigendomsrecht op hem laten gelden) sleepte ons leger de overwinning in de wacht. Toegegeven dat we zonder de heldhaftige Fransen en hun wilde, dappere infanteriesoldaten, die de kliffen in het westen hebben beklommen, niet in staat waren geweest de veldschansen in te nemen. Maar we hebben ze ingenomen, ten koste van verschrikkelijke verliezen, hoewel minder grote dan die van de Russen. Onze bevelhebbers waren steeds zeer dapper, vooral Lord Raglan. De stafofficieren zien er mooi en opvallend uit met hun gevederde hoofddeksels en mooie uniformen, maar hij ziet er helemaal niet krijgshaftig uit in zijn blauwe uniformjas. Hij rijdt bijna altijd met een matig gangetje en spreekt met zachte stem. Als hij op zijn hoede is weten we dat het, ondanks zijn stugge optreden, uit zorg en respect voor de manschappen is die onder zijn bevel staan.

En wat voor manschappen, Rachel! Niet alleen moedig als leeuwen, maar even nobel. Want toen de rook optrok en we de flank van de heuvel zagen, was die met meer Russen dan Britten bezaaid. Onze jongens gingen er met hun veldfles heen om zonder onderscheid des persoons hulp te verlenen. Het is een vreselijke ironie dat de oorlog en het slagveld het effect hebben dat ze de mensen het ene moment in barbaren veranderen en het volgende in engelen. Maar het is iets dat ik nooit zal vergeten.

Onze frustratie van vandaag is een zwaard dat aan twee kanten snijdt. Want kan iemand in alle eerlijkheid met zijn hand op zijn hart zeggen dat hij de dood onder ogen wil zien? Ik vraag het me af.

14

Je zult de hoefslag van een paard horen...
... Alsof ze de oude, vergeten weg
door het bos nog precies wisten –
Maar er is geen weg door het bos.

Kipling, *De weg door het bos.*

Stella 1996

Stella kwam rustig en kalm bij de Elmhurst aan. Ze was hier per slot van rekening al eerder geweest. Stoutmoedig stelde ze zich op als oudgediende, en ze negeerden haar beleefd. Terwijl ze wist dat ze alleen maar hun werk deden, vond ze die misplaatste fijngevoeligheid ondraaglijk: alsof ze werd gestreeld door de brandnetel die ze wilde uitrukken.

'Goedemorgen,' zei ze, als antwoord op de begroeting van de tengere Aziatische schoonheid achter de balie. 'Ik hoop dat u me dit keer de kamer aan de tuin hebt gegeven?'

De receptioniste schonk haar een vage, lieve glimlach; ze liet zich niet uit haar tent lokken. Ze droeg een sneeuwwit pakje met een ceintuur, te chic om uniform te worden genoemd, en kleine, diamanten oorknopjes als suikerkorreltjes.

'Wilt u dat we straks een taxi voor u bestellen, Miss Carlyle? Of wordt u opgehaald?' vroeg ze.

'Ik zorg wel voor mezelf, dank u.'

'Goed... prima. Welnu, laat me u uw kamer wijzen, dan kunt u zich installeren.' Ze kwam achter de balie vandaan. 'Zal ik uw tas dragen?'

'Nee, dank u.'

'Deze kant op.' Ze ging haar voor naar de lift, en liet een spoor van een fris, geraffineerd parfum achter. Haar volmaakt matte huid en slanke figuur leken onaangetast door de woelingen van het leven, laat staan door een man. Hetgeen de reden was, bedacht Stella met bitterheid, dat ze hier was aangesteld. Maar als een dergelijk voorkomen al geruststellend bedoeld was, haar stelde het niet gerust. Naast dit toonbeeld van deugd voelde Stella zich bezoedeld en verdorven.

Ze stonden in de lift naar boven en naar opzij te staren, zoals mensen om de een of andere reden in een lift deden. De receptioniste ving haar blik en glimlachte nogmaals. 'Het is buiten nogal fris vandaag.' Niet zo koud als hierbinnen, bedacht Stella. 'Niets van gemerkt.' 'Het komt door die vreselijke, grijze lucht,' ging het meisje verder. 'Ik ben misschien een van die overgevoelige mensen over wie je wel eens leest, het verandert mijn stemming volledig. Hier is het.' Ze stapten uit op de tweede verdieping en de receptioniste ging haar voor door een gang met een lichtgroen tapijt. De kleur van nieuw leven, ironisch genoeg. Aan de wand hingen op regelmatige afstand niet-bedreigende moderne schilderijen in rustgevende tinten. 'Hier logeert u.' De receptioniste duwde een deur open en ging opzij om Stella door te laten. 'Badkamer, televisie, telefoon... Geen theeblad of minibar, vrees ik, zoals u zult begrijpen, maar u kunt ons later laten weten wat u graag wilt.' Later. Als het ene leven was beëindigd en het volgende, dat nu werd aangehouden, verderging. 'Dank u.' 'Maakt u het zich gemakkelijk. Als u het niet erg vindt, trekt u alstublieft uw nachtkleding aan.' 'Ik ken de regels.' Geen geknipper met de ogen. 'Neem rustig de tijd. En als u klaar bent, wilt u dan alstublieft op de knop drukken, zodat er iemand komt om u een aantal vervelende, maar noodzakelijke vragen te stellen.' 'Ik weet het.' 'Goed.' De receptioniste trok zich in de deuropening terug, met weer geritsel van zijde, en een zweem parfum. 'Als u verder niets wenst te weten, laat ik u nu alleen.' 'Dank u.' Stella wilde het niet stug laten klinken, maar er kwam geen reactie en de deur ging geluidloos dicht.

Als ze verder niets wilde weten. Alles wilde ze weten, het antwoord op dit alles. Ze zette haar tas op de grond en liep naar het raam. Dit keer hadden ze haar uitzicht op de tuin gegeven, als beloning, overpeinsde ze met bitterheid, voor trouwe klandizie door de jaren heen. Al die valse starts, dat geheime, verstikkende einde. Die dode baby's.

Er stond een keurig verzorgde bloeiende plant in de vensterbank, een weloverwogen welkomstgroet zonder de smakeloze vergankelijkheid van snijbloemen. Lusteloos maakte ze haar tas open en haalde haar pyjama tevoorschijn. Ze wist dat ze de voorkeur gaven aan een nachtjapon, maar die ging ze niet speciaal voor de gelegenheid kopen. Het ritueel van het 'zich gemakkelijk maken' zoals de receptioniste het noemde, had iets van een offerande: zich ontkleden in deze onpersoonlijke, smaakvolle, lege kamer, haar ratjetoe van alledaagse kleding over de stoelleuning hangen, haar pyjama en ochtendjas aantrekken en weinig op haar gemak op het bed gaan zitten. Het kostte haar precies twee minuten. Ze prutste met de afstandsbediening en vond pianomuziek, iets kabbelends en melodisch, het kon Bach zijn.

Ze legde haar voeten op de bedrand en leunde achterover in de kussens. Niemand wist dat ze hier was. Ze zouden er alleen achterkomen als ze doodging, als het haar niet meer kon schelen. Korte tijd, tot ze haar mee naar beneden namen, zou ze een stukje tijd en ruimte innemen dat als het ware tussen aanhalingstekens stond ten aanzien van de rest van haar leven. Ze had zelfs voor deze gelegenheid geen boek meegenomen, omdat de ervaring had geleerd dat ze het niet eens zou openslaan, niet in staat om zich te concentreren.

De muziek eindigde zachtjes, en de presentator begon te spreken. Stella zette de radio uit. De daaropvolgende stilte was beladen en zwaar. De dubbelbeglaasde ramen lieten geen enkel geluid van buiten door, en ze hoorde ook niets door de zware deur. Ze had alleen in het gebouw kunnen zijn.

Alleen, op de baby die in haar aanwezig was na.

Het was voor het eerst dat ze zich een dergelijke gedachte toestond, en ze was geschokt. Ze keek naar haar nog steeds pijnlijk holle buik, en het leek alsof ze door de stof van haar nachtgewaad heen kon kijken naar waar het kluitje cellen in zijn warme, waterige hol lag, kloppend en groeiend op het ritme van haar hart. Niet alleen haar cellen, maar ook die van een ander wezen. En daarbij gevoegd de geheimzinnige, onbekende factor die dat wezen tot een uniek individu zou maken. Of, onder andere omstandigheden, zou hebben gemaakt.

Ze had zich Roberts reactie op haar zwangerschap proberen voor te stellen. Ze zette hem in haar verbeelding als een paspop overeind en probeerde verschillende stemmingen op hem uit. Het was mogelijk je woede voor te stellen, of vreugde, en een soort furieuze mengeling van beide, hetgeen karakteristiek voor hem was. Moeilijker waren onverschilligheid of redelijke argumenten.

Dit was de derde keer dat ze tot abortus had besloten, iets waarop ze niet trots was, maar waarvoor ze ook geen spijt kon voorwenden. De eerste keer was het resultaat van een kortstondige affaire, opwindend maar onmogelijk. Geen van beiden hadden ze voorbehoedsmiddelen gebruikt. Er was geen sprake van een derde nacht, laat staan van een gedeelde toekomst. De beslissing was voor haar genomen. De tweede keer was kort voordat ze bij Sorority was weggegaan. Ze was gestopt met de pil en gebruikte een spiraaltje, en ze was een van de onfortuinlijke twee procent. Ze had niet eens met zekerheid kunnen zeggen wie de vader was, aangezien ze met twee mannen sliep (van wie Gordon er een was) en er verder nog een handvol losse contacten waren geweest in de betreffende periode. Het vooruitzicht in haar eentje een kind groot te moeten brengen had haar de stuipen op het lijf gejaagd, en het idee het ter adoptie te moeten afstaan had haar ziek gemaakt. Daarom leek het onvermijdelijk dat ze nogmaals naar de Elmhurst was gegaan.

Dit keer lag het kwalitatief anders. Ze wist van wie het was. Ze wist dat er ook een heel klein kansje was geweest om er met Robert over te spreken, dat het tij dan had kunnen keren, en dat het gesprek hen dichter bij elkaar had kunnen brengen. Maar die mogelijkheid was, ironisch genoeg, in de kiem gesmoord: in de baarmoeder verstikt door zijn zelfgenoegzame verraad.

Ze had niet meer tegen hem gesproken sinds die avond in het theater. Hij had verschillende keren gebeld, maar ze had de gesprekken via het antwoordapparaat laten lopen. Hij had twee keer aangebeld toen ze thuis was, maar ze had niet opengedaan; ze was opgekruld als een fossiel op haar bed blijven liggen met haar vingers in haar oren. En hij had haar een brief geschreven. De brief, die als een kinderhand, passief en vol vertrouwen, in de hare lag, was het verleidelijkst. Ze had hem zelfs opengemaakt, maar iets strengs en uitdagends in de eerste zinnen had haar afgeremd. 'Stella, wat is er aan de hand? Waarom praten we niet eens meer? Welke hoop rest ons als...' Ze had hem weggegooid, haar ogen brandend van de niet vergoten tranen. Zij had deze situatie gecreëerd, laten groeien, en geleden onder de wisselvalligheid. Genoeg was genoeg. En hij had de brutaliteit om van hoop te spreken?

Toch voelde ze hier, in de besloten stilte van deze onpersoonlijke kamer, voor het eerst een direct contact met het leven in haar. Ze deed haar ogen dicht en leek het minieme, aanhoudende ritme van een hartslag te voelen, het infuus van het leven, via haar, door de navelstreng, die merkwaardige verbindingslijn met dat onstuitbaar groeiende hompje vlees.

Ze hief haar hand op en drukte op de bel. Die gaf geen geluid in de kamer, maar ze veronderstelde dat er in een verafgelegen officiële ruimte een discreet gezoem te horen was. Ze legde haar hand op haar buik. Niet te geloven dat haar verzwakte, verwaarloosde lijf de bron van leven kon zijn, en het onzichtbaar en teder in vloeistof wikkelde, voedde, beschermde en bewaarde buiten haar wil om, volgens een oeroude natuurwet.

Er klonk een klop en de deur ging open.

'U heeft gebeld, miss Carlyle?'

'Ik moest bellen als ik me had omgekleed.'

'Dat klopt.' De zuster was stevig en blond, met een strenge vlecht. 'Ik moet dit formulier invullen, als u het niet erg vindt om een paar vragen te beantwoorden...'

'Nee.'

'Goed.' De zuster slaakte een lichte zucht, als om te benadrukken dat het allemaal nogal eentonig was. 'Eens kijken.'

Ze controleerde haar naam, leeftijd en adres, nationaliteit, huwelijkse staat (een uitdrukking waarvan Stella de buitensluitende implicaties altijd beledigend had gevonden) en zelfs, nog ongeloofwaardiger vandaag de dag en op haar leeftijd, haar godsdienst.

'Geen.'

'Het is voor het buitengewoon onwaarschijnlijke geval van nood,' verklaarde de zuster. 'Zal ik rk zetten of pr?' Ze trok een gezicht. 'Het komt op hetzelfde neer.'

'Ik heb er nog net genoeg respect voor om dat niet te vinden.'

'Mij best.'

Ze bespraken de naaste familie, allergieën en medische geschiedenis. De zuster, goed opgeleid, liet op geen enkele manier interesse in de antwoorden blijken. Ze schreef alles in de daartoe bestemde vakjes in haar duidelijke, ronde handschrift. Ze nam Stella's bloeddruk en temperatuur op en controleerde of ze die dag niets had gegeten of gedronken. Ze vroeg, zonder merkbaar van toon te veranderen, hoe Stella wenste te betalen.

Toen het formulier was ingevuld stak ze haar pen weer in haar zak. 'Goed. Ik zal u nu vertellen hoe alles in zijn werk gaat, het is heel eenvoudig en...'

Hadden ze er geen idee van, bedacht Stella, hoe bizar dat klonk? Was gebrek aan ironie een voorwaarde voor het personeel van de Elmhurst?

'Ongeveer een uur na de pre-anesthesie nemen we u mee naar de OK, en het eerste wat u weet is dat het allemaal voorbij is en u een lekker kopje thee krijgt en wat er u bij wilt.'

'Ik popel.'

'We willen dat u in elk geval nog een uur blijft. Daarna mag u vertrekken. Heeft Soenita gevraagd of u vervoer heeft?'

'Ja. Ik neem wel een taxi.'

'Wilt u dat we er een voor u bestellen als het zover is?'

'Nee, ik kan er zelf wel een bellen.'

'Mooi zo.' Het gezicht van de zuster verried dat ze wenste dat alle patiënten zo gemakkelijk waren als Stella. 'Dus heeft u alles wat u wenst?'

'Ja, dank u.'

'Ik kom u uw pre-anesthesie toedienen...' Ze wierp een blik op het horloge op haar linkerborst, '...ongeveer over een halfuur. Ik vrees dat we u dan moeten vragen een van die vreselijke hemden aan te trekken. In de tussentijd laat ik u alleen. Aarzel niet om te bellen als er iets is.'

Toen ze weg was zette Stella de radio weer aan. Er klonk nu barokmuziek, blaasinstrumenten die bezield klonken als stemmen, en een mooie, klaaglijke melodie zongen. Ze ging op haar zij liggen en staarde uit het raam. Van hieraf kon ze de tuin niet zien, alleen de licht wiegende boomtoppen, de ongelijke contouren van de daken van huizen en een glimp van een kantoorgebouw in de verte, tegen een lucht die zwaar was van de regen. Nogmaals legde ze haar hand op haar buik, die in deze houding met het klimmen der jaren enigszins uitzakte en opbolde. Zo zou het dus voelen, later, als zelfs het magerste, meest ongewone lijf oprekte om de last ter wille te zijn.

Zachte, ongewilde tranen gleden langs haar wangen, het zweet uit haar diepst van haar hart.

Soenita had juist een sjofel, negentienjarig fotomodel met doffe ogen ingeschreven, dat zonder voetlicht, stylisten en knap camerawerk nauwelijks herkenbaar was. De door plastische chirurgie bewerkte borsten lagen als halve meloenen hard en rond op haar bottige romp. Ze werd vergezeld door haar vriend, een lompe, argeloze jongeman in een zwart pak met een overhemd met openstaand boord. Toen ze ze hun kamer liet zien wierp hij zich op het bed en zette de televisie aan, terwijl zij met het meisje praatte. Volgens Soenita was hij een echt varken.

Meneer Parsloe had een hele lijst vol, het was een drukke dag. Soenita ging terug naar haar balie, verschoof het beeldscherm en streepte het model af. Toen ze opkeek stond miss Carlyle voor haar. Soenita glimlachte.

'Is alles naar wens?'

'Ik vertrek.'

'Dat is uw goed recht,' zei Soenita onbewogen. Ze voelde zich onbehaaglijk als mensen afhaakten. Ze hadden te veel nagedacht, ze namen het gebodene niet aan. Zolang de vrouwen in het systeem meedraaiden, bood de Elmhurst een service waaraan veel behoefte bestond. Als er af en toe iemand afhaakte werd de aard van de zaak duidelijk. Soenita, die vegetariër was, vergeleek haar teergevoeligheid met die van vleeseters ten aanzien van de bio-industrie. Die gaf hen wat ze wensten, maar ze wilden het liever niet weten. Miss Carlyle beaamde dat ze inderdaad het volste recht had. 'Mag ik vragen,' zei Soenita, 'waarom u die beslissing hebt genomen?'

'Ik ben van gedachten veranderd.'

'Neem me niet kwalijk dat ik het vraag, maar weet u het echt zeker?' Het gezicht van de andere vrouw drukte uit dat deze ondervraging beneden peil was.

Soenita hield echter vol. 'De tijd speelt mee, zoals u weet, en u bent, laat ik eens kijken, vijftien weken.'

'Dat weet ik.'

'Ik vrees,' zei Soenita. 'dat we u moeten vragen voor de kamer te betalen, die nu niet kan worden gebruikt.'

'Ik betaal voor alles.'

'U begrijpt het.'

'Absoluut.' De creditcard tikte en draaide al ongeduldig op de rand van de balie. 'Is deze goed?'

Stella nam een taxi naar huis. Ze zorgde ervoor een paar honderd meter van de Elmhurst af te zijn alvorens er een aan te houden, maar zelfs toen had ze het gevoel dat haar rugzak, net als het bruin papieren pakket van een gevangene, haar herkomst luidkeels rondbazuinde. De chauffeur deed enkele pogingen tot een gesprek, met een vrolijke blik in de spiegel, maar staakte die toen ze niet reageerde.

Ze vroeg te worden afgezet op de hoek van Alma Road en ging de koffieshop binnen. Ze ging aan een tafeltje bij het raam zitten en bestelde een grote cappuccino, en snoof de geur van de vers geroosterde en gemalen bonen op. De geur, en de bijbehorende sissende, borrelende, schuimende geluiden leken sterker en luider dan daarvoor, alsof haar neus en oren plotseling geklaard waren. Toen de kelner in zijn lange, witte schort haar haar kopje bracht, leek ze elk langzaam draaiend, romig belletje te zien, elk korreltje poederige cacao en spiralend dampsliertje, op de gedetailleerde manier die drugs verschafte. De eerste slok, het droge snippertje cacao, de donzige schuimkus, de gloeiendhete zoetheid van de vloeistof, was een openbaring. Ze vroeg zich af of de foetus dezelfde piekervaring had of dat hij rustig sliep, in zalige onwetendheid van zijn redding op het laatste nippertje.

Er kwam een jonge vrouw binnen met een peuter in een wandelwagentje. Ze parkeerde het wagentje bij het tafeltje naast Stella en ging naar de balie om haar bestelling te doen. De peuter zat ingebakerd in zijn kleertjes. Ze had er geen idee van of het een jongetje of een meisje was, maar de bruine oogjes waren zonder te knipperen op haar gericht. De vrouw kwam terug met een kop thee en een chocolademuffin in cellofaan. Ze ontpelde eerst het kind, vervolgens de muffin, brak er toen een stukje af en stak het uit.

'Jack... Jack? Word eens wakker, hier, pak aan.'

Jack pakte het stukje koek aan en duwde het tegen zijn open mond, alsof hij ermee knuffelde. Brokjes natte koek vielen op zijn gewatteerde benen, en kruimels plakten als een bruine stralenkrans om zijn lippen. Wat zijn mond inging zoog hij met een zacht, nasaal geluid op. Zijn blik bleef op Stella gevestigd, hoewel wat verstrooid, alsof hij niet precies wist waarom. Hij had glanzend zwart haar dat hij in lange krullen droeg die hij niet van zijn moeder had, die steile, vale lokken en rode wangen had. Geen trouwring. Ze nam een slokje thee, en staarde uit het raam, blij met haar pauze. Ze at maar de helft van haar muffin; toen Jack graaide en griste kreeg hij nog een brok. Ze voerde het hem stukje bij beetje.

Na een paar minuten keek ze Stella ineens recht aan en trok haar wenkbrauwen op met een uitdrukking van ken-je-ons-ergens-van?

'Sorry,' zei Stella. 'Ik bewonderde Jack.'

'Hoezo?'

'Hij wordt nog een echte ladykiller zodra hij heeft geleerd om netjes te eten.'

'Hij is pas twintig maanden,' verklaarde het meisje op gegriefde toon. 'Wat wilt u?'

Afgescheept en onbegrepen ging Stella naar de balie en betaalde voor de cappuccino. Ze deed haar rugzak om en ging niet direct terug naar Victoria Mansions, maar nam de hoofdstraat naar de babywinkel. Zo dacht ze eraan, alsof die baby's verkocht, wat in zekere zin ook zo was. Tot dan toe had ze er niet alleen met onverschilligheid naar gekeken, maar zelfs met een soort bijgelovige afkeer, als naar de tempel van een vreemde godsdienst. Nu, zei ze tot zichzelf, moest ze maar liever over die afkeer heen stappen.

Ze voelde zich erg opvallend toen ze naar binnen ging, alsof ze net uit de gevangenis kwam. Haar leeftijd, haar kleding en haar veelzeggende rugzak; lieten die haar eruit zien als een paria, een vrouw die nog net op tijd bij de rand van de afgrond was weggestapt? De andere klanten waren trouwens over het algemeen ook niet de schatjes met het perzikhuidje en de bedauwde ogen uit de bladen en de televisiereclame, maar vrouwen van elke leeftijd, model en soort, van angstwekkend jonge tieners tot vrouwen die ouder waren dan zijzelf, en sommigen leken elk moment te kunnen bevallen. Nee, zei ze tot zichzelf, ze was hier anoniem. Hoe ze zich ook voelde, niemand kon zien dat ze zwanger was. Ze kon een tante zijn, een vriendin, een zus, verdorie zelfs een oma, naar een paar van de extreem vruchtbare schoolmeisjes te oordelen.

Het was de koopwaar die haar tegenstond en schokte. Zoveel spullen; had een kleine baby echt zoveel spullen nodig? Zoveel dingen, zoveel verschillende kledingstukken, speelgoed, spulletjes en vervoersmiddelen? Het was onvoorstelbaar, weerzinwekkend. Ze kon zich niet voorstellen dat zij hier in de toekomst zou komen, en weggaan met de enorme plastic zakken die ze zag meesjouwen. Ze stond aan de grond genageld van afgrijzen bij de schappen vol flesjes, spenen, sterilisators, verwarmers, thermosflessen, tuitbekers, fopspenen, bijtringen, vouwwagentjes, slabbetjes met gaten en slabbetjes met bandjes, en ontelbare vernuftige tassen met vakjes om alles in te doen. En dan al die stapels beddengoed: lakens, dekbedden, kussens, rubber lakens, stootkussens voor een ledikantje (of wat het ook zijn mocht), draagzakken, losgeweven dekentjes en kanten omslagdoeken. Talloze soorten luiers, massa's kleertjes en schoentjes, een hele vloot kinderwagens en wandelwagens, de ene nog luxer dan de andere. Had elk voorwerp, vroeg ze zich af, een andere functie? Was je daardoor verplicht er van elk een te hebben? Of een keuze te maken? En een keuze op grond waarvan? Hoe wisten al die vrouwen wat ze moesten hebben? En – godallemachtig! – hoe konden ze het betalen?

Het simpele, animale contact dat ze met de baby had gemaakt zonk in het niet bij deze kakelbonte verzameling voorwerpen. Te midden van dat alles, en in een opkomende paniek, deed ze haar ogen dicht, net zoals ze dat in de kliniek had gedaan, om de tedere, diepe gevoelens weer op te roepen die in haar waren opgeweld. De andere klanten stroomden om en langs haar heen; er werd niet gestoten of gebotst, geen tekenen van ongeduld. Haar hartslag bedaarde.

Ze voelde een hand op haar arm. 'Alles goed?'

Een meisje van een jaar of zestien stond naast haar, hoogzwanger. Haar ronde gezicht was een kunstwerk, uitvoerig beschilderd, gepierced en met knopjes versierd.

'Alles goed?' herhaalde ze. 'Wilt u niet even gaan zitten?'

'Nee, dank je. Ik probeerde me iets te herinneren.'

'Oké...' Het meisje knikte langzaam, met haar blik op Stella's gezicht. 'Dan laat ik u met rust.'

Voor Stella stond een uitstalrek dat als een kerstboom was behangen met schoentjes, sokjes, wantjes en mutsjes in cellofaanverpakking. Ze waren zo klein als poppenkleertjes. Stella zocht een paar piepkleine, witte, kantachtige hoge schoentjes met ragfijne vetertjes uit en ging betalen. Bij de eerstvolgende kassa was een vrouw een wagentje vol aankopen aan het uitladen; het gebliep van de voorwerpen die door de scanner gingen klonk als morseseinen. Stella stopte de schoentjes in haar zak en ging op huis aan.

In haar flat terug liet ze haar jas en rugzak in de hal achter, pakte de schoentjes uit en zette ze op de piano. Ze staarde ernaar, klein en fragiel als sneeuwvlokken die luchtig op het symbool van haar kostbare onafhankelijkheid rustten. De eerste concessie aan de dramatische wending die ze haar leven had laten nemen.

In stilte, zonder muziek, liep ze langzaam van de ene kamer naar de andere. In elk vertrek stond ze stil om rond te kijken en zich voor te stellen hoe het zou zijn om het met iemand te delen – of nee, niet te delen, want delen veronderstelde gelijkheid. Ze zou het moeten opgeven. Voor haar kind zou dit niet een gekozen, maar geschonken plek zijn. Niet het appartement van Stella Carlyle, maar een thuis. Elke seconde van elke minuut van elke dag zou haar kind daar zijn. Het zou haar, en haar alleen, om eten, drinken, warmte, vermaak en liefde vragen. Het zou haar en haar zorg normaal vinden, en niet beseffen dat het zonder haar niet zou kunnen leven. De meedogenloze eenvoud van de situatie deed haar duizelen.

Toen ze in de woonkamer terugkwam zag ze de pretentieloze ruimte die ze met zoveel zorg had gecultiveerd, de geruststellende sfeer van tijdelijkheid die haar hier vijftien jaar lang had gehouden. Dat zou veranderen. Het zou een bende worden; met kille verachting dacht ze aan de babywinkel met inhoud. In plaats van een toevluchtsoord na de heftige werkdiscipline en het gedruis van mensen zouden haar eisen en verantwoordelijkheid wachten.

Ze ging naar de stoel bij het raam en ging zitten. De babyschoentjes trilden licht toen ze erlangs liep, alsof ze zich bewust waren van de aanwezigheid van hun toekomstige eigenaar, net als de plastic bloemen die bewogen op het geluid van stemmen.

Stella bedacht dat ze in haar haast om haar angsten te omhelzen en koesteren was vergeten rekening te houden met de reden voor haar inkeer: er zou ook onvoorwaardelijke liefde zijn.

De parkeergarage van het ziekenhuis schreef een maximumsnelheid van vijftien kilometer voor, die Robert ooit irritant had gevonden. Nu had hij er geen probleem mee zich daaraan te houden. Sinds hij de toegangsweg was ingedraaid had hij nauwelijks de vijftien kilometer per uur overschreden. Het grote, betonnen complex van het Medisch Centrum, dat hem altijd energie en opwinding bezorgde, drukte tegenwoordig op zijn ziel. Het was een signaal van zijn gemoedstoestand dat hij niet kon negeren. Treuzelend parkeerde hij op zijn gewone plekje, zette de motor af en ging zitten luisteren naar 'The Ballad of Lucy Jordan', een zowel sympathieke als sardonische klaagzang over wat had kunnen zijn.

Het was een lied van Leonard Cohen, die Robert enorm bewonderde, niet in het minst omdat hij zo meeslepend over pijn kon schrijven. De zangeres op deze opname was een voormalig rocksterretje uit de jaren zestig, dat bekender was door het neuken van sterren dan door haar paar hees gezongen liedjes. Inmiddels was ze terug op het toneel, geruïneerd, maar nog steeds betoverend, met haar kortgeknipte haar rigoureus naar achteren gekamd uit een gezicht waarin elke *bad trip* en elk verloren weekend stonden gegroefd. De zachte, hese stem was vervangen door een levensmoe raspgeluid dat je hart brak. Hij kon er zich deze dagen niet toe brengen naar Stella te luisteren, maar zo zou ze in de toekomst kunnen klinken als hij haar niet meer kende, en haar stem de littekens van alle tussenliggende jaren droeg.

Toen het liedje uit was zette Robert de stereo uit en bleef een paar tellen stil zitten, uit respect en ook uit lusteloosheid. Toen pakte hij zichzelf, zijn tas en jas bij elkaar en ging op weg om de strijd tegen blindheid aan te gaan.

Hij wist wat ze over hem zeiden: dat meneer Vitelio de beste in zijn vak was, maar geen manieren had. Wat dat betreft voelde hij zich slachtoffer van de hedendaagse politieke correctheid. In een lichtgeraakte wereld die op perverse wijze door de economie werd gedicteerd was hij te snel, te geconcentreerd, in feite te vastbesloten mensen te genezen om aardig te kunnen zijn. Wat men leek te wensen was een rigoureuze uitdunning van het aantal ziektegevallen volgens een bizar waar-voor-je-geldcriterium, en dan de resterende pappen en nathouden, zodat die zachtjesaan de nacht van de gedeelijke of volledige blindheid ingingen, begeleid door zoete woordjes, sociale dienstverlening en een reeks nuttige attributen. Robert gaf er de voorkeur aan zoveel als menselijkerwijs mogelijk was te doen in de beschikbare tijd, en door te werken. Hij was een eersteklas medicus, maar zijn uitgesproken mening ten aanzien van therapie luidde dat het smakeloze flauwekul was die de slachtoffers vasthield in het moeras van zelfmedelijden, in plaats van een druk, productief leven te leiden.

Anderen, wist hij, vonden dat hij te veel protesteerde, dat hij zichzelf als schietschijf opstelde. Dat de reden dat hij niet naar andermans problemen wilde luisteren de onwil was om die van hemzelf onder ogen te zien. Hij gaf toe dat dat waarschijnlijk klopte, en

schaamde zich er niet voor; een voorwaarde om goed te functioneren was niet of je wel of geen tekortkomingen had, maar of je je verlies in winst wist om te zetten.

Hij had de aanklachten doorstaan doordat hij geen fouten had gemaakt. Hij had een vlekkeloze staat van dienst. Niet één verkeerde
beoordeling, foute diagnose of mislukte behandeling. Hij was goed.
Maar op het ogenblik wist hij dat hij het noodlot tartte. In plaats
van dat zijn werk hoofdzaak was, was het bijzaak geworden, een
lichtend signaal voor de gevoelens die hij zo fanatiek verborgen
wenste te houden. Hij had er op één gebied van zijn leven een puinhoop van gemaakt, en zou er, als hij niet oppaste, op het andere ook
een zootje van maken. Altijd een doener, iemand die sublimeerde,
een doordrammer; hij was niet gewend aan de verlamming die hem
nu in zijn greep hield.

Vandaag had hij een vol programma van laserbehandelingen, een
terrein waarop hij heer en meester was. Hij was de snelste schutter
van de afdeling. Hij zag gewoon elk klein bloedvat helderder en ver-
wijderde het sneller en accurater dan ieder ander. Het was secuur,
geconcentreerd, ragfijn werk zonder ruimte om fouten te maken. Hij
was zich er ook van bewust hoe pijnlijk het voor de patiënten was.
Er werd over gesproken als 'vervelend', maar dat was flauwekul, de
behandeling hield een doordringende pijn in die zelfs sterke mannen deed janken. Daarom was volgens hem snelheid essentieel. Je
kreeg tranen in je ogen als je de trage, vriendelijke, martelende manier van werken van sommige van zijn jongere collega's zag. Het gebeurde wel dat hij insprong en het karwei bliksemsnel afmaakte.

Maar vandaag had hij, toen hij zijn lijst nakeek en de eerste patiënt binnenriep, het akelig voorgevoel dat ze niet zijn beste prestatie te zien zouden krijgen.

Aan het einde was er geen voorhamer nodig om de impasse en zijn
verlamming te doorbreken, maar slechts een paar vederlicht, op
bijna aanmatigende toon uitgesproken woorden.

Toen hij die avond de voordeur opendeed kwam Sian de trap af.
Ze had zich net verkleed, en trok de boord van haar trui over haar
corduroy broek. Hij zag dat haar zorgvuldig geknipte haar nog naar
achteren bleef steken nadat het in de war was geraakt door de col
van de trui.

'Daar ben je,' zei ze.

'Hallo.' Hij hing zijn jas op en kuste haar op de wang, die koud
aanvoelde. 'Vraag maar niets.'

'Was ik ook niet van plan.' Ze ging hem voor naar de keuken. 'Of
in elk geval niet dat.'

'Dat klinkt nogal onheilspellend.' Hij volgde haar, zag dat ze een fles wijn uit de koelkast pakte, een glas inschonk en het vragend in zijn richting hief. 'Nee, dank je.'

'Iets sterkers?'

'Straks misschien.' Hij wist dat hij er haar niet aan hoefde herinneren, ze speelde geen spelletjes. Ze ging aan de tafel zitten, rustig, met het glas met de lange steel als een bloem tussen haar ineengeslagen vingers. Hij wachtte af.

'Ik wilde je vragen,' zei ze, 'of je het een goed idee vindt als we gaan scheiden.'

'Ik weet het niet,' antwoordde hij, terwijl de schok langzaam door hem heentrok. 'Wat vind jij?'

'Ik weet niet...' Ze fronste licht, nadenkend. 'Ik ben niet gelukkig.' Hij was verbijsterd door haar simpele eerlijkheid. 'Dat spijt me.'

'Ja.' Het klonk treurig. 'Mij ook.'

'Wil je er, zoals het heet, over praten?' Jezus, dacht hij, hoor jezelf nou eens. Maar ze kende hem goed genoeg om de toon zonder commentaar te laten passeren.

'Ik denk wel dat we dat moeten doen.'

'Het komt door mij.'

'Ten dele. Jij en een ander. Maar ik was sowieso niet gelukkig, daarvoor al niet.'

Hij liet het eerste deel gaan, in de hoop dat zij het ook zou doen. 'Je hebt het nooit gezegd.'

'Ik heb er niet veel over nagedacht. We hadden ons eigen leven, nietwaar?' Hij hoorde, als een klok die luidde, haar ontmoedigende gebruik van de verleden tijd. 'Maar nu er echt een ander is – ik bedoel iemand die er echt toe doet – realiseer ik me dat ik niet gelukkig ben. Dus is het tijd dat we ermee kappen.'

Haar matheid, haar onverstoorbaarheid, haar verdomde geduld maakte hem plotseling kwaad. Het was een opluchting zijn stem te verheffen.

'Denk je niet, Sian, dat we iets beters verdienen dan elkaar op deze tamme manier de bons te geven?'

Ze pakte haar glas op en zei kort, alvorens een slokje te nemen: 'Dat vond jij niet.'

'Hoe ben je erachter gekomen?'

Ze wierp hem een koele blik toe. 'Je bent volmaakt doorzichtig, Robert, dat is een van je grootste charmes.'

'Doe niet zo verrekt bevoogdend.'

Ze gaf geen antwoord. Maar toen ze haar glas weer ophief trilde het licht.

'Het spijt me,' zei hij. 'Ik heb niet het recht dat tegen je te zeggen.'

'Je hebt alle recht. Dat is wat ze een relatie noemen.'

'Dus je geeft toe dat we die nog hebben?'

'Natuurlijk. Maar die is voor ons niet meer zo belangrijk als voor sommige anderen.'

'O, juist ja.' Hij was van zijn stuk gebracht, wat ook haar bedoeling was. En terwijl zij zat bleef hij staan, als een recalcitrante werknemer die door de baas op het matje is geroepen. Heetgebakerd zei hij: 'Dus nu we hebben vastgesteld wat mijn probleem is, wil jij wel zo goed zijn met het jouwe te komen?'

'Er is geen ander, niet in de gebruikelijke zin. Alleen wil ik ten aanzien van de rest van mijn leven – collega's, patiënten, mijn vrienden, onze vrienden – niet langer het gevoel hebben dat we hen bedriegen.'

Hij trok een stoel bij en ging zitten, omdat boven haar uittorenen met zijn opkomende woede te onaangenaam was. 'Hebben we dat dan gedaan?'

'O ja, zeker.'

Haar manier van doen was glad en hard. Hij wilde het schild van haar verdediging doorbreken en haar iets laten toegeven, wat dan ook, dat ontkende dat ze het gewoonweg lang genoeg had geprobeerd en het nu opgaf.

'Spreek voor jezelf. Wat voor andere agenda er ook is, ik heb altijd het diepste respect voor onze relatie gekoesterd.'

Ze keek hem minzaam aan, schudde heel even haar hoofd en sprak met zachte stem alsof ze het tegen een opgewonden kind had. 'Opgeblazen klootzak.'

Hij kon haar wel vermoorden. 'Ik probeer het prettig te houden.'

'Ik weet natuurlijk dat je me de afgelopen tien jaar van ons huwelijk al met al nog geen jaar trouw bent geweest... Maar bespaar me je "respect".' De aanhalingstekens waren bijna hoorbaar. 'Alsjeblieft.'

'En waarom heb je niet eerder iets gezegd? Of heb je gewoon genoten van het superioriteitsgevoel dat oprechtheid geeft?'

'Je hebt gelijk, dat is aangenaam. Op een bepaalde manier. Maar vreemd genoeg is je superieur voelen niet genoeg, zelf niet voor mij. En toen ik besefte dat je emoties en ook... de rest ergens anders lagen, vond ik het tijd om het ter sprake te brengen.'

'Juist ja.'

Er volgde een stilte. Het zwijgen van zijn vrouw leek Robert kalm, bijna ijzig, terwijl het zijne tumultueus was door de verwarrende emoties. Nu was het zijn beurt zich superieur te voelen. Zij was per slot van rekening maar een kouwe kip.

'Ben je van plan,' vroeg ze, 'haar een bericht te sturen?'

'Ik zou niet weten waar dat goed voor is.'

Toen hij dat zei leek hij een haan te horen kraaien. Hoe kon hij

Stella's naam verzwijgen terwijl zij al zoveel jaar de kloppende basis van zijn geest, zijn hart, zijn tijd was? Hoe kon hij Stella in de eenzame duisternis van de coulissen laten in plaats van haar voor het voetlicht te brengen, waar haar natuurlijke plek was?

'Als je het mij vraagt,' zei Sian, 'zou het aardiger zijn als je het deed.'

'Het is geen kwestie van aardigheid.'

'Nee, dat is zeker waar.' Ze was zo gevoelig als de haan van een geweer, in staat elk woord dat hij zei op een kwetsende manier tegen hem te gebruiken. 'En trouwens, ik weet heel goed wie het is – Stella Carlyle.'

De klap kwam dreunend aan. 'Ja.'

'Ik ben erachter gekomen toen we naar het theater gingen om haar te zien. Een van die kleine, bizarre spelingen van het toeval die moest gebeuren. Weet je nog dat ik laat was omdat er een rij voor de damestoiletten stond? Ik ging een fles water kopen, en er stond iemand aan de balie te wachten in de hoop dat er een kaartje over was. Ik hoorde jouw naam noemen omdat er een kaartje voor je was vastgehouden, dat niet was gebruikt. Op het laatst werd er besloten je kaartje weg te geven. Ik geloof dat ik het toen direct wist, maar vanaf dat moment ving ik alle tekenen op. Je kon ze met geen mogelijkheid verbergen. Ik ken je heel goed, Robert. En ik heb een prima geheugen.' Ze zweeg even, maar hij wist niets te zeggen, en ze ging verder. 'Als je opgewonden bent gaan je nekharen overeind staan, wist je dat? Je haren raken hier...' ze legde haar hand op zijn nek, '...in de war en je stem verandert. Je ruikt anders. Zodra het doek opging voelde ik het aan je.'

'Ik heb het niet...' Zijn stem was schor en hij schraapte zijn keel. 'Het was geen situatie die ik wilde, of waar ik gelukkig mee was.'

'Ik had haar al eerder gezien, wist je dat? Jaren geleden toen we met vakantie waren op Ailmay. Ik had er destijds geen idee van wie ze was, maar ze heeft een gezicht dat je niet snel vergeet.'

'Nee.'

'Mijn enige troost is dat ze zo anders is. Heel anders dan ik. Ik heb in elk geval mijn, hoe zal ik het noemen, mijn individualiteit bewaard.'

Ineens was hij uitgeput door haar slimheid, haar precisie, de manier waarop ze zijn leven voor hem openlegde als een spel tarotkaarten.

'Sian... alsjeblieft.'

'Een ding zou ik graag willen weten. Hoe voelt zij zich? Ze lijkt me geen vrouw die genoegen neemt met de tweede plaats. Heeft ze je onder druk gezet? Als ze zoveel voor je betekent, waarom heb je het me dan niet verteld?'

Hij dacht na over het antwoord op die laatste vraag. 'Dat weet ik niet. Ze is buitengewoon onafhankelijk. En ook...' Hij zocht naar woorden, die zij hem uiteindelijk verschafte.

'Het leek je het beste te blijven doorsudderen met wat je had. Alles goed en wel, Robert, maar er is niets nieuws onder de zon. Grappig, hoe een oud cliché weer nieuw leven wordt ingeblazen als het ons overkomt, nietwaar?' Ze draaide haar hoofd om en keek een poosje uit het raam. 'Maar gezien de situatie moeten we beslissen wat het beste is om te doen.'

Omwille van hemzelf, meer dan voor haar, wilde hij vertellen dat het uit was, dat Stella hem had verlaten. Maar dat voor zichzelf houden was zijn laatste kans om zijn waardigheid te behouden, als een anti-held op het filmdoek die eervol een fatale wond verborgen houdt.

'Het is duidelijk dat we uit elkaar moeten. In elk geval een poosje.'

'Nee.' Ze schudde haar hoofd alsof ze een lastige vlieg van zich afschudde. 'Het is het een of het ander.'

Hij had zolang met haar rustige afstandelijkheid geleefd dat het een schok was te beseffen wat er als een ondergrondse rivier onder de oppervlakte had gestroomd.

'Zal ik dan maar gaan?'

Geleidelijk aan, tijdens deze korte woordenwisseling, viel de bal die zo hoog was opgeworpen, terug op de grond, lager en sneller stuiterend tot hij ten slotte zijn rustplaats vond.

'Ik denk,' – ze sloot even haar ogen met een traag geknipper – 'dat dat overhaast zou zijn. Ik bedoel, je moet pakken. Nadenken, en zo.'

Hij wist wat ze bedoelde. Afscheid nemen.

Ze maakten het avondeten klaar, namen dingen uit de koelkast en de kasten en voegden die met onbewust teamwork bij elkaar. De kaas op die schotel, de tomaten daarbij, het schaaltje zwarte olijven van de avond ervoor, roomboter voor hem, vetarme boter voor haar, nog een glas, een blikje bier, een fles water, een snee brood, appels... Het gereedmaken van deze maaltijd had iets sacraals, hun laatste avondmaal onder de oude vrijstelling. Ze waren zwijgzaam. Sian zette de radio aan om met de harmonieuze klanken van kamermuziek de stilte te verlichten.

Onder het eten bespraken ze familiezaken: Seppi en zijn vrouw Denise, en Natalie en de kinderen, en het huis dat ze van plan waren te laten renoveren. Het was alsof ze een doos hadden geopend die lang afgesloten was geweest, en de kleine voorwerpen die erin zaten er een voor een uit namen, ze bekeken, omdraaiden in hun handen om weer vertrouwd te raken met de vorm en de structuur, alvorens ze voorzichtig terug te leggen. Robert overdacht hoe kwetsbaar en tevens taai een gedeeld leven is, als mensenhaar of spinrag. Het kan heel veel aan, en breekt dan ineens bij de minste aanraking.

Toen ze bijna klaar waren ging de telefoon en liep Sian naar de zitkamer om op te nemen. Hij wilde zijn bord, glas en bestek niet in de vaatwasser zetten. Daarom waste hij de paar voorwerpen met de hand af en borg ze op voordat hij koffie ging zetten. Hij dacht na over Sians bekentenis dat ze Stella al eerder had gezien, op Ailmay. Dat moest dat koude voorjaar zijn geweest dat hij Stella had horen zingen in de kroeg, en botweg zei dat ja, hij er was. Dus het zaad van vandaag was in het leven van hen alledrie op hetzelfde moment gezaaid, en nu gingen ze alledrie weer uit elkaar. Het was onmogelijk het niet als een verhaal te zien, met een treurige, poëtische afloop.

Hij nam de koffie mee naar de zitkamer, waar zij nog steeds aan de telefoon was. Hij schonk voor ieder een kopje in, zette het hare bij haar elleboog neer en nam het zijne mee naar de studeerkamer. Hij had geen noemenswaardige administratie te doen, maar de onverwachte alertheid die hem had genoopt de afwas te doen zorgde er nu voor dat hij niet met de krant kon gaan zitten wachten tot ze klaar was met haar gesprek.

De studeerkamer was een groot vertrek aan de zijkant van het huis, met een raam dat uitzicht bood op het voortuintje en de straat. Op haar bureau stond haar computer rustig te wachten: een duif vloog in slow motion over het donkere, slapende scherm heen en weer. Sians afdeling was smetteloos schoon en opgeruimd; de zijne was rommelig. Op het zijne lagen een wanordelijke hoop ongeopende en onbeantwoorde post, papieren, brochures, folders, zijn laptop die er triestig dichtgeklapt bijstond, een halfopgegeten reep chocolade, een aardewerken beker vol afgekloven pennen en viltstiften. Het leek niet zozeer op het bureau van een slordige werker als wel van een tijdelijke kracht; de puinhoop van iemand die zo weer weg kon gaan. Nu, bedacht hij, moest ik het maar eens uitzoeken.

In hoog tempo begon hij met opruimen; hij gooide stapels papier weg en legde andere opzij die hij nog aan een nadere inspectie moest onderwerpen. De gordijnen waren niet dicht, en hij zag zich weerspiegeld in het donker wordende raam, een vreemde, verwoed bezige figuur, een man op de vlucht, nergens thuis. Zijn verlangen met Stella te praten was zo groot dat hij de telefoon oppakte, maar hij hoorde de stem van Sians oudere collega en haar scherpe: 'We zijn zo klaar.' Trillend van ellende smeet hij de hoorn er weer op, sloeg zijn handen in elkaar achter zijn hoofd en klemde zijn gezicht tussen zijn armen. De pijn werd erger en woelde in hem rond, zijn slapen klopten en zijn maag trok samen. Het leek wel een geboorte.

'En na de triomf,' zei George, 'wat nu? Vrije tijd wegens goed gedrag?'

'Zoiets.'

Stella had weinig zin haar geheim prijs te geven. Niet dat ze het in zo'n vroeg stadium zou hebben rondgebazuind, maar toen ze eenmaal had besloten omwille van de morele steun George in vertrouwen te nemen, vond ze het toch moeilijk. De reden was dat alles nog mogelijk leek zolang het voor zichzelf hield. Ze zou het Robert kunnen vertellen, hij zou erachter kunnen komen, hij kon gewoon weer opnieuw haar leven binnenstormen om te vragen wat er aan de hand was. Ze was ontzet dit ouderwetse, ongeëmancipeerde trekje in haarzelf te ontdekken: misschien kwam het door de zwangerschap en de hormonen dat ze zo door de gebeurtenissen werd beïnvloed. Of wellicht, en dat was iets dat ze zich alleen schoorvoetend, midden in de nacht, angstig afvroeg, wellicht wenste ze, meer dan wat ook ooit in haar leven, zijn onvoorwaardelijke, allesoverweldigende liefde. Ze had de handschoen van haar beslissing neergeworpen in de hoop dat hij het door tussenkomst van een geheimzinnig telepathisch medium te weten zou komen, en die zou komen oprapen. Ze had hem zo volkomen op afstand gezet dat het louter koppige trots was die haar ervan weerhield een krimp te geven.

Ze bracht het weekend bij George en Brian door. Op zaterdag had Brian – die op de succestoer was en een baan had aangenomen bij personeelszaken – een cursus in Cirencester, en de oudere kinderen werden niet voor zaterdag van hun respectieve kostscholen terugverwacht. Daardoor hadden de gezusters een dag voor zichzelf met de drie jaar oude Zoe. Het gezin was enkele maanden daarvoor naar het verbouwde stallencomplex van een groot, comfortabel, vervallen landgoed verhuisd. Het stallencomplex was heel mooi gerenoveerd door een plaatselijke aannemer, maar het was het huis zelf, met zijn vergane Engelse schoonheid, dat Stella aansprak.

's Middags maakten ze een wandeling om het onsympathiek aandoende draadhek dat de grenzen van het landgoed omheinde.

'Het arme, oude geval heeft een veelbewogen geschiedenis,' zei George in antwoord op Stella's vraag. 'Lang geleden behoorde het toe aan een familie Latimer, er staan er massa's vermeld in de kerk hier. Daarna, heb ik begrepen dat het na de Eerste Wereldoorlog een herstellingsoord is geweest, in de jaren twintig en dertig een soort marginale experimentele school voor geestesgestoorden, en tijdens de Tweede Wereldoorlog door het leger is gevorderd. Sindsdien is het aan verwaarlozing ten prooi gevallen, zoals je ziet.'

'Wie bewoont het nu?'

'Het is eigendom van de gemeente, en die verhuurt het aan de Prior Stichting. Nee, ik had er ook nooit eerder van gehoord, maar ze geven artistieke cursussen. Heel aardige lui allemaal, voor zover we kunnen zien, maar ik weet niet of het een langdurig contract is of dat er God weet wat voor geldwolven op de loer liggen om er een *country club* of nog erger van te maken.'

Ze stonden ongeveer honderd meter van het huis op het kruispunt van de oude oprijlaan en de geasfalteerde toegangsweg tot het in aanbouw zijnde Bells Yard. Stella keek naar de bakstenen, goudgeel en groen in dit licht als een winterse zonsopgang, de royale glas-in-loodramen en verweerde schoorstenen. Een miniem ogenblik stelde ze zich voor dat zij, het doorgewinterde stadmens, de vrouw voor wie het platteland een angstaanjagende wildernis was, op zo'n plek zou wonen.

Zoe hing met doorgebogen beentjes aan de bovenste draad van het hek en sprong op en neer, en Stella bedacht: over drie jaar is mijn kind net zo.

'Tubs! Kom op, we gaan Stella het oerwoud laten zien. Tubs...' George ging naar het hek, haalde haar dochter eraf en zette haar met een klap tussen hen in neer.

'Handje!'

'Alleen als je belooft niet te schommelen, daar krijg ik het van in mijn rug.'

'Beloofd!'

Ze gaven haar allebei een hand. Zoe begon direct te schommelen. 'Nee,' zei George. 'Netjes lopen, we gaan niet ver. Waarom ga je je niet achter een boom verstoppen en kijken of je ons kunt laten schrikken?'

'Goed!' Zoe rende weg, en George trok een gezicht van breek-me-de-bek-niet-open. Stella dacht: deze moet ik onthouden.

'Ons zonnestraaltje,' zei George laconiek. 'Ons schattige nakomertje.'

'Het is een schatje.'

'Maar je bent dolblij dat ze niet van jou is.'

'Dat heb ik niet gezegd.'

'Dat hoeft ook niet. Hoe langer ik langs de lange weg van het gezinsleven reis, hoe minder ik schijn te weten.'

'Je doet het fantastisch. Je gezin doet je eer aan.'

George zweeg even, met grote ogen. 'Heb ik dat goed gehoord?'

Stella haalde haar schouders op. 'Dat mag af en toe wel eens worden gezegd.'

'Je wordt op je oude dag nog een softie... Wacht even, daar is ze, probeer te doen alsof je schrikt.'

Zoe sprong achter een boom vandaan, en ze reageerden met veel vertoon van zogenaamde schrik, dat zeer werd gewaardeerd en haar weer weg deed snellen om de grap te herhalen. Ze volgden haar het bos door, over een voetpad dat werd gemarkeerd door bordjes met een gele pijl.

'Dit is een deel van het grondgebied,' verklaarde George, 'maar de gemeente is zo goed het voetpad te onderhouden. Je kunt vanhieruit helemaal naar het dorp wandelen, maar het is een steile klim en ik heb geen zin met Tubs op mijn rug die heuvel op te moeten sjouwen.'

Het pad slingerde aangenaam tussen de bomen door, alsof het de voetstappen van de mensen volgde die hier door de jaren heen hadden gelopen. Ze haastten zich niet. Zoe dartelde rond en verstopte zich en werd afgeleid door een enorme paddestoel, waarbij ze moesten stilstaan om die te bewonderen. Hij stak uit de zijkant van een boomstronk, als een sponzige schotel die ingebed lag in de bast, zijn bleke bovenkant bespikkeld met schimmel, de onderzijde donker en pokdalig, en de randen fijntjes gekarteld.

'Hij is reusachtig!'

'Dat is juiste woord,' beaamde Stella.

'Zal hij me vergiftigen?'

'Niet per se.'

'Alleen als je er een hap van neemt.' George wierp Stella een blik toe. 'Sorry, dit moet even.'

Onthouden, bedacht Stella. Ze liepen verder.

'Waarom Bells?' vroeg ze.

'Dat is heel grappig. Als de almanak klopt kun je op een stille zondag de klokken van zeven kerken horen. Maar of dat nog van toepassing is in deze tijd van groepsparochies en verdwijnende kloosterordes zou ik niet kunnen zeggen. Ik moet eens een keer uitproberen of het klopt.'

'We kunnen het morgen doen.'

'Ja, dat kan.'

Stella deed alsof ze de onderzoekende blik van haar zuster niet zag. Na nog tien minuten in het bos kwamen ze op de heuvelkam uit, met linksonder het dorp en tegenover hen het Witte Paard.

Stella ging met haar armen om haar knieën op het korte gras zitten. 'Zullen we even blijven kijken?'

'Goed idee. Tubs zal blij zijn, dan kan ze wat over het terrein ronddarren.'

Ze zaten naast elkaar met hun gezicht naar het paard toe. Het was waar: zodra er een pauze was ingesteld leek Zoe tot rust te komen, alsof hun vaste positie een soort anker vormde. Ze scharrelde rond, onderzocht insecten en plukte in zichzelf pratend bloemen om er een boeket van te maken. Onthouden.

George hield haar hoofd schuin naar een kant. 'Is het echt wel een paard? Ik ben geen expert, maar het lijkt op geen enkel paard dat ik ooit heb gezien. En voor zover ik weet waren paarden in die tijd nogal gedrongen, met warrige, borstelige manen. Geen sierlijk steigerende rossen.'

'Hmm...' Stella dacht na. 'Het is een paard uit de verbeelding. Een fantasiepaard.'

'Die zal ik onthouden.'

'Het is een prachtige plek, George.'

'Vinden wij ook. Maar het is een klassiek geval van bezwijken voor een onpraktische, romantische voorkeur.'

'Is het echt zo onpraktisch?'

'O, je weet wel...' George plukte een takje weegbree en probeerde de kroon eraf te schieten. 'Verdomme, ik was daar zo goed in. Nee, het is de ligging. De kinderen zijn net op de leeftijd dat ik een non-stop taxidienst zal moeten instellen naar verafgelegen stadscentra.'

'Maar vinden ze het hier prettig?'

'Zij wel.' George knikte naar Zoe. 'De anderen hebben er nog geen mening over. Maar dat komt heus wel als hun sociale leven eronder gaat lijden.'

Zoe voegde zich weer bij hen en ging naast Stella op de grond zitten, vertrouwelijk tegen haar been aangedrukt.

'Ik krijg een pony.'

'Echt waar?' Stella wierp een blik op George voor de bevestiging van dit nieuwtje.

'Misschien.'

'Je hebt het gezegd!'

'Waarschijnlijk. Het hangt ervan af.'

'Dat zeg je altijd.'

'Omdat het waar is. Alles hangt ervan af.'

'Waarvan?'

'Van alle andere dingen.'

Deze filosofische stelling leek de discussie tot een onvermijdelijke, zij het niet bevredigende conclusie te leiden. Ze zou het onthouden. Ze bleven nog een poosje zitten, terwijl Zoe een eindje verderop zat te mokken. Het paard leek zich door de schaduw van de hoge wolken onder stromend water te bevinden. De vredigheid van het ogenblik, de ongedwongenheid tussen hen drieën, het gevoel deel te zijn van het landschap schiep een betovering die Stella ervan weerhield te spreken.

Niets overhaasten, bedacht ze, niets overhaasten.

Op zondagochtend, toen Brian de kinderen van school ging halen en Zoe meenam, en George het gemeste kalf aan het slachten was, ging

Stella haar ouders opzoeken. George had op haar onomwonden manier duidelijk gemaakt dat deze regeling, terwijl ze normaalgesproken ook voor de lunch zouden zijn uitgenodigd, het dubbele voordeel had de oudjes te plezieren terwijl het de jeugd vrijwaarde van de bezoeking op een van hun weinige vrije dagen met hun grootvader te moeten optrekken.

Mary en Andrew zaten in de serre, die hun trots en glorie was, koffie te drinken. De cafetière en het melkkannetje stonden op een inklapbaar dienblad naast hen. Dit regelmatig drinken van echte koffie, een luxe die vroeger voor bezoekers werd gereserveerd, was een van de kleine veranderingen die door Mary waren ingevoerd, om redenen die volgens Stella meer met haar gemoedstoestand dan die van haar echtgenoot van doen hadden.

Nog zo'n verandering was Andrews verschijning, dat had George al aangekondigd. De interesse van hun vader voor zijn uiterlijk was op zijn best sporadisch en grillig geweest, maar tot betrekkelijk kort geleden had Mary hem zelf laten opstaan en zich aankleden, wat tot vreemde situaties leidde: ongelijke sokken, een ongeschikt t-shirt, een openstaande gulp en een verkeerd dichtgeknoopt jasje. Zij, die zelf altijd zeer elegant gekleed ging, oefende nu met de grootst mogelijke tact alleen strikte controle uit op hetgeen nodig was om te zorgen dat hij er decent en waardig uitzag. Pas toen het proces van zich behoorlijk aankleden een bezoeking voor hem werd, was ze tussenbeide gekomen, en nu werd tot tevredenheid van hen beiden elke ochtend een uurtje of meer aan deze gezamenlijke onderneming besteed.

Ze deed echter, zo merkte Stella op, geen pogingen haar man haar eigen smaak op te dringen. En dus, terwijl Mary onberispelijk in Schotse huisstijl gekleed ging, in een lichtblauwe coltrui op een grijze rechte rok, droeg haar man een trainingsbroek, een wit hemd en een bruine spencer, alles gewassen en geperst.

Mary sprong overeind en omhelsde haar. 'Stella, wat heerlijk! Kijk, ik heb zelfs een extra kopje meegebracht, voor het geval dat.'

'Hoezo voor het geval dat? Ik heb toch gezegd dat ik alleen kwam?'

'Ja, maar je weet maar nooit. Liefste, Stella is er.'

'Dag pap.' Ze bukte zich om hem een kus te geven, en realiseerde zich met een schok dat zelfs zijn haar geknipt was. Mary had dat altijd gedaan, maar was er nooit in geslaagd er veel af te krijgen. Op dat ene gebied was ze er niet in geslaagd zich in te houden. Het korte kapsel maakte hem jonger.

'Hoe staat het leven?' vroeg hij.

'O, goed hoor.' Ze pakte haar koffie op. 'Ik logeer dit weekend bij George en Brian.'

367

'Goed idee.'

'O ja, dat is waar ook,' zei Mary. 'Is de tournee voorbij?'

'Ja.'

'Dus je hebt nu even vrijaf?'

'Zolang ik maar wil, tot de verveling en de bank toeslaan.'

'Neem je nu eens echt vakantie? Kun je niet ergens gezellig heen met vrienden?' Dat was een van die vragen die blijk gaven van haar moeders wereldvreemde, optimistische houding. De hint 'met vrienden' was een tactvolle, zo niet treurige veronderstelling dat er geen speciale vriend was. Mary was nooit het soort ouder geweest dat haar kinderen met verwachtingen belastte, maar zo nu en dan merkte Stella dat ze het liefst wilde dat ze gelukkig waren op haar eigen rechttoerechtaan manier. In Georges geval leek het er, tenminste uiterlijk, op dat het was gelukt, maar in Stella's geval lag het ingewikkelder. En momenteel nog ingewikkelder dan ze konden bevroeden.

'Misschien,' zei ze. 'Je weet maar nooit.'

'En met je werk, ben je na je succes bedolven door de aanbiedingen?'

'Het gaat goed, ik heb het zo druk als ik zelf wil.' Ze bedacht dat ze maar beter ongevraagde informatie kon verstrekken om een kruisverhoor af te houden. 'We zijn gevraagd voor een korte serie voorstellingen in de Parade on the Park. Als dat niet chic is weet ik het niet meer.'

'Wat enig!'

Andrew, die tijdens het gesprek zijn dochter onafgebroken had aangekeken, boog zich naar voren.

'Vertel eens,' zei hij. 'Waar woon je tegenwoordig?'

Stella's hart sloeg over. In die vraag herkende ze zijn onzekerheid, zijn instinctief tasten naar de weg, als de handen van een blinde op haar gezicht. Hij wist iets, maar kon niet langer herkennen wat het was.

Mary schonk met neergeslagen ogen nog eens koffie in en kwam niet tussenbeide.

'Nou,' zei Stella, 'ik woon nog steeds in Londen. Maar ik moet zeggen, nu ik Georges huis heb gezien kom ik voor het eerst in de verleiding om naar buiten te gaan. We zijn klaar met de serie voorstellingen in het West End, dus ik neem vakantie.'

'Wij gaan naar Shanghai,' zei Andrew. 'Ik neem een paar van de jongens mee.'

'Echt waar?' Stella hield haar blik op zijn gezicht gevestigd. 'Wanneer?'

'We hebben daar altijd al heen gewild,' zei Mary behoedzaam. 'Maar het is de vraag of het ervan komt.'

Stella zat gevangen in het web van hun vriendelijke samenzwering. 'Het klinkt als de reis van je leven. Mag ik mee?'
'Kinderen niet toegestaan,' zei Andrew. 'Absoluut geen kinderen. Alleen volwassenen, vrees ik.'
Zelfs al had ze erop willen ingaan, haar moeders eerste rechtstreekse, waarschuwende blik snoerde haar de mond.
'Paps, u preekt voor eigen parochie,' zei ze, en dacht een haan te horen kraaien.
'Wat vind je van de kinderen daar op Bells?' vroeg Mary.
'Ik heb tot dusver alleen Zoe gezien. Ze lijkt het prima te maken, maar wat weet ik ervan? Brian heeft vandaag de anderen een dagje van school bevrijd.'
'Dat is waar ook, ik heb wat spullen die ze mee terug moeten nemen. Ik ga ze meteen even halen.'
Toen ze het vertrek uit ging glimlachte Andrew tegen Stella. 'Komen er jongens lunchen?'
Dat was een oude grap, en haar vader leek ineens zoveel op zijn vroegere zelf dat ze heel even de kluts kwijt was. Maar toen ze lachte betrok zijn gezicht, en hij boog zich nogmaals, fronsend, naar voren.
'Vertel eens,' vroeg hij, 'waar woon je tegenwoordig?'

Toen ze naar Bells terugreed bedacht ze dat dit erger was dan verlies. Erger omdat haar vader nog leefde, maar al voor hen verloren was. Niet, zoals de vromen hoopten, naar een betere plek gegaan, maar gevangen op een plek die net buiten zijn bereik lag. Het feit dat zijn oude zelf nog steeds niet helemaal was verdwenen, dat het van tijd tot tijd weer opdook en als een mimespeler met zijn handen naar de onzichtbare grens reikte, maakte het nog ondraaglijker.
Ze bedacht: ik ga een kind ter wereld brengen dat zijn grootvader kent als een gestoorde oude man. Maar kinderen accepteerden zulke dingen toch? En nieuw leven gaf hoop, was een wissel op de toekomst. Het zou Mary gelukkig maken.
Alles hing van al het andere af.

Ze brachten een plezierige dag door. Een dag waarin Stella voor een keer probeerde passief te zijn en alles maar te laten gebeuren, het gevoel te krijgen waar zij in dit patroon van het gezinsleven paste. Ze was nu blij dat ze dag daarvoor niets tegen George had gezegd. Ze was er nog niet klaar voor, voelde zich nog niet helemaal op haar gemak met haar besluit. Er waren andere, belangrijker overwegingen dan het haar zuster te vertellen. Ze moest eerst met zichzelf in het reine komen.
Het gebraden varkensvlees met appelmoes, de eigengemaakte fram-

bozenpudding en de heerlijk brokkelige cheddarkaas werden genuttigd en weggespoeld met twee van Brians flessen New World Shiraz uit de aanbieding. De twee grotere kinderen waren in het begin hyperactief en praatziek, sloofden zich voor Stella uit en dronken (maar maakten het niet op) Frans bier uit een flesje. Onder invloed van het goede eten en de volwassen conversatie kwamen ze tot zichzelf. Toen de koffie werd geserveerd trokken ze zich terug op de bank om samen met Zoe naar de *Beauty and the Beast* te kijken.

Brian nam een glas op voorwaarde dat hij niet om zes uur de terugreis hoefde maken.

'Mijn wederhelft is aan de beurt,' verklaarde hij. 'Ik heb mijn steentje bijgedragen.'

Het was halfvier toen ze van tafel opstonden en Brian orders gaf dat ze van hun luie kont moesten komen om te gaan vliegeren op de heuvel. George zei dat hij de enige was die zin had in vliegeren; Zoe was nog te klein, en Kirsty en Mark waren er te groot voor. Brian zei dat het best was, dan ging hij wel vliegeren en kon de rest komen kijken. Normaalgesproken had Stella die overredingstaktiek weerstaan en George overgehaald binnen te blijven, om te kletsen, nog wat wijn te drinken, het zondagse supplement te lezen en een oude musical te zien. Vandaag gaf ze toe, met als resultaat dat de anderen minder rebels dan anders waren.

Ze verlieten Bells Yard in tegenovergestelde richting dan die George en zij de dag daarvoor hadden genomen, over een smal paadje dat schuin over de heuvel liep met uitzicht op het dorp. Brian liep voorop met Zoe op zijn rug, zij hield George gezelschap die de vlieger in de vorm van een zeemeeuw droeg, en Kirsty en Mark vormden de achterhoede.

Brian hield halt op het punt waar de heuvel vlak werd en het pad een paar honderd meter horizontaal liep, met een brede grasberm aan weerszijden. Op de top boven hen stond een klein, vervallen gebouwtje, als een rotspiek.

Brian kreeg de vlieger de lucht in. Om beurten mochten ze vliegeren, voelden ze het opwindende trekken van de wind, die de zeemeeuw deed klimmen, draaien en zwenken. Ze hadden ieder het gevoel dat ze het voor de ander deden, en maakten een cadeautje van hun prestatie. Het kijken naar de vlieger verenigde hen, ze waren niet langer een wat verdeeld, onwillig, bijeengeraapt kluitje; ze werden een groep, een team, met alle blikken op de lucht gevestigd.

Onthouden dit, bedacht ze.

Alles hangt met alles samen.

Het was tegen achten, pas halverwege de terugreis, toen Stella moe begon te worden. Niet aangenaam slaperig, maar alsof ze lood in haar aderen had. Ze parkeerde bij een benzinestation en kocht een reep chocolade, die ze ter plekke opat, en viel bijna onmiddellijk daarna in slaap. Toen ze wakker werd was ze verbaasd over haar omgeving: de lichten, de andere auto's, een man in een leren jack die van bij de pompen naar haar gluurde, en ook over de tijd dat ze had geslapen. Het leek uren, en het was maar een kwartier geweest.

Door het dutje zakten haar oogleden niet meer omlaag, maar de knagende uitputting bleef. Toen ze Londen binnenkroop tussen de trage stroom rode achterlichten van de zondagavond moest ze zich ontzettend concentreren om door te kunnen rijden, om de gewoonlijk onbewuste, kleine handelingen van het rijden te verrichten, om borden te lezen en afstanden in te schatten. Toen ze uiteindelijk bij het toevluchtsoord van haar flat aankwam trilde ze van vermoeidheid en ging ze met haar jas nog aan op bed liggen. Daar, in haar eigen omgeving, eindelijk veilig, bedacht ze dat ze per slot van rekening zwanger was en dat dit wellicht te verwachten viel.

Toen ze wakker werd was het van een doffe pijn in haar onderbuik en rug, wat haar instinctief naar het toilet deed gaan. Inmiddels beefde ze met krampachtige schokken; haar tanden klapperden, en haar handen, waarmee ze haar jas om zich heen trok, zagen blauwachtig wit.

Het kind – of wat ervan aanwezig was – viel met angstaanjagend gemak uit haar weg, alsof het ontlasting betrof. Terwijl het haar ontviel hield de ene pijn op en begon de andere. Ze bleef ineengedoken, met haar handen over haar ogen, zitten wachten tot het voorbij was, bad dat het mocht ophouden, het geluid en het gevoel van verlies... van het te verliezen.

Het duurde niet lang, slechts een paar minuten. Ze kwam langzaam overeind, met haar ene hand tegen de muur gesteund, en veegde zich af. Ze snakte naar een bad, maar was zich bewust van een ingebrande waarschuwing voor heet water, omdat ze misschien zou flauwvallen, of een bloeding kon krijgen. Ze probeerde niet omlaag te kijken toen ze doortrok, maar ving toch een glimp van de donkere massa op, deels vloeibaar, deels vast, die nog maar een paar uur daarvoor nieuw leven had betekend, het middelpunt van zoveel. Heftig trok ze aan de trekker en hoorde het water stromen en weg gorgelen. Zwetend en rillend ging ze een paar minuten op de grond zitten tot het reservoir vol was, en trok toen nog een keer door.

Ze bracht het niet op nog een keer te kijken. Ze moest iets gewoons doen. Wankelend liep ze naar de zitkamer, drukte op 'Play' op het antwoordapparaat en ging stram, met gesloten ogen op de chaise longue liggen.

'Stella, ik ben het, Robert. Laten we elkaar alsjeblieft zien. Laten we praten. Alles is veranderd. Misschien hebben niet het juiste in huis voor een relatie, maar ik geloof dat we van elkaar kunnen houden, en men zegt dat dat alles is wat je nodig hebt. Ik houd van je. Bel me niet thuis, ik bel je nog. Dag. Dag? Tot ziens.'

Bel me niet thuis. Dus niet alles was veranderd. Wat hem betrof.

Alles hangt van al het andere af.

Niet het juiste in huis, geen liefde. Geen baby. Ze was leeg. Ze was alles kwijt.

15

...intrinsieke, onvervreemdbare rechten,
waaronder de bescherming van het leven, en de vrijheid,
en het streven naar geluk

President Thomas Jefferson, *Onafhankelijkheidsverklaring.*

Spencer 1946

Nadien, als men het had over 'tijdens de oorlog', kreeg Spencer twee beelden in zijn hoofd, en die gingen niet bepaald over gevechten, maar over twee afgesloten ruimten. De nauwe, kloppende, metalen cilinder van de P-51, waarin zijn lichaam bruiste van de adrenaline en zijn geest kristalhelder was. Daarnaast de rustige huiskamer van de Ransoms, waar alles werd gedempt door geheimzinnigheid, en waar zelfs gevoelens ambivalent waren. Bij het eerste keek hij neer op een fysieke wereld die simpel leek door snelheid en afstand. De stilte van het tweede leverde een volkomen ander uitzicht op: het vage, niet in kaart gebrachte landschap van de geest.

Toen de oorlog voorbij was leek de indruk die hij van die tijd en die plaatsen bewaarde op de herinnering aan een droom, slechts half-begrepen, maar zijn bloedige kleuren uitgietend over de rest van zijn leven. De mensen die hij zich als een reeks levendige kiekjes kon voorstellen, bevroren in de tijd en op hun plek: Frank op zijn brits, met zijn neus in een boek, Ajax in de kromming van zijn arm... Si, die zich opmaakte om zich omlaag te storten, zijn blik kwaadaardig van concentratie... Mo, met zweet bedekt in zijn kerstmannenpak... Davey die met zijn handen in zijn zakken bij het schildwachthuisje rondhing, achteloos, alsof het hem niet interesseerde. En dan was daar Janet, die eerste avond, die zijn hand op haar hart legde. 'Alsjeblieft... Alsjeblieft...'

En Rosemary. Zij was meer dan een kiekje. Ze woonde in zijn hoofd, flakkerde als een bleek vlammetje dat maar niet wilde doven. Hij wist wat mensen bedoelden als ze zeiden dat ze een toorts droegen. Ze had geheimzinnig geleken, en toch was ze voor zichzelf een geheim. Het was vreemd te beseffen dat hij iets wist dat zijzelf niet wist. Een gevangene, misschien, van het noodlot.

In Moose Draw was alles min of min bij het oude gebleven, en wie niet waren veranderd leken dat toch te zijn doordat hij was veranderd. Zijn moeder zag er wat ouder uit, maar hij las in haar gezicht dat hij een ander mens was geworden. Op zijn eerste avond thuis zag hij dat ze hem met een soort verdrietig respect bekeek. Dat stemde hem treurig. Niemand kon de klok terugzetten; hij wilde haar met hem meenemen, haar niet achter hem laten. Haar trotse, edelmoedige houding bij zijn vertrek had ze tijdelijk afgelegd. Destijds had ze die houding aangenomen om hem het gevoel te geven dat hij een man was. Nu hij er echt een was geworden, voelde hij dat ze uit het lood was geslagen.

Iets anders lag het met Mack, die misschien het gevoel had dat een volgroeid lid van de machtige mannenwereld zijn iets was dat ze nu deelden. Spencer was daar blij om, maar hij wilde niet dat zijn moeder, zijn oude bondgenote en vertrouwelinge, degene die niet in de mannenwereld thuishoorde, zou worden buitengesloten.

Om die reden bewaarde hij het verhaal over zijn reis naar het verleden tot de dag daarop, toen Mack al vroeg was vertrokken om aan een bestelwagen bij een van de jachthutten te gaan werken, en de winkel nog niet open was; Caroline zei dat het tegenwoordig rustig was, en ze hadden trouwens een jonge jongen die kwam helpen.

Het was net als vroeger: hij met zijn moeder aan de keukentafel, behalve dat ze niet zo bedrijvig meer was; ze was er heel tevreden mee zo te zitten en samen met hem haar tweede kop koffie te drinken.

Hij zei: 'Er is iets dat ik u nog niet heb verteld.'

'Je hebt nog helemaal niets verteld, niet echt.' Ze glimlachte om te laten zien dat het geen kritiek was, maar een genoegen dat nog moest komen.

'Ik heb het huis gevonden.'

'O! Echt waar?' Hij zag in haar blik naast verrukking ook bezorgdheid dat hij er misschien in teleurgesteld was. 'Het is maar een heel gewoon huis.'

'Niet echt. Het echtpaar dat er nu woont heeft er een pension.'

'Dat kan ik me niet voorstellen.'

'Ze verhuren drie kamers op de eerste verdieping. Toen ik er was hadden ze een kamer vrij, en dus ben ik blijven overnachten.'

'Het is niet waar! Je hebt in het huis geslapen?'

Hij knikte. 'Als een marmot. De hospita is er een van het goeie soort. Toen ze ontdekte waarom ik daar was, heeft ze me niets gerekend.'

'Was het... o, wat zeg ik nou?' Ze schudde haar hoofd om haar eigen dwaasheid. 'Ik wilde zeggen: was het veranderd? Maar hoe zou jij dat weten?'

'U vergeet dat ik het gevoel heb dat ik het kende. Het zat hier.' Hij tikte tegen zijn hoofd. 'In het begin kon ik het niet thuisbrengen. Ik zag niet wat u me had verteld, omdat de buurt zo veranderd is.'

'Vertel eens.'

'Het is nu helemaal volgebouwd, er staan fabrieken aan de achterkant van uw straat. Maar er ligt een sportveld tussen de fabrieken en de huizen in. En waar u het bos heeft beschreven...'

'Het was niet echt een bos,' riep ze verontschuldigend uit. 'Een soort eilandje dat vergeten was. Het was in mijn ogen bijzonder omdat ik zelf nog klein was, maar misschien heb ik overdreven.'

'Nee, dat denk ik niet. Maar het is er niet meer. Ze hebben er een park van gemaakt. Ik heb er gewandeld. Ik mocht niet op het gras lopen.'

'Wat vreselijk.'

'Gras is daar schaars, ze moeten er zuinig op zijn.' Hij glimlachte, wees met zijn duim naar het raam. 'Dat is hier heel anders.'

Ze lachte. 'Dat is waar. Goed, ga door.'

'Iets speciaals: er staat een walviskaak over een van de paden. Hebt u daar ooit van gehoord?'

'Nee!'

'De een of andere ouwe kerel die in de buurt woonde heeft hem aan het park gedoneerd.'

'En de vijver?'

'Er was een vijver. Een tamelijk echte, met vis erin. Maar de hospita herinnerde zich de vijver waar u het over heeft gehad, ze noemde het de regenvijver.'

'Ja, de regenvijver, dat klopt...'

'En er stonden maar een paar oude bomen die ze uit het oorspronkelijke bos hebben overgehouden.'

'Het was zo mooi.' In haar verbeelding was ze weer daar.

'Dat kan ik me voorstellen. Ze nam me mee naar de bovenste verdieping van het huis, daar hebben haar man en zij nu hun kamer vanwege de gasten...'

'Cissy's kamer!'

'...en als je door het zijraam naar buiten kijkt zie je de toppen van die oude bomen, niet de rest van het park. Het was dus zoals toen u kind was. Ik kon me voorstellen hoe u uit het raam keek.'

'We zaten daar urenlang op onze knieën. Cissy vertelde me altijd verhaaltjes. Ik weet nog dat ik daar altijd gelukkig was.'

Ze had tranen in haar ogen. Ze wilde iets zeggen, misschien om hem te bedanken. Om haar tegen te houden stak hij zijn hand uit. Ze aarzelde een fractie van een seconde alvorens de hare erin te leggen. Dat was natuurlijk het verschil. Vroeger had zij haar hand uitgestoken, met de palm naar boven, om zijn kleinere hand erin te ontvangen en vast te houden. Nu was het omgekeerd. Maar ze hadden elkaar altijd begrepen.

Na de korte viering van zijn thuiskomst, waarbij hij als een held werd ingehaald en zijn foto op de voorpagina van de *Monitor* prijkte, met het onderschrift dat hij een 'veteraan' was tussen de jongere mannen die waren teruggekomen, gaapte de rest van zijn leven Spencer aan. Hij was tot dan toe vergeten hoe traag het levenstempo in Moose Draw was. De droom was voorbij; hij had het overleefd, en was veilig teruggekeerd. Er moest een nieuw leven op poten worden gezet.

Spencer ontdekte een nieuwe, gezonde kijk op de ploeteraars, de mensen die zonder veel drukte op kleine plekjes leefden en trouw hun kleine taken vervulden, hun kinderen grootbrachten en voor hun ouders zorgden. Het vergde een zekere moed dat te doen, een deugdzaamheid en nederigheid waarvan hij niet wist of hij die bezat. Als jongen had hij min of meer aangenomen dat zijn moeder haar dagen niet in Moose Draw zou slijten, maar net als in de boeken door een reizende Engelse aristocraat zou worden weggenomen van een zich niet beklagende Mack, om de rest van haar dagen als chatelaine op een groot huis door te brengen. Hoewel hij toen hij groter werd wel begreep dat zoiets nooit in het echt zou gebeuren, schokte het hem toch dat Caroline haar tijd zou uitzitten als kleinsteedse winkelierster en echtgenote van de plaatselijke klusjesman.

Om op korte termijn iets omhanden te hebben ging hij Mack weer helpen, en ontdekte hij algauw dat er van de zaak weinig meer over was. Wat er was ging in een slakkentempo.

'Ze vragen me alleen nog uit aardigheid,' vertelde Mack hem toen ze op een warme middag in de werkplaats Judd Ellisons motorfiets uit elkaar haalden. Het was genoeglijk werk – de warme oliegeur van de machine, het voelen van de metalen onderdelen, elk apart, sommige glad, sommige ribbelig, waarbij ze met hun vuile handen het oude ritueel van samenwerken herbeleefden.

'En omdat je het goed doet.'

Mack trok zijn mond omlaag. 'Redelijk goed, zou ik zeggen. Degelijk. Maar langzaam. Er is een nieuw benzinestation met een werkplaats aan de andere kant van de stad, daar hebben ze drie man in dienst en ze doen alles in de helft van de tijd.'

'De persoonlijke noot,' opperde Spencer. 'De mensen kennen je, ze vertrouwen je, en je vraagt een schappelijke prijs.'

'Een idiote prijs.'

'Verhoog hem dan.'

Mack schudde zijn hoofd. 'Dan prijs ik me de markt uit. Hetzelfde liedje met de winkel. Er is nu een zelfbedieningszaak in de stad, pal in het centrum en een goedkoop warenhuis... Daar kunnen we niet tegenop.'

'Natuurlijk kun je dat wel.' Spencer, niet overtuigd, beschreef met zijn hand een banier in de lucht. 'Mccoll's doe-het-zelfwinkel. persoonlijke service met een glimlach.'

Mack, die er niet om kon lachen, tuurde naar de carburateur. 'Je moeder en ik zijn te oud voor dat soort dingen.'

Spencer wist dat dit het signaal voor hem was om in te springen, en te zeggen dat hij de verantwoordelijkheid voor de winkel en de reparatiewerkplaats zou overnemen, en hen met trots wapperende McColl-vaandels de *brave new world* van na de oorlog binnenvoeren. Hij voelde het aan, ook al had Macks stem geen speciale toon en keek hij Spencer niet veelzeggend aan. Dit was het moment, goed dan. Maar hij liet het voorbijgaan. Zijn keel werd dichtgesnoerd door paniek. Later bedacht hij dat het wellicht geen paniek was geweest, maar gewoon gezond verstand. Als de zaak van zijn ouders gemoderniseerd moest worden, was er heus wel iemand in Moose Draw die niets liever wenste, iemand die er het hart en het bijpassende verstand voor had. Maar die persoon was hij niet.

Gezond verstand of niet, hij gloeide van verlegenheid tijdens de lange stilte die volgde. Het werd aan hem overgelaten die te verbreken, door slapjes te zeggen: 'Er komt wel een oplossing. Je kunt hem altijd nog verkopen als een lopende zaak.'

'We wonen hier,' zei Mack eenvoudig.

'Je kunt iets kleins buiten de stad zoeken.'

Hierop gaf Mack geen antwoord. Spencer had hetzelfde ongemakkelijke gevoel dat hij als jongen had als Mack niet afkeurde wat hij had gezegd of gedaan, maar wat hij *was*, iets waar hij niets aan kon doen. Ze lieten het liggen, daar tussen de onderdelen, het stukje dat niet paste.

Toen hij die avond een doos ingeblikt fruit uitpakte en de blikjes op de schappen zette terwijl Mack achter buiten naar de radio luisterde, gooide hij bij Caroline een visje uit over de kwestie.

'De tijd zal komen dat jullie hier weg willen.'

'Ach, ik weet het niet.' Ze ging met een zachte poetslap over de toonbank. 'Dit is mijn leven.' Ze ging door met afstoffen, bijna teder, alsof ze het gezicht van een kind afveegde. 'Het enige dat ik ken.'

'Dat is niet waar.' Het was eruit voor hij het wist en hij had er direct spijt van, maar ze liet zich niet van de wijs brengen.

'Het enige dat me interesseert. Ik ben heel tevreden, Spencer.'

Hij kreeg een idee hoe ze ervoor stonden, dat dit leven voor zijn moeder een veilige haven was na wat eraan voorafgegaan was. Terwijl het voor Mack zijn trots, zijn identiteit betekende, zijn financiële zelfstandigheid.

Om het onderwerp af te handelen zei hij: 'Ik geloof niet dat ik er tevreden mee zou kunnen zijn.'

'Nee.' Nu zweeg ze, en keek hem rustig aan. 'Nee, dat hoeft ook niet.'

'Ik weet dat Mack het graag wil.'

'Hij begrijpt het wel.'

'Dat hoop ik.'

'Hij zal het begrijpen omdat ik het begrijp, en ik zal het hem uitleggen.'

'Bedankt.'

Ze ging verder met stof afnemen, nu met haar rug naar hem toe omdat ze de schappen achter de toonbank onder handen nam. 'En wat ga je doen?'

'Dat weet ik nog niet.'

'Neem rustig de tijd, Spencer. We zijn blij met je hulp en jij kan intussen een plan bedenken.'

'En wat gaat u doen, mama?'

Ze lachte even. 'Wat andere mensen doen! Zo lang mogelijk doorgaan en dan verkopen.'

Hij kreeg een idee. 'Mack zou in die nieuwe garage kunnen gaan werken. Ik wed dat ze blij met hem zijn.'

'Ik weet het niet...' Ze vouwde de stofdoek zorgvuldig op en streek hem glad. 'Misschien is hij te oud. En hij is vreselijk gewend eigen baas te zijn.'

'Het is de moeite waard erover na te denken. Ik kan het hem niet voorstellen, maar u wel.'

'Misschien.'

Hij voelde aan dat haar loyaliteit verdeeld was – zijn verstandige suggesties tegen Macks koppige onafhankelijkheid, en haar wens om hen allebei recht te doen – en werd vervuld van bewondering en liefde. Maar hij was zijn oude, kinderlijke houding van intimiteit en openheid kwijt, en al wat hij kon uitbrengen was: 'Mama, ik waardeer dat u zo begrijpend bent.'

Waarop ze antwoordde: 'Daar ben ik voor.' En dat was eindelijk net als vroeger.

Het probleem dat hij niet wist wat hij zou gaan doen lag er nog steeds, en het werd dringender nu algemeen werd aangenomen dat hij weg zou gaan. Hij bleef Mack helpen, maar dat werd door hen allebei als een symbolisch baantje beschouwd. Spencer werd steeds minder gevraagd, en hij voelde dat hij in een netelige positie verkeerde. Hij had de wens geuit onafhankelijk te zijn, leek Mack te zeggen, en daar moest hij zich dan ook naar gedragen. Er waren meer concrete verplichtingen. Spencer verdiende slechts het uiterste minimum bij Mack, en zijn geld raakte op. Hij kocht een oude rammelkast die als enige luxe een open dak had, en waarin hij naar believen stofwolken kon inademen als hij over de landelijke wegen hotste. Maar hij was in elk geval vrij om te komen en te gaan, en na te denken, op een manier die niet mogelijk was als Mack en zijn moeder hem gadesloegen.

Hij reed naar Buck's en was teleurgesteld dat het zo klein en haveloos leek. De huisjes leken een kleinere uitgave van de basis in Church Norton. Het hoofdgebouw was vervallen, met een verzakte veranda en afgebladderd schilderwerk.

Niet op zijn gemak, omdat het allemaal zo lang geleden leek, trok hij aan de bel en stond op een reactie te wachten toen een stem achter hem zei: 'Je kunt wachten tot je een ons weegt, knul.'

Hij draaide zich om en zag Abel Stone staan, de oudste van de groep arbeiders en ambachtslieden van voor de oorlog.

'Abe, hallo!' Hij kwam de treden af, zag dat hij niet werd herkend en voegde eraan toe: 'Spencer McColl, weet je nog?'

'Spencer... Nou, geef me de vijf, jongen. Ik had je nooit herkend. Dus je bent veilig en wel bij ons terug. Heb het in de krant gelezen.'

Spencer voelde de harde, eeltige handpalm toen ze elkaar de hand schudden. Abel pakte hem bij de elleboog met vertoon van ware emotie. Spencer was geroerd, maar ook verlegen. Die heldenverhalen leken zo onverdiend en misplaatst, terwijl het enige dat hij had gedaan ontsnappen was en iets gaan doen waarvan hij altijd had gedroomd.

'Hoe gaat het, Abe?' Hij knikte naar het huis. 'Opgedoekt?'

'Verkocht. Nieuwe eigenaars kunnen elk moment komen.'

'Heb je nog werk?'

'Jazeker, ze hebben me mee aangekocht. Een ouwe rot als ik, een stukje folklore neem ik aan... Maar de zaak blijft besloten tot het voorjaar, er wordt van alles gemoderniseerd.' Abel sprak het laatste woord met geringschattende nadruk uit. 'Zwembad, bioscoop, nieuwe huisjes. De klanten zullen niet beseffen dat ze op het platteland zijn.'

Spencer haalde met een hopeloos gebaar zijn schouders op. 'Dat is de vooruitgang.'

'Misschien. Ik mag niet klagen. Zolang ik nog iets te doen heb.'

'Houden ze de paarden?'

'Sommige. Charlie en Ross zorgen voor ze. In het voorjaar komen er nieuwe bij. En ik vergat nog dat er een vliegtuig komt voor ple-ziervluchten boven de bergen. Is dat niks voor jou, Spencer? Laat die stadsmensen eens een poepie ruiken. Ik wed dat de nieuwe eige-naars maar wat blij zouden zijn met een sterpiloot die hun klanten mee de lucht in neemt.'

'Nou, nee, Abe. Ik denk niet dat ik hier weer kan werken. Nooit teruggaan, begrijp je wel?'

Abel wierp hem een laconieke blik toe. 'Kan wezen. Maar hoe kan ik dat weten? Ik ben nooit weg geweest. Nooit gewild.'

'Is het goed als ik wat rondloop?'

'Je bent zo vrij als een vogel, niemand houdt je tegen.'

Spencer ging op weg naar de canyon. Buiten de boerderij was het minder te merken dat de zaak buiten bedrijf was: geen verval, maar het tegendeel, een gretige herverovering door de natuur, zodat het pad smaller was, en de struiken en takken hun bebladerde handen naar hem uitstaken toen hij langsliep. Na een kilometer of drie kwam hij zonder dat hij het doorhad bij de eerste picknickhut aan. Het keurige houten geraamte was overgroeid met klimop en lag half verscholen achter het lange gras en het onkruid, zodat het een huisje uit een sprookjesboek leek waarin hij mensen in een betover-de slaap zou kunnen aantreffen. Maar toen hij een kijkje wilde nemen moest hij de deur forceren. Het enige levende wezen dat hij aantrof fladderde panisch weg, een muskusachtige geur achter-latend.

Hij trok de deur weer dicht, waarom wist hij niet, en vervolgde zijn weg. Naarmate de wanden van de canyon steiler werden en het pad steeg werd het minder verwilderd. Hij klom door tot hij op de open heuvelflank was. Nu werd hij teruggeworpen in de tijd, want hier was niets veranderd. Hij liep naar Lottie's steen en ging ernaast zitten, met een gevoel van verwantschap. De beroemde schrijver was een paar jaar daarvoor overleden onder droeve, duistere om-standigheden die wezen op alcoholisme en zelfmoord, maar anders had Spencer verwacht hem uit het bos te zien komen en de helling oprijden.

Het was er vredig. Spencers geest, die sinds zijn terugkeer ver-krampt en vernauwd was, begon zich te ontspannen en de moge-lijkheden te onderzoeken. Misschien was het de herinnering aan de schrijver, of gewoon het hier boven de boomgrens zijn, weg uit Moose Draw, maar hij ontdekte de link tussen het verleden en het heden. Hij dacht aan zijn moeder als kind, toen ze uit het dakraam keek, over de boomtoppen van Victoria Gardens. Ze had daarginds gedroomd van onbegrensde mogelijkheden, over het water, en door de komst van zijn vader moest die droom binnen haar mogelijkheden hebben geleken. Daarop was de desillusie gevolgd, de redding, en de werkelijkheid, met alle beperkingen en geschipper. Hij was hier als jongen gekomen om over de bomen uit te kijken en over Lottie te mijmeren; om zich voor te stellen hoe het zou zijn uit Moose Draw weg te gaan, een klein plaatsje in een weids landschap, zonder een idee te hebben waaruit die ontsnapping bestond. Hij herinnerde zich het commentaar van de schrijver dat de schichtige, kleine merrie niet echt naar de vrijheid verlangde. Spencer McColl had wel degelijk naar de vrijheid verlangd, maar was er bang voor geweest. De nauwbedwongen wildheid van het gevangen, bokkende paard had hem laten zien wat vrijheidsdrang werkelijk betekende. En toen had hij dat vliegtuigje gezien, dat gepassioneerd door de lucht tolde en zwenkte, het ding dat voor een mens het dichtst bij een vogel kwam, een voorbeeld van vrijheid, en door de droom was ingekapseld. Het was een toekomstbeeld dat Moose Draw op zijn plaats zette en Wyoming van een gevangenis in een landkaart veranderde die aan de randen vervaagde, vol oneindige mogelijkheden.

Hij ging op zijn rug liggen en staarde naar de lucht. Precies op het juiste moment verscheen er een adelaar, die zijn kunstjes vertoonde: een langzame glijvlucht gevolgd door een waakzame zwenking, met al vingers gespreide vleugelpunten. Hij zag alleen dat sierlijke, zwarte silhouet, maar daarboven in de verte zag de adelaar met zijn ondoorgrondelijke gele ogen elke haar op zijn hoofd, de knopen op zijn hemd, zijn ogen, toegeknepen tegen het licht...

Hij sloot zijn ogen. Zijn droom was uitgekomen, hij had daar net als die adelaar gevlogen, had niet alleen steden, maar hele landen gezien, tot een landkaart teruggebracht. Hij had de bedwelmende combinatie van adembenemende vrijheid en verstikkende opsluiting ervaren die het menselijke vliegen was. En daarmee de overweldigende complexiteit van halfbegrepen relaties die duistere, onbetreden ruimten in zijn eigen hoofd hadden geopend. Een droom was in vervulling gegaan, maar het effect van die vervulling had meer vragen onbeantwoord gelaten dan opgelost. Er was daar nog een droom, hij kon hem bijna tegen zijn schouder voelen. Hij zweefde in zijn nabijheid, maar vertoonde zich nog niet.

Plotseling werd hij bevangen door een geluksgevoel, een bevrijding van de spanning en frustratie die zich sinds zijn terugkeer hadden opgebouwd. Hij was er ineens zeker van dat die andere droom zich vanzelf zou ontvouwen, dat hem inspiratie zou worden gegeven. Hij moest alleen afwachten.

Niettemin werd hij er die avond toe gebracht de boekenplanken in zijn kamer te inspecteren en het werk van de beroemde schrijver nog eens door te bladeren. Spencer had drie boeken van hem: de roman die ze op de middelbare school hadden bestudeerd, een autobiografisch deel dat over de ervaringen van de schrijver in de Eerste Wereldoorlog in de Dardanellen ging, en nog een met twintig verzamelde columns en artikelen uit het hele oeuvre van de schrijver, over onderwerpen die varieerden van koken tot veedrijven. Het laatste was van Frank geweest, het was een erfenisje dat Spencer zichzelf had toebedeeld. Dat koos hij nu uit; hij ging met zijn enkels over elkaar op zijn bed liggen om het door te neuzen.

Hij liet het raam open en de geluiden van de hoofdstraat dreven naar binnen: spelende kinderen, het geluid van auto's die vaart minderden na de roetsjbaan van de landelijke snelweg, en die van de minder luidruchtige machines die stationair draaiden terwijl hun eigenaars onder de motorkap keken. Een blaffende hond, een telefoonschel in de verte, in Moose Draw nog ongebruikelijk genoeg om op te vallen; een vrouw die riep dat het eten klaar was... En de geuren, de bescheiden plaatselijke van koken, benzine en gemaaid gras, overstemd door de grootse, alomtegenwoordige geur van de prairie en de bergen – de geur van de ruimte, volgens Spencer. Het volgende moment was er de prikkelende vleug van grondverf, en hoorde hij het strijken van Macks kwast toen hij begon met het schilderen van het voorhek, een jaarlijks terugkerend ritueel dat aan de tijd van het jaar herinnerde.

En Carolines zachte, vlugge voetstappen op de trap, waarna ze in de deuropening verscheen.

'Spencer?'

Hij liet het boek zakken. 'Hallo.'

Ze kwam binnen en bleef met haar armen over elkaar staan. 'Wat lees je?'

Hij liet het haar zien. 'Ik ben vanmiddag naar Buck's geweest.'

'Het is daar op het ogenblik nogal triest.'

'Jazeker, maar dat zal gauw genoeg veranderen.'

'Is het goed? Het boek?'

'Ik heb het nog niet gelezen.' Hij merkte dat hij wilde dat ze wegging, en voelde zich er beschaamd om. 'Ik heb het meegebracht uit Engeland.'

Ze kwam binnen en ging op het voeteneind van het bed zitten. Het deed hem denken aan de keren dat hij als kind ziek was geweest. Destijds masseerde ze door de dekens heen zijn voeten.

Ze gaf een knikje naar het boek. 'Hij is niet zo lang geleden overleden.'

'Dat weet ik.'

Ze glimlachte. 'Zit ik in de weg?'

'Nee, nee, natuurlijk niet.'

'Jawel.' Ze legde haar handen op haar knieën en streek haar rok glad. Ze had haar handen altijd mooi weten te houden, maar hij zag met een schok dat er een paar bruine vlekken op de rug zaten. Plotseling in verlegenheid gebracht door deze onverwachte intimiteit sloeg hij het boek dicht en ging rechtop zitten.

'Niet waar.'

'Ik beklaag je niet,' zei ze. 'Alleen weet je niet precies waar je op dit moment bent.'

Hierop had hij geen antwoord, dus zweeg hij, en ze voegde eraan toe: 'En ik weet ook niet waar je bent.'

'Hier.' Hij legde haar woorden met opzet verkeerd uit, en ze wisten het allebei.

'Je mist de luchtmacht.'

'Ach...' Hij dacht erover na. 'Misschien wel. Ik zou niet terug willen, maar ik weet niet wat ervoor in de plaats moet komen.'

'Je moet de tijd nemen,' zei ze.

'Zeker. Maar ik moet ergens mee aan de slag.'

'En je hoeft niet hier te blijven, Spencer. Wij redden ons wel, dat weet je.' Ze glimlachte. 'We zijn misschien slome duikelaars, maar we hebben het toch tot hier gebracht.'

Hij wist waar ze mee bezig was, hem van de verantwoordelijkheid ontslaan, hem duidelijk maken dat hij zich geen zorgen hoefde maken. Maar dat had het tegenovergestelde effect, het maakte hem onzeker. Hij wilde dat ze wegging, maar op een bepaalde manier had hij haar en Mack nodig, meer dan zij hem nodig hadden.

'Hoe bedoel je, slome duikelaars?' Hij gaf haar een duwtje, om de stemming te verlichten.

'We hebben geen erg avontuurlijk leven geleid.'

'Het is een goed leven, mama. Ik heb net een oorlog achter de rug, dat is het verschil.'

Ineens sloeg ze volkomen onverwacht haar armen om hem heen en legde haar hoofd in de holte tussen zijn hals en schouder. Voor het eerst merkte hij hoeveel kleiner ze was dan hij. Zijn hoofd had altijd op dezelfde manier op haar schouder gerust; hij was haar voorbij gegroeid.

'Mama?' Onzeker van haar stemming streek hij onhandig, met korte bewegingen, over haar rug. 'Gaat het een beetje?'

Ze schudde van nee. Hij was ontzet, van zijn stuk gebracht, en bad dat ze niet huilde. Hij had haar nog nooit zien huilen, en wist niet wat hij ermee aan moest. Maar gelukkig werd het ogenblik onderbroken door een luid: 'Verdomme!' van buiten, en daarna Macks stem bij de deur, die riep: 'Cairlahn! Cairlahn, heb je een verbanddoos?'

Ze strekte zich en kwam met een snelle, soepele beweging overeind. 'Kom eraan!'

Spencer kon haar gezicht niet zien, maar hij deed ook niet bepaald zijn best.

Een paar minuten bleef hij luisteren hoe ze Macks splinter behandelde, met het vertrouwde geluid van de eerstehulpdoos uit de keuken, het spetteren van water uit de kraan, hun gezamenlijk gemompel. Mack legde uit wat er was gebeurd, en zij zei vriendelijk dat hij voorzichtiger moest zijn, iets dergelijks... Spencer hoopte dat ze niet weer naar boven kwam. En natuurlijk deed ze dat niet. De betovering was verbroken, ze zouden allebei doen alsof hun ogenblik van zwakte nooit had bestaan. Even later hoorde hij het luidruchtige, gevarieerde stadsprogramma van Vic Lander op de radio, en van buiten het gesuis van Macks kwast die verder werkte aan het hek. Behoedzaam ging hij weer achterover liggen en pakte het boek.

Snel las hij een paar stukken. Hij werd erdoor geboeid, niet zozeer door de stijl, waarmee hij vertrouwd was, maar door de inhoud. Wat hem trof was dat de schrijver veel had ondernomen, en ook dat het meeste heel gewoon was. Zeker, hij was tijdelijk kok geweest, en scherpschutter, en had op het woest kolkende water van de Colorado gevaren. Maar sommige artikelen gingen over alledaagse dingen die iedereen wel eens meemaakt, zoals een kat in bad doen als hij vlooien heeft – Spencer moest daar erg om lachen – en de zenuwen hebben vanwege een afspraakje met een mooie vrouw. Spencer, die de schrijver had ontmoet, kon zich dat moeilijk voorstellen, maar het was leuk om te lezen. Ze hadden een bepaalde toon die aansloeg, alles werd beter onder woorden gebracht dan je het zelf kon, maar het was tevens duidelijk dat deze man aan jouw kant stond, de dingen op dezelfde manier zag als jij, dat het allemaal deel uitmaakte van het leven.

Er was een hoofdstuk bij over een reis per goederentrein door het midden van Amerika. Of in elk geval het meerijden op verschillende van die treinen, erop en eraf springend, als deel van een groep zwervers, voortrijdend, lopend, pratend, verder trekkend, vriendschap aanknopend en weer afhakend, zoals het komt en weer verdwijnt. Spencer was verrukt. De avond viel en hij moest een lamp aandoen. Pas toen een fladderende wolk motten en insecten zich om het licht verzamelde, tegen de kap aan tikten en een plakkende, sissende dood tegen de peer tegemoet gingen, rukte hij zich van de bladzijden los en liet het rolgordijn zakken. Aan de hemel hing een enorm grote maan, als een Halloweenlantaarn; Moose Draw werd teruggebracht tot een verzameling lichtjes. De lucht was niet helemaal donker en de reusachtige, stoere schouders van de bergen stonden er zwart tegen afgetekend.

Zich niet om het rolgordijn bekommerend draaide hij het licht uit en ging naar beneden. Caroline was in de woonkamer. Mack stond bij het aanrecht in de keuken zijn handen te wassen. Hij hield zijn grote handen op een bepaalde manier onder de waterstraal om de zeep af te spoelen, eerst met de palm naar boven, dan met de rug naar boven gekeerd, als handen op een bijbelse prent. Hij draaide de kraan dicht, schudde ze uit en droogde ze af aan de handdoek. Hij rook nog steeds een beetje naar verf.

'Wat heb je gedaan?' Het was een gemoedelijke vraag, geen nieuwsgierige, en Spencer vatte hem ook zo op.

'Boven liggen lezen.'

'Goed boek?'

'Ja.' Spencer maakte een gebaar dat er nog veel over te vertellen viel. 'Van die schrijver die ik jaren geleden bij Buck's heb ontmoet, weet je nog?'

'Ja.' Mack knikte en voegde er afkeurend aan toe: 'Heeft er twee jaar geleden een eind aan gemaakt.'

'Het was een geschikte kerel. Kan echt goed schrijven.' Even was het stil. Mack pakte een mok van de plank en de koffiepot van het fornuis.

'Wil jij ook?'

'Nee, bedankt. Ik ga een eindje wandelen.'

'Ga je gang. De maan is de moeite waard.'

Mack ging Caroline gezelschap houden en Spencer liet het aan hem over om zijn moeder te zeggen waar hij heen was. Hij nam de achterdeur en liep snel het erf over, de weg naar buiten op, tot het wegdek ruw werd en hij buiten het bereik van de lantaarns was.

Daar vertraagde hij zijn tempo en haalde diep adem. Zijn voetstappen gingen als een rustige, zachte hartslag. Toen hij het stadje verliet leek de maan nog groter en helderder, een reusachtig, vriendelijk gezicht dat op hem neerkeek. Aan weerskanten van de weg opende de ruimte zich, een bleke, avondlijke zee van kleurloos gras. Hier en daar zag hij in de nabije verte de donkere vormen van langhoornkoeien, als schepen die op het water rustten. Verderop stond een schichtig paard bij een hek met waakzaam gespitste oren naar hem te kijken. Een goede achthonderd meter verderop staken twee herten naast elkaar de weg over, redelijk op hun gemak. Ze leken te drijven, en hun ranke poten als wier onder hen door te slingeren. Een paar keer verried een knappend geluid aan de kant van de weg de aanwezigheid van een wasbeer of een stinkdier, die werden gestoord bij hun rondgesnuffel.

Opnieuw werd hij eraan herinnerd hoe klein Moose Draw was, neergeplant aan de voet van de bergen alsof de dappere pioniers van hun werk hadden opgekeken, het hadden bewonderd en hijgend uitgebracht: Zo is het wel genoeg. Hij wist nog dat je in Engeland, zelfs tijdens de verduistering in oorlogstijd, van het ene dorp naar het andere kon fietsen en het dorp dat je net had verlaten nog kon zien terwijl het volgende al opdoemde, al was het maar de kerktoren. Hier, anderhalve kilometer vanaf het stadje, rook je de bossen en de rotsen, en de ijskoude, kolkende rivieren die van de bergen in het westen kwamen gesneld, en voelde je de ontzagwekkende leegte van de open vlakte in het oosten. Kilometers en kilometers ver, afstanden die zowel angstaanjagend als beschermend waren. Het mocht Amerika heten, maar het was gewoon land, rauwe natuur, massief en duurzaam. Geen wonder dat men steeds opnieuw de eed van trouw aan het vaderland aflegde; wat er tussen de ene zee en de andere lag was zoveel meer dan een nietige menselijke kolonist zich kon voorstellen zich eigen te kunnen noemen. Het was onmogelijk je het land bedreigd en belegerd voor te stellen, zoals Engeland. Het zou gewoon zijn reusachtige vacht laten trillen en de indringers er als vliegen afschudden.

Die gedachten zwierven eerst los in zijn hoofd rond, en begonnen toen een patroon te vormen. Hij had er plezier in, hij zocht naar meer vergelijkingen en naar heldere manieren om ze uit te drukken. Meer dan een uur liep hij rustig verder. Hij keerde pas om toen hij de kou in zijn gezicht en handen voelde bijten.

Tegen de tijd dat zijn voetstappen weer door het asfalt werden gedempt en de schaduwen door lichtjes van Moose Draw van een dof, geheimzinnig zwart werden, was hij bijna ijl in zijn hoofd, opgeheven door een ballon van geluk en hoop.

Het was moeilijker dan hij dacht, maar niet om de redenen die hij zich had voorgesteld. Spencer wist wát hij wilde zeggen en tamelijk goed hóe hij het wilde zeggen, maar toen hij ging zitten om te schrijven voelde hij zich een beetje belachelijk. Waar haalde hij het recht vandaan dit te proberen? Maakte de wens alleen om iets op papier te zetten je tot schrijver? En zo nee, wanneer werd je er dan een? Hij ving steeds een mentale glimp van hemzelf op, die hem deed knipperen van verlegenheid: wie dacht hij wel niet dat hij was?

Om die reden hield hij zijn nieuwe ambitie geheim. Hij bleef voor Mack werken en, het moet gezegd, met meer toewijding nu hij zijn eigen project op de achtergrond had. Hij had het seizoen mee, want met de jaarwisseling waren er zelfs nog minder monteurskarweitjes. Zijn gebrek aan gezelligheid buiten het werk en de maaltijden leek bij Mack geen nieuwsgierigheid te wekken, maar hij merkte dat zijn moeder hem gadesloeg, zij kende hem te goed. Het laatste dat hij wilde was dat ze vragen ging stellen. Vreemd genoeg was het feit dat ze het zou begrijpen, goedkeuren en er belangstelling voor tonen net wat hem ervan weerhield. Als dit niet absoluut alleen van hem was, werkte het niet. Zodra hij er met iemand over zou spreken, vooral met iemand als zijn moeder die hem met de beste bedoelingen raad zou geven, zou aanmoedigen of suggesties doen, was hij verloren. Hij was op zijn hoede voor haar Engelse gevoeligheid, haar fantasie en haar vreemde, geheimzinnige hart. Hij wilde niet dat die emotionele ontmoeting in zijn kamer herhaald werd, wilde niet dat haar gevoelens, wat die ook behelsden, over hem werden uitgestort en de zijne benevelden.

Hij besloot dat de enige manier was het vastbesloten en duidelijk te doen. Hoe nieuwsgierig Caroline ook was, hij wist dat ze nooit inbreuk op zijn privacy zou maken als ze wist dat hij dat niet wilde. Er bleven dus geen deuren op een kier staan; er waren geen halve waarheden, geen uitnodigingen om te onderbreken. Als de tafel was afgeruimd zei hij hen welterusten en ging naar boven, en sloot hoorbaar en stevig de deur achter zich.

Daarna kwam de oneindig veel moeilijkere uitdaging om zijn verhaal op papier te krijgen. Telkens als hij een begin maakte en het overlas, leek het hem opgeblazen en hoogdravend. Hoe kreeg een schrijver het voor elkaar zo gezaghebbend, zich zo van zijn lezers bewust te klinken, en toch zichzelf te blijven? Hoe kon hij schrijven zoals hij wilde en toch Spencer McColl blijven? Zijn gedachten en ideeën leken ineen te krimpen in plaats van op te bloeien door het proces van het schrijven, hun veerkracht te verliezen en lomp en platvloers te worden. Hij wist dat het niet aan zijn ideeën lag, die waren goed; het lag aan hem, omdat hij niet kon schrijven.

De inspiratie, als die er was, kwam uit een onwaarschijnlijke bron. Na een week van avonden die in hoopvolle opwinding begonnen en in dor geritsel van teleurstelling eindigden, trok hij er 's zaterdags opuit voor een drankje in de stad.

Hij ging naar O'Connell's Bar, achter de hoofdstraat op de hoek van Oaksey en Davenport. De identiteit van de Ier naar wie het etablissement was vernoemd was verloren gegaan, als hij al ooit had bestaan, maar de bar was groot en groezelig, en sinds de oorlog niet meer uitsluitend het domein van de mannen. Behalve Doc, de barman, waren er nu Sandy en Lucille, moorddadig gekapt en ingesnoerd, die razend snel en handig drankjes serveerden, en die (zo werd gezegd, en Spencer had het graag uitgeprobeerd) even effectief met trammelant afrekenden.

Hij bestelde een kopstoot, en ging zo ver mogelijk van de deur af aan de bar zitten. De jukebox speelde iets nasaals en sentimenteels; een paar stelletjes waren aan het dansen. De manier waarop ze dansten deed hem eraan denken hoe ver hij van Engeland verwijderd was. In Church Norton had de band op de basis Glenn Miller gespeeld, en de meisjes hadden de quickstep, de jive en de jitterbug gedanst als Newyorksen. Hier in O'Connell's draaiden en zwierden de paartjes op een ander ritme, een cowboydans, iets dat ondanks het ritme de cadans van een wals met het gestamp van een volksdans leek te combineren. Het was even herkenbaar als zijn moedertaal, iets dat in de grond en in het bloed zat, een woordenschat die de dansers zonder oefenen hadden meegekregen. Spencer was er dol op. Hij was nooit een groot danser geweest, had zich altijd thuis gevoeld op de grote, propvolle Londense dansvloeren, waar alles werd teruggebracht tot een ritmisch geschuifel. Deze mannen klemden hun partner stevig en vol zelfvertrouwen, tegen zich aan en de vrouwen hoefden trouwens nauwelijks te worden geleid, zelfs de plompsten stapten en zwierden als kamermeisjes. Hij benijdde de dansers om hun gemakkelijke zelfverzekerdheid.

'Spencer? Spencer McColl?'

Een grote, donkere kerel stond breed grijnzend voor hem. Spencer herkende hem eerst niet, maar de roodharige vrouw die hem vergezelde kwam hem bekend voor. Hij gleed van zijn kruk en stak zijn hand uit, biddend om een ingeving.

'Hallo... Hoe gaat het?'

'Ken je Minna nog?'

'Natuurlijk, hoe zou ik haar kunnen vergeten?'

'Spencer. Fijn je weer te zien.'

'We zijn getrouwd.'

'Nou, gefeliciteerd.'

Ze was weinig veranderd, nog steeds knap en uitdagend. Hij schudde haar de hand, en dat herinnerde hem eraan dat het natuurlijk Bobby Forrest was. Bobby de atleet, de dekhengst, de meest benijde jongeman van Moose Draw, nu degelijk en onopvallend.

Gretig om te laten merken dat hij ze had herkend zei Spencer hartelijk: 'Bobby, Minna, wat willen jullie drinken?'

'Hoho!' Bobby stak zijn handen op. 'Ik zag jou het eerst, wat wil jij?'

De zaak liep vol. Minna hees zich op de lege kruk naast Spencer en Bobby leunde met zijn volle gewicht tussen hen in tegen de bar. Spencer moest zich om hem heen buigen om haar een sigaret aan te bieden, en daarna nog eens om die aan te steken, maar het leek haar niet te hinderen dat ze werd genegeerd. Terwijl Bobby Spencer bijpraatte over de koelkastbusiness glimlachte ze alleen maar en knoopte een gesprek aan met de man aan de andere kant, die gedacht moest hebben dat hij een kans maakte. Minna was het type van de schoonheidskoningin, vol zelfvertrouwen – niet moederlijk, zoals Trudel.

Zelfs voordat ze mevrouw Forrest was wist je al dat ze het niet cadeau gaf; haar levendige figuurtje was geheel en al van haar, en ze besliste zelf of ze anderen ervan liet meegenieten. Ze beschouwde seks, als betaalmiddel, dacht hij, niet zoals Trudel als een gedeelde zegening. Hij wist zeker dat het ondanks Bobby's kleinsteedse lompheid zijn vrouw was die de broek aan had. Zij was – hij wierp een verstolen blik op haar slanke enkels en roodgelakte teennagels – een heerszuchtig type.

'...kwam er met een vleeswond vanaf, en heb toen buiten dienst een bekkenbeschadiging opgelopen.' Bobby vertelde hem over zijn oorlogservaring, bij de infanterie in Noord-Afrika. 'Er schuilt een les in, God weet wat voor een.'

'Hou maar op,' zei Spencer. Hij kreeg een levendig beeld van de *Fast 'n Loose* die de grond raakte, over de kop sloeg en even tot stilstand kwam alvorens het leven te laten in een felle gloed van rook en vuur. 'Die bestaat niet. Is het nu goed met je?'

Bobby sloeg met een berouwvol gezicht op zijn heup. 'Adieu voetballen.' Gaf een klap tegen zijn middenrif. 'Welkom, schommelstoel.'

De oude schommelstoel zal me krijgen... Spencer was geschokt. 'Onzin. Je hebt een mooie vrouw, een goeie baan, je hebt je hele leven nog voor je.' Het klonk nogal slap. Hij voegde eraan toe: 'Heel wat meer dan ik, kan ik je verzekeren.'

'En wat zijn jouw plannen, Spence? Je bent piloot, alle deuren staan voor je open.'

'Misschien. Maar ik heb genoeg van het vliegen.'

'Tjonge!' Bobby klikte bewonderend met zijn tanden. 'Jij zult spannende verhalen hebben. We benijdden jullie, dat je daarboven rondsnorde, maar er hoefde niet dát te gebeuren of je was dood, niet? Ik heb dat stuk in de *Monitor* gelezen.'

Spencer trok een gezicht. 'Je moet niet alles geloven wat je in de krant leest, Bobby. Iedereen heeft zijn steentje bijgedragen aan het winnen van de oorlog.'

'Zeker, maar wat een ervaring. Het enige is dat je nogal serieus overkwam. Ik bedoel, je bent een serieuze vent, maar ik dacht steeds: als je het allemaal mondeling had verteld waren er nog eens verhalen uitgekomen. Wat de krant weergeeft is toch niet de moeite waard?'

'Zoals?' Spencer glimlachte naar Bobby om te laten blijken dat hij geen ruzie zocht, maar oprecht geïnteresseerd was. Tot zijn verbazing was het Minna die antwoord gaf.

'Hij bedoelt de meisjes.'

'Niet waar!'

'Natuurlijk wel, schat.' Die uiting van genegenheid zette Bobby meer op zijn plaats dan een klap in zijn gezicht. Ze ging even verzitten, met haar rechterarm op de bar en een sigaret in haar hand, en vertelde de andere man dat ze bij het andere clubje hoorde. Ze nam een sierlijk trekje en keek met half toegeknepen ogen naar Spencer. 'Alle kerels willen dat weten.'

Spencer koos zowel voor bravoure als voor een uitweg. 'De beste meisjes waren degenen die je achterliet.'

'Natuurlijk...' Ze blies de rook uit en tikte de sigaret af op een asbak. 'Maar hoe weet je dat?'

Bobby gaf een rukje met zijn hoofd in de richting van zijn echtgenote en grijnsde trots en verontschuldigend naar Spencer. 'Die vraag hoef je niet te beantwoorden.'

'Nou, we hebben natuurlijk veel lol gehad.'

Ze keken nu allebei naar hem, Bobby met wellustige verwachting, zijn vrouw met een eigenaardig lachje en haar ene wenkbrauw opgetrokken. Spencer liep ineens over van de herinneringen, waarvan hij de kracht met geen mogelijkheid kon overbrengen.

'Maar tijdens de oorlog is alles anders, dat hoef ik je niet te vertellen,' mompelde hij.

'Jullie waren de overwinnaars in dat Engelse stadje,' verklaarde Bobby. 'Ik wed dat de plaatselijke dames stonden te popelen om hun dankbaarheid te betuigen.'

'Zo zat het niet.' Het klonk preuts en humorloos, zelfs in zijn eigen oren, maar ze stampten in hun onwetendheid rond op een stuk grond dat hij zelf nog maar nauwelijks durfde betreden.

'Zo zit het altijd!'

Ineens schoof Minna, alsof ze hen tot de orde riep, haar glas naar Bobby toe. 'Nog zo eentje, schat.' Spencer dankte God op zijn blote knieën voor haar tact.

Even later, toen ze naar het toilet was, zei Bobby: 'Ik wil niet dat het lijkt of ik maar aan een ding denk, maar heb je nog wel eens iets van Het Stuk gehoord?'

Het was zo lang geleden dat Spencer haar bijnaam had gehoord dat hij niet direct reageerde, en Bobby voegde eraan toe: 'Apples Flaherty?'

Hij schudde zijn hoofd. 'We hebben elkaar geschreven toen ik voor het eerst overzee ging, maar op de een of andere manier zijn we ermee opgehouden...' De waarheid was dat hij ermee opgehouden was. Het zoete, verleidelijke spel in Craft Cottages had hem volledig in beslag genomen, en Trudels laatste drie brieven waren onbeantwoord gebleven.

Bobby schudde zijn hoofd en klakte met zijn tong, verheugd de brenger van het plaatselijke nieuws te zijn. 'Ongelooflijk.'

'Ja?' Spencer wachtte af.

'Ze is terug, woont bij haar moeder.' Bobby schudde nogmaals zijn hoofd. 'Je moet haar eens gaan opzoeken, ik wed dat ze dat leuk zal vinden.'

'Wat is er zo bijzonder aan?'

'Dat zie je vanzelf wel.' Hij grinnikte toen Minna terugkwam. 'Hallo, schatje. Ongelooflijk.'

En zo waren er twee ideeën die Spencer die avond uit O'Connell meenam. Toen hij thuiskwam pakte hij zijn stapel papier van de kast, krabbelde bovenaan: 'Bobby', en schreef vervolgens een paar zinnen. Hij had Bobby's naam genoteerd als geheugensteuntje voor hun gesprek, maar toen die er stond had hij het gevoel dat hij nog steeds met hem aan het praten was, waardoor de knoop in zijn hoofd losraakte. De zinnen deden fris en pittig aan, ze begonnen te zeggen wat hij te zeggen had. Door een proces dat hij nauwelijks begreep, een soort psychologische alchemie, had hij zijn stem gevonden.

Een paar dagen daarna was het bijna klaar, en er was weinig voor Mack te doen, dus toen hij zijn verhaal had geschreven reed Spencer naar de stad en parkeerde op enige afstand van het huis van de familie Flaherty. Hij bleef even in de auto zitten en had geen zin om uit te stappen. Hij was sinds zijn terugkeer nog niet in dit deel van de stad geweest, was er alleen doorheen gereden. Hij had niet willen stoppen, deels uit schuldgevoel, deels om oude herinneringen te ontlopen. Hoewel hij zich voorhield dat het onzin was, had hij toch het gevoel dat hij Trudel op de een of andere manier had verraden. Het was waar dat zij het met hem had uitgemaakt, en niet andersom, maar toch was zij trouwer geweest, loyaler. Zij was degene die drie onbeantwoorde brieven had geschreven. De laatste, herinnerde hij zich, was beëindigd met de woorden: 'Dus laat ik het hierbij, Spencer. Als ik nog van je hoor is dat fantastisch, zo niet, dan zal ik proberen niet het ergste te denken, en blijven hopen dat ik je weerzie voordat Pasen en Pinksteren op een dag vallen. Zoals altijd, je liefhebbende Trudel.'

Zoals altijd, je liefhebbende.

Hij stapte uit de auto en liep met gebogen hoofd naar het huis, in de hoop dat er niemand uit het raam zou kijken en hem herkennen. Het was al lastig genoeg dat Trudel en haar moeder in de voordeelpositie verkeerden.

Maar toen hij aanbelde duurde het lang voordat er werd opengedaan, en toen was het een vrouw die hij nog nooit had gezien, jong en kittig in uniform gekleed.

'Ja?'

'Is Trudel Flaherty thuis? Of haar moeder? Ik ben een oude vriend, Spencer McColl.' Hij beantwoordde de strijdlustige blik van de jonge vrouw.

'Mevrouw Flaherty slaapt. Mevrouw Samuelson is juist uitgegaan.' Hij dacht dat hij het verkeerd had verstaan. 'Ik kom eigenlijk voor Trudel, de dochter van mevrouw Flaherty.'

'Dat klopt.' Ze genoot. 'Mevrouw Samuelson.'

Hij was verslagen. 'O... er schijnt een heleboel gebeurd te zijn sinds mijn vertrek.'

Ze vertrok geen spier. 'Zal ik zeggen dat u langs bent geweest?'

'Eh, ja, waarom niet? Natuurlijk.' Hij droop af, voelde zich belachelijk. 'Bedankt. Tot ziens.'

In de auto terug dacht hij: klootzak! Bobby had toch ten minste kunnen het belangrijkste kunnen vertellen, iets dat een oude vriend wilde, verdomme, moést weten. Het was niets meer of minder dan een gore streek om hem in de war te brengen en te vernederen.

Gekwetst reed hij naar de kreek en parkeerde. Hij duwde het portier open en stak een sigaret op. Heel geleidelijk aan kalmeerde hij, zijn verhitte, verwarde gedachten kwamen tot rust en er bleef slechts een droevige waarheid over: Trudel was getrouwd. Op de manier van ontdekken na was het niet verbazingwekkend. Ze was jong, knap en sexy, en had een zware tijd achter de rug. Maar nu realiseerde hij zich dat iets met Trudel altijd tot de mogelijkheden had behoord. Zelfs nu, na de gebeurtenissen in Engeland, had hij verwacht dat ze de draad weer zouden oppakken. Hij had haar het verhaal over de Engelse zusjes kunnen uitleggen. Zij zou het begrepen hebben zonder te oordelen. Er was iets tussen hen. Of was geweest – nu ze een getrouwde vrouw was zou het met die vanzelfsprekende intimiteit gedaan zijn.

Er kwam nog een gedachte bij hem op. Misschien was Samuelson zelf ook hier? Een verplicht bezoek aan een zieke schoonmoeder, wat was er passender? Spencer voelde een steek van jaloezie. Hij wilde dat hij zijn naam niet had achtergelaten.

Maar nu was het te laat. Die avond toen hij op zijn kamer was rinkelde de telefoon aan een stuk door – Macks uitspatting, een investering op zakelijke gronden – en Mack riep hem.

'Spence, voor jou!'

Toen hij de trap afkwam vroeg hij: 'Wie is het?'

'Een vrouw... Weet ik veel.'

Behoedzaam nam hij de hoorn op. 'Spencer McColl.'

'Spence, met Trudel.' Er klonk een nauw merkbare aarzeling bij het noemen van haar naam.

'O, hallo!'
'Jammer dat ik er niet was toen je kwam.'
'Doet er niet toe.' Wat zei hij? Natuurlijk deed het er niet toe, ze mocht uitgaan wanneer ze maar wilde.
'Ik zou je dolgraag weer eens zien. Kunnen we iets afspreken?'
'Natuurlijk.'
Ze moest zijn gedachten hebben geraden. 'Ik ben hier alleen.'
'Goed dan.'
'Kun je overdag?' Ze was tactvol, insinueerde dat hij een drukbezet, productief leven leidde.
'Ik help alleen Mack maar. Het is momenteel heel rustig.'
'Misschien kunnen we, ik weet niet, een eind gaan wandelen of zo?'
'Prima.'
'Spencer?'
'Ja?'
'Alles goed met jou?'
'Ja.'
'We hebben een hoop bij te praten.'
'Dat lijkt me wel.' Hij wist dat het verveeld en bot klonk, maar hij kon het niet helpen. Typerend voor haar ging ze er niet op in.
'Moeder slaapt 's middags, waarom kom je niet na de lunch langs?'
'Mij best.'
Toen hij ophing en opkeek zag hij, aan de andere kant van de gang, zijn moeder aan de keukentafel zitten; ze was bezig met de boekhouding. Ze keek even op en glimlachte alsof ze hem toen pas zag. Discretie leek aan de orde van de dag te zijn. Hij ging naar de keuken en pakte een koekje van de schaal.
'Wil je er een glas melk bij?' vroeg ze, nogmaals glimlachend maar zonder op te kijken.
'Nee, bedankt.' Hij ging tegenover haar zitten en keek toe hoe ze het ene vel papier terzijde legde, het volgende bestudeerde, netjes iets in het kasboek schreef dat altijd hetzelfde scheen te zijn. Woorden en cijfers, kolommen en pagina's die een bescheiden leefwijze te boek stelden, die op een rustige, nijvere manier bij elkaar was verdiend.
Nog steeds niet opkijkend vroeg ze: 'Hoe gaat het?'
Dat was een open vraag die zo ongeveer alles inhield, en ze liet het aan hem over om hem in te vullen.
'Gaat wel.'
Nu legde ze haar potlood neer en leunde naar achteren. 'Vertel eens.'
'Als het lukt.'
'Toen je in Engeland was, had je toen een vriendin? Ik bedoel een speciale?'

393

'Ja, er was iemand. Maar het was al uit voordat ik terugkwam.'
'Mis je haar?'
'Ik zei al, het was uit.'
Hij wilde opstaan, maar ze legde vlug haar hand op de zijne. 'Maar het is toch nooit echt uit?'
Hij gaf geen antwoord.

De middag daarop ging hij terug naar het huis van de familie Flaherty, en dit keer ging de deur al open toen hij uit de auto stapte. Trudel kwam naar buiten, in een zwarte jas. Ze deed de deur achter zich dicht. Tot zijn opluchting nam zij het initiatief, stak haar handen naar hem uit en kuste hem op beide wangen, om daarna een stap terug te doen om hem goed te bekijken.
'Je ziet er prima uit, Spence.'
'Jij ook.' Ze was weer slanker, maar knap en elegant, met haar naar achteren gekamde haar met twee kammetjes erin, en een donkerblauwe, zijden sjaal die haar roomkleurige hals goed tot zijn recht deed komen. Haar glimlach was tijdloos, de oude Trudel, de glimlach die zei dat alles goed zou komen omdat ze bij elkaar waren. Hij voelde zich enigszins ontspannen, maar kon zich er nog niet toe brengen de belangrijke vraag te stellen.
'Waar zullen we heengaan?'
Ze was vastbesloten, ze had erover nagedacht. 'Laten we naar Battle Park gaan. Daar kunnen we wandelen.'
'Goed.'
Battle Park lag aan de rand van de stad, een groen gebied, omgeven door een van de lussen van de kreek. Om er te komen moest je een houten brug oversteken. In het midden lag een grote, oude steen met een plaquette die herinnerde aan de dappere weerstand die de kleine patrouille van generaal William A. McKinley bij de verdediging van een treinwagon bood tegen de aanval van een groep Sioux van een paar honderd man sterk. Het was gemakkelijk voor te stellen dat de trein door dit rustige plekje voortreed, met het water rondom, en de schaduwrijke bomen. En even gemakkelijk voorstelbaar was de angstaanjagende aanval van de Indiaanse ruiters, die uit het niets tevoorschijn kwamen en de kreek doorstormden terwijl het water rondom hen opspatte.
Gedurende de tien minuten die het hen kostte om bij Battle Park te komen praatten ze over de veranderingen in de stad, de gezondheid van mevrouw Flaherty, en de wisselende kansen van McColls IJzerwaren. Toen ze de brug over waren en langzaam over het pad langs de kreek liepen vatte Spencer de koe bij de horens.
'Je bent dus getrouwd.'

'Ja.' Ze zette haar kraag op. 'De grootste fout die ik ooit heb gemaakt.'

'O?'

'We zijn gescheiden.'

'Dat spijt me.' Hij merkte dat het hem hij ondanks zijn opluchting speet, voor haar in elk geval, omdat het zo verdrietig klonk.

'Het was niemands schuld,' ging ze verder. 'We pasten gewoon niet bij elkaar.'

'Jullie waren om te beginnen niet...' Hij vermeed het woord verliefd, '...gek op elkaar.'

'O jawel, stapelgek op elkaar.' Ze gaf een ironisch hoofdknikje. 'Of gewoon stapelgek.'

'Hoe lang heeft dat geduurd?'

'Een jaar. Een heel jaar. Een overwinning, al met al.'

Hij stond stil en nam haar linkerhand stevig in zijn beide handen.

'Dat moet een schandaal zijn geweest.'

'Dat was het ook.' Ze liet haar hand liggen, en keek ernaar alsof hij niet van haar was. 'Maar dat ligt nu achter me. Trouwens,' Ze stak haar arm door de zijne en liep verder. 'Ik heet niet meer Trudel.'

'Echt waar? Waarom niet?'

'Ik heb er nooit van gehouden. Het is me te zoet. Melkmeisjesachtig.'

'Maar het is je naam.'

'Ik heb nog een naam. Hannah.' Ze sprak de eerste a lang uit, als Haannah. 'Zo noem ik me nu.'

Hij schudde zijn hoofd. Wat een veranderingen. 'Dus adieu Apples Flaherty. En welkom Hannah Samuelson.'

'Apples, hmm.' Ze lachte een beetje. 'Dat was ik vergeten.'

'Wist je het dan?'

'Natuurlijk! Soms kijk ik terug en dan denk ik: was ik dat?'

Ze maakte zich van hem los en liep naar de rots met de herinneringsplaquette. Hij dacht dat ze hem las, maar toen hij zich bij haar voegde zei ze: 'Ik verlangde zo wanhopig naar liefde.'

Hij was verbijsterd. 'Iedereen hield van je.'

Ze schudde haar hoofd. 'Niemand.'

'Je ouders.'

'Nee. Zij zeker niet. Ze hielden niet van elkaar, dus hoe konden ze van die dikke, domme dochter houden, die hen aan elkaar had geplakt?'

'Tru, je was niet...'

'Het doet er niet toe wat ik wel of niet was, maar zo voelde ik me.'

Wanhopig pogend haar te troosten, maar ook om eerlijk te zijn zei hij: 'Ik hield van je. Jij wilde me niet.'

'Nee, ik geloofde je niet.'

'En je was zo anders toen je uit Chicago terugkwam, zo vol plannen, zo serieus en volwassen...'

'Volwassen!' Ze gooide haar hoofd achterover met een geluidloze lach die bijna bitter was. 'Daar werk ik nog aan.'

'Ik ook.'

'Ja. Laten we het daarover hebben.' Ze kwamen bij een bank in een grote, oude boomstronk waaruit in de lengte een stuk was uitgezaagd. Ze ging zitten en maakte een gebaar met haar jas, als om plaats voor hem te maken. 'Vertel eens, Spencer.'

Dat deed hij. In het begin langzaam en haperend, zich verontschuldigend dat hij niet meer had geschreven, en daarna sneller. Hij herontdekte zijn oude vertrouwdheid met haar, dat ze zo goed kon luisteren, vol aandacht en medeleven. Hij vertelde haar de waarheid over Janet en Rosemary – dat hij iets had gehad met Janet, vervolgens de relatie tussen haar en het meisje had ontdekt, en dat het uit was gegaan. Op dat punt aangekomen zei ze: 'Waarom was het zo schokkend?'

'Dat was het voor mij. Je moet begrijpen dat ik gewend was de dingen op een bepaalde manier te bekijken...'

'En die andere was niet zoals je gewend was.' Ze knikte. 'Ja. Dat begrijp ik. Ga door.'

Hij vertelde haar over het schrijven, en zijn hoop wat dat betrof. Met haar voelde hij zich niet verlegen of gereserveerd, maar bijna trots dat hij iets uitdagends en riskants was aangegaan.

'Natuurlijk.'

'Fantastisch,' zei ze toen hij klaar was. 'Dat is echt iets voor jou. Beloof me dat je me laat weten wat er gebeurt.'

'Natuurlijk.'

Op haar beurt vertelde ze hem terwijl ze verderliepen dat ze nog een kans ging wagen, zoals het noemde, bij de verpleegstersopleiding, hoe lang het ook ging duren.

'Ooit was ik goed op weg,' zei ze. 'Toen we elkaar voor de oorlog voor het laatst ontmoet hebben. Of toen ik dacht dat ik goed op weg was, maar ik was nog kwetsbaar. Toen ik Tom tegenkwam ben ik hem gewoon in de schoot gevallen, als een echte grote appel! En ik dacht: Dit is het, ik ben ontsnapt. Ik ben weer terug op mijn oude spoor. Hij was zo lief, maar hij hield niet genoeg van me, niemand kon dat. Ik heb er zoveel spijt van wat ik hem heb aangedaan.'

'Waar er twee vechten, heben er twee schuld,' zei Spencer resoluut.

'Ja, dat weet ik. We kenden elkaar niet goed genoeg, maar we waren zo vol hoop. In mijn geval zo vol valse verwachtingen, meer dan enige man ooit had kunnen waarmaken.'

Spencer wilde zeggen: Behalve ik. Maar hij zweeg. Hij kende deze nieuwe persoonlijkheid, deze Hannah, net zo min als haar man dat had gedaan. Toen ze weer bij haar huis waren vroeg ze of hij binnen wilde komen, maar hij wimpelde het af.

'Hoe lang blijf je nog?' vroeg hij.

'Nog een week. Dan ga ik terug naar het oosten, naar mijn flatje en mijn saaie baan en mijn studie.'

'Wil je me je adres geven?'

'Natuurlijk. Laten we elkaar nog een keer zien voordat ik vertrek, en contact houden. Ik wil alles weten wat er gebeurt.'

'Dat komt voor elkaar.'

Ze hielden hun wang tegen elkaar, met haar handen op zijn schouders, en de zijne om haar middel, maar hij leek elk bot en elke welving onder haar jas te voelen.

'Vrienden?' vroeg ze.

'Vrienden,' antwoordde hij.

Tien dagen daarna ontving hij een brief van het redactiebureau van de *Moose Draw Monitor*.

Geachte Meneer McColl,

Met genoegen heb ik uw stuk met de titel 'Over There' ontvangen, en ik denk dat het precies het soort verhaal is dat geschikt is voor onze lezers. Daarom bied ik u $ 350,- voor uw verhaal, en als u nog iets dergelijks in voorraad hebt zie ik met belangstelling tegemoet.

Met de meeste hoogachting,

P.J. Clarence, redacteur

16

Is that all there is?
Is it over, have we done?
Is this the famous feeling when the bloody war is won?

Stella Carlyle, 'Is That All'

Harry 1854

Als Harry had verwacht dat de aanblik van het slagveld ten zuiden van de Alma hem zou worden bespaard, werd hij teleurgesteld, hoewel hij er niets over zei in de brief die hij Rachel stuurde. Niet lang nadat de lopende gewonden door de rookdampen verschenen, werden de mannen van de Lichte Brigade naar de flank van de Kigourney Heights ontboden. Om hun waarnemingspost te bereiken moesten ze zich een weg banen tussen vele honderden doden en stervenden aan beide zijden, en hadden voldoende gezien om zelfs de heethoofden onder hen ervan te overtuigen dat ook een roemrijke overwinning zijn prijs had. Het was niet alleen om Rachels gevoelens te ontzien dat Harry ervan afzag die scènes te beschrijven, het was ook afgrijselijk om ze te moeten herbeleven.

Achter de heuvels in het zuiden wachtte hun nog een bizarder (en dit keer welkom) gezicht: dat van het Russische leger dat op de vlucht sloeg, en alles afwierp om zijn snelheid te kunnen verhogen: wapens, bepakking, petten, jassen, riemen, veldflessen. Het liet een spoor van oorlogsbuit in hun kielzog achter.

Nu, dacht Harry, zouden ze dan toch echt gaan aanvallen; een fikse achtervolging zou deze terugtocht tot een totale nederlaag maken. Het was de taak van de Lichte om een dergelijke vernietigende aanval op open terrein in te zetten, om paniek en verwarring te zaaien en een verdeelde bende te maken van een verslagen leger.

Leonard Palliser, links van hem, sprak uit aller naam. 'Dit is het, jongens! Hier zijn we voor gekomen, nu kunnen we ze eens iets laten zien!'

Zelfs de lusteloze paarden leken weer wat geestdrift te krijgen, schudden het hoofd en bewogen zich rusteloos. Toen het bevel doorkwam onder geen voorwaarde aan te vallen konden ze het nauwelijks geloven.

'Waarschijnlijk sturen ze er anderen op af,' opperde Harry.

'Laten we het hopen, dat moet de reden wel zijn.'

Eindeloos durende minuten zaten ze daar toe te kijken hoe de verslagen vijand in verwarring van hen wegvluchtte. Uiteindelijk reed er een adjudant, bolstaand van gewichtigheid en opwinding, langs de rijen.

'Bevel om op te rukken en krijgsgevangenen te maken! Niet aanvallen! Alleen gevangennemen.'

Het was onmogelijk het niet als een aanval te beschouwen toen ze de helling afdaalden en de paarden de vrije teugel gaven, keurig in formatie, knie aan knie in al hun fierheid. De kwellende frustratie van de afgelopen vierentwintig uur viel van hen af, alleen dit ogenblik leek te bestaan, deze snelheid en doelgerichtheid en dit vuur. Harry hief zijn sabel. Hij schreeuwde, hij wist niet eens wat; zijn bloed stroomde en bruiste.

Binnen twee minuten waren ze bij de Russische achterblijvers.

'Grijp ze!' riep Palliser, met een rood gezicht, rechtop in de stijgbeugels. 'Pak ze, jongens, ze zijn van ons.'

Maar er was verschil, zo ontdekte Harry, tussen de vijand als groep en op afstand, de machtige vijand die zoveel schade had aangericht, en de realiteit van de doodsbange enkelingen, van wie velen al gewond waren. Sommige smeekten om genade en huilden, anderen vlogen er als de wind vandoor, een paar draaiden zich om om dapper en dwaas, met slechts hun blote handen, terug te vechten.

Ze dreven er een paar dozijn bijeen, en een aantal van hen werd zonder enige reden ruw behandeld. Een van Harry's krijgsgevangenen was pijnlijk jong; het goudblonde waas op zijn kin was zo zacht als kuikendons. Hij behield een gereserveerde, overdreven waardigheid. Je kon je voorstellen wat de een of andere goedbedoelende mentor hem voor raad had gegeven. Oudere, ervarener soldaten om hem heen vloekten, huilden en spuwden, maar deze jongen hield het hoofd hoog. Hij zag er schoon en onopvallend uit, het was je moeilijk voor te stellen dat hij had meegevochten. Of hij nu een held was of een lafaard, dit was zonder twijfel zijn mooiste uur.

Ze waren met hun last pas halverwege de heuvel toen de adjudant weer verscheen. Dit keer minderde hij vaart, om daarna bedrijvig op de brigadecommandant af te draven, een paar honderd meter naar links. Ze kregen het bevel halt te houden. Er volgde een verhitte discussie van het soort waarmee ze vertrouwd waren geraakt, met veel misbaar en luide stemmen. Harry wierp een blik op de Russische jongen. Hij bleef zo roerloos als een standbeeld.

Er werd opdracht gegeven de gevangenen vrij te laten. Ongelovig deden ze het niet direct, maar toen Lucan hun zelf toebrulde lieten ze ze schoorvoetend gaan. Toen ze terug de heuvel opreden, vernederd en opnieuw gefrustreerd, wierp Palliser een smalende blik over zijn schouder. 'Moet je kijken. Een behoorlijke charge en we hadden het hele zootje kunnen inpakken.'

Harry keek. De meeste van hun voormalige gevangenen renden weg, struikelend en vallend, alsof ze het niet konden geloven en elk moment verwachtten te worden neergeschoten. Sommigen vielen op hun knieën, misschien om te bidden, of gewoon van uitputting. De jongen stond nog steeds rustig rechtop, blijkbaar om hen na te kijken. Harry dacht even dat hun blikken elkaar kruisten, dat er iets van een zwijgende verstandhouding tussen hen was ontstaan. Maar toen hij keek, knikten de knieën van de jongen, zijn hoofd zakte naar een kant, hij viel voorover en bleef onbeweeglijk liggen. Niemand kwam hem te hulp.

Dat vermeldde Harry wel in zijn brief aan Rachel. *'Het klinkt misschien bizar, maar hij werd voor mij het symbool van wat ons allen overkomt. Dat deze puinhoop en verwarring zowel het slechtste als het beste in ons naar boven brengt. Zijn waardigheid had niets te betekenen; zijn dood (want ik weet zeker dat hij dood was) nog minder, en hij had me vast en zeker zonder aarzelen neergeschoten. Wat de achtervolging van de Russen betrof, ik bevond me te midden van de sensatie, maar als de prooi nabij is, is het moeilijk niet een gevoel van kameraadschap te ontwikkelen, wat mij of wie dan ook er trouwens ook niet van weerhouden had te doden, als ons dat was bevolen.'*

De nacht duurde lang. De overwonnenen hadden in elk geval het veld geruimd terwijl zij, de overwinnaars, het beste moesten zien te maken van het territorium dat ze hadden veroverd. Toen de schemering viel moest de grimmige huishouding van het slagveld worden gedaan. De Franse gewonden werden per overdekte hospitaalwagen naar hun medische post vervoerd. De Britten die in staat waren te lopen of te kruipen, begaven zich naar de zwarte vlag die op de hospitaaltent stond. De resterende Britten en Russen lagen in greppels en gewoon op het open veld met nauwelijks te geloven geduld en gelatenheid te wachten tot ook zij aandacht kregen. De gelukkigen onder hen werden naar de overbezette chirurgen gedragen die bij maanlicht werkten, of in hotsende *ariba's* en open ambulances bijna vijf kilometer naar de kust vervoerd, om onverzorgd benedendeks op een hospitaalschip te blijven liggen dat naar Scutari zou gaan. En er lagen er nog honderden, voornamelijk Russen, in de kou en het donker.

Harry schreef: '*Je zou tot tranen zijn bewogen, Rachel, door de zachtheid en goedheid van gewone Engelse soldaten die voor hun gewonde vijanden deden wat ze konden. Ze gaven hun eigen schrale rantsoen water weg, spraken een paar vriendelijk woorden, boden troost... En niet alleen dat, maar ook droegen ze hun eigen lijden met grote waardigheid. Hoe erg ze ook leden of hoe ze ook kreunden en vloekten, ze waren altijd bereid te accepteren dat de artsen dringender gevallen hadden, en dat zij ook aan de beurt zouden komen... Als de strijd voorbij is, is iedere man slachtoffer. En onze zenuwen worden voortdurend belaagd door het geluid van schoten als paarden – en ik geloof ook mannen – uit hun lijden worden verlost, en van vuurwapens die door deze onwaarschijnlijke, praktische engelen van barmhartigheid als waarschuwing in de lucht worden leeggeschoten... Als wij, cavaleristen, ons maar niet zo ongebruikt en nutteloos voelden. Als we het hoofd hoog konden houden in de wetenschap dat we in de roem en het lijden hadden gedeeld. Het is dodelijk het voorwerp van algemene verachting en hoon te zijn. Dat draagt er niets toe bij het al prikkelbare humeur van onze bevelhebbers te verbeteren, die doorgaan met opspelen en ruziën, dikwijls gewoon in onze aanwezigheid. De mannen, zoals Cardigan, gaan tegen Lucan tekeer, die ons nogmaals zonder duidelijke, geldige reden op het laatste moment heeft teruggeroepen, en toch blijkt uit zijn houding dat hij handelde op bevel van zijn superieuren. Er is geen man onder ons die, zoals sommige infanteristen beweren, meer gecharmeerd is van zijn uniform en zijn paard dan van vechten, maar wat kunnen we eraan doen? Het lijkt wel of we altijd worden tegengehouden.*'

Toen hij teruglas wat hij had geschreven voelde hij zich geroepen eraan toe te voegen: '*Ik zie wat je gaat zeggen, liefste Rachel, dat ik in een adem zeg dat ik me enerzijds in het strijdgewoel wil werpen, en anderzijds medelijden en bewondering koester voor een Russische gevangene. Laat ik je verzekeren dat ik er net zomin uitkom als jij. Maar we maken allemaal tegen wil en dank deel uit van dit duivelse spel, en volledige deelname zou in elk geval het einde, hoe dat ook zijn moge, verhaasten.*'

Palliser en hij reden uit en zetten uitkijkposten, bewakers en schildwachten te paard uit, zowel om het gevoel van stabiliteit te herstellen als uit verdediging tegen een mogelijke vijand in de totale chaos. Ook had de Lichte Brigade het gevoel dat ze, hoe laat op de dag het ook was, gezien moest worden terwijl ze iets nuttigs verrichtten. Dus was het avond voordat ze eindelijk om het vuur zaten. Sporadische explosies die hen eerst verschrikt overeind hadden doen springen, bleken na onderzoek door hun eigen kok afkomstig te zijn van Russische vuurwapens die door de manschappen als kookrooster werden gebruikt. Als ze roodgloeiend werden ontploften ze en van sommige werd de munitie opgeschoten. Vreselijk geschreeuw en gegil in een afgelegen deel van het kamp gaf blijk van minstens een gruwelijk ongeluk dat op die manier werd veroorzaakt.

De kok, een Schot met een onverstoorbaar gezicht, had geen medelijden. 'Geen hersens,' was zijn commentaar. 'Het beetje dat ze hebben, verdient eruit te worden geblazen.'

Harry had een bijna slapeloze nacht, waarin slaap en bewustzijn samensmolten tot een verwarde rusteloosheid. De kreten en het gekreun vanaf de heuvelflank vermengden zich met die in zijn dromen. Toen hij om vier uur in de ochtend wakker werd en zijn arm uitstak merkte hij dat hij de uitgestrekte hand van een lijk op de grond naast hem aanraakte. Het was het lichaam van een Russische soldaat, dat al verstijfde. De helft van zijn borstkas was weggeschoten. Harry kon zich nauwelijks voorstellen op wat voor martelende, pijnlijke manier hij hierheen was gekomen, en met welke bedoeling. Om te doden? Om hulp te krijgen? Of was de arme kerel al te ver heen om te beseffen waar hij was? Hij kroop naar de man toe, keek naar zijn donkere, bebaarde gezicht en bewaasde, halfgeloken ogen, in een poging daar iets wijzer van te worden. In tegenstelling tot de blonde jongen was dit een volwassen man, met grove gelaatstrekken en een pokdalige huid met een netwerk van gesprongen aderen. De hand die naar Harry was uitgestrekt had een wijsvinger die door een eerder ongeluk bij het eerste kootje was afgesneden, zodat er niet meer dan een gladde stomp van over was.

Harry wees een paar mannen aan om de Rus naar zijn kameraden terug te brengen. In het klamme, grauwe licht leken de stapels lijken op mesthopen op een akker, terwijl de doodgravers als boeren bezig waren massagraven te delven.

Ze kregen de achterhoede voor de mars van die dag toegewezen, maar het zag er niet erg naar uit dat die spoedig zou beginnen. Het regiment werd tegen vijven opgezadeld, en stond om tien uur, toen de hitte toenam, nog steeds naast hun paarden. Vermoeidheid en verveling zoemden om hen heen als de wolken vliegen en muggen, die de paarden door gebrek aan energie nauwelijks nog konden afschudden.

Verhalen deden door alle gelederen de ronde toen de wachtposten van de avond daarvoor terugkeerden. Ze hadden de plek gevonden waar de Russische toeschouwers hadden gezeten, en alles wees erop dat er op een glansrijke overwinning was gerekend: parasols, champagneflessen en glazen, toneelkijkers, handschoenen en hoeden lagen verspreid over het gras terwijl de dappere compagnie op de vlucht sloeg, een welvarende, burgerlijke echo van de uitrusting die in het dal eronder was achtergelaten.

Harry vroeg zich af of Rachel zich onder soortgelijke omstandigheden bij een dergelijk gezelschap zou hebben geschaard, en merkte dat hij zich dat niet kon voorstellen. Toch werd het beeld van Rachel sterker en levendiger naarmate hun scheiding voortduurde. Haar gezicht met de kalme, evenwichtige uitdrukking hing als een lamp in zijn geest. Zij was het brandpunt van zijn verlangen om terug te keren, de belichaming van het idee van een thuis, hoewel hij maar al te goed wist dat hij niet het recht had op die manier aan haar te denken. Ze was zijn schoonzuster, nog in de rouw en in verwachting van het kind van zijn broer. Als hij naar Bells terugging, wat kon hij dan zeggen of doen zonder de kracht en de bestendigheid van zijn gevoelens te verraden, en de herinnering aan Hugo en haar reputatie te bezoedelen? Hij wist zeker dat hij in elke regel van haar brieven een gevoel van wederkerigheid, het elkaar aanvoelen en begrijpen bespeurde dat je ook vond bij mensen die door het huwelijk met elkaar waren verbonden. Maar of dat zich uitstrekte tot de overweldigende kracht van zijn hartstocht durfde hij niet veronderstellen, en hij kon daar ook nooit naar vragen.

Betts was op de een of andere manier aan een souvenir van de Russische dames gekomen die zo wreed op de vlucht waren geslagen. Het was een zwarte veer uit een waaier. De schacht was met gitten bezet.

'Nogal flauwekul, meneer.'

'Mag ik het eens zien?'

'U mag het hebben als u wilt.'

'Wil je het niet meenemen, als aandenken?'

Betts trok een zeer laconiek gezicht. 'Als ik terugga wil ik hier niet aan terugdenken, dan wil ik het vergeten. Bovendien is er geen vrouw die op me wacht.'

Harry zei niet dat er op hem ook geen vrouw wachtte. Terwijl Betts rustig en geconcentreerd met Clemmie bezig was, stond hij bij Derry en draaide de veer om en om in zijn handen. Ze ontroerde hem, niet alleen door haar vrouwelijke frivoliteit, maar door de herinnering die ze terugbracht aan Hugo's laatste reis naar de kerk op de heuvel: Pipers wapperende manen, het zachte wuiven van de rouwsluiers, de zware donkere pakken en de fragiele rozen. Hij borg de veer op in zijn soldatentas.

De eerste jachtbijeenkomst vond zoals altijd plaats op Bells, uit traditie en op uitnodiging. Maria maakte er geen geheim van dat ze jagen barbaars vond, maar het feit dat eerst Percy en daarna Hugo er zo dol op was, plus haar eigen voorkeur voor theater, betekende dat ze erin toestemde dat die gebeurtenis daar plaatsvond. Zich bewust van haar positie als nieuwkomer ging ook Rachel ermee akkoord de traditie voort te zetten. Er werd overeengekomen dat Percy, als hij zich goed genoeg voelde en het weer gunstig was, goed ingepakt met Maria in de sjees zou meerijden om buiten de voorbereidingen gade te slaan, of anders vanaf een uitkijkpost voor het raam van de studeerkamer.

Wat Rachel, behalve het plezier dat Percy erin had, vooral aansprak was dat het een van de gelegenheden was waarbij de hekken van Bells openstonden voor iedereen die wilde binnenkomen. Over het algemeen was ze nogal eenkennig. Die aanleg werd nog versterkt door de omstandigheden. Ze had genoeg aan zichzelf. Het stilzwijgende gezelschap van Ben, Cato en de baby in haar buik was alles wat ze wenste. Maar ze besefte heel goed dat vooral Hugo een populair, vooruitstrevend landheer was geweest, zonder kapsones, en dat zij zich ondanks haar aard en aanleg bereid diende te tonen een waardig opvolgster te zijn. Haar contact met de familie Bartlemas was daar al een bewijs van, maar was tevens de reden dat men haar ietwat vreemd vond. Vandaar dat het haar een bron van voldoening was om op die stralende oktoberochtend, hoogzwanger van Hugo's kind, op het bordes van Bells te staan om niet alleen het jachtgezelschap maar ook de toeschouwers welkom te heten.

Gelukkig had Percy een goede dag, en kon de sjees waarin Maria en hij zaten oprijden tot de voorkant van het huis, waar het jachtgezelschap bij elkaar kwam. Rachel liep naar hen toe en maakte uit de waarschuwende blik van Maria op dat ze geen opmerkingen moest maken over Percy's uiterlijk, dat bijna doorschijnend breekbaar was. Misschien kwam het doordat ze hem bij daglicht zag, in het niets verhullende licht, maar hij leek nog maar een zuchtje van de man die hij was geweest: zijn botten staken door de glanzende, strakgespannen huid van zijn gezicht en handen heen en zijn ogen waren ingevallen achter tere oogleden die dooraderd waren als vlindervleugels.

'Wat fijn dat je bent gekomen, Percy,' zei ze. 'De mensen stellen het zeer op prijs dat jullie hier samen zijn.'

'Het is er een prachtige dag voor.' Zijn stem klonk ferm, maar zijn uitgemergelde wangen zagen roze. Ze merkte dat hij telkens voor en na het praten even hijgde, alsof die paar woordjes hem veel inspanning kostten.

'Hoe gaat het met je, Rachel?' vroeg Maria, die haar en haar mans opwinding had opgemerkt, en van onderwerp veranderde.

'Goed. Geweldig.'

'Blij als het voorbij is?'

'Ik verlang ernaar dat het begint.' Rachel vroeg zich zoals gewoonlijk af of het niet te scherp had geklonken en voegde eraan toe: 'Ik bedoel dat ik ernaar uitzie Hugo's kind in mijn armen te houden.'

Percy zei: 'Ik hoop dat het kind makkelijker is dan zijn vader.'

'Onzin,' zei Maria. 'Hugo kon de vogels uit de bomen toveren.'
'En hij was in elk geval gehoorzamer dan zijn verrekte hond...'
Rachel glimlachte. 'Charme en lastigheid gaan vaak samen, is het niet?'
Percy stak zijn hand uit en legde hem op die van zijn vrouw. 'Dat weet ik.'
Maria wendde quasi-beledigd haar hoofd af, maar Rachel zag dat haar ogen straalden.

Tegen de tijd dat het jachtgezelschap vertrok stonden er ongeveer zestig mensen uit het dorp toe te kijken. Rachel had als afscheidsdronk voor de toeschouwers voor punch gezorgd. Jeavons en Little liepen rond met dienbladen en zorgden ervoor dat kleine kinderen niet onder de paardenhoeven terecht kwamen. Het was een schitterend gezicht: de stevige jachtpaarden met hun goedgeklede ruiters, de hoogwaardigheidsbekleders in het roze, de honden snuffelend en ronddraaiend in gemoedelijke afwachting binnen het bereik van de zweep van de jager. Hun kwispelende staarten leken op het hoge gras in een weiland. Cato, die voor de rest van de ochtend in de stallen was opgesloten, jankte klaaglijk.

Rachel ontdekte de familie Bartlemas, dat wil zeggen Ben ontdekte haar, en hij vroeg waar zijn ouders waren. Dan Bartlemas lichtte zijn pet. Zijn vrouw stelde zich zoals gewoonlijk nogal verdedigend op.

'Bezorgt hij u last?'
'Nee. We zijn vrienden, zo is het toch?'
Hij knikte, gevangen tussen zijn moeders wantrouwen en Rachels goedkeuring. 'Mag ik naar Cato toe?'
'Ja, dat vindt hij vast fijn.' Ben rende weg en ze riep hem na: 'Maar laat hem er onder geen beding uit!'
Hij stak zijn hand op om te laten weten dat hij haar boodschap had ontvangen en begrepen. Dan Bartlemas vroeg met een kleur: 'Klopt het dat ik de oude meneer Latimer daarginds heb gezien?'
'Ja. Hij voelde zich goed genoeg om te komen en het jachtgezelschap te zien vertrekken.'
'Hij hield ervan om mee op jacht te gaan. Hoe gaat het met hem?'
'Erg verzwakt. Maar opgewekt.'
'Onze Colin had hem heel hoog,' vertelde mevrouw Bartlemas. 'Hij is nogal gesloten, zegt niet veel, lacht niet veel zoals mevrouw Latimer, maar is echt een goed mens.'
'Dat is zo.'
'En meneer Harry is net zo.'
Haar echtgenoot gaf haar een por en ze fronste haar wenkbrauwen. 'Ik bedoelde er niets mee, en wat meneer Hugo betreft...'

'Dat weet ik.' Rachel raakte even haar arm aan. 'Ik begrijp het.'
De hoorn schalde. Het jachtgezelschap vertrok met toeters en bellen naar het jachtterrein in het noorden, in de richting van het eerste kreupelhout. De toeschouwers verspreidden zich, sommigen in dezelfde richting, de meesten de kant van het dorp op, onder dankzegging aan de familie Latimer, ofschoon Percy's hoofd achterover was gevallen en zijn oogleden afzakten.

Jeavons verzamelde de overgebleven glazen. Oliver haalde een hark en harkte het grind aan. Rachel ging Cato uit zijn gevangenschap bevrijden. Toen ze de stal binnenging deed het haar plezier de jongen en de hond samen in het stro te zien liggen, niet tegen elkaar aan, maar blijkbaar in volmaakte, zwijgende verstandhouding. Ben lag op zijn rug, met zijn handen achter zijn hoofd, met zijn ene enkel op zijn opgetrokken knie; Cato met zijn gezicht naar de deur, met zijn voorpoten bij elkaar en zijn kop rechtop, in een zwaarwichtige houding.

'Kom maar naar buiten, jullie twee.'
Cato kwam langzaam overeind en liep naar haar toe, en Ben volgde.
'Is de jachtpartij weg?'
'Ja.'
'Mooi zo,' zei hij. 'Mag ik nog even blijven?'
'Wat mij betreft wel, Ben, maar je moet het even aan je ouders vragen.'
'Dan zeggen ze nee.'
'Dat weet je niet.'
'Kan ik zeggen dat u het goed vindt?'
'Natuurlijk. Maar je moet altijd doen wat je ouders zeggen, ongeacht wat ik zeg. Schiet naar op, ze zijn al op weg naar huis.'
Hij verdween. Ze verwachtte dat Cato hem zou volgen, maar dat deed hij niet. De hond bleef aan haar zijde, voortdravend met zijn losse vel, dat op zijn oude dag als een versleten jas om zijn schouders rimpelde en schudde. Ze wist dat hij haar instinctief gezelschap hield en zijn tempo aan het hare aanpaste nu ze zwaar en traag was en ze bijna moest bevallen.

Bij de zijkant van het huis hadden zich twee tafereeltjes gevormd. Aan de andere, zuidelijke kant van het park, vlak bij waar het poortje toegang gaf tot het pad naar het dorp, zag ze Ben met zijn moeder onderhandelen, terwijl Dan zwijgend boven hen uittorende. In de sjees was Percy in slaap gevallen, terwijl Maria zich naar voren boog met haar hand op de zijkant, om met Edgar, de koetsier te praten, en met Oliver die op zijn hark leunde. Iets paniekerigs in de houding van haar schoonmoeder deed bij Rachel een alarmbel rinkelen. Ze versnelde haar pas.

'Maria! Willen jullie niet binnenkomen om mee te lunchen?'

'Dank je. Ik vroeg juist aan Edgar of mijn man het huis binnengedragen kan worden.'

Rachel wendde zich tot de stalknecht. 'Oliver, wil jij helpen meneer Latimer naar de studeerkamer te brengen?'

De beide mannen zeiden dat het geen probleem was. En dat was het ook niet, want Percy woog niet meer dan een kind. Hij verroerde zich niet toen ze hem uit de koets tilden en hem wegdroegen op het zitje dat ze van hun armen hadden gemaakt, de hal door, naar een stoel in de zonnige erker. Maria zette haar hoed af, trok haar handschoenen uit en legde ze op de vensterbank. Met haar korte, rode, wollen cape nog aan ging ze bij hem zitten en nam zijn hand in haar handen. De nagels waren blauwachtig. Ze masseerde ze zachtjes. Ze had de dreigende, fronsende blik op haar gezicht die haar voormalige werknemers maar al te goed kenden. Edgar trok zich terug om de sjees naar de binnenplaats te brengen en Oliver ging verder met harken. Achter hem op het gras stond Ben, met zijn handen in zijn zakken, onzeker van zijn territorium. Rachel ging naar de deur en schudde vriendelijk haar hoofd, en hij liep direct weg, in de richting van de stallen.

Ze deed de voordeur dicht. Nu leek het donker in de hal, behalve waar lange, stoffige lichtstralen op de voet van de trap rustten. Cato, op zoek naar een warm plekje, zeeg op dit stukje zonneschijn neer en rolde zijn ogen in de richting van Rachel.

'Blijf,' beval ze. 'Is hij wakker? Denk je dat hij een glas van het een of ander wil? Rode wijn? Of whisky?'

Maria schudde haar hoofd. 'Nee, dat denk ik niet.'

'En jij?'

'Nee, dank je.'

Tijdens dit korte gesprek hield Maria haar blik op Percy's gezicht gevestigd. Ze bleef op het voetenbankje zitten met zijn hand in de hare. Rachel liep naar hen toe.

Het was vreemd, maar toen Hugo zo snel en onverwacht stierf had ze de dood voelen aankomen. Het ene moment had ze hem nog op Piper tussen de bomen zien voortrazen, naar zijn broer toe, en het volgende ogenblik was ze buiten op het gazon, zich volkomen bewust van wat er was gebeurd. Haar hoofd was volledig en kristalhelder, alsof het scenario en haar rol al waren vastgelegd.

Percy's dood was te verwachten, al lange tijd zelfs, een gegeven waarop ze zich ruimschoots konden voorbereiden. Maar nu het stond te gebeuren kon ze het niet accepteren. Dat het bijna zou plaatsvinden, dat ze hier gingen zitten toekijken hoe de dood hem besloop was bijna meer dan ze kon verdragen.

'Nee, ' zei ze. 'Nee. Toch niet...'

Maria stak zonder naar haar te kijken haar hand uit en pakte de hare, zodat ze hen nu beiden vasthield, en als verbinding tussen hen fungeerde. Rachel herkende de kalme waardigheid van het weduwschap al in haar. Als haar man overleden was kon niets en niemand hem nog van haar afnemen.

Rachel trok haar hand terug en ging op de vensterbank naast Maria's hoed en handschoenen zitten. De lage herfstzon maakte dat ze een schaduw op Percy wierp. Ze verschoof, zodat het warme zonlicht weer op zijn gezicht viel. Hij was er nog, zijn oogleden trilden en zijn ademhaling was nauwelijks te zien, een wegebbend spoortje leven.

Maria zei: 'Hij is al die jaren mijn grote liefde geweest.'

'Dat weet ik.'

'Ik heb nooit van mijn jongens kunnen houden zoals ik van hun vader hield. Is het erg om dat te zeggen?'

'Nee.' Rachel kon het zich indenken. Ze verwachtte zelfs dat het de waarheid was. En dat zij vooral van haar kind zou houden omdat het van Hugo was.

Maria wierp haar een snelle, gekwelde blik toe alsof ze haar gedachten kon lezen. 'Daarom was ik blij dat Hugo jou had, al was het voor zo'n korte tijd. En ik hoop dat Harry ook zo'n liefde vindt als hij terugkomt, want hij verdient het.'

'Dat hoop ik ook.'

Maria bracht Percy's hand naar haar lippen. Ze zei vastbesloten, met gevoel in haar stem: 'Het is het enige dat het leven de moeite waard maakt. En het enige dat de dood draaglijk maakt.'

Ze bleven nog een paar minuten zwijgend bij elkaar zitten. Het was sereen in het zonlicht. Op een gegeven moment duwde Cato de deur open, keek behoedzaam naar binnen en kwam, toen er geen verbod klonk, aangewaggeld en ging aan Rachels voeten liggen.

Ze had niet kunnen zeggen wanneer Percy precies heenging. Het was een rustig overgaan van de ene vrede in de andere. Zelfs toen Maria zijn handen voorzichtig bij elkaar op zijn schoot legde, en hem eerst op zijn voorhoofd kuste, daarna op zijn oogleden en zijn mond, bewogen de vrouwen zich niet, maar bleven hem en elkaar gezelschap houden. Rachel vermoedde, en wist zeker dat Maria dat ook deed, dat er een golf van commotie over hen zou losbarsten zodra Percy's dood bekend werd, en ze daar vooralsnog door zouden worden meegesleept, gescheiden van elkaar, niet in de gelegenheid zich op hun rouw of op degene die hun was ontvallen te concentreren.

De balans van het gezag, die altijd fijn was afgesteld tussen de beide vrouwen, was een poos bijna ongemerkt doorgeslagen naar de kant van Maria. Niet lang na Percy's dood voelde Rachel dat het naar haar terugkeerde. Maria was weduwe. Haar leven was voorgoed veranderd. Ze had nogmaals een van zwaarste verliezen geleden die een vrouw kan treffen. Dit huis, dat eens het hare was, behoorde nu aan Rachel toe, en ze moest haar verantwoordelijkheid weer opnemen.

Ze stond op en raakte Maria's schouder aan.

'Ik ga het Jeavons vertellen en zal Oliver naar de dokter sturen. Blijf jij bij hem.'

Ze ging de kamer uit. Cato legde zijn kop neer en viel in de zon in slaap.

Doordat de Fransen hun bepakking bij elkaar moesten zoeken – zevenduizend stuks die verspreid lagen over de velden ten noorden van de Alma – duurde het nog zesendertig uur voordat ze vertrokken. Om te beginnen waren de meesten in een goede stemming; ongeacht de gemiste kansen was het nog steeds een grootse overwinning. Ze hadden er nog geen idee van hoe weinig doorslaggevend die zou blijken te zijn.

Maar al te snel werden ze overvallen door de hitte, de vliegen en een chronisch watertekort, terwijl de dorst van de troepen was toegenomen door de onbezonnen hoeveelheden buitgemaakte wodka die ze sinds de veldslag hadden gedronken. Hoewel de geallieerden bij de Alma relatief weinig verliezen hadden geleden – een paar honderd man, tegenover duizenden Russische doden – waren ze nog steeds overgeleverd aan de cholera. Terwijl hun enthousiaste ochtendtempo vertraagde zagen ze voor het eerst sinds hun aankomst in de Krim duidelijk gieren hoog boven hun hoofd zweven. Ze konden niet ontkomen aan het beeld dat deze dieren zich op het verlaten slagveld te goed deden. Zonder dat iemand het hardop zei werden velen er toch door gekweld. Een Engelse arts was met zijn bediende achtergebleven om de Russische gewonden te verzorgen, met niets dan zijn eigen moed en de beloften van zijn dankbare patiënten om hem te beschermen.

Tussen de glooiende heuvels lagen lange stukken ruige weidegrond, jammerlijk onbeschut. Er werd regelmatig halt gehouden om de bagage- en bevoorradingstreinen de gelegenheid te geven hen in te halen in de brandende zon. De paarden hadden in geen dagen haver gehad en de voedselvoorraad was zo klein dat velen wandelden van zwakte. Op het moment dat het bevel 'halt' werd gegeven lieten de arme dieren het hoofd hangen en zwoegden hun flanken over uitstekende ribben naar binnen en naar buiten als een blaasbalg. Op een keer kwamen ze tussen het afval van de Russische troepen dat ze buit mochten maken een kleine kozakkenpony met een gewond been tegen. Hij sleepte zijn zadel over de grond achter zich aan. Pogingen hem door diverse schoten door zijn kop uit zijn lijden te verlossen hadden geen succes. Hij wankelde, maar bleef versuft, maar nog steeds rechtop op zijn benen staan, terwijl de Britse troepen langs marcheerden. Misschien, bedacht Harry, zou hij staande sterven, op de manier waarop paarden soms sliepen, en zou zijn skelet daar over een paar weken nog steeds staan, als een bizarre, bladerloze boom op deze dorre vlakte.

Het was tijdens een van die smoorhete pauzes dat Harry een vreemde, onverklaarbare ervaring had. De zon stond op zijn hoogste punt, een tijdstip waarop het moreel zelfs na een roemrijke overwinning altijd betrekkelijk laag was. Naast hem zaten minstens twee mannen dubbelgeklapt in het zadel. Hun uniformen droegen sporen van de heftige gevolgen van de cholera. Plotseling voelde hij koelte, een streling over zijn wang, een korte, weldadige kalmte, alsof er een wolkje tussen hem en de zon trok. De paar seconden dat die gewaarwording duurde vervaagde zijn omgeving. Het milde licht en de geur van Engeland stroomde door hem heen.

Toen verdween het even plotseling als het gekomen was. De hitte kwam met een klap terug. Hij keek op. De lucht was wit en zinderend, geen wolkje te bekennen. Een van de zieke mannen was van zijn paard gevallen en Palliser brulde om assistentie.

'Weer een bezweken,' merkte hij op tegen Harry. 'Laten we in godsnaam hopen dat de brancadiers hem eerder te pakken hebben dan die helse gieren.'

Maria stortte niet in. Integendeel, ze vlamde op als een rituele brandstapel, ontzagwekkend in haar verdriet, maar schitterender dan ooit. Haar theatrale aanleg kwam haar goed van pas. Ze droeg dramatisch, met zorg uitgezocht zwart, Spaanse kant en zijde. Een oplichtende toef spierwit was in de dagen na Percy's dood in haar zwarte haar verschenen. Ze was tot ieders verbazing zo mogelijk nog mooier en exotischer dan toen hij haar als jonge bruid mee naar huis had genomen. Alles aan haar sprak van voortdurende passie, niet van berustende droefheid. Het was alsof ze zonder haar man vrij was om te laten zien wat de liefde voor hen had betekend. Dat het geen overeenkomst was geweest, geen schikking tussen twee partijen, maar een allesverterend vuur waarvan ze nu het haardscherm weghaalde en dat ze in het openbaar trots zou laten opbranden.

Er kwamen zoveel mensen naar de begrafenis dat ze niet allemaal in de parochiekerk pasten, en er een groot aantal buiten in de regen moesten blijven staan. De rouwkoets werd getrokken door de stevige paarden Flower en Fury: groot en zachtaardig, hun glanzende tuig voor die dag met paarse en zwarte linten getooid. Oliver leidde ze. Het was een grootse gebeurtenis: aan weerskanten van de dorpsstraat rouwenden; Maria, lang en schitterend, was het middelpunt van aller blikken. Vanwege het weer was de begrafenis zelf een hachelijke aangelegenheid. De grond werd een modderpoel en de touwen die de kist tijdens het zakken ondersteunden waren glibberig en nat. Schoenen, laarzen en zomen raakten doorweekt, hoedenranden dropen en het haar van de mannen lag op hun onbedekte hoofden geplakt. Maar niemand vertrok een spier. Maria zelf had geweigerd een paraplu mee te nemen, en nu klapten degenen die er wel een hadden meegebracht die ook weer in. Het was een teken van het respect en de genegenheid voor Percy Latimer dat geen man, vrouw of kind beschutting zocht of zich beklaagde, en de tranen van de oude mensen bleven onopgemerkt door de regen.

Nadat Rachel haar schoonmoeder had geholpen bij de voorbereidingen hield ze zich op de achtergrond en glipte als een schaduw door de dag, tevreden met haar kleurloze onopvallendheid. Het nieuwe leven waarvan ze de hoedster was leek dubbel kostbaar, en nu haar tijd zo nabij was, was er een grote rust over haar neergedaald. De baby, die groeide in zijn waterige huis, bewoog zich nauwelijks, was stil en zwaar, en wachtte zijn tijd af.

Toen ze de begraafplaats verlieten werden de paraplu's weer opgestoken. Terwijl de mensen Maria condoleerden, ging Rachel opzij staan. Ze leunde tegen de stam van een van de grote taxusbomen, die met zijn ruige, zwarte takken een natuurlijke luifel vormde waar nauwelijks regen doorheen drong. Ben kwam bij haar staan, een ongewoon nette Ben met een scheiding in zijn haar en een te strak jasje.

'Mag ik binnenkomen?'

'Ja, graag, hoewel ik je vandaag niets kan aanbieden. Ik verwachtte je niet.'

'Moeder zei dat het moest.'

De oprechtheid van zijn antwoord deed haar glimlachen. 'En ben je blij dat je het hebt gedaan?'

Hij keek over zijn schouder naar de zwarte menigte, de regen en de paraplu's. 'Ik weet niet.'

Hij bedoelde nee, maar was tactvol. Uit waardering hiervoor zei ze vriendelijk: 'Zo hoort een begrafenis te zijn, een passende openbare afsluiting van iemands leven. Het is droevig, maar je moet het verdragen.'

Hij wendde zich met een stoutmoedige blik tot haar, niet brutaal, maar rechtstreeks. 'U bent er naar twee geweest.'

'Dat klopt. Eigenlijk wel naar meerdere in mijn leven.'

Hij leek daarover na te denken, alvorens eraan toe te voegen: 'Denkt u dat mijn broer een begrafenis heeft gehad?'

'Natuurlijk,' zei ze vlug, zonder nadenken. 'Dat hij tijdens een oorlog in een vreemd land is gestorven betekent nog niet dat hij niet met alle respect is behandeld. Kapitein Latimer zal daar zeker voor hebben gezorgd. Het zal natuurlijk een andere plechtigheid zijn geweest dan deze, maar er heeft er vast en zeker een plaatsgevonden.'

'Maar wij konden er niet heen.'

'Nee.'

Hij wierp een blik op de begraafplaats. Nu de rouwenden zich verspreidden zagen ze een glimp van de versgedolven aarde, en Maria's weelde van uitdagende rode rozen. 'Het enige is...'

Ze wachtte af. 'Ja?'

'Weten de mensen waar hij ligt?'

'Bedoel je of er een steen is?'

Hij haalde zijn schouders op. Ze voelde dat hij op de rand van tranen was en wilde hem redden van wat hij als vernederend zou ervaren.

'Dat hoeft niet per se, Ben. Waar dappere mannen voor een goede zaak zijn gestorven, worden ze altijd herinnerd.' Ze voegde er iets aan toe dat ze zelf zo aanvoelde, maar waarvan ze niet wist of hij het zou begrijpen. 'De aarde herinnert het zich. Er zal een soort grasmonument zijn.'

Even was het stil, en hij veegde met nog steeds afgewend hoofd de manchet van zijn jasje over zijn bovenlip. Toen zei hij: 'Ik moest maar eens gaan.' En verdween.

God beware me, dacht ze, dat het waar zal zijn.

Toen ze bij de volgende rivier kwamen waar ze hun tenten zouden opslaan voor de nacht leek het na de lange, eentonige mars wel het beloofde land.

Het was niet meer dan een flinke beek, kleiner dan de Alma, maar omgeven door vruchtbare grond met boomgaarden, die zwaarbeladen waren met de oogst van het seizoen: appels, pruimen, abrikozen en peren. En achter de simpele postbrug, die wonder boven wonder door de terugtrekkende Russen intact was gelaten, lag een grillig uitgegroeid dorp, van zo'n vruchtbare, uitnodigende schoonheid – volkomen verlaten – dat je bijna vermoedde dat het een valstrik was. Mooie huisjes, in verrukkelijk zoete kleuren geschilderd, lagen tussen schaduwrijke bomen. Verderop op de hellingen waren ruime villa's, begroeid met druiven, in knusse goedonderhouden tuinen vol kleurige bloemen. In het zachter wordende avondlicht was het sprekend het paradijs.

Maar het was, zoals ze ontdekten, een bedorven paradijs. De kozakken waren er voor hen geweest: elk huis of gebouw was op brute wijze geplunderd. Nu werd het plaatsje nogmaals overstroomd, door de hongerige, dorstige Britse troepen. Palliser riep een man tot de orde die een huis uitkwam met een mooi tapijtje onder zijn ene arm en in zijn andere hand een halfvolle karaf. Hij kreeg het brutale antwoord (zonder twijfel als gevolg van de plaatselijke wijn) dat hij het een officier ook had zien doen en dus dacht dat het 'oké was een paar trofeeën mee te pikken'. Palliser beval hem woedend de spullen terug te leggen, hetgeen de man met tegenzin deed. Hij hield de karaf expres scheef, zodat de inhoud over het pad spetterde toen hij naar het huis terug liep. Harry kon de vertoornde Palliser er slechts met moeite van weerhouden af te stijgen en de zaak op de spits te drijven.

'Leonard, laat zitten, in godsnaam.'

'Die vent is verdomd onbeschaamd!'

'Hij is dronken.'

'Is dat soms een excuus?'

'Kijk eens om je heen – als je je over hem druk maakt, waar dacht je dan te eindigen?'

Dat was waar. Aan alle kanten vonden soortgelijke overtredingen plaats. Dezelfde mannen die nog maar twee dagen daarvoor hun verslagen, gewonde vijanden met veel respect en zachtaardigheid hadden bejegend, barstten nu los in een orgie van plundering. Waar eerst hun geweten misschien nog had opgespeeld werd dat nu verstikt door het duidelijke bewijs dat ze niet de eersten waren.

Het huis waar Harry, Leonard, Hector en Philip Gough zich hadden ingekwartierd was een schokkend voorbeeld van wat er had plaatsgevonden. Toen ze de paarden aan de stalknechten hadden overhandigd en naar binnen gingen werden ze geconfronteerd met een aanblik van vernieling die des te schokkender was vanwege de aangename plek en het kennelijk comfortabele, beschaafde bestaan van de vorige bewoners. Het meubilair was kapot, het glaswerk en porselein lag in scherven; kleding, gordijnen en tapijten waren in stukken gesneden, kussens en spreien uit elkaar gerukt. Donzige veren zweefden over de vloer en wervelden als sneeuwvlokken door de lucht.

Er was vooral veel enthousiasme besteed aan de schilderijen, die uit hun lijst waren getrokken en op beestachtige wijze in stukken gehakt. Een spiegel boven de open haard was er in zijn geheel middenin gesmeten, zodat de barsten zich in het vuile zwarte gat als een spinnenweb verspreidden, en de haard zelf was volgepropt met geschroeid, verbrand papier: de resten van dagboeken, brieven en

413

grootboeken, de inhoud van een omgekeerd bureau. De pen en inktpot waren gebruikt om woorden op de muur te schrijven. Harry was blij dat het geklieder hem niets zei. Hij kon er slechts naar gissen hoe een huis van een vijand eraan toe geweest zou zijn.

In de achtertuin, die de vorm van een schaduwrijk prieel had met een siervijver, waren de beelden gebroken. Een stenen nimf stak boven het water uit alsof ze verdronk. Ze was omringd door pathetisch aandoende huishoudelijke rommel – een houten lepel, verfkwasten, een pop, een lampenkap. Erger nog was een stapel verbrande boeken waaruit rookslierten en een scherpe stank opstegen.

Ze waren stil, er zich van bewust dat zij een tweede invasie vormden, en dat elke knerpende voetstap een belediging was van de familie die hier had gewoond en van hun huis en bezit was weggevlucht, om plaats te maken voor het volgende stel plunderaars.

Er was slechts een teken van leven: onder de veranda aan de voorkant van het huis, op nog geen twee meter afstand van waar de kok een vuur had aangelegd van versplinterd meubilair, vond Harry een mager zwart-wit poesje. Hij stak zijn hand naar haar uit. Ze legde haar oren plat en ontblootte in een dreigende, geluidloze waarschuwing haar tanden. Ze had zes jongen bij zich, zo klein dat ze op wollige insecten leken. Met hun blinde kopjes zochten ze naar melk die er niet was, beschermd maar verhongerd.

Er viel een schaduw over Harry heen. Toen hij opkeek zag hij Hector achter hem staan, zijn voorhoofd afwissend.

'Wat voor de donder heb je daar gevonden?'

'Een poes met jongen.'

Hector tuurde. 'Afschieten zou nog het beste zijn.'

'Ik weet het niet...' Harry kwam overeind. 'Katten kunnen zich heel goed zelf redden.'

'Niet met een nest.'

'Dat maakt niet uit.'

'Dat is absoluut waar.' Hector verloor zijn belangstelling, sloeg zijn handen in elkaar en keek naar het vuur. 'Wat krijgen we vanavond voor lekkers?'

Na het avondeten liep Harry naar de paarden, die in een met struikgewas bedekt veldje bij de bocht van de weg stonden. Er groeide redelijk wat gras in het weitje en de paarden graasden voortdurend. Zoals hij half en half gehoopt had liep hij Betts tegen het lijf, die ergens in een hoekje met een stel anderen zat te kaarten. Ze krabbelden overeind, maar hij gebaarde dat ze moesten blijven zitten.

'Betts, heb je even?' Hij trok hem terzijde. 'Jij bent goed met dieren.'

'Paarden, meneer,' zei Betts, op zijn hoede.

'Nu, geef me toch maar advies.'

'Als ik dat kan.'

'Er zit een poes onder het huis waar wij verblijven.'

'Nee, meneer, is het heus?'

Harry negeerde de milde spot. 'Ze heeft jongen. Zelf kan ze ze niet voeden. Wat vind jij?'

Betts haalde met onbewogen gezicht zijn schouders op. 'Wat wilt u ermee, meneer?'

'Het lijkt me zonde ze allemaal dood te maken.'

'Als u me laat zien waar ze zijn, meneer, zorg ik daar wel voor.'

Harry kon nooit, zelfs achteraf niet, met zekerheid zeggen of Betts hem geschift of belachelijk vond, of allebei, maar op dat ogenblik leek het erop dat er een stilzwijgende verstandhouding tussen hen was gegroeid, en dat het niet om een van vlooien vergeven kat en haar stervende nest ging, maar om een kwestie van leven en dood, hoe onbelangrijk ook. Betts deed alles dat hem werd gevraagd, met een uitgestreken gezicht en bewonderenswaardige snelheid en accuratesse. Hij greep de kat beet en stopte haar zonder omhaal in een plunjezak, tot hilariteit van de andere officieren. Hij pakte alle jonkies op een na, wikkelde ze stevig (met toestemming) in een van Harry's afgedankte overhemden en hield ze dertig tellen in de vijver. Daarna zette hij de woedende poes bij haar ene jong terug, met biscuit en vlees dat in water was geweekt, en verklaarde dat het zo het beste was.

'Twee maken meer kans dan zeven. Laat nog wat eten voor haar achter als we vertrekken, meneer.'

'Dat zal ik doen. Dank je, Betts.'

'Tot genoegen.'

De anderen schudden van de lach toen hij weer bij het vuur ging zitten.

'Wat een juweel is die knecht van jou!'

'Een gruwelijke doodsmachine!'

'Dus een plaag die ons bespaard zal blijven is muizen, hè Latimer?'

Maar Harry voelde zich rustig genoeg om goedmoedig te glimlachen en nam niet de moeite ze tegen te spreken. Het had geen zin te doen alsof het zinvol of logisch was, want dat was het niet. In feite gaf hij niet om katten, vooral niet om deze, die lelijk, vijandig en smerig was. Maar toen ze de dag daarop in de houding stonden, putte hij enige persoonlijke voldoening uit het besef dat het kind van wie de pop was, als ze ooit naar huis terugkeerde, gelukkig zou merken dat haar poes en het jong te midden van de verwoesting nog in leven waren.

De mannen hadden te veel onrijpe druiven gegeten, en het paraat staan en marcheren werden getekend door de gevolgen van hun dwaasheid. Het was voor een ongeoefend oog niet uit te maken of het om een pijnlijke koliek of om het vroege stadium van cholera ging; daarom stierven diverse patiënten die eerst luidkeels werden uitgefoeterd en uitgejouwd.

De brief moest worden geschreven. Twee dagen na de begrafenis ging Rachel bij Maria in het weduwenhuisje op bezoek om er in algemene, en dus diplomatieke bewoordingen naar te informeren. 'Wil je alsjeblieft laten weten of er correspondentie is waarmee ik je kan helpen?'

Maria, die aan haar schrijftafel zat, bleef naar de brieven kijken die ze zat te lezen. Een gehate bril prijkte op het uiterste puntje van haar neus, en had het effect van een insect op de kop van een tijger.

'Je bedoelt Harry, nietwaar?'

'Alles waarmee ik kan helpen.'

Maria nam haar bril af en keek haar aan. 'Schrijf jij alsjeblieft naar hem, Rachel. Ik weet hoe dol je op hem bent, en hoe goed je dat zult doen. Terwijl ik...' Ze veegde met een beringde hand heen en weer over de berg brieven, '...hier mijn handen vol aan heb.'

'Zal ik zeggen dat je zelf later ook schrijft?'

'Natuurlijk. Dank je.' Maria gedroeg zich hautain, maar Rachel kende haar en begreep het inmiddels. Toen ze zich omdraaide om weg te gaan zei ze: 'Heb je de krantenberichten gelezen?'

'Ja.'

'Denk je...' Maria plaatste de vingers van beide handen even op haar mond en sloot haar ogen. 'Denk je dat dit het juiste moment is om hem dergelijk nieuws te sturen?'

Rachel was verbaasd. 'Natuurlijk! Het moet!'

'We hebben er geen idee van hoe Harry eraan toe is.'

'Hij heeft er hoe dan ook recht op te weten dat zijn vader is overleden.' Maria kromp ineen, en Rachel had spijt van haar botheid. Ze voegde er op zachtere toon aan toe: 'We moeten schrijven, ondanks de krantenberichten. Het zou onvergeeflijk zijn hem in het ongewisse te laten.'

'Tenzij,' mompelde Maria nauwelijks hoorbaar, 'tenzij...'

'Onvergeeflijk,' herhaalde Rachel beslist; ze stond niet toe dat ze een andere gedachte toelieten.

Het was verre van gemakkelijk de brief te schrijven, en het was waar dat de eerste berichten uit de Krim niet bemoedigend waren. Er zat niets anders op dan eenvoudigweg de waarheid te schrijven.

Lieve Harry,
Met grote droefheid deel ik je mee dat je vader vier dagen geleden is
overleden. Hoewel ik weet dat dit nieuws niet geheel onverwacht
komt, zal het voor jou bijzonder moeilijk te dragen zijn, daar je zo ver
weg bent. Ik weet hoeveel je van hem hield, en hij van jou. Je moeder
is een rots in de branding, maar is zo goed mij toe te staan je in haar
plaats te schrijven, omdat ze zelf nog niet bekomen is van de schok. Er
moet van alles worden geregeld. Ze maakt zich, evenals ik, wanhopig
zorgen om jou, en is bang dat dit nieuws jouw leed nog zal vergroten,
maar we dachten toch dat je het zo spoedig mogelijk zou willen weten,
voor zover de vertraging van de post het toelaat.
Ik weet niets te zeggen dat je verdriet kan verzachten. Maar ik kan
je vertellen dat Percy op Bells is gestorven, vredig, in de zon, met je
moeder aan zijn zijde, nadat hij had genoten van het kijken naar de
eerste jachtpartij van het seizoen. Als je kunt spreken van een zachte
dood, dan heeft hij die gehad. En Maria houdt zich, zoals ik al zei, be-
wonderenswaardig goed. Iedereen heeft het over haar schoonheid en
haar moed.
Zorg alsjeblieft zo goed mogelijk voor jezelf op de plek waar je bent
en met de taak die je moet vervullen. Aanvaard mijn diepste medele-
ven, liefste Harry en ik hoop je spoedig beter nieuws te kunnen schrij-
ven.
Je liefhebbende schoonzuster,
Rachel.

Ze hadden geen idee waarheen ze gingen, of wat het plan of de strategie behelsde, als er tenminste zoiets bestond. Ze veronderstelden
dat ze vanuit het noorden naar Sebastopol zouden gaan – hun oorspronkelijke doel toen ze uit Engeland vertrokken – aangezien dat
de richting was waarin ze reisden. Maar toen de avond viel was er
nog steeds geen bericht, en elke ochtend bracht vertraging en frustratie voordat ze verder trokken. Ze hadden er geen idee van waar
de vijand zich bevond. En toen de euforie van de overwinning wegebde kwam er onzekerheid voor in de plaats. De derde avond
werd de cavalerie door een nauwe doorgang met steile, beboste
wanden gevoerd. Daar werd in een staat van onbehaaglijke waak-
zaamheid de nacht doorgebracht, in het besef dat als hun vijanden
hun positie wisten en de gelegenheid hadden, ze met een goede
kans op succes zouden aanvallen. Maar niets van dat alles gebeurde. De ochtend daarop kwam de cavalerie er weer uit tevoorschijn
om zich bij de hoofdcolonne te voegen, nog niets wijzer omtrent de
reden waarom er voor zo'n uitgesproken gevaarlijk bivak was gekozen.

Dat ze nauwelijks Russen hadden gezien sinds ze de krijgsgevangenen van de Alma hadden bevrijd droeg niet bij tot hun gemoedsrust. Per slot van rekening beschikten de vijanden over een versterkte stad waar ze zich op hun gemak konden terugtrekken, hoe de toestand van de troepen of het moreel ook was. De groepjes kozakken die nu en dan aan de horizon verschenen, vormden een verontrustend gezicht. De geallieerde legers en het handjevol ruiters in de verte sloegen elkaar wantrouwend gade, maar ondernamen geen actie. Het was onmogelijk uit te maken of de kozakken een verkenningspatrouille waren, of de voorhoede van een horde vijandige cavaleristen. De lage heuvels en glooiingen van het terrein waren bedrieglijk en konden grote aantallen troepen verborgen houden.

Zo vervolgde het leger zijn weg, gestadig, maar zonder doelgerichtheid. Ze kwamen weer bij een rivier, en nog een geplunderd, verlaten dorp, even vruchtbaar. Maar dit keer bracht het bij de troepen geen opgewonden geplunder en geslemp teweeg.

Hier was het dat Leonard Palliser aan de cholera bezweek. Het was absoluut niet de eerste keer dat Harry getuige was van een dergelijke dood, maar het was pas de tweede keer dat hij van het begin tot het eind de dood meemaakte van iemand in wiens hij gezelschap hij voortdurend had verkeerd, en op wie hij, ondanks zijn bombast en heetgebakerdheid, gesteld was geraakt.

Het begin kwam onverwacht. Zelfs bij de eerste symptomen klaagde Leonard nergens over. Toen ze afstegen bij een boerenwoning hield hij zijn hand op zijn buik en merkte op dat ook hij al teveel fruit had gegeten. Zo was zijn aard, en de anderen lachten met hem mee. Maar binnen een halfuur waren de pijn en kramp zo hevig dat hij moest gaan liggen. Een uur daarna kon hij niet meer overeind komen. Zijn gezicht had al de karakteristiek bleke kleur en de klamheid van een vissenbuik. Zijn ogen zonken weg in hun kassen en zijn lippen zagen grauw. Harry en Hector verzorgden hem zo goed mogelijk, waarbij ze zowat moesten kokhalzen, en legden hem op de veranda van het boerenhuis. Ze maakten een tent van dekens om hem tegen de vliegen te beschermen. Ze wisten dat er niets aan te doen was. Iemand herstelde maar zelden van de cholera, al kwam het nu en dan wel voor, maar dat was aan de Almachtige. In het begin, toen hij nog schreeuwde van pijn, gingen ze om beurten naar hem toe om hem gezelschap te houden. Twee uur daarna ijlde hij en was hij nog nauwelijks bij bewustzijn. Hij had zich allang van zijn maaginhoud ontdaan; zijn vlees loste op in zijn zure, stinkende zweet.

Zes uur na de eerste pijn was hij goddank dood. Het was een uur in de morgen. De grond was droog en hard, maar ze dolven een graf onder een boom achter de vijver en begroeven hem. Hector sprak een paar passende woorden en nam het op zich Leonards ouders te schrijven, die niet ver van de zijne vandaan in Leicestershire woonden. Ze sliepen die nacht geen van allen. De ochtend daarop begonnen ze, na vier uur paraatheid, aan de dagmars terwijl ze waren uitgeput door vermoeidheid, neerslachtigheid en omdat dat ze nog steeds geen idee hadden van het uiteindelijke doel van hun opmars.

Midden op die dag kwamen ze bij een klein, afgelegen boerenhuis, dat tot hun verbazing nog bewoond was. Een vrouw in een nette, grijswit gestreepte jurk met een wit schort erover kwam naar buiten om hen op te wachten. Ze had drie kleine meisjes tussen de drie en acht jaar oud bij zich – Harry had daar weinig kijk op – die met grote ogen aan haar rokken hingen.

Hector, die een beetje Russisch sprak, steeg af en overhandigde Harry zijn teugels en liep op haar toe. De meisjes deinsden achteruit. Twee van hen gingen terug het huis in en het kleinste brak in angstig gehuil uit, zodat haar moeder haar oppakte en met haar gezichtje tegen haar schouder aan hield. Harry zag dat Hector, die niet bekend stond om zijn fijngevoeligheid, zoals ook bleek bij de kattenepisode, zijn handschoen uittrok en het kind over de haren streek om het te kalmeren. Het gebaar was weloverwogen, verre van spontaan, en had het tegenovergestelde effect, maar de moeder sloeg het met een zuinig lachje gade.

Hector kwam terug, sarcastisch als gewoonlijk. 'Geen taalprobleem. Ze is met een Engelsman getrouwd, maar de kozakken hebben hem vier dagen geleden meegenomen, en ze vreest het ergste. Ze is natuurlijk doodsbenauwd, maar weet niet waar ze heen moet. Ze had een wagen, maar in hun bekende gulheid hebben ze die ook meegepikt. De kinderen hebben honger. Ze kan geen kant op, nergens is ze veilig.'

Ze zorgden voor een paard en wagen en hielpen de vrouw er zoveel mogelijk spullen op te laden. Zij sprak redelijk Engels, met een zwaar accent; haar kinderen geen woord, hoewel ze hen 'dank u wel' liet nazeggen, wat ze heel charmant deden.

Harry vroeg haar waar ze naartoe ging. Ze wees naar het noorden en voegde er met een zweem galgenhumor aan toe: 'Ik denk niet dat het een goed idee is naar Sebastopol te gaan.'

Harry kon dat niet ontkennen. 'En uw man?'

Ze haalde haar schouders op. 'Met Gods hulp zullen we elkaar terugvinden.'

'We wensen u het allerbeste. U en uw dochters.'

Ze vertaalde dat voor de kinderen die al op de wagen zaten, en spoorde hen met een scherpe hoofdknik aan tot nog een ronde bedankjes. Net als hun moeder zagen ze er keurig uit, met geborsteld haar en schone kleren, handen en gezicht. Het huis, waaruit ze de inhoud hadden helpen verplaatsen, was smetteloos. Harry kon zich voorstellen dat de vrouw, die met haar gezin was achtergelaten, haar privé-oorlog had gevoerd op de enige manier die haar overbleef, zonder het moreel te laten verslappen. Zijn bewondering voor haar was grenzeloos.

Toen de kar met zijn wankelende lading wegratelde stak het oudste meisje met een zoekende blik haar hand op en zwaaide naar Harry, die op zijn beurt salueerde.

Het landschap veranderde toen ze in zuidelijke richting reden: het werd steiler. De steppen werden kleiner en steeds zeldzamer. Toen sijpelde er wat informatie door. Ze zouden vanuit het noorden geen aanval op Sebastopol uitvoeren, maar de stad in het oosten omsingelen, en vandaaruit en vanuit het zuiden, vanaf de zee, belegeren.

Een troep cavaleristen, vergezeld van infanteristen, werd door een bosrijk gebied vooruit gestuurd om de daarachter gelegen hoofdweg naar Sebastopol te verkennen. Het pad dat breed en veelbelovend begon bleek al spoedig niet meer dan een hertenspoor, waarlangs het op sommige plaatsen voor de cavalerie alleen mogelijk was achter elkaar aan te rijden. Aangezien dat een levensgevaarlijke opstelling was, konden ze alleen bidden dat de vijand geen scherpschutters tussen de struiken had zitten, voor wie ze een ideale schietschijf vormden. Er werd hun verzekerd dat Lord Lucan voor deze oefening over een kundige gids beschikte en dat de weg, die zo onhandig leek, hen naar de grote weg zou voeren. Er zat niets anders op dan te vertrouwen op deze stellige overtuiging.

Dikwijls hadden ze de brandend hete, boomloze vlakten vervloekt, maar nu dachten ze daar bijna met liefde aan terug. Hier mocht dan wat schaduw zijn, maar de lucht tussen het dichte, doornige struikgewas was verstikkend en de atmosfeer ondraaglijk. Op het legioen aanvallende insecten na waren ze de enige levende wezens. Er klonk geen vogelgezang, geen gedribbel van konijnen of geritsel van slangen. De paarden zwoegden en ploegden, met hun flanken vol schrammen. Maar hun ontberingen waren niets vergeleken bij die van de infanteristen, die verplicht waren hun geweer boven hun hoofd te dragen, van wie gezicht en handen flink werden geschramd door de dorens. Hun luide scheldpartijen en gevloek gaven de voortgang aan. Uiteindelijk verdween de laatste aanduiding van een pad volledig en waren ze genoodzaakt zich al hakkend een weg te banen door ondoordringbaar struikgewas met vlijmscherpe takken, die zich bij hun nadering innig leken te verstrengelen en zich achter hen weer leken te sluiten. Toen het bevel tot halt werd gegeven was de opluchting van korte duur. Zolang ze in beweging bleven bestond er enige mogelijkheid te ontsnappen uit wat al spoedig als een nachtmerrieachtige valstrik aandeed. Stokstijf stilstaan in de roerloze hitte, terwijl het zweet brandde in elke snee, schram en insectenbeet, was nog veel erger. Harry voelde een ongewone paniek in zijn borst, die zijn longen deed samentrekken. Het oponthoud duurde ongeveer twintig minuten. Toen ze eindelijk verder gingen ontdekten ze dat ze nog geen vierhonderd meter van de weg af waren, maar dat ze er, dankzij een misrekening van Lucans gids, in waren geslaagd daar na Lord Raglan zelf aan te komen. Die had met meer geluk dan wijsheid de juiste route genomen, en was daardoor blootgesteld aan een aanzienlijke Russische troepenmacht die in noordelijke richting koerste om een omtrekkende beweging uit te voeren. Het was louter aan de beheerste houding van Raglan te danken, werd er gezegd, en de daaruit volgende onzekerheid van de Russen omtrent wat hij in zijn kielzog meevoerde, dat een catastrofe was voorkomen. Beide partijen hadden elkaar strak aangestaard; de Russen hadden het eerst met hun ogen geknipperd en waren afgedropen. Lucan kreeg openlijk een uitbrander van de opperbevelhebber voor een fout die op geen enkele manier zijn schuld was. Het kwam erop neer dat er nog een grote aanslag op de trots en het moreel van de cavalerie was gepleegd.

'Ik begin te geloven,' zei Hector tegen Harry toen ze de weg naar de kust afreden, 'dat jouw behandeling van die schurftige kat nog de meest heroïsche oorlogsdaad van de cavalerie zal blijken te zijn.'

De haven van Balaklava werd met gejuich begroet. Steile hellingen omarmden een volmaakt veilige haven, waarvan de nauwe ingang door overhangende, steile kliffen van de open zee werd afgeschermd. Het stilstaande water was zo diep dat grote schepen maar een paar meter van de met keien geplaveide kade af voor anker lagen. Mooie huizen, winkeltjes, tuinen, kerken en beschutte straten liepen aan de oostkant van de haven naar boven. Boven de kliffen en de masten zwenkten zeevogels.

Het Britse leger zwermde uit alsof dit de afgelopen drie maanden het enige doel was geweest. Bij de weidsheid van de zee te zijn, te weten dat ze weer met de Engelse zeemacht waren verenigd en beschikten over de gemakken van een bewoonde stad, hoe klein en slecht voorbereid ook, steeg hun naar het hoofd als een flinke borrel. Maar Harry deelde die stemming niet. Die avond reed hij op

Clemmie de stad uit, naar de ruïne van het Genuese fort dat op de rotsklip stond en uitzag op de ingang van de haven. Ondanks de lichten en de vuren, het geluid van fluitspel en gezang, en de schoonheid van de hoge, herfstige hemel boven hem, voelde hij zich niet voldaan.

Achter hem lag de Krim. Voor hem lag de zee. In het westen hun vijand, hergegroepeerd en stevig versterkt. Ze konden niet meer terug. Voor Harry voelde het als het einde van de rit.

17

Blue, me?

Stella Carlyle, 'Joking Apart'

Stella 1997

Het was de derde keer in drie weken dat Stella er als een ondeugend kind vandoor gegaan was. Ze wist dat het weglopen was, en niet gewoon ertussenuit gaan, omdat ze het niemand had verteld. Niet waarheen, niet waarom, of wanneer ze terug zou zijn, zelfs niet dat ze wegging. Als ze op weg naar buiten iemand tegenkwam glimlachte ze, maar ze groette niet. Ze wandelde gewoon de villa uit, geluidloos als een Indiaan op haar sandalen met dikke zolen, en maakte dat ze weg kwam.

Een paar keer had ze een wandeling gemaakt. Maar de hitte en de steile helling in beide richtingen weerhielden haar. Meestal stapte ze in de gehuurde Fiat en snelde over de lichte weg naar het dorp, of naar boven, waar de weg over de leeuwkleurige Toscaanse heuvels naar Siena kronkelde. Ze had echter zelden een duidelijk omschreven plan; haar doel was de ontsnapping als zodanig.

Dat was het enige probleem, besloot ze, van het gastvrouw zijn. Of als dat geen goede benaming was: de bewoonster, de vrouw des huizes, de chatelaine. Dat vond ze prettig. Als het huis waar mensen logeerden tijdelijk van jou was, was jij het vaste punt. De anderen kwamen en gingen. Ze brachten geschenken mee, hielpen een handje; ze deden boodschappen, kookten en organiseerden uitstapjes; ze boden aan de kosten en de verantwoordelijkheid te delen – bijna te bereidwillig, terwijl Stella de touwtjes in handen wilde houden – en ze bleven uit haar vaarwater. Stella had in zichzelf de dringende noodzaak ontdekt, de absolute behoefte om uit het hunne te blijven. En de moeilijkheid was dat, als ze tegen haar gasten zei dat ze uitging, ze wilden weten waarheen, voor het geval ze konden instappen en een lift meepikken naar God weet waar. Of ze bedachten dat ze gezelschap nodig had, en hoewel ze heel goed in staat was te zeggen dat ze liever alleen was, had het tot gevolg dat ze met een opgewekte grijns en aangestoken barbecue op haar thuiskomst zaten te wachten, in de overtuiging dat ze opgevrolijkt en uit zichzelf losge-weekt moest worden.

Dat was het laatste waaraan Stella behoefte had. Ze was aan zich-zelf gewend. Zij en haar zelf, haar diverse zelven, waren door de vele jaren van samenleven aan elkaar gewend geraakt. Hoe ont-spannend of aangenaam het gezelschap van anderen ook was, ze moest in en niet buiten zichzelf zijn, om diep te graven en zich te be-zinnen, om voeling te houden met wat er in haar hoofd en haar hart omging, om te weten wat ze dacht en voelde, en zicht te krijgen op die gedachten en gevoelens.

Want daar kwamen de liedjes vandaan. Niet dat ze van plan was te schrijven toen ze in Italië was, maar een deel van het gedachten-spel dat ze speelde was haar onderbewuste de ruimte geven. Ze be-greep dat proces inmiddels goed genoeg om te weten dat hoe slecht dingen ook verliepen ze uiteindelijk goede kopij opleverden, zoals het oude journalistencredo luidde. Ze maakte zichzelf niet meer voor kouwe kikker uit, zo was het gewoon met haar gesteld. Het was niet te veel gezegd dat het zowel in emotioneel als materieel op-zicht haar leven was. En een proces dat haar en tegen wanhoop en tegen armoede beschermde kon niet slecht zijn.

Ook Robert ontliep ze. Ondanks de verklaring dat zijn leven was veranderd, na haar miskraam vertrouwde ze hem en ook zichzelf niet meer. De fantasie die ze even had gekoesterd dat ze hem over de baby zou vertellen, hoe hij zou kunnen reageren, en hoe het zou zijn, dat alles was nu theoretisch, opnieuw vergane illusies. Ze had in shocktoestand verkeerd. Maar merkwaardig genoeg viel de sugges-tie van haar moeder 'er eens met vrienden tussenuit te gaan', die ze destijds had afgewimpeld, nu wel bij haar in goede aarde. Ze had weinig zin met mensen op stap te gaan, maar misschien kon ze er al-leen opuit gaan, en de mensen naar haar toe laten komen.

Toen ze eenmaal had besloten een villa te huren had ze snel haar keuze gemaakt en de noodzakelijke regelingen getroffen, zonder aan de kosten te denken. Per slot van rekening was haar levensstandaard vergeleken bij die van veel mensen bescheiden, niet omdat ze be-wust sober leefde, maar omdat ze maar weinig behoeften had. Nu had ze echter de kans om eens niet op een stuiver te hoeven kijken. Ze wilde een mooi huis op een mooie plek, voor zes weken, met een zwembad, een terras en een tuin waarin je kon verdwalen; voorts een heleboel slaapkamers. Het geheel moest opgetrokken zijn uit oude stenen en tegels, met modern sanitair en hedendaags keuken-comfort. Ze wilde een uitzicht. Ze wilde een moederlijke vrouw om haar te helpen. En ze wilde een landelijke omgeving waarin allerlei voorzieningen ver genoeg weg lagen om niet vanaf van het terras zichtbaar te zijn, maar ook dicht genoeg bij om binnen vijf minuten bereikbaar te kunnen zijn als haar voorraden opraakten. Er moesten winkels zijn, een wekelijkse boerenmarkt, cafés en een wijnmakerij. Misschien iets artistieks – een pottenbakker, een kunstschilder, een provinciaal muziekgezelschap – waar ze weliswaar niet heen zou gaan, maar het was een leuk idee dat het tot de mogelijkheden behoorde. Ze kon het allemaal krijgen, zolang ze maar betaalde. Villa Paresi prijkte als een juweel op de borst van een door de zon gekuste courtisane op een op het zuiden gelegen heuvel, met uitzicht op het dorpje Paresi. Ze was getooid met druiven en bougainville. Haar rokken bestonden uit goudgroen gras, afgezet met de lange schaduwen van de cipressen. Ze vonkten van de wilde bloemen en fladderden van de bijen en vlinders. Paden kronkelden door het gras. En olijfbomen, door de tijd gebeeldhouwd, reikten met hun knobbelige handen naar de zon. Het zwembad was zo aangelegd dat het er al tweehonderd jaar leek te liggen, met een met druiven overgroeid prieel aan de ene kant, en aan de andere een glooiend terras, met ruige urnen waaruit een stortvloed van vuurrode geraniums stroomde, als kleine vulkanen. Er waren twee badkamers, die elk de afmeting van een bibliotheek hadden, en diverse toiletten, variërend van middeleeuws tot eind deze eeuw, alle in uitstekende staat. De keuken was enorm en schemerig. Het rook er naar kruiden. Er stond een tafel die groot genoeg was voor een mensenoffer, en er was een weergaloze verzameling potten, pannen en kooktoestellen. Hulp was aanwezig in de weinig moederlijke vorm van Claudia, een vrouwtje dat zo klein en pezig als een hagedis was en zich ook zo gedroeg: ze kon urenlang onbeweeglijk zitten met een tijdschrift of de boeken van Danielle Steele, om indien nodig ineens in een wervelwind te veranderen en als een dolle aan het poetsen en koken te slaan. Ze lachte bijna nooit, en ze reed van en naar Paresi op een oude fiets zonder een druppel zweet te laten. Wat haar echter aan charme ontbrak werd goedgemaakt door efficiëntie, en dat was alles wat Stella wenste.

Het mooist van alles was het uitzicht: een glooiende zee van slaperige, geelbruine heuvels, waaruit een sfeer van rijk welbehagen als een damp in de zinderende hitte leek op te stijgen. Stella kende Italië nog niet, maar het was liefde op het eerste gezicht. Hier was een plek waar schoonheid, kunst en natuur zo voortdurend en overvloedig aanwezig waren, dat ze in de mensen een natuurlijke verandering tot stand brachten. Ze leefden in volkomen harmonie met de dingen van het leven omdat de goede dingen zo voorhanden waren. Het waren levensgenieters, vredig door de gewenning.

Stella was geen levensgenieter van nature. Ze zag plezier als iets dat je moest verdienen. Zij putte het voornamelijk uit haar werk. Zelfs het organiseren van deze reis was weloverwogen, een middel tot een doel, niet iets dat ze had ondernomen met een diepe zucht van opluchting, maar een doelgericht project. Ze herkende iets koortsachtigs en gedrevens in haar aard dat niet geschikt was voor het rustige absorberen van de goede dingen. Ze was zenuwachtig en ongeduldig, altijd klaar om verder te gaan, nooit genietend van het moment, tenzij dat moment zich op de bühne afspeelde, waar de intensiteit haar uit het alledaagse leven weghaalde. Een rustiger soort voldoening leverde het schrijven van liedjes op, maar zelfs dat hield de onvermijdelijke tegenstrijdigheden van de creativiteit in. Ze was slecht in vakantie nemen: het idee weg te gaan voor een gedwongen periode van nietsdoen kwam haar vreemd en onbegrijpelijk voor, een volkomen overbodige onderbreking van de dagelijkse strijd om het bestaan.

Italië liet haar een andere manier van leven zien. Ze was verstandig genoeg om in te zien dat het nooit haar manier van leven kon worden, maar er getuige van zijn betekende zichzelf beter leren kennen, en weten dat het een kalmerend effect op haar had. Een aspect waarvoor ze reserves had gekoesterd, de warme, flirterige aandacht van de mannen, beviel haar juist wel. Mannen, die kende ze. Ze had altijd begrepen dat ze, zonder noemenswaardige aanspraak op schoonheid te kunnen maken, een zeker sex appeal bezat, en in Italië maakte ze iets ongebruikelijks mee: de charmante bewondering van mannen die haar eigenzinnige sex appeal als een kwaliteit beschouwden die om zichzelf werd gewaardeerd. Ze nam hun blikken, hun opmerkingen en hun goedmoedige avances voor wat ze waren: complimenten. Als ze op een gammele stoel op het terras van Paradiso, het voornaamste café van Paresi, met haar slaperige ochtendgezicht en -kapsel en haar bril op haar boek zat te lezen, met een dubbele espresso en een plakkerig broodje, kreeg ze het gevoel dat ze verleidelijk en begeerlijk was. Dat gevoel bracht geen stress mee, ze voelde zich ontspannen, gerustgesteld door de subtiliteit van de mannen. De eigenaar van de Paradiso begon haar cadeautjes te geven, een chocolaatje, een bloem of een ansichtkaart die hij bij de koffie neerlegde. De mannen aan de andere tafeltjes grinnikten of glimlachten, alsof ze wisten dat zij iemand was die gerustgesteld en gekoesterd moest worden.

Dat alles was zo anders dan haar ervaringen in het verleden als maar zijn kon. Deze mannen hielden van vrouwen. Ze waren intuïtief om haarzelf op haar gesteld, zonder te weten wie ze was. Het ontbreken van onhandigheid of opschepperij bekoorde haar, en het klopte niet met de verhalen die ze had gehoord over schaamteloos, opdringerig lastigvallen. Ze twijfelde er niet aan dat er onwelkom billenknijpen plaatsvond in het 'jachtseizoen' in de zomer, in de grote steden en op de stranden, maar de aandacht die zij kreeg was fijngevoelig, vriendelijk en ingetogen. En de Italiaanse vrouwen, zag ze, bloeiden absoluut in de warmte en het licht ervan. Er was een verrukkelijk meisje dat 's morgens op weg naar haar werk Paradiso aandeed, een lange, deinende leliestengel van een meid, met een gouden huid en kastanjebruine haren. Dat meisje kreeg alle bewondering die ze ongetwijfeld verdiende, en nam die met koninklijke allure in ontvangst. Maar Stella voelde zich op geen enkele manier in de schaduw gesteld door de schoonheid en jeugd van de ander. Er heerste hier een liefde voor vrouwen die als een omhelzing aandeed, met inbegrip van iedere vrouw.

Ze had speciale vrienden gemaild, ze het adres van Villa Paresi gegeven en aangegeven dat het huis vijf weken lang beschikbaar was. De eerste week hield ze voor zichzelf. Ze vroeg of ze wilden aangeven wanneer ze van plan waren te komen en te vertrekken, om een opstopping te voorkomen. Degenen die ze uitnodigde waren George en haar gezin, plus haar ouders; Roger en Fran, Derek en zijn vrouw, en Bill en Helen Rowlandson, Jamies ouders.

George en Brian kwamen als eersten, enigszins uitgeput na de lange reis in de stationcar. Brian was het chagrijnigst, maar fleurde het eerst weer op. Hij verklaarde binnen een uur na aankomst, op een luchtbed in het zwembad drijvend met een flesje Grolsch in zijn pens, dat hij voor eeuwig wilde blijven en niet meer terugging, een opmerking waarvan Stella oprecht hoopte dat het een grapje was. De kinderen ontspanden zich ook onder invloed van de zon, net water en een vriezer vol ijs, en vervielen in een staat van niet onaangename verveling. De twee ouderen stonden tegen de middag pas op en aanbaden in de middaghitte de zon op muziek (dolle honden en tieners, zoals Brian het uitdrukte) en lagen tot ver na middernacht in het zwembad. Tijdens deze vrijstelling werd Zoe een soort kleine volwassene. Ze waren ook, constateerde Stella, tamelijk zoet als ze mee uit werden genomen; Zoe en Kirsty werden door de kelners bedolven onder de attenties, die Zoe met zelfvertrouwen in ontvangst nam en Kirsty met verrukte, zorgelijk fronsende verwarring. Mark, op een leeftijd dat dergelijke zaken hem in verlegenheid brachten zonder dat hij wist waarom, nam zijn toevlucht tot schimpscheuten als: 'Haha, Kirsty heeft een vriendje!' terwijl Brian met zijn ogen rolde en wanhoop voorwendde, maar inwendig barstte van vaderlijke trots. Hij verklaarde dat hij aannam dat hij hier nog jaren van te goed had en dat voorspelde niets dan onheil.

George piekerde ergens over. Op een ochtend dat Brian de kinderen mee naar Siena had genomen voor een 'hapje cultuur en een stevige lunch', zoals hij het noemde, nam ze Stella in vertrouwen. Ze lagen ongeveer honderd meter van het huis op stretchers onder een olijfboom, maar waar ze lagen had honderd meter overal vandaan kunnen zijn. De heuvel onder hen leek de warmte van eeuwenlang goed leven af te geven. Het zachte gesnor van een motorvoertuig op de weg versterkte hun gevoel van afzondering. Op het gras tussen de ligbedden stond een koeltas met ijskoffie, perziken, een fles water en een fles wijn, en een tube factor 15. Ze hadden allebei een boek, maar lazen niet.

'Ik ben zwanger,' zei George.

Stella incasseerde de klap. 'Gefeliciteerd.'

'Brian zal razend zijn.'

'Aha.'

'Zoe was al erg genoeg, ik bedoel niet Zoe zelf, ik bedoel het idee toen het gebeurde...'

'Dat begrijp ik.'

'...maar dit lijkt regelrechte sabotage.'

Stella, die blij was dat ze een zonnebril droeg, maakte de koeltas open. 'Wil je een vroegertje?'

'Nou, graag.'

Ze schonk twee glazen witte wijn in en gaf er een aan George. Ze deed de tas dicht en vroeg: 'Vergeet Brian even, hoe voel jij je eronder?'

'Misselijk. Ik bedoel het letterlijk. Er is een grens aan hoeveel langer ik nog kan doen alsof ik 's morgens vroeg tandpasta uitkots.'

'En verder?'

'God, ik weet het niet, het maakt allemaal deel uit van de grote levensstroom, neem ik aan. Ik ben filosofisch. Ik wist toen ik met Brian trouwde dat ik nooit iets met mijn leven zou doen...'

'George toch!

'Nou, het is waar. En begrijp me niet verkeerd, ik heb er geen spijt van, ik houd van mijn leven. In een ideale wereld had ik dit niet gewild, maar als de baby eenmaal geboren is ben ik weer de oude: hondsmoe, bekaf en niet om aan te zien. Maar voor de rest...'

'Het klinkt nogal draaglijk.'

George trok een gekweld gezicht. 'Ik wil alleen niet dat Brian al te woedend is. Het is al moeilijk genoeg zelf aan het idee te wennen, en regelmatig te moeten kotsen, zonder dat hij ook nog eens loopt te mokken.'

'Twee dingen.' Stella wierp een blik op haar zuster. 'Mag ik?'

'Ga je gang?'

'Ten eerste: wacht niet langer. Vertel het hem nu je nog hier bent, zo snel mogelijk.'

'Goeie hemel! Weet je wel wat je zegt?'

'Het is een groot huis, ik hoef er niets van te horen. Nog beter: ik kan de kinderen een dagje mee uit nemen en ze bezighouden.'

'Goed.' George slaakte een zucht. 'En ten tweede?'

'Als je het hem vertelt, probeer dan in elk geval te doen alsof je blij bent. Begin niet met het idee dat het het einde van de wereld is.'

'Nee...'

'Hmm?'

'Ik weet dat je gelijk hebt.'

'Ja, ja, ik ken die toon.'

'Nee,' protesteerde George. 'Ik weet het gewoon. Als je elkaar zo goed kent als Brian en ik is het vreselijk moeilijk je anders voor te doen. Ik bedoel: hij zal weten dat ik niet bepaald sta te juichen, en hij weet ook dat ik weet hoe hij zich voelt. En ik weet dat...'

'George.'

'Sorry, sorry.'

'Ik doe niet alsof ik het begrijp, maar ik zie wel waar je op afstevent.'

'O ja?'

'Ik denk het wel.' Stella tastte naar de wijnfles en schonk nog een slok in elk glas.

'Proost.'

'Hoe is trouwens gekomen? Stomme vraag.'

George tilde haar ene schouder op. 'Er is er een doorgeglipt. Alleen de pil is honderd procent betrouwbaar, en die gebruik ik al in geen eeuwen meer. Ik dacht dat de oude sappen opgedroogd waren... Maar nee, ik ben nog steeds aan het hele gedoe overgeleverd.'

'Je voelt in elk geval dat je nog leeft.'

'Over negen maanden om drie uur in de ochtend is het de nacht van de levende doden, dat verzeker ik je. God, soms benijd ik jou.'

Stella had bijna onbewust op die wending van het gesprek gerekend, en er zich op voorbereid, maar lang niet goed genoeg, merkte ze. Ze hoefde niet te vragen waarom, ze wist dat George het haar toch wel zou vertellen.

'Jij bent echt zelfstandig, Stella. Je hebt je eigen leven in de hand. Ik zeg niet dat we kunnen ruilen, maar soms zou ik willen dat ik het gen van de vrije keuze bezat.'

'Ik ben niet anders dan jij,' bracht Stella haar in herinnering. 'Nog niet zo lang geleden heb je me verteld dat ik me niet door mannen moest laten gebruiken.'

'God!' George sloeg met haar hand tegen haar voorhoofd. 'Hoe heb ik zo arrogant kunnen zijn? Uitgerekend ik?'
'Je was niet arrogant, je gaf degelijke, zusterlijke raad. Ik zeg het alleen om te laten zien dat ik niet de ijzeren maagd uit jouw fantasie ben.'
'Nou, in elk geval, hoe gaat het met het mannetje?'
'Breek me de bek niet open. Ik heb hem in geen maanden gezien.'
'Vrije keus, of de omstandigheden?'
Stella hoopte dat haar aarzeling niet werd opgemerkt. 'Keus.'
'Dat bedoel ik nou. En je voelt je er prima bij.'
'Niet echt juichend. Ik leg me erbij neer. Cool, zouden je kinderen zeggen. Ik blijf er koel onder.'
'Koel? Ha!' George rolde met haar hoofd van de ene naar de andere kant. 'Koelte, daar verlang ik naar!'

Twee dagen daarna organiseerde Stella een uitstapje naar Fiesole, met een picknickmand. Ze nam zelfs Zoe mee, als een soort bliksemafleider in geval van mogelijke wrijving tussen haar en de andere twee. Het was een dag van bijna ongeëvenaarde zoetheid en licht, en een die ze herkende als een cruciaal punt van haar herstel. Dit was, zag ze, waar ze voor gebakken was en goed in was. En wat erbij kwam, het had een nuttige functie in het leven van anderen. Ze was geknipt voor de rol van plaatsvervangende, of zelfs als het moest misplaatste, ouder zonder portefeuille. Mark en Kirsty kwamen op de leeftijd die Jamie had toen Stella en hij elkaars gezelschap voor het eerst gingen waarderen. Ze stond altijd volkomen aan de kant van aan haar zuster en was discreet wat haar eigen leven betrof, maar de kinderen zagen nu niet alleen dat ze anders was, dat hadden ze altijd al geweten, maar ook wie ze was. Zijzelf balanceerden op die scherpe, ongemakkelijke snede van de puberteit, terwijl ze tegelijkertijd hun kijk op andere mensen vergaarden. Er zou over een poosje een periode aanbreken, dat haar ster rijzende was, dat ze haar zouden zien als de bron van wereldse wijsheid. Dan was het het moeilijkst de juiste weg te bewandelen, om hun vertrouwen en genegenheid te behouden en tevens de positie van hun ouders onaangetast te laten.
Kirsty, die in ruime mate met de natuurlijke vroegrijpheid van een meisje was bedeeld, lag voor. Mark was in staat van beroering, nu eens slecht op zijn gemak, dan weer doorslaand naar de andere kant, nooit in evenwicht. Het kwam voor Stella niet als een verrassing dat het voor de lunch, toen ze een steile heuvel naar een uitkijkpunt onder kerk hadden beklommen en ze verklaarde dat ze even wilde zitten om rustig een glas wijn te drinken, Mark was die Zoe mee op

sleeptouw nam en Kirsty die naast haar ging liggen, met haar slanke taille blootgesteld aan de zon.

'Stella, mag ik ook een beetje wijn?'

'Ja, als je wilt. Maar je krijgt er dorst van.'

'Dat geeft niet.'

Stella schonk haar een glas in.

'Bedankt.' Ze richtte zich op op haar elleboog en nam een slokje.

'Ik neem ook een cola.'

'Prima.'

'Hou jij niet van de zon?'

'Jawel, maar de zon houdt niet van mij.'

'Bedoel je dat je niet bruin wordt?'

'Nee. En ik wil niet verbranden, dus blijf ik koud en bleek.'

'Mamma wordt ook niet bruin, maar paps krijgt een prachtige bronskleur. Hij ziet er in de vakantie echt sexy uit.'

'Ja, dat is waar.'

'Vind je?' Kirsty knipoogde tegen haar alsof ze ergens was ingestonken. 'Echt waar?'

'Natuurlijk. Je vader is een knappe man.'

Dat ging wat ver. Kirsty proestte van het lachen. 'Heb je een oogje op hem?'

Stella overwoog deze. 'Zou kunnen. Hij is aantrekkelijk. Maar het is je vader, en de man van je moeder. Dus gebeurt het niet.'

'Hij is gek op jou.'

'Hij flirt met me, dat is niet hetzelfde.'

'Hij vind je het einde. Hij noemt je de Zwoele Verleidster.'

'Dat is een grapje,' legde Stella uit, maar Kirsty was niet meer te stuiten.

'Echt waar, hij zegt: "Komt de Zwoele Verleidster ook, moet ik wat meer aftershave opdoen?"'

'En wat zegt je moeder dan?'

'Mamma zegt: "Droom maar lekker, grote knul."' Kirsty schaterlachte. 'Echt waar. Het kan haar niet schelen, ze vindt het grappig.'

'Gelijk heeft ze.'

Stella lachte ook en Kirsty, nog nalachend en voldaan over het succes van de grap, stootte haar glas wijn om.

'Wil je nog wat?'

'Nee, dank je.'

Ze zwegen even. Ze hoorden het zachte houten geplop van geitenbellen ergens in de verte, en Zoe's stemmetje, waarvan de hoge toon door de stille lucht naar hen toe dreef, ofschoon ze niet konden horen wat ze zei.

'Mark is zo'n goede broer,' merkte Stella op.

'Hij is lief voor Zoe, zij is een dwingeland.'
'Wees blij, daardoor hebben wij onze handen vrij.'
Kirsty liet zich op haar buik rollen, ging met haar gezicht op haar
armen liggen en keek weg van Stella.
'Denk je dat mijn ouders samen slapen?'
'Ja.' Het was een van die ogenblikken van praten voordat je na-
denkt. 'Dat denk ik.'
'Een heleboel getrouwde mensen doen het niet.'
'Hoe kom je daarbij?'
'Dat heb ik gelezen. In boeken. In tijdschriften. Ze krijgen genoeg
van elkaar.'
'Sommige misschien. Ik heb het nooit uitgeprobeerd, ik zou het
niet weten. Maar het lijkt me niet het geval bij je ouders.'
'Waarom niet?' Dit, wist Stella, was geen trucje of valkuil, maar een
serieuze vraag.
'Omdat je vader niet met mij zou flirten als hij niet gelukkig was.
En je moeder zou hem niet "grote knul" noemen als zij het niet was.'
Het was stil.
'Hoe klinkt dat?'
'Oké.'
'Kirsty.'
'Ja.'
'Doe me een lol en ga de anderen even zoeken. Het is etenstijd en
Zoe moet zo ongeveer gesmolten zijn.'
'Moet ik...'
'Nee.'
'O, nou, goed.'
Kirsty krabbelde overeind. Haar wang, onderarm en borst had-
den een roze kantpatroon van grassprieten. Stella keek hoe ze weg-
sjokte en de grasresten van haar shorts en topje afklopte. Ze voelde
plotseling een steek van liefde voor haar nichtje, en heftig medele-
ven met haar verwarrende gevoelens van nu en de nog verwarren-
dere die nog moesten komen; alle liefde en haat en gekwetstheid en
emotionele koehandel die voor volwassen relaties doorging.
Na de lunch lagen ze wat te doezelen en schoten grashalmen op
elkaar af. Ten slotte pakten ze hun boeltje op en vonden een koel,
donker cafetaria waar ze ijslolly's gingen eten. Drie mannen zaten
achterin naar het voetballen op de televisie te kijken. Zoe ging naar
ze toe en de jongste van de drie, een jonge god met sluik, zwart haar
en een groezelig sporthemd, zette haar op zijn knie en sloeg zijn arm
om haar heen. Met zijn halfopgerookte sigaret wees hij haar de top-
spelers aan.
'Kan dat wel?' vroeg Mark.

Stella keek even. 'Volgens mij wel.'

Kirsty meesmuilde. 'Het is een schatje.'

'Oooh!'

Stella zei tegen Mark: 'Ga ook gerust kijken als je zin hebt.'

'Nee, bedankt. Ik snak naar het zwembad.'

'Gelijk heb je. We moeten op huis aan.'

Ze betaalde bij de toonbank en haalde Zoe weg bij haar bewonderaars. Ze konden haar bijna niet loslaten, knepen haar in de wang, aaiden haar over haar beentjes en maakte haar haren in de war. Toen ze preuts haar haren en haar zonnejurk gladstreek lachten ze verrukt. De jonge man die haar op zijn knie had gezet vroeg: 'Uw dochter?'

Stella schudde haar hoofd. 'Mijn nichtje. *La mia niece.*'

'Aha!' Nog meer geglimlach en gelach. De jonge man knikte naar Kirsty. '*E questa signorina?*'

'Ook mijn nichtje.'

Hij spreidde zijn handen uit in een gebaar dat verbazing, wanhoop en berusting uitdrukte. 'Wat een schoonheden.'

Toen ze terugkwamen was het stil in de villa. Mark en Kirsty lagen in een oogwenk in zwembad en Stella hielp Zoe met haar zwempak en zwembandjes. Daarna ging ze aan de rand van het bad met haar voeten in het water zitten kijken. Ze was er nagenoeg zeker van dat de stilte een goed teken was; het was deel van een scenario dat verklaring, confrontatie, verwijdering en verzoening inhield. Dit was volgens haar de verzoening: de grote, oude slaapkamer koel en donker achter de gesloten luiken, de lichamen glijdend en fluisterend op de katoenen lakens, zuigend en smakkend van het zweet waar ze elkaar aanraakten.

Maar toen ze een uur daarna lichte voetstappen op de stenen vloer hoorde verscheen er niemand. En het volgende geluid was het starten van de Volvo, die vervolgens in volle vaart de heuvel af reed. De kinderen, die verdiept waren in een lawaaiig kinderspelletje waaraan het luchtbed en een hoop geschreeuw te pas kwamen, schenen het niet te hebben gemerkt. Stella bleef stokstijf zitten.

Tien minuten daarna kwam George het huis uit met haar armen over elkaar, alsof ze het koud had. Ze zwaaide even naar de kinderen en liep naar Stella toe, die zo breed mogelijk grijnsde.

'Hoe gaat het?'

'Hallo, ik hoorde dat jullie terug waren. Sorry dat ik er nu pas ben.'

'Geeft niet. Het gaat prima zoals je ziet.'

'Leuke dag gehad?'

'Ik heb er in elk geval van genoten.'

'Heel lief van je.'

'Welnee. Je hebt ontzettend aardige kinderen. Ik stel hun gezelschap op prijs.'

George barstte in tranen uit. Ze deed geen poging zich in te houden, het waren de luide, hijgende snikken van iemand die aan het eind van haar Latijn is. Stella pakte haar bij de elleboog en trok haar overeind.

'Mark!'

'Ja – wat is met mam aan de hand?'

'Ze is door de hitte bevangen, te veel zon. Kun jij even op Zoe letten?'

'Ja, natuurlijk.'

'Ze kunnen toch niet...' mompelde George snotterend.

'Dan stuur ik Claudia naar ze toe.'

'Dat vindt ze niet prettig.'

'Wie betaalt er hier?'

Stella zette haar zus in de salon neer en ging op zoek naar Claudia, die in de keuken de *Ciao!* zat te lezen.

'Claudia, mevrouw Travis voelt zich niet lekker. Zou jij misschien een poosje bij het zwembad kunnen gaan zitten, zolang Zoe in het water is?'

Claudia maakte een gebaar dat een dergelijke verantwoordelijkheid een fluitje van een cent was voor iemand zoals zij, en trok terug zich met medeneming van een reep chocola uit de koelkast. Stella, vermoedend dat onder het stalen uiterlijk van de dienstbode een hart van puur graniet klopte, bedacht dat het waarschijnlijk nationale trots was waardoor ze zich dwong om aardig tegen kinderen te zijn, wat voor mensenhater ze van nature ook was.

Ze ging naar George terug, die betraand maar kalm was.

'Drankje?'

'Nee, bedankt – ach, doe toch maar.'

Stella schonk voor hun beiden een meer dan medisch verantwoorde dosis Calvados in.

'En?'

'Hij is er dus vandoor.'

Stella onthield zich zowel van sarcastisch commentaar als van sentimentele troost. 'Hij komt er wel overheen.'

'Dat weet ik. Ik wou alleen dat het gisteren was.'

Met een schok herinnerde Stella zich die kreet uit hun kinderjaren als er dingen misgingen of dreigend onheil niet was af te wenden. Gisteren! Het paradijs, toen alles nog goed was.

'Als het gisteren was had je het nog allemaal te goed. Vanavond is het achter de rug.'

George lachte zwakjes en snufte. 'Dat zal wel.'

'Natuurlijk. En morgen om deze tijd liggen de zonnige heuvels van je toekomstige familieleven weer voor je open.'

'Heuvels is het goede woord. Ik ben na Zoe nooit meer op mijn oude gewicht gekomen, en God weet hoe het deze keer gaat. Het grootste zoogdier op twee benen van Zuid-Engeland.'

'Met het fraaiste decolleté. Koop een heleboel tenten met een lage hals, dan eet hij uit je hand.'

'Dat hoop ik maar.' George nam een gulzige slok. 'Soms vraag ik me af of hij me überhaupt wel ziet zitten, of dat ik gewoon het dichtstbijzijnde toevluchtsoord ben.'

Stella dacht aan haar gesprek met Kirsty die middag. 'Daar kom je nooit achter als je de vragen niet stelt die je nooit had willen stellen. Mijn advies luidt: gedraag je alsof je niet twijfelt. Pronk met die buik, laat die tieten wapperen, vrij zijn mannelijkheid op en alles waar je de hand op kunt leggen. Maak dat hij zich een seksgod voelt dat hij het weer voor elkaar heeft gekregen.'

George zond haar een waterige glimlach. 'Wat krijgen we nou? Dit klinkt niet als de oude Stella.'

'Hoe klonk die dan?'

'Je weet wel. Kies er een uit, gebruik hem en zorg dat je hem weer kwijtraakt.'

'Nu,' antwoordde ze. 'Misschien ben ik wel veranderd.'

En de dag daarop ging ze er voor het eerst tussenuit.

Het was niets dramatisch, ze reed gewoon naar het volgende dorp en liep er rond. Ze ging de kleine, mooie kerk binnen, kwam langs een smederij waar een zwijgende man figuurtjes van zwart ijzer zat te maken; ze kocht tomaten en een rond, plat, met meel bestoven brood, en ze ontdekte het equivalent van Paradiso. Ze ging binnen zitten met haar boek, met het zachte, murmelende geklik van het biljartspel in de donkere ruimte achterin.

Toen ze vroeg in de middag terugkwam en naar boven wilde gaan voor een dutje, dreef Mark in het zwembad rond en lag Kirsty in haar roze bikini op haar buik op een stretcher, met haar armen bungelend langs de zijkanten.

'Hallo. Waar is iedereen?'

'Slapen.'

'Wat, Zoe ook?' Kirsty knikte.

'Ik denk dat ik dat ook maar doe.'

Boven kwam ze langs Zoe's open kamerdeur en zag haar nichtje stralend op de verkreukelde lakens liggen. Ze ging even naar binnen om haar buitengewone, kinderlijk jeugdige schoonheid te bewonderen, die slechts door groezelige voetzolen, een met viltstift getekende armband op haar pols en een veeg chocolade in haar mond-hoek werd ontsierd.

Het was doodstil in de villa, die in volledige rust was gedompeld. Stella's kamer, die ze bij aankomst op grond van haar *droit de châte-laine* had uitgekozen, lag op de bovenste verdieping, en was het ver-bouwde deel van een vliering, waar de hitte draaglijk werd gehou-den door een elektrische ventilator. De geïsoleerde ligging en het uitzicht naar drie kanten door de lage ramen vormden meer dan vol-doende compensatie.

Ze stond al met haar voet op de onderste trede van de houten trap toen ze geluid uit de kamer van George en Brian hoorde komen: het regelmatige, steeds snellere ritme van seks, vertrouwd en onmis-kenbaar. Ze kon de verleiding niet weerstaan even, weemoedig ge-stemd, te blijven luisteren. Maar toen ze de trap op liep troostte ze zich met de wetenschap dat alles weer in orde was.

Vier dagen daarna, toen de stationcar ingeladen was, stonden ze bui-ten op de oprit terwijl de kinderen nog een laatste ronde door de slaapkamers deden. Brian gaf een klap op het dak van de auto alsof het een paardenschoft was.

'Ik dacht dat het louter aardigheid was toen George me overhaal-de deze aan te schaffen, maar nu weet ik dat het een onderdeel van haar boze plannen vormde.'

'O ja?' George rommelde in haar tas en mompelde iets over een zonnebril. Brian knikte naar haar rug.

'Ze blijkt in verwachting te zijn.'

Stella reageerde precies op het goede moment. 'Fantastisch ge-daan! Al uitgevonden wie de dader is?'

'Ha ha ha.'

'Kom op, je bent zo trots als een aap.' Ze gaf hem een kus en hij gaf haar een meer dan broederlijk kneepje.

'Ik. God weet hoe. Nog meer verrekte onkosten.' Hij knikte in de richting van het huis. 'Heb het hun nog niet verteld.'

'Ze zullen ervan balen.'

Brian lachte smakelijk. 'Waarschijnlijk! De oudjes horen er niet van die konijnengewoonten op na te houden. Kom op, gepeupel, over dertig seconden vertrekken we, waar is jullie moeder?'

'Op de plee.'

Hij trok een gezicht naar Stella. 'Dat wordt volgens mij eerder erger dan beter.' Hij boog zich vertrouwelijk naar haar toe. 'Ik zal je wat vertellen, schat, jij bent zo slecht nog niet af.'

Aangezien het retorisch klonk gaf ze geen antwoord, maar toen ze hen uitzwaaide bedacht ze dat hij juist het tegendeel had bedoeld.

436

Nadat George en Brian weg waren volgde er een pauze van twee dagen voordat Roger en Fran kwamen, en nog een tweedaagse periode die ze moesten delen met hun opvolgers, Helen en Bill. In het kielzog van de familie Travis was het akelig stil in de villa. Stella miste de kinderen.

Roger en Fran waren bijna volmaakte gasten. Het oude hippiedom waar Jamie eens tersluiks op had gezinspeeld kwam hen goed van pas als het ging om het delen van andermans huis. Ze waren rustig, aangepast, amuseerden zichzelf of deden mee wanneer het uitkwam, en vormden een buitengewoon harmonisch paar. Dat was de enige uitdrukking waarmee Stella ze kon omschrijven. Ze vermoedde dat hartstocht niet zo'n grote rol speelde in hun relatie, maar als dat wel zo was, waren ze een goede reclame voor de diepe rust van het tweepersoonsbed. Ze begon de indruk te krijgen dat het huwelijk, wilde het standhouden, bezwangerd en vruchtbaar moest zijn zoals dat van haar zuster, of kalm en aan zichzelf genoeg hebbend als dit.

Er gingen vijf dagen voorbij. Vijf dagen van rust, die wat de Turners betrof werden gevuld met onschuldige toeristische tripjes en kaarten sturen. Stella vergezelde hen slechts op een tocht, naar Florence. Maar zelfs daar gingen ze hun eigen gang; Fran en Roger op weg naar een overdosis cultuur, terwijl Stella wat minder doelgericht rondzwalkte. Haar zwerftochten brachten haar eerst bij een juwelierszaak die er zo adembenemend mooi en modern uitzag dat ze aarzelde op de drempel en ze zich er nogal nadrukkelijk aan moest herinneren dat het maar een winkel was en dat haar plastic even goed was als dat van ieder ander.

De winkel bezat niet zoiets simpels als een toonbank, maar in het midden stond een ronde, glazen tafel waaruit een roterende glazen cilinder oprees tot aan het plafond. De cilinder bevatte een lichte krul van dikker glas, zodat het was alsof er rook opsteeg door een transparante schoorsteen. Een vrouw in een gestroomlijnde, roomkleurige zijden creatie met parels stond achter in de winkel en murmelde '*Buongiorno*' op de verveelde toon die bij verkopers van dure spullen scheen te horen. De laatste keer dat Stella zulk een ijzige elegantie en laatdunkendheid had gezien was in de Elmhurst Kliniek. Haar zenuwen raakten gespannen bij de herinnering.

Er waren misschien hooguit dertig voorwerpen in de winkel uitgestald, maar Stella wilde er een uit de etalage zien. Ze wees, en de vrouw kwam op een golf parfum naast haar aangegleden.

'Die ketting, kan ik die even bekijken?'

'Het bandje?'

'Ja.'

De vrouw tilde het eruit en reikte het Stella op haar handpalmen aan. Het was een papierdunne, cirkelvormige band, van geslagen zilver met een enkel asymmetrisch blaadje eraan hangend. Het gebeurde niet vaak dat Stella echt naar iets verlangde, maar dit wilde ze absoluut hebben.

'Mag ik het passen?'

'Natuurlijk.' De vrouw wees op een spiegel. Stella deed het sieraad om en friemelde met het piepkleine sluitinkje. De koele vingers van de vrouw schoten haar te hulp.

'Dank u.'

'*Molto bella.*'

Het kettinkje was zo fijn dat het daar leek te zijn aangespoeld, maar ook was het zo volmaakt ontworpen dat het zich naar haar magere sleutelbeenderen voegde alsof het ervoor gemaakt was. De vrouw stond met haar armen over elkaar toe te kijken. Stella merkte dat haar houding zachter werd, niet vanwege een mogelijke verkoop, maar door hun gezamenlijke waardering voor het kunstwerk.

'Ik neem het.'

De vrouw wachtte even tot ze het had afgedaan en trok zich toen terug in haar hol, achter een wandtapijt achter in de winkel. Het drong tot Stella door dat ze het geen van beiden over de prijs hadden gehad; de vrouw vermoedelijk niet omdat ze discreet aannam dat haar klanten welgesteld waren, en zij uit louter eigenwijsheid.

Het was een onvoorstelbaar hoog bedrag. Meer dan ze ooit in haar leven voor iets had uitgegeven, op haar auto, haar Londense flat en Villa Paresi na. Ze hoopte dat de vrouw zou denken dat het onverschilligheid was in plaats van de schok waardoor ze met stomheid was geslagen terwijl haar pasje door het pinapparaat werd gehaald.

Toen ze echter in het rumoer van de zonnige straat terug was vergat ze het geld. Dat ze zomaar schoonheid had gekocht was een genoegen dat ze zich niet vaak gunde. Nu begreep ze waarom mensen dat deden.

Ze ging een netwerk van kronkelende achterafstraatjes in en liep naar de smalle deur van een kerk. Binnen was het donker, en zo koel dat ze kippenvel kreeg. Toen haar ogen aan het schemerdonker gewend raakten, nam ze de lichte, ronde koepel in zich op met het schitterende, pastorale fresco van een herder met zijn schapen, de bijbel in een glazen vitrine, verse bloemen en felgekleurde kunstbloemen, witte muren en vergulde kandelaars, het strenge en het exotische, het sacrale en het sensuele.

Stella geloofde niet, maar ze hield van de besloten anonimiteit van deze Italiaanse kerk. Er hing een sfeer van geloof, of misschien van acceptatie van het mensdom, die ze in Engeland nog in geen enkele kerk was tegengekomen. Ze kocht een kaars, stak hem aan en zette hem bij een stuk of zes andere in de standaard. Dacht aan het verlies van haar baby. Zette er toen zachtjes nog een naast, voor Robert.

Ze ging op een van de harde stoelen zitten en haalde haar kettinkje uit het tasje en vervolgens uit het doosje. Ze hield het in haar handen, en vroeg zich af of het de aanbidding van de geldgod vertegenwoordigde. Zo voelde het echter niet. Ze streek de golfjes zilver tussen haar vingers glad en kon zich voorstellen dat het bidden van de rozenkrans ook zo aanvoelde – een manier om je te concentreren, de geest op een bepaald punt te richten.

Toen ze daar zo zat hoorde ze de deur opengaan en voetstappen op de stenen vloer klikken. Even stond de binnenkomer stil, om wijwater te nemen, te knielen, een kruisteken te maken, en de voetstappen kwamen het middenpad door. Een knappe vrouw met een leren jas en naaldhakken ging naar een stoel op de eerste rij en knielde neer, met haar hoofd gebogen in een hand vol ringen. Na een paar minuten ging ze zitten en voerde een paar snelle herstelrituelen uit: ze verschikte iets aan haar kapsel, bette haar ogen en wangen met een zakdoekje, streek haar kraag glad en blies met een majestueuze houding de aftocht.

Stella genoot nog een poosje van de stilte om haar heen, stopte de ketting weer in haar tas en vertrok. Met haar hand op de deur draaide ze zich om en maakte in gedachten een kniebuiging voor het weldadige gebouw, een kniebuiging van het hart.

Overlopend van een aangenaam soort melancholie trakteerde ze Fran en Roger op een traditionele lunch en raakte een tikje aangeschoten.

'En,' zei ze boven de *linguini*, 'hebben jullie het Pitti helemaal gedaan? Met het t-shirt en de bijbehorende blaren?'

'Het is schitterend,' verklaarde Fran. 'Wat een troost te weten dat er ook een ander niveau van leven bestaat.'

'Bestond,' verbeterde Roger haar.

'Helemaal niet, de grote stroom van creatieve menselijke inspanningen gaat gewoon door. Kijk maar naar Stella.'

'Kalmpjes aan,' zei ze.

Roger leek van zijn stuk gebracht. 'Hoe heb jij de ochtend doorgebracht?

'Ik heb een halsketting gekocht en in een kerk gezeten.'

'Een uitstekend programma zo te horen.'

'Kom op,' zei Fran. 'Laat kijken.'

Ze bejubelden het kettinkje en de lunch. 'Het is allemaal zo mooi,' zei Fran. 'Heb me zo onnodig zorgen gemaakt.'

Roger was het met haar eens. 'Vooral dat onnodige maakt het grote verschil.'

'Het is zo lief van je dat je ons hebt uitgenodigd.'

'Graag gedaan. Het was het minste dat ik kon doen.'

'Als je Ailmay bedoelt, al die jaren geleden, alsjeblieft! Dat lag heel anders.'

'Nee, je hebt gelijk,' zei Stella. 'Ailmay heeft mijn leven veranderd.'

Het was niet de fout van Helen en Bill Rowlandson dat de balans op Villa Paresi door hun komst verstoord raakte. Het was gewoon zo dat de balans bij Stella berustte, die op precaire wijze op het slappe koord balanceerde tussen de twee stellen oude vrienden die niet langer iets gemeen hadden. Het was niet verstandig meer intimiteit tussen hen te bewerkstelligen; aan de andere kant wilde ze, al was het maar voor haar eigen gemoedsrust, dat de achtenveertig uur die ze samen waren soepel zouden verlopen.

Jamie's moeder Helen was een romige schoonheid uit de Home Counties die nooit zwom of zonnebaadde, en wier persoonlijke stijl volgens Stella deed denken aan mevrouw Exeter, een model uit een van de oude *Vogue*-nummers van haar moeder. Stella had de grootste moeite te beseffen dat Helen maar vijf jaar ouder was dan zij. Aan de andere kant zag Helen er al zolang Stella zich kon herinneren hetzelfde uit, en er waren geen aanwijzingen dat het in de toekomst zou veranderen, of het zou moeten zijn in het voordeel van Helen. Ze hadden niets gemeen, behalve Jamie en Bill, met wie Stella een jaar of vijftien daarvoor die korte, weinig gedenkwaardige affaire had gehad. Ze was er zich pijnlijk van bewust dat er van Bills kant best weer een aanval kon komen. Zoals ze van Brians stoere geflirt zeker wist dat het volmaakt onschuldig was, voelde ze Bills begeerte in elke vermijding van oogcontact en aanraking, en in zijn opgewekte, lafhartige, geveinsde onverschilligheid.

Ze was er zeker van dat Fran en Roger er geen erg in hadden, en even zeker dat Helen het wel in de gaten had. De eerste avond van de Rowlandsons informeerde ze onder het eten naar Jamie.

'Hoe gaat het met de jongen wiens spirituele begeleiding ik zo vol toewijding op me heb genomen?'

Bill snoof. 'Je hebt het prima gedaan. Hij is goddeloos, net ze zoals ze allemaal zijn.'

'Het gaat heel goed met hem,' protesteerde Helen. 'Hij verbreedt zogezegd zijn horizon.'

'Op welke manier?'

'We vonden Ingrid aardig,' merkte Roger op, alsof hij Stella's gedachten las. 'Ik neem aan dat ze van het toneel is verdwenen?'

'Hemeltje, al lang,' lachte Helen, deze jeugdige vergissing met zilveren luchthartigheid wegwuivend. 'Dat was jaren geleden. We moeten je even bijpraten.'

'Wat voert hij uit?' herhaalde Stella.

'Trekt door Europa,' antwoordde Bill, 'met die nietsnut van een Jonno en twee vrouwen.'

'En is een van die twee een speciale vriendin?' vroeg Fran.

'Ja,' zei Helen. 'Zijn huidige vriendin, Nina. Ze is heel aardig. We zijn erg op haar gesteld, nietwaar, schat?'

Stella bespeurde iets ijzigs in haar toon – wat het gewenste effect had, want Bill beaamde dat dat zo was, jazeker.

'We vroegen ons af,' ging Helen voort, 'of we je een kleine gunst konden vragen?'

'Ho eens even!' Bill stak zijn hand op als een politieagent die het verkeer regelt. 'Laat dat "we" er maar af. Jij vroeg het je af. En de gunst die je wilt vragen is in de verste verte niet klein.'

'Hoe dan ook,' zei Stella, 'vraag maar op.'

'Het zit zo,' zei Helen. 'Ze zwerven momenteel ergens in de buurt van de havens aan de Zwarte Zee rond, voor zover we weten. Hij houdt contact via de e-mail, ik weet niet of er hier ergens een internetcafé is?' Bill sputterde tegen. 'Vast wel, die heb je tegenwoordig overal... Hoe dan ook, het laatste dat we van hem hebben gehoord is dat hij in die buurt uithangt, maar hun geld raakt snel op en we vroegen ons gewoon af... '

'Gewoon!'

'Hou je kop, Bill, we vroegen ons gewoon af we hem dit adres mogen geven als hij dringend een vaste halteplaats nodig heeft.'

'Natuurlijk. Het zal me een genoegen zijn.'

'Echt waar? Dan leid je een treuriger leven dan ik dacht,' zei Bill. Stella negeerde zijn opmerking. 'Ik heb hem weliswaar geen bijbelles gegeven, maar ik kan hem op elk gewenst moment van eten, drinken en prietpraat voorzien. En zijn makkers ook.'

'Dat is absoluut niet nodig. Ik bedoel, het zal zich waarschijnlijk niet eens voordoen, maar zo ja, dan spreekt het vanzelf dat er van jou niet wordt verwacht...'

'Om het maar even luid en duidelijk te zeggen, Hel,' zei Bill met harde stem, 'als ze platzak zijn en omkomen van de honger kan zij toch moeilijk zeggen: "Die neem ik op en die niet." Het is allemaal of niemand. En daar heb ik nou juist bezwaar tegen.'

'Maar ik niet,' zei Stella gedecideerd. 'Er is een internetcafé in Florence op de Plaza Medici. En ik ga voorlopig nergens heen. Simpel.'

Na het eten met koffie en likeur, Dean Martin kwelend op de stereo, maakte Stella zich als een discreet koppelaarster uit de voeten om de twee echtparen het verder samen te laten uitzoeken, en vervolgens te ontdekken dat Bill haar op de hielen zat. Of niet direct op de hielen, maar hij volgde haar nog net op afstand en bevond zich tussen haar en het zachte licht van de villa in.

'Je hebt gelijk,' zei hij alsof zij iets had gezegd. 'Goed idee, een wandelingetje.' En toen ze geen antwoord gaf voegde hij eraan toe: 'Dit is een ongelooflijke plek, hoe ben je eraan gekomen?'

'Uit de krant, zoals dat gaat.'

'Het is fantastisch. Je zou aan iets dergelijks gewend kunnen raken.'

Ze liep verder. Hij bleef haar tot haar grote ergernis volgen, kwam niet naast haar lopen maar bleef drie passen achter haar.

'Tussen haakjes, het is reuze lief van je dat we je adres mogen geven aan dat stelletje ongeregeld.'

'Dat zijn ze niet, en ik verheug me erop ze te zien.'

'Wat je zegt. In elk geval bedankt.'

'Geen dank.'

'Moet je horen, Stella.' Ze hoorde aan zijn stem dat hij stil bleef staan, een manier om te zorgen dat zij ook zou blijven staan, zonder haar aan te raken of haar iets te vragen. Ze bleef staan, maar zonder naar hem te kijken. In plaats daarvan keek ze naar de lucht.

'Stella, je weet wat ik wil zeggen.'

Ze slaakte een zucht en zei op kwetsende toon: 'Doe me een lol.'

'Als een man het onder deze omstandigheden niet kan zeggen, wanneer dan wel? Je weet best dat ik altijd gek op je ben geweest. En jij bent ook nog steeds gek op mij, dat weet je.'

'Goddank. Ik heb me al die tijd afgevraagd: stel je voor dat Bill geen belangstelling meer voor me heeft?'

'Ik vind het enig als je sarcastisch doet.'

'Werkelijk?' Ze wendde haar gezicht naar hem toe. 'Dan doe ik dat niet meer. Hou jezelf niet voor de gek, Bill. Je hebt nooit een fluit om me gegeven, en ik niet om jou. We hebben liefdeloos met elkaar geneukt, hoeveel jaar geleden? En als je ook maar de minste neiging hebt om dat hier te herhalen, gebruik dan je hersens. Ik betaal hiervoor. Ik heb het recht de mensen de deur uit te zetten.' Ze deed een paar stappen in zijn richting. 'Denk eens aan die lange terugreis, vijftienhonderd kilometer in de auto met Helen, die wil weten waarom het zo treurig is afgelopen.'

'Stella toch...' Hij nam een vleierige toon aan en spreidde zijn armen uit. 'Waar doe je zo moeilijk over? Mag een man in juli in Toscane niet romantisch doen met een oude vlam? Sinds wanneer is dat verboden?'

'Sinds nu.' Ze wees met haar vinger naar de grond. 'Sorry, maar ik ga naar de anderen terug.'

Wat er toen gebeurde schokte haar. Hij ging opzij om haar door te laten, maar toen ze langs liep pakte hij haar bij haar kin vast, draaide haar gezicht om en kuste haar met open mond op haar lippen. Hij duwde zijn hoofd naar voren en zijn tong schoot als een slangentong op en neer. Het duurde maar een seconde, toen liep hij in tegenovergestelde richting verder.

De dag daarop ging ze er voor de tweede keer vandoor.

Binnen die ene seconde was haar periode van wankel evenwicht en gemoedrust voorbij. Ze hield zich niet overmatig bezig met het incident dat, hoewel het walgelijk was, niet werd herhaald. Maar toen hij haar zijn gezicht toekeerde en zijn glibberige tong tussen haar tanden wrong was het alsof hij haar een spiegel voorhield. Als een emotioneel chanteur had hij haar op een wellustige, kwaadaardige wijze met haar verleden geconfronteerd. Ze kon het niet van zich afzetten, wie ze was, wat ze had gedaan, hoe ze zich had gedragen. Het leek alsof dat alles voorgoed aan haar zou blijven kleven.

Nadat de Turners waren vertrokken zei ze tegen Bill en Helen dat ze wat wilde werken, liet hen in hun eigen sop gaarkoken en ging ervandoor. Ze reed naar Florence en stopte om een *palazzo* te bezichtigen, waarvan bekend was dat diverse internationale literatoren zich er tussen de twee wereldoorlogen hadden laten gaan in allerlei geneugten van verdovende middelen en gokken. Het was een groot, imposant gebouw met klassieke, terrasvormige tuinen. Ze vond het een sombere, spookachtige plek, die precies bij haar stemming paste. In sommige vertrekken stonden tussen de achttiende-eeuwse pracht foto's van de losbandige Engelse schrijver en zijn gasten, met hun uitzinnig grijnzende, woeste gezichten, zodat Stella een zweem geluid meende te horen, zoals het geritsel van geesten in de geluid weerkaatsende kamers. Boven was de kamer van de schrijver in dezelfde staat gehouden, zwart-wit ingericht zoals een oceaanstomer uit de jaren dertig, op het portret van een *contessa* met zware oogleden en een zwanenhals na, die minachtend op het bed neerkeek.

Ondanks de vervreemdende, dreigende atmosfeer bracht ze de hele dag in het *palazzo* door, trok ze zich terug in de tuinen en ging onder een boom zitten, toen er een gezelschap in een koets arriveerde. Zag zij eruit zoals de mensen op de foto's? En zo ja, wat maakte het uit? Ze waren niet echt kwaadaardig, alleen corrupt en amoreel, en was dat zo erg? Hoe kwam het dat ze ineens zo moralistisch deed? Daar had ze veertig jaar lang geen last van gehad, en waarom nu, nu ze er het minst behoefte aan had? Het gezelschap verspreidde zich door de lange galerij, door de dubbele deuren en over de brede, ondiepe trappen. Ze bleven plichtmatig staan toen de gids nogmaals hun aandacht vroeg voor de statige façade van het gebouw. Het was een groep nog kwieke, oudere mensen, misschien op luxueuze cultuurreis, allemaal keurig in een trainingspak van lichte, makkelijke stof gekleed, met een honkbalpetje op. De gids sprak Engels, maar kon ook Scandinavisch zijn. Het echtpaar vlak bij haar had wit haar. De vrouw droeg een slobberige, beige broek met een elastiek. Terwijl Stella toekeek stak de man zijn hand uit en aaide de vrouw over haar billen. Geen van beiden werd afgeleid terwijl hij streelde en kneedde, en af en toe met zijn middelvinger door de gleuf tussen haar brede billen ging. Toen de groep hun tocht voortzette stonden de gezichten van het paar volkomen ingetogen en netjes, en de vrouw las haar man iets uit de gids voor.

Stella liet hen passeren en ging daarna naar haar auto terug, als een slaapwandelaarster in de middaghitte. Ze wist waarom de stomme, lompe vrijpostigheid van een man als Bill haar zo had geraakt, en waarom ze niet aan haar verleden wilde worden herinnerd. Omdat de liefde in haar leven was gekomen. Hoe onvolmaakt, hoe smoezelig, irritant en roekeloos ook, toch was het liefde. En daardoor was ze veranderd.

Tot haar grote opluchting vertrokken de Rowlandsons. Derek en Miriam Jackman arriveerden. Dat was een verademing. Als Derek met vakantie was wilde hij alleen doen wat hem werd opgedragen, en gaan waarheen hij werd gestuurd, zolang het maar niet te veel inspanning kostte. Hij had een benijdenswaardig gelijkmatig en opgewekt humeur. Stella voelde zich hier, net als in het theater, tijdelijk veilig bij hem verankerd.

Miriam was een drukke, rossige blondine, altijd tiptop gekleed, angstwekkend goed georganiseerd, geboren om te winkelen en met kelners te flirten. Als je met Miriam uitging, zoals Derek het stelde, moest je haar haar gang laten gaan. Ze was een natuurtalent.

'Wat ik nou echt nodig heb,' verklaarde ze peinzend terwijl ze bij het zwembad haar teennagels zat te lakken, 'is een paar hoerige schoenen.'

Derek rolde met zijn ogen naar Stella. 'Wat moet ik me daarbij voorstellen?'

'Je weet wel, schat, het soort schoenen waarvoor je naar Italië komt. Rood krokodillenleer met hakken van twaalf centimeter en enkelbandjes.'

'Reuze geschikt voor de supermarkt van Bexley Heath.'

'Maar het moet gebeuren!' Dat was haar gevleugelde zin, die op alles van toepassing was, van schoenen tot oorbellen of restaurants en renaissancekerken.

Met de Jackmans had Stella pret. Pret was iets waar Miriam goed in was, en Derek deed mee. Niet verbazingwekkend, want zijn echtgenote was een vrouw die geen vlieg kwaad deed. Omdat het huwelijk voor Stella een vreemd, nog niet in kaart gebracht gebied was, bleef ze zich verbazen over de eigenaardigheden ervan. Dat sommige toegewijde verbintenissen door een zuchtje wind konden worden weggevaagd, terwijl andere, die het ogenschijnlijk veel minder florissant deden, een aantal stormen konden doorstaan. Niet dat ze de Jackmans nu direct van woedende stormen verdacht, maar Dereks ruimhartige natuur en zijn werk garandeerden toch niet bepaald volmaakte rust. Zelfs haar eigen beroepsmatige relatie met hem had voor een andere vrouw een bron van jaloezie kunnen vormen, maar telkens als Miriam en zij elkaar ontmoetten had Dereks vrouw dat als een aanleiding voor vriendschap beschouwd, niet voor wrok.

Nog een van haar gezegden dat in de geest van warme, zusterlijke verbondenheid werd gebezigd was: 'Stella, het is maar een man, maar ik houd van hem; iemand moet het doen.'

Wat Derek betrof, hij kende Stella allereerst via en door het werk, en hij kende haar dus het beste. Hij was de enige onder haar gasten die haar op een rustig moment vroeg: 'Alles goed met je, kind?'

Ze zaten op een ochtend met een kop koffie op het terras van Paradiso, terwijl Miriam had verkozen boodschappen voor het avondeten te gaan doen op de boerenmarkt.

Het had geen zin hem voor de gek te houden. Hij was direct, maar ook volkomen discreet.

'Kon beter.'

'Dacht ik al.' Hij stak haar een sigaret toe en gaf haar vuur, en stak daarna de zijne aan. 'Is dit alles bedoeld als troost?'

'Ja.'

'En werkt het?'

Daar dacht ze goed over na. 'Op een bepaalde manier wel. Het is een paradijsje. En ik heb tijd om na te denken.'

'Niet te veel, hoop ik.'

'Ik heb genoeg gezelschap.'

Derek volgde met zijn ogen een knap meisje in een blauwe zonnejurk. 'Nog romantiek?'

'Nauwelijks.'

'Flauwekul! Je hebt er nog nooit zo goed uitgezien.'

'Bedankt. Misschien wel daardoor.'

445

'Word nou niet verbitterd en cynisch.'

'Ik doe mijn best, maar ik zou niet weten hoe. Verbitterd en cynisch is mijn specialiteit, daar verdien ik al twintig jaar de kost mee.' Onverwacht streelde hij even over haar onderarm. 'Dat geloof je wel graag, maar het is niet zo.'

'Derek... wie schrijft die verrekte liedjes?'

'Jij, en jou komt alle eer toe. Maar het zijn goeie liedjes, en die liedjes zeggen meer dan je er bewust in hebt gelegd.'

Het was het aardigste, het liefste dat iemand in maanden tegen haar had gezegd. Stella moest haar hoofd afwenden om de uitdrukking op haar gezicht te verbergen.

'Ja toch?' zei Derek. 'Ja.'

De Jackmans vertrokken en Stella bleef alleen in de Villa Paresi achter. Toen het einde van haar Italiaanse idylle in zicht kwam werd ze rusteloos, maar ze weerstond de aanvechting haar verblijf te bekorten, om twee redenen. De ene was dat ze, ondanks haar onrust, tegen de confrontatie met de onzekerheden van het 'echte' leven thuis opzag. De tweede, directere en meer praktische reden was dat Jamie en zijn vrienden zouden kunnen komen.

Twee dagen voor haar terugreis was ze ervan overtuigd dat ze het waarschijnlijk niet zouden doen, daarom was ze verbaasd dat ze op een middag door de schelle stem van Claudia uit de schaduw van de olijfboom werd gehaald, om vier bestofte figuurtjes aan de andere kant van het zwembad te ontwaren.

'Jamie!'

'Maken we kans op een biertje en een bed, vrouwke?'

Ze holde om het zwembad heen en omhelsde hem. Het wangedrag van zijn vader kon haar plezier hem te zien niet vergallen. Ze kuste de stralende, blozende Jonno ook, en werd voorgesteld aan de meisjes. Jenny had sproeten en was fors, en droeg haar bruine haar in een punkkapsel. Nina was tenger en zwart, ondoorgrondelijk in kleurige lappen gehuld. Claudia bracht een blad met ijskoude biertjes en een opener. Ze kleedden zich uit en namen het bier mee het zwembad in, gillend en lachend als kinderen om de adembenemende schoonheid van het geheel.

Zij waren ook prachtig. Stella ging op de rand van het zwembad zitten en bedacht dat dit er eerder had moeten zijn, dit onstuimige, fysieke plezier, deze uitgelatenheid. Wat Manley Hopkins 'al dat smeuiige en al die vreugde' noemde.

Nina werd minder ondoorgrondelijk en zwom met Jamie naar de rand van het zwembad.

'Dit is fantastisch, echt ongelooflijk.'

'Blij dat je het leuk vindt,' zei Stella. 'Ik leef niet altijd zo.'

'Jamie zei al dat je *cool* bent, maar dit is waanzinnig...'

'Hoe was het met de oudjes?' vroeg Jamie.

Stella gaf geen krimp. 'Goed in vorm, het was leuk te ze te zien.' 'Het is echt geweldig dat we hier kunnen logeren, zeker als je krap in je ruimte zit...'

'Het lukt wel.'

Jenny bleek juridisch secretaresse te zijn en Nina verzorgde de pr van een uitgeverij. Jamie had haar via de ontbijtshow ontmoet. Onder het avondeten vertelden ze over hun reisavonturen. Naast de gebruikelijke verhalen van verloren portefeuilles, exotische afzetterij, gedenkwaardige nachten en weerzinwekkende stranden waren er ook die andere: de plaatsen en ervaringen die hun gedachten nog steeds vormgaven. Praag, waar ze voor zonsopgang op de brug hadden gestaan en een viool hadden horen spelen, de ruïne van een kasteel, mijlen van de bewoonde wereld, op Cyprus, een dorp in het oerwoud van Thailand, een walgelijke dierentuin in Maleisië, een walvis die de boot vanuit Queensland besnuffelde, waardoor Jonno zijn camera kwijtraakte, en een dal in de Oekraïne waar ze elkaar in het labyrint van een wijngaard waren kwijtgeraakt.

'Dat was eng,' zei Jenny. 'Het leek wel of ze groeiden terwijl we daar rondliepen. *De dag van de wijngaard. Wijngaard III, de nachtmerrie gaat verder.*'

Jonno zei: 'Het was niet zo'n groot gebied, maar we waren ons gevoel voor richting kwijt. Het duurde maar pakweg een halfuur.'

'Het was mijlen overal vandaan,' zei Jamie. 'Drie uur op een Coca Colavrachtwagen uit Simferopol met een dombo aan het stuur... Jezus!' Ze lachten quasi-zielig bij de herinnering. 'Nina heeft ons daar naartoe gesleept.'

'Het was schitterend.' Uitdagend wendde ze zich tot Stella. 'Het was de Noordelijke vallei – waar de charge van de Lichte Brigade plaatsvond.'

'Ja, dat is waar.'

'Slijmbal,' zei Jamie.

Stella negeerde hem. 'En was het de moeite waard?'

'Ja, het was verbazingwekkend. Nog niets veranderd. Het spookt er, wist je dat?' Goedmoedig sloeg ze Jamies hand weg. 'Het was prima om er te verdwalen. De anderen waren uit het zicht, met hun geschreeuw en geklier. Ik stond daar tussen de wijnstokken die om me heen ritselden, en al die mannen en paarden die er zijn gestorven. Hun botten lagen waarschijnlijk recht onder me. Het was bizar...' Ze schudde haar hoofd. 'Schitterend.'

'Nee, je hebt gelijk, het was oké,' beaamde Jamie. 'Hé Jonno, laat Stella eens zien wat je hebt gevonden.'

'Dat vindt ze vast niet interessant.'
'Ja, dat vind ik wel.'
'Een ogenblikje, ik haal het even,' zei Jenny. Ze liep naar haar rugzak en schoof haar vingers in het buitenste vakje. Toen ze terugkwam overhandigde ze Stella een klein voorwerp. 'Alsjeblieft.'
'Pak aan,' zei Jamie.

Het was een koperen uniformknoop, schoongemaakt, maar met nog resten grijsachtige aarde in de inscriptie. Ze hield hem naar het licht van de lamp en draaide hem om in haar vingers.

'Hij is prachtig. Ik heb thuis een plaatje van een militair uit de Krimoorlog, een foto. Ik denk dat ervoor is geposeerd, een soort propaganda.'

'Die heb ik gezien,' zei Jamie. 'Hij heet "Vredige slaap" of iets dergelijks.'

'"Slapend".'

'Pak aan,' zei Jonno, 'je mag hem houden.'

'O, nee.' Ze stak het naar hem uit. 'Dat kan ik niet aannemen, dat is te kostbaar.'

'Des te meer reden het wel te doen.' Jamie omsloot haar hand met zijn handen en vouwde haar vingers om de knoop heen. 'Neem het maar. Een kleinigheidje.'

En de ochtend daarop ontsnapte ze voor de derde keer.

Bij die gelegenheid was het alleen een ontsnapping in die zin dat de anderen niet wisten waar ze heen was. Ze waren allemaal opgebleven tot twee uur in de ochtend, en ze wist dat ze niet voor enen boven water zouden komen. Ze ging vroeg genoeg naar Florence om daar te kunnen ontbijten en enkele twee dagen oude Engelse kranten te kopen om haar gezelschap te houden bij haar cappuccino.

Eerst keek ze niet naar de kranten om, want het was zo heerlijk daar te zitten en zich thuis te voelen en de stadsbewoners naar hun werk te zien gaan. Toen ze aan de krant toe was las ze eerst de bijlage en loste daarna een deel van de kruiswoordpuzzel op. Aan een tafeltje zitten zonder op te hoeven kijken, dat betekende op je gemak zijn. Ten slotte bladerde ze de krant verder door.

Een kop trok haar aandacht: MOEDER DOOR ARTS NEUROTISCH EN BEMOEIZIEK GENOEMD NA MISLUKTE BEHANDELING VAN HAAR ZOON

Er is een onderzoek ingesteld naar het gedrag van een vooraanstaand oogspecialist die beledigende opmerkingen schreeuwde naar de moeder van een patiënt toen ze om zijn professionele mening vroeg. Meneer Robert Vitelio, een befaamd oogspecialist in het St.-Xavier Ziekenhuis in Noord-Londen, heeft naar verluidt mevrouw Eleanor

Stuart, 34, 'neurotisch en bemoeiziek' en 'een gevaar voor de medische behandeling' genoemd toen ze vroeg waarom ze niet volledig op de hoogte was gehouden van de toestand van haar zoon Conor (10) wiens gezichtsvermogen door een fietsongeval beschadigd was geraakt. Mevrouw Stuart beweert dat ze niet alleen 'als een idioot' was behandeld, vanwege het uiten van normale ouderlijke bezorgdheid, maar dat meneer Vitelio haar na het mislukken van een reeks laserbehandelingen ervan had beschuldigd dat haar houding weinig behulpzaam en schadelijk voor Conors genezing was geweest. Meneer Vitelio heeft zich tot dusver van commentaar onthouden, maar zijn collega's zeggen dat hij een briljant geneesheer is, die niet uitblinkt door fijngevoeligheid. Zijn echtgenote, dr. Sian Vitelio, en hij zijn onlangs gescheiden. In haar huis in Ealing onthoudt dr. Vitelio zich eveneens van commentaar.

Het incident is het zoveelste in een reeks van ongunstige publiciteit voor de Nationale Gezondheidszorg en draagt er niet toe bij dat de overheid...

Stella vouwde de krant dicht en liet hem naast het geld voor haar cappuccino op tafel liggen.

Die avond werden ze allemaal erg dronken. Ze hadden gegeten in de cafetaria in het dorp en daarna allebei de café's bezocht, alvorens per taxi naar de villa terug te keren. Stella was op haar best, net als op de avond, een eeuwigheid geleden, dat ze Jamie en Jonno samen met Gordon na de voorstelling in Londen had meegenomen naar het Criterion. Ze had vleugels, ze kon niets verkeerd doen, en ze had een ideaal publiek. Ze waren in haar ban.

Terug in de villa zetten ze een salsa-cd op en dansten wild op het terras, waarbij ze af en toe in het zwembad sprongen of vielen. Ze maakten diverse flessen wijn soldaat en rookten hasj.

Stella wist niet meer hoe ze in haar bed was gekomen. Toen ze midden in de nacht wakker werd omdat ze nodig moest plassen, lag er een warm, glad lichaam naast haar. Jonno. Ze wikkelde zich in haar badlaken en ging in wat Zoe's kamertje was geweest, kuis en in haar eentje, met bonkend hoofd en misselijk, op het onopgemaakte bed liggen.

Pas in de namiddag van de dag daarop zag ze de anderen weer. Jamie was de eerste die naar beneden kwam, het zwembad ingleed en naast haar tegen de wand leunde.

'Jonno wil dat je weet dat het hem spijt.'

'O!' Ze kreunde en bedekte haar ogen met haar handen. 'Daar zijn er twee voor nodig.'

'Hij had hem om.'

'Wij allemaal. Niets aan de hand.' Hij zwom weg. 'Jamie...'

'Ja?'

'Jij kent Jonno... Hij zal er toch niet te zwaar aan tillen, hè?'

'Nou, nee. Zo geweldig was het nou ook weer niet.' Ze fronste haar wenkbrauwen. Ze kon er zich niets van herinneren. 'Nee?'

'Hm-mm.' Jamie tikte tegen zijn hoofd. 'Je was met een ander.' Hij stak in drie lange slagen het zwembad over. 'Een vent raakt niet bepaald opgewonden als je de naam van een ander roept.'

'Arme Jonno.'

'Arme jij,' zei Jamie. 'En arme Robert, verdomme.'

18

Life seems more sweet that thou didst live
And men more true that thou wert one;
Nothing was lost that thou didst give,
Nothing destroyed that thou hast done

Het leven lijkt zoeter omdat jij hebt geleefd
En de mensen oprechter omdat jij het was;
Niets ging verloren van wat je hebt gegeven,
Niets is vernietigd van wat je hebt gedaan

Anne Brontë, 'Vaarwel.'

Spencer 1961

Niet voor het eerst in Spencers leven was het een klein vliegtuigje
dat het grote verschil maakte: de pittige, kleine turboprop die van
Wyoming naar Denver ronkte. Toen Spencer in die torenhoge stad
aankwam had hij het gevoel dat hij een beslissende stap had gezet,
dat wil zeggen dat de jongen weg was uit Moose Draw, en dat
Moose Draw al sinds lange tijd uit de jongen was verdwenen.
Of dat hij was wat hij dacht te zijn. Hij hoopte dat dat waar was.
Als hij ooit het bewijs nodig had gehad dat het de kaart van de geest
was die telde, en niet die in de atlas, dan hadden de afgelopen vijftien jaar dat wel aangetoond. Hij was getrouwd, had een schat van
een vrouw, een huis, een grote tuin en een hond, Thumper genaamd,
die erin ravotte. Geen kinderen, maar voor de rest stond zijn situatie
model voor de Amerikaanse droom.
Op een ding na: hij schreef erover. En om erover te kunnen schrijven moest hij er net een beetje buiten staan, om de grillen en tegenstrijdigheden, de simpele waarheid en de chaotische aspecten, de
universaliteit en de eigenaardigheden altijd te kunnen opmerken.
Wanneer het klote was, en wanneer het goed was. Hij moest op het
leven kauwen en er het sap aan onttrekken, het niet in zijn geheel
doorslikken.
Een ding was zeker: hij zou er niet over hebben gepiekerd naar

Engeland terug te gaan voor een reünie als het niet kwam door de columns in de diverse bladen, de radioseries, de bijeenkomsten van de Rotary en de veteranendiners. Hij had de slapende honden van het verleden nu al vijftien jaar met rust gelaten; Church Norton lag in alle opzichten mijlen achter hem. Als hij zich tijdens plechtigheden en geldinzamelingen tot andere Europese oorlogsveteranen richtte, dankte hij God altijd inwendig dat hij het niet van de vergane glorie hoefde te hebben. Het viel niet te ontkennen dat de oorlog iets heel bijzonders was geweest, maar aan de andere kant hield het ook een ontkenning van het heden in, met alle mogelijkheden van dien.

Dus nee, hij zou de uitnodiging voor de reünie niet hebben geaccepteerd als het geen materiaal voor zijn schrijven had geleverd, en toen hij ja had gezegd, maakte hij zich zorgen. De schrijver in hem waarschuwde ertegen zich er helemaal in te storten; het was van het hoogste belang afstand te houden, te observeren, zijn eigen reacties te registreren. Maar het was onmogelijk geen opwinding te ervaren, en hij zei tot zichzelf dat dat heel natuurlijk was. Het was geen schande deze ene reis te ondernemen. Hij zou het daarna nooit meer doen.

Hannah was er verrassend genoeg geheel voor in.
'Natuurlijk moet je gaan. Het is absoluut goed, een soort *rite de passage.*'
Hij glimlachte. Het amuseerde hem nog steeds als ze met dat soort termen kwam aanzetten. 'Hoezo?'
'Het zal de deur naar het verleden sluiten.'
'Die heb ik al gesloten. En als hij nu eens opengaat?'
'Dat kan ook interessant zijn.'
'O, natuurlijk is het interessant...'
Ze had hem een liefdevol klapje gegeven en hij had haar bij haar pols gepakt en haar geknuffeld, zoals altijd zijn gelukkig gesternte prijzend dat het was gegaan zoals het was gegaan. Hij was nog steeds dol op zijn echtgenote, nog steeds verliefd na dertien jaar huwelijk, en hij kon zijn geluk niet op. Hij wist dat het goed was geweest dat hij jaren daarvoor als bleue, tot over zijn oren verliefde jongen tegen Apples had gezegd dat hij van haar hield, en het was alsof er een goede fee had meegeluisterd en hem ondanks alles een tweede kans had gegeven.

Ze hadden geen afspraken gemaakt over het stichten van een gezin, het was er gewoon niet van gekomen. Maar hij was er blij om; een kind zou een obstakel zijn geweest. Hannah en Spencer vormden een volmaakt paar. Dat wisten zijzelf en iedereen zei het, ze hoefden het niet te bewijzen. Ondanks dat hij waanzinnig trots op haar was kon hij het niet laten haar soms te plagen. Zijn vrouw, de arts, en bovendien psychiater! Hij vond het zelfs prima dat ze beroepsmatig haar meisjesnaam gebruikte. Het was een teken van zijn liefde dat hij wilde dat ze floreerde en opgang maakte; hij was alleen maar enthousiast over haar succes, werd er nooit minder van. En, wat hem nog steeds verbaasde was dat er, ondanks alles dat ze had bereikt, nog steeds het meisje was dat zo veel liefde te geven had, meer dan ze kon behappen, liefde in overvloed, alleen was die nu alleen voor hem. Hij had het gevoel dat hij de sleutel van een prachtige tuin had gekregen met de boodschap: geniet ervan, die is helemaal van jou.

Toen Hannah was afgestudeerd was ze teruggekomen en had ze een praktijk opgezet in Salutation, dat inmiddels een grote, moderne stad was met een bevolking die sinds de Tweede Wereldoorlog was verdriedubbeld. Nadat Mack was gestorven was hij in Moose Draw gebleven om bij Caroline te kunnen zijn, maar nadat Hannah en hij waren getrouwd hadden ze een mooi houten huis gebouwd op zo'n vijftien kilometer afstand van Salutation, en voor zijn moeder een mooie seniorenflat in een van de voorsteden gekocht. Die had ze wildenthousiast geaccepteerd. De enige kleine smet die aan zijn huwelijk kleefde wat dat het hem enigszins van zijn moeder had verwijderd. Dat lag niet aan een verandering in zijn houding, en zeker niet aan die van Hannah, maar Caroline zelf leek zich te hebben teruggetrokken, alsof ze aanvoelde dat ze hen met rust moest laten.

Samen hadden Hannah en hij de bergen weer ontdekt. Ze hadden een jeep gekocht en kilometers ver door de canyons gereden, helemaal tot over de top, naar de Medicine Ring, het tweeduizend jaar oude Indiaanse monument. Ze stonden in een ijzige wind op het zeshonderd meter hoge, smalle rif en vroegen zich af wat de mensen had bezield die dat monument daar hadden gebouwd, en waarin de hardnekkigheid bestond van degenen die er nog steeds regelmatig kwamen om er hun offergaven die wapperden en knapten in de bitterkoude lucht achter te laten.

Hij nam Hannah mee naar de wilde paarden op wat nu een beschermde boerderij was, en probeerde uit te leggen hoeveel indruk ze op hem hadden gemaakt als jonge jongen. Hij beschreef de mustang bij de rodeo, iets waar hij in geen jaren aan had gedacht.

'Hij joeg me de stuipen op het lijf, dat kan ik je vertellen. Dat was me een wild paard!'

'Arm beest.' Ze was altijd teerhartig.

'Nou ja... wie weet. Hij was kampioen, hij had iedereen afgeworpen die hem probeerde te berijden.'

'Laten we hopen dat ze hem op een van die mooie hellingen met pensioen hebben gestuurd, met een harem.'

'Een hengst moet vechten om een harem.'

Ze had gegrinnikt. 'Een vreselijk karwei, maar iemand moet het doen!'

Een keer had hij geprobeerd Hannah in een column te verwerken, en daarmee had hij iets uitgelokt dat dicht in de buurt van ruzie kwam, de enige keer. Ze zag spierwit van woede en smeet de krant voor hem op tafel neer.

'Wat heeft dat te betekenen?'

'Schat, dat vind je toch niet erg?'

'Ik vind het wel degelijk erg.'

'Maar je bent zo'n belangrijk deel van mijn leven, en ik schrijf over mijn leven; ik kan niet blijven doen alsof jij niet bestaat.'

'Niet over mij schrijven is niet hetzelfde als doen alsof ik niet besta. En ik ben niet alleen een deel van jouw leven, ik besta als zelfstandig individu.'

Hij was gekwetst. 'Natuurlijk, dat realiseer me heus wel; als ik ook maar een seconde had beseft...'

Haar ogen werden groot van verbazing. 'Wat ik niet begrijp is hoe het komt dat je geen idee had. Ik ben arts, Spencer, ik heb patiënten wier vertrouwen ik hoor te respecteren.'

'Ik heb je patiënten nergens genoemd.'

'Maar hoe denk je dat ze zich voelen als ze zien dat ik voor grappige artikeltjes in de plaatselijke krant word gebruikt?'

Het kleinerende karakter van die vraag benam hem de adem en deed het bloed in zijn aderen stollen.

'Het spijt me heel erg.'

'Mij ook.' Hij hoorde dat ze niet hetzelfde bedoelde.

'Hannah? Schat?'

'Het is al goed.' Ze ging zitten, bracht haar handen naar haar gezicht en haalde diep adem. 'Vergeet het maar.'

Maar hij wist dat hij dat niet kon, en ook niet moest doen. Het was overgewaaid, maar het incident had hem duidelijk gemaakt hoe dun het laagje ervaring en volwassenheid was dat ze beiden hadden verworven. Het lag er allemaal nog, wachtend om hen onverhoeds te overvallen – het verwarrende, kwetsbare verleden.

Hij vroeg haar of ze met hem mee naar de reünie ging; de vrouwen waren ook uitgenodigd, maar ze bedankte. 'Dat is jouw geschiedenis,' had ze gezegd.

De aanleiding tot de reünie was de oprichting van een gedenkteken op wat destijds de basis was geweest. De voorzitter van de afdeling Church Norton van het Britse legioen van oudstrijders had Spencer voor kerstmis geschreven om mee te delen dat er al geruime tijd behoefte aan een dergelijk monument bestond, dat de vereniging en de gemeenteraad het in gang zouden zetten en dat ze daarom zo veel mogelijk mensen aanschreven die op de basis hadden gediend, voor een reünie die het laatste weekend van mei 1961 zou worden gehouden. In dit stadium waren ze bezig te onderzoeken of er voldoende mensen geïnteresseerd waren om zo'n project uitvoerbaar te maken, en of hij dus zo goed zou willen zijn het hun te laten weten, enzovoorts.

Inmiddels had hij het definitieve programma in zijn handbagage: op vrijdag een kennismakingsborrel, een buffet en een officiële ontvangst op het gemeentehuis van Church Norton. Op zaterdagochtend een rondrit over het vliegveld, naar de plek voor het beoogde monument, gevolgd door gratis drinken in de kroeg, een lunch en 's middags een tochtje naar Cambridge. 's Avonds een dansavond in het dorpshuis waarbij iedereen welkom was, maar de veteranen de eregasten waren, en op zondagmorgen een kerkdienst met daarna een traditionele lunch in diverse privé-woningen.

Er vertrok een georganiseerde groep vanuit de Verenigde Staten, maar hij wilde op eigen gelegenheid gaan, omdat hij dan gemakkelijker aan allerlei verplichtingen kon ontkomen en tijd kon vinden om aantekeningen te maken en over de dingen na te denken. Omdat hij het hoofd koel wilde houden zonder te zwelgen in nostalgie, reserveerde hij een kamer op vijftien kilometer vanaf Church Norton langs de weg naar Londen, in een karakterloos hotel dat in die buurt het Amerikaanse motel nog het dichtst benaderde.

De donderdagavond toen hij aankwam at hij in de bar een bleek, zwak aftreksel van een sandwich met ham, met een glas Scotch waarin een paar kleine, op kikkerdril lijkende ijsbrokjes dreven. De barman vroeg hem echter of hij met vakantie was, en toen hij tekst en uitleg gaf kreeg hij er een van het huis. Hij opperde ook dat Spencer als Amerikaan misschien geïnteresseerd was in een Romeinse villa die onder de weg was opgegraven.

'Je zou zoiets daar nooit verwachten,' zei hij trots, 'met dat verkeer dat eroverheen raast.'

'Hebt u hem gezien?'

'Nog niet,' gaf de barman toe. 'Maar ik heb er al heel wat gasten heen gestuurd en ze zeggen dat het de moeite van een bezoekje waard is.'

Om negen uur ging Spencer naar zijn kamer, keek een uurtje naar de televisie – hij was het spitse, quasi-achteloze van de Britse humor vergeten – en zette de wekker op zes uur, waarna hij Hannah belde toen zij naar bed ging. Wegens de hoge telefoonkosten hielden ze het gesprek kort, en hij hield er een onvoldaan, geïrriteerd gevoel aan over, alsof hij maar beter helemaal niet had kunnen bellen.

De volgende ochtend na het ontbijt reed hij naar Church Norton. Hij had berekend dat dat de beste tijd was om er rustig rond te lopen en wat oude plekjes te bezoeken, voordat de reünie losbarstte en iedere Amerikaan opviel. Daarna wilde hij terug naar het hotel om rust te nemen en misschien zelfs de Romeinse ruïne te bezichtigen alvorens naar de feestavond te gaan.

Hij parkeerde aan de rand van het dorp, waar hij zag dat de oude rode bushaltepaal was vervangen door een keurige abri met een bankje en een dienstregeling. Hij ging te voet verder en maakte een ronde die hem langs de plekjes zou voeren die hij zich nog herinnerde. Hij had nagedacht over wat hij bij dit anonieme bezoek zou dragen, en hoopte dat hij er niet te veel als een Yank uitzag. Maar het Britse gevoel voor nuance kennend waren er ongetwijfeld talloze details in zijn uiterlijk te bespeuren die hem zouden ontmaskeren. Hij droeg een lichte pantalon, gaatjesschoenen, een effen overhemd en een sportcolbert. Hij had geen camera bij zich en droeg geen hoed. Het was stralend weer, maar hij liet zijn zonnebril voorlopig in zijn borstzak zitten; geen enkele Brit zou zo optimistisch zijn er een mee te nemen voor het geval dat.

Er was maar weinig veranderd. Over het geheel genomen leek het plaatsje wat netter en verzorgder dan hij zich herinnerde, iets dat Spencer aan de toegenomen welvaart toeschreef. Aan de bakstenen school was een stuk met een plat dak aangebouwd, en wat hem het meest opviel: er stond een gloednieuw gemeentehuis. Bij het café stonden bloembakken en de naam was veranderd in Haymakers' Arms, met een uithangbord waarop een pastorale idylle van reuzen met appelwangen en hooivorken was afgebeeld. Op dit uur van de ochtend was het gesloten, maar hij weerstond de verleiding door de ramen naar binnen te gluren.

De kerk was nog hetzelfde; na de wisselvalligheden van eeuwen te hebben getrotseerd was het niet erg waarschijnlijk dat ze in zestien jaar zou zijn veranderd, maar het gras op het kerkhof was gemaaid, en in het portaal stonden verse bloemstukken. Natuurlijk, zei hij bij zichzelf, was het een belangrijk weekend voor het dorp, het speelde gastheer voor de oorlogsveteranen. Vandaar het opgepoetste uiterlijk, de bloemen, het gemaaide gras en de vlag.

Hij maakte de kerkdeur open. Er waren een paar dames met bloemen in de weer. Hij trok zich haastig terug voordat ze een gesprek met hem konden aanknopen. Hij kon er niet langer onderuit; het laatste stuk van zijn rondgang voerde langs de Craft Cottages. Ook moest hij het feit onder ogen zien dat, wat voor excuus hij ook had bedacht om de reis te ondernemen, het een aspect van het verleden was dat hem met de onverklaarbare, magnetische kracht van onafgewerkte zaken had aangetrokken. En dus was het een schok voor hem te ontdekken dat de zaken al voor hem waren opgelost: de huisjes stonden er niet meer. De hele rij van vijf was verdwenen, en er waren nieuwe bungalows voor in de plaats gekomen die in de vorm van een hoefijzer om een pleintje waren neergezet: de Craft Close. Geschokt volgde hij het pad dat om het complex heen liep en zag door een paar ramen heen dat het seniorenwoningen waren, een wat bescheidener versie van het huis dat zijn moeder bij Salutation bewoonde. Sommige van de minuscule tuintjes waren op kunstige wijze met gras en bloemenborders beplant, met stenen kronkelpaadjes erdoorheen waarlangs vrolijke kabouters stonden. Andere waren in gebruik als mini-volkstuintjes, met kegelvormig, wigwamachtig stutwerk voor bonen en erwten en met keurige rijen seizoengroenten. Het was verwarrend, hij kon dit stukje nieuwbouw niet op een rij krijgen met wat er daarvoor had gestaan. Van de weg af gezien moest het huisje van de familie Ransom op de plek van de linker bungalow hebben gestaan, maar er was geen spoor meer van te bekennen, helemaal niets. Het was weggevaagd.

'Kan ik ergens mee van dienst zijn?'

Het was een oudere vrouw in een regenjas die tot haar kin was dichtgeknoopt tegen de felle zon. Ze droeg een geruite tas die uitpuilde van het groen.

'Eh, nee, dank u. Ik kijk alleen maar wat rond.'

Plotseling voelde hij zich stom op twee fronten: dat hij haar antwoord had gegeven alsof ze een winkelbediende was, en dat hij zijn identiteit had prijsgegeven.

'Bent u een van onze Amerikaanse bezoekers?'

'Inderdaad.'

'Hoe maakt u het?' Ze stak haar hand uit. 'Dit is een grote dag voor Church Norton, weet u.'

'En voor mij, reken maar.'

'Ik ben Dorothy Cornforth.'

Ze glimlachte vol verwachting, en hij had geen andere keus dan zich ook voor te stellen: 'Mevrouw, Spencer McColl.'

'Dat weet ik.'

'Pardon?'

'We hebben elkaar al eens ontmoet, bij het kinderkerstfeest in vierenveertig! In het oude dorpshuis.'

Toen zag hij dat ze iets bekends had. Ze was een van de vrijwilligsters van het dorp, die altijd hun bijdrage leverden. 'Nu weet ik het weer. Neemt u me niet kwalijk, het is een hele tijd geleden.'

'U bent nog niets veranderd,' merkte ze op.

Hij streek met zijn hand over zijn haar. 'Dat kan ik niet beoordelen.'

'Nee. U was een speciale vriend van de familie Ransom, als ik het me goed herinner.'

'Ja, hoe gaat het met ze? Wonen ze hier nog in de buurt?' Hij wees op de bungalows. 'Dit is allemaal nieuw.'

'En heel mooi, ik heb het geluk dat ik in een ervan woon. De Ransoms zijn, eens kijken, al tien jaar geleden uit Church Norton vertrokken. Heeft u trouwens trek in een kopje thee?'

'Nee, dank u, maar laat me die tas voor u dragen.'

Hij bevrijdde haar van haar boodschappentas en liep met haar mee naar haar tuinhekje.

'Ja,' ging ze verder, 'Janet Ransom is hertrouwd, we waren er allemaal zo blij om. Ze zijn naar Bedford verhuisd. En ik geloof dat haar zuster niet zo lang geleden ook is getrouwd.'

'Werkelijk?' Het kwam er wat te abrupt uit. Hij voegde eraan toe: 'Hoe heet ze ook al weer?'

'Rosemary.'

'Zong ze niet in het koor?'

'O ja. Als een engel.' Mevrouw Cornforth wierp hem een vrolijke, samenzweerderige blik toe. 'Een knap meisje, maar ze was nogal populair, zoals dat met knappe meisjes vaak gaat.'

Dit wierp meer vragen op dan er werden beantwoord, maar hij wilde niet al te nieuwsgierig lijken. 'Goed... En de...' Bijna zei hij 'de andere kinderen', maar hield zich op tijd in, '...de kinderen? Was het niet Davey? En het kleintje?'

'Davey en Ellen. Ik vrees dat hij na de oorlog van het rechte pad is geraakt, die jongen kwam voortdurend in de problemen. En ik heb horen zeggen, maar dat is alleen maar een gerucht, dat hij niet met de nieuwe echtgenoot kon opschieten, dus dat werkte ook niet. Over Ellen weet ik niets.'

Ze maakte het hekje open. Hij volgde haar naar de voordeur en bleef wachten terwijl ze met de sleutel frunnikte.

'Goed,' zei ze, en toen ze de deur open had draaide ze zich om om de tas van hem over te nemen. 'Hartelijk bedankt.'

'Graag gedaan, mevrouw.'

'Gaat het goed met u sinds de oorlog, meneer McColl?'

'Ja.' Het was een van die situaties waarin het alles of niets was, en uitdraaide op niets. Ze keek hem glimlachend aan en knikte.

'Dat is fijn.'

Hij voelde zich slecht op zijn gemak, alsof zij overwicht over hem had. 'Komt u naar een van de evenementen die ze voor ons hebben georganiseerd?'

'O, ik help met het eten voor de receptie. Zondag ben ik in de kerk.' Ze knikte naar de tas. 'Ik zorg voor de bloemen.'

'Dan zie ik u daar, mevrouw Cornforth.'

'Absoluut.'

Het feit dat mevrouw Cornforth uit de kerk kwam betekende waarschijnlijk dat die nu leeg was. Spencer liep terug en maakte uiterst behoedzaam de kleine, noordelijke deur open. Er was niemand; hij ging naar binnen. Het rook er naar verse bloemen. Er lagen spetters op de plavuizen en de versleten lopers waar de dames met emmers water in de weer waren geweest.

Hij stond op het punt weer naar buiten te gaan toen zijn oog op een vel gelinieerd papier viel dat op een stapel gezangboeken lag, open, maar nog met de vouwen erin. Hij wierp er een blik op en zag dat het een ruwe ballpointschets van een plaatsingsschema was. Bij de voorste rijen banken aan weerskanten van het middenpad was HOOGWAARDIGHEIDSBEKLEDERS EN AMERIKAANSE GASTEN geschreven, de blokken erachter waren voor 'genodigden' en van daaraf naar achteren stond alleen: DORP EN BEKENDEN. Church Norton maakte er veel werk van.

De lunch sloeg hij over: zijn maag was nog van slag door de vlucht. Hij trok zich terug in zijn hotelkamer. Daar ging hij op het bed liggen, maar kon niet slapen. Vragen en veronderstellingen tolden door zijn hoofd. Het waren niet de roemvolle dagen die terugkwamen in zijn herinnering, maar de stille perioden ertussenin.

Halverwege de middag stond hij op en ging volgens de aanwijzingen van de receptioniste op weg naar de Romeinse villa. Het was maar vijfhonderd meter en dus ging hij te voet. De barman had gelijk: de ingang lag onder de grote weg en bestond uit weinig meer dan een gammele loopplank over de kalkachtige modder. De welbespraakte man in overhemd met stropdas die in een mobiele cabine zat nam een bescheiden bijdrage in ontvangst voor de voortzetting van de werkzaamheden, en overhandigde hem een vel papier met de plattegrond van de kamers.

Spencer was de enige bezoeker. Omdat hij er geen idee van had wat hem te wachten stond had hij zich voorgesteld een huis binnen te gaan. De werkelijkheid verbaasde hem. De loopplank leidde naar een houten vlonder die om de gestutte, aarden muren van de opgraving heen liep, om vervolgens terug te keren als brug over het middelste gedeelte, zo'n drieëneenhalve meter boven de opgegraven resten. Dat betekende dat de plattegrond gemakkelijk te volgen was, en ook dat de vloeren, die de voornaamste bezienswaardigheid van de villa vormden, op hun voordeligst getoond werden. Hij liep rond, en bleef even met verbazing naar beneden staren, naar vreemde, stakerige vissen, uitbundige bloemenranken en abstracte guirlandes die heel goed in een *art nouveau*-salon hadden gepast en uit talloze kleine, gekleurde steentjes bestonden. Door het volmaakte mozaïek en de stralende kleuren was het nog moeilijker te geloven dat ze al zo oud waren.

Maar de eetkamer – hij had de plattegrond geraadpleegd – benam hem werkelijk de adem. Dat was het best bewaarde deel van de villa. Zowel de vloer als een bijna twee meter hoge muur waren te zien. De decoratie op de vloer en de muur was pornografisch. Op de vloer was iets te zien dat aanvankelijk op een ronde, gestileerde bloem met over elkaar vallende gebundelde bloembladen leek, zoals die van een halfopen roos. Bij nadere inspectie zag Spencer echter dat het een verstrengeld paar was dat tot beider bevrediging met hun geslachtsdelen met elkaar waren verbonden. De lichamen waren een en al lenige welvingen en weelderige vormen, de gezichten, toen hij ze ontdekte, vreemd genoeg heel sereen. Op de muur waren diverse gelijksoortige afbeeldingen te zien, eerder schilderingen dan mozaïeken, en elk plaatje stelde een andere nauwkeurige, sierlijk weergegeven liefdesscène voor. Weer sprak er een levendige sensualiteit uit de lichamen. De gelaatsuitdrukking van de deelnemers was onbewogen. Hij vroeg zich af of het kwam doordat de Romeinen er bizarre ideeën over fatsoen op nahielden; dat het, als je er niet van leek te genieten, dik in orde was porno in je eetkamer te hebben. Of dat de personen op de schilderingen modellen waren en er op dat moment zo uitzagen: gewoon een baantje, weer een dag, weer wat geld verdiend.

Hij bleef een poos naar de afbeeldingen kijken, en maakte toen weer de hele rondgang om alles nog eens rustiger in zich op te nemen. Maar hij voelde zich toch weer ongemakkelijk, alsof de respectabele heer in het hokje heel goed wist welke afdeling vooral zijn aandacht had getrokken.

Als hij had gedacht dat de villa zijn gedachten zou afleiden van andere zaken had hij het mis. Weer op zijn kamer, met nog een uur om zich om te kleden, viel hij eindelijk in slaap. Hij werd gekweld door dromen die hij sinds zijn kindertijd niet had gehad. Dromen waarin seks zowel verleiding als bedreiging inhield, maar het enige was waaraan je dacht. En dan had je die verdomd kalme, engelachtige gezichten die hem zagen zweten. Met een schok werd hij wakker, opgewonden en beschaamd en met een barstende hoofdpijn, om te ontdekken dat hij te laat was.

Het was een heel aardige avond, maar hij was blij dat hij geen georganiseerde reis had geboekt. Hij had die geforceerde kameraadschap en het eindeloos oprakelen van het verleden, omdat ze niets anders gemeen hadden, niet aangekund. Op een paar hoge officieren na was Mo di Angeli de enige die hij onmiddellijk herkende, en hij was oprecht blij hem te zien. Tijdens de welkomstborrel liepen ze naast elkaar door het gedrang.

'Spencer, ouwe reus! Waarom ben niet met ons mee gereisd?'

Hij wilde Mo's gevoelens niet kwetsen. 'Kon het niet regelen, een lang verhaal.'

'En ook niet jouw stijl, hè?' Hij trok een gezicht, en draaide de drank in zijn glas rond alsof het een medicijn was. 'Wat is dit voor spul, kersenlimonade?'

Mo had na de oorlog een opleiding als grafisch ontwerper gevolgd. Hij had een eigen bedrijfje in zijn woonplaats, waar hij de lay-out voor zakelijke publicaties en folders verzorgde, en zich nu en dan te buiten ging aan een uithangbord.

'Heb je dat nieuwe uithangbord van de kroeg gezien? Niet om het een of ander, maar jee zeg, wat een afknapper! Hooiers? Het lijken verdomme wel nazi's!'

Met zijn Italiaanse accent was Mo ook de zachte kantjes van zijn jeugd kwijtgeraakt waar gedeelde ervaring ze had doen samensmelten, en hij had een soort glanzend, volwassen, naoorlogs pantser aangenomen, wat meer gevestigd, wat verhard; nog steeds een aardige man, maar gefixeerd rakend in zijn Amerikaanse manieren. Spencer had geen zin om het verleden op te halen en liet dat aan Mo over, wat hij slechts zijdelings deed.

'Navenant maar weinig van ons hier. Geeft je te denken hoeveel er zijn omgekomen.'

'Ja. En hoeveel er niet wilden komen.'

'Dacht je? Jij bent altijd al een cynische klootzak geweest.'

Spencer voelde zich vreemd genoeg gevleid door dit compliment met terugwerkende kracht. 'Niet waar.'

'Nou en of. Jij en die vent die zich van kant heeft gemaakt...'

'Frank.'

'Ja, Frank, nou, jij en hij waren oplettende types. Altijd aan het piekeren.'

Spencer besloot een gevoelige vraag te berde te brengen, niet omdat hij het antwoord wilde weten, maar omdat de schrijver in hem wilde horen wat Mo te zeggen had.

'Waarom denk je dat hij dat heeft gedaan?'

'Zich van kant gemaakt?' Mo maakte een overdreven gebaar van onwetendheid en ongeloof, en zei tegelijkertijd: 'Omdat Si Santucci het had gedaan.'

'Dat was toch zeker een ongeluk?'

'Een ongeluk dat eraan zat te komen. Hij was stapelgek, die vent. Gevaarlijk. Als hij niet in die P-51 had gezeten, zat hij nu in de gevangenis.'

'Dat is waar. Dus Frank is volgens jou gewoon onder de druk bezweken? Si's dood was de druppel die de emmer deed overlopen?'

Mo kneep zijn ogen toe. 'Zeg, wat is dit, Spence? Een kruisverhoor?'

'Ik ben benieuwd wat jij ervan vindt.'

'Ik denk dat het een stel flikkers was.'

Spencer glimlachte doodleuk. 'Wie weet.'

Er werd veel werk van hen gemaakt door de bewoners, het legioen en de gemeenteraad; er werden welkomstspeeches gehouden, en pas op het allerlaatst kwam de delicate kwestie van de fondsenwerving voor het geplande gedenkteken ter sprake. De voorzitter van de gemeenteraad zei dat er folders waren met de kostenraming, en dat iedereen die een bijdrage kon leveren, of beter nog een schriftelijke overeenkomst wilde aangaan, het strookje aan de onderkant moest invullen en het in de bus doen die vanavond voor dat doel zou worden neergezet, en morgen bij de dansavond, en zondag in het kerkportaal.

Mo knorde en bromde. 'Had kunnen weten dat er harde valuta aan te pas zouden komen.'

'We hoeven niets bij te dragen,' verklaarde Spencer. 'We kunnen stemmen met onze portefeuille. Geen centen, geen gedenkteken.'

'Ga jij dokken?'

'Ja. Om te laten zien dat ik geen cynicus ben.'

'Goed, goed, nu ik toch gekomen ben kan ik net zo goed mijn steentje bijdragen. Zeg, zullen we na de toespraken naar de Haymakers' om een goeie borrel te pakken?'

Terwijl het programma werd afgewerkt en Mo zich bij zijn reisgenoten verontschuldigde, bracht Spencer mevrouw Cornforth en haar assistenten in de keuken een bezoekje.

'Het eten was heerlijk, dames, hartelijk dank.'

Ze verklaarden dat het hun een waar genoegen was en dat ze blij waren dat hij ervan had genoten. Hij liep op mevrouw Cornforth af.

'Er is iets dat ik u vanochtend wilde vragen.'

'Vraag maar raak.'

'U zei dat Davey in de problemen was geraakt. Wat voor soort problemen?'

'Met de politie, heb ik gehoord. Het was een echte herrieschopper. Het is reuze jammer, want het was zo'n aardig joch.'

Spencer kon het bijna niet geloven. Het was onmogelijk de Davey die hij zich herinnerde – zo gemakkelijk tevreden te stellen, zo recht door zee en toegenegen – in verband te brengen met de jeugdige, herrieschoppende misdadiger uit de beschrijving van mevrouw Cornforth.

In de nette gelagkamer van de Haymakers' had hij een Scotch willen bestellen, maar ze moesten uit beleefdheid een rondje van het huis accepteren en dus veranderde hij die in een biertje.

Mo klokte eerst een glas naar binnen alvorens met zijn lippen te smakken en te zeggen: 'Vat het niet verkeerd op wat ik daarginds zei, ik heb niks tegen flikkers. Als ze van de herenliefde zijn is dat hun zaak.'

Daar was Spencer het mee eens.

'Dus, hoe dan ook, Spence, ben je getrouwd?'

'Tien jaar.'

'Jeugdliefde?'

'Eigenlijk wel, ja.'

'Ik ook, ik ook.' Mo schudde zijn hoofd met een nadenkende, wellustige grinnik. 'Tjee, maar we hebben goeie tijden gekend.'

'Jij was de deskundige,' zei Spencer. 'Ik ken niemand die de meisjes zo kon inpalmen als jij.'

'Reken maar. Ik zal je vertellen dat ik er een paar op de theemiddag heb gezien. Ze waren met hun man, weet je? Ze zagen eruit alsof ze van de prins geen kwaad wisten en zeiden niets tegen me.'

'Vind je dat vervelend?'

'Welnee, ik ben gelukkig getrouwd. Nog zo een?'

Mo goot dit keer een paar whisky's naar binnen en vroeg toen: 'Wat is er geworden van de dame die je destijds zo vaak hebt opgezocht? Die weduwe met kinderen?'

'Ik heb gehoord dat ze getrouwd is en verhuisd.'

'Ga je haar opzoeken?'

'Absoluut niet.'

'Tja,' zuchtte Mo die met de minuut sentimenteler werd. 'Tja, het is waar, het is allemaal lang geleden. Maar ik ben van plan me morgen op die dansavond te vermaken!'

De dag daarop was het prachtig weer. Spencer reed in de stralende zon naar Church Norton. Het vroege zomerlicht bezat de puurheid die hij zich van vroeger herinnerde. De bijeenkomst van veteranen en functionarissen was om elf uur gepland, maar hij was een paar minuten te vroeg. Er was nog niemand te bekennen toen hij aan de rand van het vliegveld parkeerde en uitstapte. Zijn eerste ingeving was: ze hebben geen monument nodig. Dit was een monument op zich. De akkers met schitterend nieuw koren, en de hagen vol wilde rozen en sleedoorn. Om de paar overgebleven barakken heen, die nu als schuren werden gebruikt, prijkten wilgenroosjes, koekoeksbloemen, boterbloemen en fluitenkruid in het hoge gras, namen die hij zich herinnerde toen Janet ze aan Ellen leerde tijdens het plukken van een veldboeket. Een paar van de startbanen waren er nog; ze waren in de loop van de tijd verweerd geraakt en versmald, maar liepen nog steeds kaarsrecht tussen de gewassen door. Iemand liep op een ervan met zijn hond te wandelen. Het dier blafte vrolijk. In de galmende stilte daarna hoorde hij vogels zingen.

De plaatselijke bevolking arriveerde, en daarna de bus. Er volgde weer een rondje handenschudden en op de schouders slaan; daarna kregen ze een rondleiding over het vliegveld. Weet je dit nog, weet je dat nog, hier is dit en dat gebeurd. Mo zat er dit keer middenin, en was in zijn element, vol verhalen en kwinkslagen en hing uit alle macht de vrolijke Yank uit. Spencer bleef liever aan de buitenkant van de groep, achteraan. Nu en dan bleef hij staan om de anderen te laten voorgaan en wat rond te kijken. Telkens ervaarde hij dat de grond een geschenk was, ze leek te ademen, en het gras en het koren wuifden zachtjes in de zon. Deze vreedzame, maar tevens geheimzinnige Engelse akkers, waren over het verleden heen gegroeid en zouden het houden waar het was, verborgen en veilig.

De rondleiding hield op waar hij was begonnen, op de top van de lage heuvel tussen Church Norton en het naburige dorp, vanwaar je de Normandische toren van de ene kerk kon zien en de puntige spits van de andere. De voorzitter van het Britse legioen zette uiteen wat ze in gedachten hadden en er volgde een korte bespreking van de plannen. Daarna hielden ze twee minuten stilte ter nagedachtenis van hen die waren gevallen. Tijdens de stilte kwam er een briesje opzetten dat om hen heen stoeide toen ze daar met gebogen hoofd stonden, en dat de warme geuren en het geruis van de velden meedroeg.

Spencer woonde de dansavond bij, meer uit plichtsgevoel en journalistieke nieuwsgierigheid dan voor zijn plezier. Mo was echter weer de man van de avond en stak zijn teleurstelling over het gebrek aan enthousiasme van zijn vriend niet onder stoelen of banken.

'Kom op, Spence, de beentjes van de vloer! Er staat hier een zaal vol mooie vrouwen te popelen om hun dankbaarheid te tonen voor wat we in de oorlog hebben gedaan.'

Spencer stak zijn handen omhoog. 'Sla mij maar over, Mo, jij doet het wel voor ons beiden.'

Dat klopte. Mo jivede, jitterbugde, rock'n rollde en wervelde onvermoeibaar en ontdeed zich al spoedig van zijn jasje en stropdas. Zijn gezicht glom van het zweet en zijn dikke lijf draaide en zwierde op onwaarschijnlijk dunne, beweeglijke benen. Spencer zag zowel rijpe vrouwen als giechelende meisjes aan het Di Angeli-effect ten prooi vallen. Echtgenoten en vriendjes stonden vriendelijk, maar jaloers toe te kijken hoe Mo van de ene danspartner naar de andere wervelde. Voormalige hoge pieten, die hun partner op wat plechtstatiger wijze de zaal rondleidden, trachtten dit geïmproviseerde variété te negeren, maar dat werd moeilijk toen de band het nog aanmoedigde door zijn bijdrage te vergroten en keihard het hele repertoire van 'In the Mood' tot 'Rock Around the Clock' ten beste te geven.

Om tien uur hield Spencer het voor gezien. De stralende dag was overgegaan in een heldere, kalme avond, maar het was eind mei en nog niet helemaal donker. Hij liep om de danszaal heen in de richting van de plek waar altijd een draaihekje was geweest dat naar een voetpad door de velden leidde. Het draaihekje was er gelukkig nog; hij ging erdoorheen en liep een paar honderd meter het pad af. Achter hem stierf de muziek weg. Het grijzige licht, de verschietende sterren, de muziek in de verte – hij leek tussen verschillende werelden te zweven, en nergens thuis te horen.

Toen hij terugliep naar de auto besloot hij voor de ochtend daarop de wekker weer vroeg te zetten om met Hannah te praten, wier gezicht hij zich al niet meer precies voor de geest kon halen.

'Hallo', zei ze slaperig. 'Hoe gaat het?'

'Redelijk goed. Vanochtend is de kerkdienst, en daarna worden we voor de lunch over diverse huizen verdeeld. Ik weet niet meer waar ik heen moet, maar ik zal niet omkomen van de honger; ze hebben hier ontzettend hun best gedaan.'

'Klinkt goed. Ik wou dat ik daar bij jou was, in plaats van naar de Lucy Show te kijken.'

'Maakt niet uit.'

'Je klinkt een beetje mat. Is er iets?'

'Sorry, lief, maar het is nog vroeg, ik ben nog niet goed wakker.'

'Maar ben je blij dat je bent gegaan?'

'Dat dacht ik wel. Een hoop goed materiaal.'

'Nu, dat is het voornaamste.'

Hij meende iets scherps in haar stem te bespeuren. 'Je kent me, ik geloof niet dat het zin heeft zomaar ergens naar terug te gaan.'

'Nee.'

'Ik zal je wat vertellen,' zei hij, van onderwerp veranderend. 'Vlak bij waar ik logeer ligt een schitterende Romeinse villa. Fantastische mozaïeken en muurschilderingen, waarvan de helft porno.'

'Porno?'

'Dat klopt, net een handboek met standjes, in de eetkamer. Je zou het prachtig vinden.'

'Vind je dat we ze hier moeten uitproberen?'

'Wat, de schilderingen of de standjes?'

'Allebei, tijger...' Ze gromde. Tegen de tijd dat hij ophing merkte hij dat ze weer met elkaar in contact waren. De moeilijkheid met bellen was dat het een intimiteit suggereerde die niet echt kon worden gerealiseerd. Daarom deed het meer kwaad dan goed als de stem van de ander de halve tijd wegviel.

Tot dan toe was hij erin geslaagd aan de zijlijn te blijven, maar in de kerk werd duidelijk gemaakt dat niet werd getolereerd dat je je op de achtergrond hield. De kerkmeesters sleepten hem zo ongeveer mee naar voren, waar Mo zijn hand opstak en wees dat hij een plaats voor hem had bewaard.

Mo boog zich naar hem toe en fluisterde luid: 'Waar ben je gisteravond gebleven, je hebt alle pret gemist!'

'Dat was ook de bedoeling.'

'Het was een knalfuif, echt waar.'

Sinds hij afgelopen vrijdag in de kerk was geweest had er nog meer activiteit plaatsgevonden; de Engelse en Amerikaanse vlag en de standaard van de mannen- en vrouwenafdeling van het Britse Legioen hing boven de kansel; het altaar was versierd met een geborduurd kleed en bij elke kerkbank lag een programmaboekje van de kerkdienst. Deels om Mo van verder indiscreet gepraat te weerhouden pakte Spencer het blaadje op en bestudeerde het. Zo te zien moest er heel wat worden afgewerkt. De beide volksliederen, vier hymnen, gebeden, dankwoorden en toespraken door deze en gene, een optreden door de school, een preek...

Er moest iets van zijn gezicht af te lezen zijn, want Mo boog zich weer naar hem toe. 'Ja,' mompelde hij schor. 'Mijn idee.'

De dominee kondigde achter in de kerk de eerste hymne aan en iedereen ging staan om 'All People That on Earth Do Well' te loeien terwijl het koor binnentrad. Nog ongeveer hetzelfde clubje, zag Spencer, op een paar jongere mannen na, maar ze hadden sinds de oorlog wat betere kleding: een donkerblauw gewaad dat fatsoenlijk paste, met voor de vrouwen een klein, kanten befje aan de hals. Terwijl ze langstrokken versterkten ze het gezang van de gemeente aanzienlijk, maar niemands stem haalde in de verste verte bij die van Rosemary. De dienst ging verder. Ondanks zijn angstige voorgevoelens kon Spencer er zijn aandacht bij houden. De feestelijke sfeer, de muziek, de gemeenschappelijke ervaring die men zich individueel zou herinneren – zelfs Mo snoot op een bepaald moment zijn neus. Het waren goede, vriendelijke mensen. Spencer was ondanks alles geroerd. Het kon zijn dat hij ontvankelijker was door alle emoties, maar tegen het derde couplet hoorde hij het. Hij kende, net als de meeste van zijn landgenoten, de hymne niet, en dus zong hij niet mee, maar volgde de woorden in het boekje met een gepast aandachtige uitdrukking op zijn gezicht. En omdat hij niet meezong hoorde hij haar. Ergens tussen de volheid van stemmen klonk de hare: rijk, melodieus, onmiskenbaar; een stem die net iets meer die van een *chanteuse* had dan van een koorzangeres.

Hij keek even over zijn schouder, maar de mensen stonden rijen dik, de kerk was afgeladen. Hij zag niemand die hij kende, behalve een paar vermoeid uitziende dames van de avond ervoor, en mevrouw Cornforth, die er lustig op los kwinkeleerde.

Tijdens de preek probeerde hij het nog eens en keek in het rond terwijl hij deed alsof hij een hoestbui onderdrukte, maar hij slaagde er alleen in de aandacht van de dichtstbijzijnde kerkmeester te trekken, die naar voren sloop om te vragen of hij een glaasje water wilde. Vreselijk gegeneerd wimpelde hij het af. Na de preek volgde een uitnodiging om na te blijven voor de koffie, daarna de volksliederen, nog een hymne, nog meer gebeden, de zegen, en een laatste gezang tijdens de aftocht van het koor.

Toen het eindelijk voorbij was zei Spencer tegen Mo dat hij hem later wel weer zag, glipte de kerkbank uit en het middenpad door, met gebogen hoofd en een doelbewuste uitdrukking op zijn gezicht, alsof hij iets belangrijks aan zijn hoofd had. Achter in de kerk krioelde het van de mensen. Hij was doodsbang dat hij haar, als ze hier al was, misschien niet zou herkennen. Het was lang geleden, ze was toen nog maar een meisje, ze moest wel veranderd zijn. Toen realiseerde hij zich dat de noordelijke deur was versperd door een enorme rood-wit-blauwe bloemversiering op een sokkel, zodat de hele gemeente door de zuidelijke deur moest vertrekken. Hij drong zich daar met moeite en zich verontschuldigend doorheen en kwam uit op het kerkhof. Op een stel jongens na die van de verveling waren verlost en rondhingen tussen de grafstenen, scheen hij de eerste te zijn die erin was geslaagd naar buiten te komen. Als hij hier wachtte zou iedereen die de dienst had bijgewoond vroeg of laat langskomen: als ze hier was zou hij haar zien.

Niet dat het gemakkelijk was te ontsnappen. Hij stond er nog geen twee minuten of een van de theedames stormde met een kop en schotel op hem af. Een kolonel en zijn vrouw kwamen bij hem staan, en zeiden dat het zo zonde was van het mooie weer, dat in Engeland... Hij moest wel met ze praten, maar naarmate er meer mensen naar buiten druppelden dwaalde zijn aandacht af en raakte hij gespannen en opgewonden. Toen de kolonel en zijn vrouw bij hem wegliepen had hij duidelijk de indruk dat zijn verstrooide houding beledigend was geweest. Maar wat kon het hem schelen? De oorlog was voorbij.

Hij bleef nog een halfuur wachten. De voorzitter van het Legioen stelde hem voor aan het echtpaar bij wie hij zou gaan lunchen. Hij verzon zwakjes het smoesje dat hij zich niet goed voelde en later zou komen. Hij wist dat ze hem niet geloofden en dachten dat hij onbeschoft was, maar hij kon er niets aan doen.

Mo doemde op en veegde zijn voorhoofd af.

'Ik zweer je dat ik alles terugneem over het Engelse weer. Ga jij lunchen?'

'Misschien. Ik kijk alleen even uit naar iemand die ik ken.'

'O ja? Had ik kunnen weten. Geen enkele belangstelling voor het dansen, maar je bent nog geen uur in de kerk of je kijkt naar alle meisjes. Daar is mijn charmante gastvrouw, ik moet gaan.'

Toen Mo ervandoorging kwam het in Spencer op dat hij zijn vriend misschien nooit meer zou zien en hem zonder vorm van afscheid liet gaan. Maar het was maar een vluchtig idee, dat snel weer verdween.

De kerk was inmiddels zo goed als leeg, en hij zag haar nog steeds niet. De dominee en de pater kwamen uit de nabij gelegen barakken tevoorschijn. Ze waren in gesprek en droegen hun koorhemden. De dominee stak vrolijk zijn hand op.

'Alles goed? U ziet er wat verloren uit!'

'Nee, nee, het gaat prima. Ik wacht alleen op iemand.'

'Er is niemand meer, vrees ik, behalve het personeel!'

'Ik ga wel even kijken.'

'Weet u zeker...'

Ze liepen verder. Hij durfde bijna niet in de kerk te gaan kijken, voor het geval ze daar niet was, maar het zou stom zijn het niet even te controleren na al die tijd te hebben gewacht. Hij slenterde terug naar het portaal en bleef er even staan. Hij zag een stel dames bezig met het inpakken van serviesgoed, en nog een die haar plastic schort afdeed en opvouwde, een tafereeltje dat duidelijk het equivalent van de Anglicaanse kerk was voor het stoelen op de tafels zetten. Daar was in elk geval niemand anders meer. Hij aarzelde nog, maar een van de vrouwen kreeg hem in de gaten.

'Kunnen we u ergens mee helpen?'

'Ik geloof dat ik iets heb laten liggen.'

'Kom binnen, kom binnen en ga kijken, we zijn er nog een paar minuten. Wat was het trouwens? Misschien hebben we het al gevonden.'

'Eh... een boekje. Mijn zakagenda.'

Het klonk zelfs in zijn oren hoogst onwaarschijnlijk, maar ze maakten klokkende geluiden en overlegden en zeiden dat ze niets hadden gevonden. Hij ging naar binnen, liep naar de beuk waar hij had gezeten, en keek vanuit zijn ooghoeken naar links en rechts. Niemand te zien. Ziek van teleurstelling ging hij in de bank zitten en deed alsof hij druk onder de zitting en de lessenaar zocht, eerst de ene kant op, daarna de andere. Het werd stil, de vrouwen droegen de spullen over het pad naar hun auto.

'Middag, luit'nant.'

Hij zag haar nog niet en wist niet waar haar stem vandaan kwam.

'Spencer? Hier.'

Ze zat in de tweezitsbank aan het eind van de koorstoelen, verborgen door de houten gebeeldhouwde vleugel, hoewel ze nu naar voren leunde en naar hem glimlachte. Zodra hij haar had ontdekt stond ze op en kwam ze de trappen af.

'Ik speelde echt geen verstoppertje, ik kon alleen de verleiding niet weerstaan even vanaf mijn oude plaats rond te kijken. Hallo.' Ze stak haar hand uit.

'Rosemary... Dit is buitengewoon... Ik had nooit verwacht...'

'Echt niet? Ik wel. Of in elk geval hoopte ik het. Daarom ben ik gekomen.'

Haar directheid had hem altijd het gevoel gegeven dat hij volkomen duf was. 'Echt waar?'

'Ja, echt waar.'

'Ik voel me gevleid.'

De vrouwen kwamen weer binnen, en degene met wie hij had gesproken kwam aanzetten.

'Heeft u gevonden waar u naar zocht?'

'Ja, dank u wel.'

'O, geweldig!' Ze vertelde het de anderen. 'Deze meneer heeft hem gevonden, zijn zakagenda.'

Hij voelde Rosemary's heldere, vragende blik tussen de verrukte uitroepen door.

De vrouw wendde zich nogmaals tot hem. 'Er is geen haast bij, maar we moeten de kerk afsluiten.'

'Dat is prima,' zei Spencer. 'We gaan al.'
Ze liepen het kerkpad af naar de weg. Hij wist niets te zeggen. Bij het draaihekje zei hij: 'Heb je een auto?'
'Ja. En jij?' Ze plaagde hem.
'Ik bedoelde...'
'Dat weet ik.' Ze had nog steeds die stralende, pientere blik die recht in zijn hoofd keek en hem blootlegde. 'Sta je me toe je een drankje aan te bieden, luit'nant?'
Hij verloor niet alleen zijn tegenwoordigheid van geest, maar ook zijn goede manieren. 'Zeker niet. Maar ik wil jou er graag een aanbieden, of misschien een lunch, als je tijd hebt?'
'Ja. Als u zeker weet dat u nergens anders heen moet?'
Ze deed meer een beroep op zijn geweten dan op zijn plannen. Hij wist ineens dat zijn onvoorziene excuses voldoende moesten zijn.
'Nee.'
'Dan heel graag, dank u.'
Op haar aanwijzingen reden ze de plek naar waar ze logeerde, een logement bij de nabij gelegen markt. In de auto beperkten ze zich tot opmerkingen over de dienst, de weg, veranderingen in de buurt. Geen van beiden onthulde of zinspeelde op ook maar het kleinste persoonlijke detail, hoewel hij zag dat ze een trouwring droeg. Het leek alsof hun ontmoeting plaatsvond in een zeepbel die ze niet graag uiteen zagen spatten.

In het hotel keek hij onwillekeurig om zich heen, en ze zei, zijn gedachten radend: 'Maak je geen zorgen, er logeert hier niemand van jullie gezelschap.'
'Was het zo duidelijk? Het zijn geweldige kerels, maar ik heb de afgelopen dagen meer dan genoeg nostalgie gehad.'
'Dat kan ik me voorstellen.'
Het was op zondag rond lunchtijd druk in het hotel, maar omdat Rosemary een gast was, vonden ze al snel een tafeltje in het restaurant. Ze gingen naar de bar en terwijl zij het menu bestudeerde, bestudeerde Spencer haar.
Ze was nog steeds even knap en vrijmoedig, maar nu ook elegant in een bruine rok met een roomkleurige zijden blouse en een lichte driekwartjas die als een cape om haar schouders zwierde. Toen ze de jas afdeed was haar figuur nog steeds prachtig. Ze was slanker dan hij zich herinnerde, en hij zag een uitdagend stukje witte kant tussen de revers van haar blouse toen ze voorover leunde. Haar haar was lichter, rossiger, en ze droeg het in een jongensachtig kapsel à la Kim Novak dat haar gezicht omlijstte. De kattenogen waren er nog steeds, en de humoristische mond die hij zich zo goed herinnerde en, zelfs nu, de verrukkelijke sproetjes.

'Je ziet er geweldig uit,' zei hij.

'Dank je.' Ze bekeek zichzelf, draaide aan een knoopje en glimlachte. 'Ik moet bekennen dat ik mijn best heb gedaan.'

Zijn hart sloeg over. Ze was niet brutaal, flirtte zelfs niet. Het was meer dat ze ervan uitging dat er bepaalde dingen tussen hen speelden.

'Je bent getrouwd.' Toen hij het zei hoopte hij dat het niet preuts of beschuldigend klonk, maar ook nu leek ze de draagwijdte van zijn opmerking precies te kunnen inschatten.

'Ja, pas een paar jaar. Heel gelukkig, beter dan ik ooit had gehoopt of verdiend. En jij?'

'Net zo. Maar langer.'

'Heb je kinderen?'

'Nee.'

'Ik ook niet, maar we hopen ze te krijgen. Mijn man is onderwijzer bij het voorbereidend onderwijs, aan een particuliere kostschool voor jonge jongens, dus meestal hebben we een stel pleegzoons.'

Hij dacht het eerst, en zei vervolgens hardop: 'Bofferds.'

Onder de lunch vertelde hij haar op haar aandringen over zijn werk, het schrijven en de radioprogramma's.

Ze zei: 'Je vindt het echt leuk, hè? Dat zie ik aan je gezicht en hoor ik aan je stem.'

'Ik heb geluk gehad,' gaf hij toe. 'Het is niet iets waar ik ooit aan had gedacht, het kwam gewoon uit de lucht vallen en heeft me in de ban gekregen.'

'Heb je sinds de oorlog nog gevlogen?'

Hij schudde zijn hoofd. 'Alleen als passagier.'

'Maar wat fantastisch dat je dat hebt gedaan...' Haar blik bleef even met een peinzende glimlach op hem rusten. 'Heb je enig idee hoeveel bewondering wij voor jullie jongens koesterden?'

Nu was het zijn beurt om haar te plagen. 'Ik vrees van wel. En we hebben er ook aardig van geprofiteerd.'

'Zou je er nu ook van willen profiteren?'

Hij wist niet zeker of hij het goed had verstaan. En zo ja, of hij haar goed had begrepen.

'Pardon?'

'Zullen we naar boven gaan? Als je klaar bent met eten.'

'Waarom niet?'

Zelfs toen ze de trap opliepen durfde hij nog steeds niet geloven wat haar uitnodiging behelsde. Zelfs niet toen ze het 'niet storen'-bordje aan de deur hing, waarna ze hem dichtdeed, haar sleutels op tafel legde en haar jas over de stoel hing. Zelfs toen ze haar schoenen uitschopte en haar zijden blouse openknoopte...

Pas toen ze haar armen uitstak en zijn naam zei durfde hij het ge-

471

loven. En besefte hij, toen ze elkaar omstrengelden, hoe dikwijls hij zich deze omhelzing had voorgesteld.

Ze bedreven niet alleen de liefde, het was ook een soort vervulling. Met hun hartstocht die middag bezegelden ze wat had kunnen zijn, en nu nooit zou gebeuren. Ondanks dat ze maar weinig hadden gepraat, communiceerden ze door middel van hun lippen, hun handen en hun huid. Ze vertoonde niets van de diepe gereserveerdheid die Janets vrijen had gekenmerkt; ze gaf zich volledig aan Spencer. Haar openheid was een geschenk en een openbaring. Hij had het gevoel dat hij thuiskwam, dat hij eindelijk het magnetische noorden had gevonden dat hem was ontgaan. Dit, wisten ze beiden, was iets dat moest gebeuren, al was het maar een keer.

En daarna vrede.

Zoals gewoonlijk was zij de eerste die het uitsprak.
'We moesten dit doen, is het niet?'
'Ja.'
'Ik hield zoveel van je dat ik je bijna haatte, wist je dat?'
'Ik dacht dat ik je mateloos irriteerde.'
Ze schudde van het lachen tegen zijn schouder. 'Dat ook... Ik was vijftien toen jij met je pilotenstrepen en je blikje ham op het toneel verscheen. Vijftien!'
'Jij kon een man op het slechte pad brengen.'
'Maar dat wist ik niet. Ik wist niet wat ik was. Alleen dat ik werd verteerd door jaloezie. Hield je van mijn moeder?'
'Ik vond haar aantrekkelijk, het was een mooie vrouw. Maar...' Ineens drong het tot hem door wat ze had gezegd. 'Rosemary... je weet het dus?'
Ze knikte. 'Ik vermoedde het al. Het was de jaloezie die de doorslag gaf. Ik denk dat ik groen van jaloezie moet zijn geweest. Nadat ik getrouwd was en zij voor de tweede keer trouwde heb ik het haar gevraagd en heeft ze het verteld. Het was geen grootse, dramatische scène, we hadden het erover alsof het al achter de rug was en het verliep rustig en gemakkelijk. Het was een enorme opluchting.'
Geroerd kuste hij haar op de slaap. 'Voelde je je niet bedrogen?'
'Nee. Of tenminste alleen door dat met jou. Maar daar hebben we het niet over gehad.'
'Is ze nu gelukkig?'
Ze dacht even na. 'Ze is tevreden. Het is een aardige man.'
'En hoe gaat het met Davey? En met Ellen?'
'Davey zwerft rond. Ellen zit op de universiteit. Ik moet je vertellen dat ik hen geen van allen meer zie.'

'Hoe komt dat? Hebben jullie ruzie gehad?'
'Nee. Ik wilde gewoon opnieuw beginnen. Met een schone lei, en alle troep achter me laten.'
'Maar het is je familie.'
'Dat waren ze. Nu wil ik mijn eigen familie.' Ze boog haar hoofd naar achteren en keek naar hem op. 'Nu heb je iets om af te keuren.'
'Waarom zou ik?'
'Om het afscheid nemen gemakkelijker te maken.'

Het was niet gemakkelijk, maar het verliep vredig. Toen hij klaar was om weg te gaan stonden ze nog een volle minuut met hun armen om elkaar heen; daarna liep ze mee naar beneden en bracht hem naar de auto. Ze bleef kalm, en daar was hij blij om. Ze zag er geweldig uit, een vrouw met een zelfstandige geest en een eigen leven. Ze wuifde hem na. Maar toen hij in zijn spiegeltje keek en haar nog verwachtte te zien, was ze verdwenen.

19

Onstuimig en wild verslindt het de bodem
en is niet te houden als de hoorn klinkt.
Het hinnikt, zo vaak de hoorn wordt geblazen
en reeds van verre ruikt het de strijd,
het geroep der aanvoerders en het krijgsgeschreeuw.

Het boek Job

Harry 1854

Voor een oorlogstafereel was het vredig. Niet echt vredig, maar de doelgerichte kalmte van orde en planmatigheid, van het eindelijk samenvallen van training, verwachtingen en gelegenheid. Na de ijskoude nacht lag het weidse, vriendelijke dal met zijn rijen wijnstokken uitnodigend voor hen in de morgenzon, als een voorbode van hoop. Het trok de blikken van manschappen en officieren naar de horizon en hun onzichtbare doel. Allen waren in dat doel verenigd, en iedereen was in zijn eigen concentratie verdiept. Herinneringen, hoop en gedachten aan thuis werden opzij gezet; de toekomst was begrensd door deze zonovergoten, vruchtbare vallei.

Zelfs de haveloze paarden, mager en uitgeput in hun onverzorgde herfstvacht, hadden hun geestdrift herwonnen. Ze gooiden met hun rafelige manen en briesten, en bewogen hun oren vol verwachting heen en weer. Harry voelde hoe Clemmie zich onder hem samenbalde, nerveus en alert zoals ze in geen maanden was geweest.

Achter het natuurlijke amfitheater van het dal en de wachtposten, vriend en vijand, op de heuvels erachter en aan weerszijden, lag het smerige achterland van de oorlog, waarvan ze tijdens dit schitterende ogenblik geen deel meer uitmaakten: de haveloze, armoedige kampementen, de gehavende velden en wijngaarden en de menselijke overblijfselen van het eerdere treffen die dag – de helden, de praatjesmakers, de zondebokken, de gewonden en de doden.

Hier was alles gedisciplineerde symmetrie toen de Lichte Cavalerie in drie linies optrok, zeshonderdvijfenzeventig van de beste ruiters en zwaardvechters van Engeland. Tussen de eerste en de tweede linie lag een afstand van ongeveer vierhonderd meter; tussen de tweede en derde rij was die een stuk kleiner. De zware cavalerie was ver daarachter opgesteld, zonder infanterie als ondersteuning; er was niets dat het oog afleidde van de pracht en praal van de Lichte. De toeschouwers op de Sapoune Heights in het noorden, de burgers en officiersvrouwen die Raglan en zijn staf vergezelden waren ademloos van vaderlandslievende bewondering. De Russen zouden niet de kans krijgen bij de kanonnen op de veldschansen onder de Causeway Ridge te komen. De eer zou worden gered door snelheid en sterkte.

Wat diezelfde toeschouwers, die hun wijn en lunchmanden voor het feestelijke ogenblik bewaarden, vanaf hun uitkijkpost niet konden zien was de slechte conditie van de paarden, en de gescheurde jassen en opgelapte, versleten broeken van de manschappen, de ontbrekende epauletten en schouderkleppen en de weinige, bemodderde pluimen. Ze zagen niet, zoals Harry, het stelletje ongeregeld dat op het laatste moment kwam aanzetten: de slager nog in zijn met bloed bespatte witte voorschoot met zijn linnen broek in zijn laarzen gepropt, of de ontsnapte gevangene uit de wachttent die ongewapend wilde aanvallen; zijn wapens waren hem afgenomen wegens het ongeoorloofd roken van een pijp. Koks, lijntrekkers, invaliden en dronkaards waren toegestroomd om de gelederen te versterken, velen zonder uitrusting of hoofddeksel en met openhangende jassen. De jonge Philip Gough had Harry's zakdoek geleend om zijn pols aan het gevest van zijn sabel te binden om meer greep te hebben en Harry's verontschuldiging dat hij niet erg schoon was weggewuifd.

De toeschouwers zagen alleen de verre schittering van de troepen op de vlakte. En de Lichten in hun uniform hielden hun blik op Cardigan gevestigd, die voor hen uitreed en als een standbeeld in het zadel zat, kaarsrecht, met zijn huzarenjas over zijn amechtige borst getrokken om een serie goudglanzende medailles te laten zien.

Aan hun rechterflank was de ruwharige terrier Jemmy opgewonden kwispelstaartend, verwoed naar een verborgen schat aan het graven.

Maar Balaklava bleef niet lang het uitnodigende, rustige toevluchtsoord van hun eerste indrukken. Binnen enkele uren had het Britse leger er haar onmiskenbare stempel op gedrukt. Tuinen werden leeggeroofd en bleven vernield achter, wegen en paden raakten verstopt door mensen en paarden en hun afval; op de met klinkers geplaveide kaden wemelde het van de wagens, ransel, wapens en

475

munitie, en in het water van de haven dreef alle mogelijke troep. Het stadje zelf verzonk al spoedig in het niet bij de uitlopers van het enorme kampement die aangroeiden over de omringende hellingen naar het noorden en oosten.

Het bedrieglijke gevoel dat er resultaat was geboekt, dat ze een belangrijk doel hadden bereikt, hield er bij de troepen de moed in. Toch voelde Harry zich voortdurend op zijn nummer gezet door hun onverstoorbaarheid. Ze leden onder veel ergere ontberingen dan hun superieuren en hadden zelfs minder hoop op een mogelijke beloning, maar ze hielden met de moed der wanhoop vol, en met een galgenhumor die de angel uit de omstandigheden haalde door ze nog erger voor te stellen dan ze al waren.

Deze eigenschappen vonden hun hoogtepunt in de persoon van Betts. Al bijna vanaf het moment dat ze in Calamita Bay aan land gingen had Harry dagelijks verwacht zijn stalknecht te zullen zien bezwijken aan infectie, verwondingen, ziekte of simpelweg uitputting, en elke avond merkte hij dat die kreupele schim van een man niet alleen nog leefde, maar zelfs onaangedaan leek door de ellende die hij had doorstaan.

De reden was ten dele dat Betts op zijn best al geen toonbeeld van gezondheid was. Ondermaats en hinkend, met zijn grauwe gelaatskleur en dichtgeslibde longen (zijn komst werd altijd voorafgegaan door een raspend gekuch en uitgebreid gerochel en gespuug) was er bij hem eenvoudig minder ruimte voor verandering dan bij de andere mannen. Maar afgezien hiervan was zijn toewijding aan de paarden het belangrijkste. Zijn inzet voor hun welzijn was onzelfzuchtig en standvastig. Hoewel de verstandhouding tussen Harry en hem zo goed was als maar kon tussen meester en knecht vleide Harry zich niet met de gedachte dat Betts' trouw en doorzettingsvermogen voor hem waren bedoeld. De paarden vormden Betts' bestaansreden. Zelfs als hij zich zou overgeven aan de luxe van de zelfwaarneming zou hij er niet bij hebben stilgestaan, want elk ogenblik van zijn wakende leven werd besteed aan wat hij kon doen om het lot van de dieren te verbeteren.

En het was een hachelijk lot. Betts was niet de enige die klaagde over de algemene misvatting dat cavaleriepaarden het zonder voedsel konden stellen. Binnen een week na aankomst in Balaklava werd het hooirantsoen beperkt tot drie kilo per dag per dier, en haver was een luxe uit het verleden. Het effect van afmattende marsen, karig, slecht voedsel en extreme temperaturen was duidelijk zichtbaar. De eens zo fiere en verwende strijdrossen zagen er vaal en verwaarloosd uit als ezels. Het was, zoals Betts zei, om een heilige aan het vloeken te krijgen, en hij was bepaald geen heilige.

Hij was geen geweldige ruiter en absoluut geen zwaardvechter, maar dat weerhield hem er niet van zich bij de bevoorradingstroepen te voegen die langs de rivier de Tsjernaja naar het landbouwgebied zo'n elf kilometer verderop trokken, waar in het begin van oktober gratis hooibalen konden worden afgehaald. Ongewapend vertrok hij met de soldaten op een pakpony, om meer dan eens terug te keren met bloedstollende verhalen, dat ze door kozakken in een hinderlaag waren gelokt en ternauwernood hadden kunnen ontsnappen.

Ondervoed als hij was scheen hij beter met weinig toe te kunnen dan de andere mannen, en kwam hij soms de dag door op tabak, rum en koffie, omdat hij zijn karige rantsoen met de paarden deelde. Toen Harry hem daarop aansprak had hij een eenvoudig antwoord.

'U kunt zonder mij, meneer, maar niet zonder hun.'

'De vraag is niet of ik wel of niet zonder ze kan, Betts, maar of je om je gezondheid en energie denkt. En je dwingt me ertoe het te zeggen: je leven.'

'Zij zijn mijn leven.'

Harry moest toegeven dat dat waarschijnlijk de waarheid was. Betts had geen familie en als hij naar Engeland terugkeerde, was zijn toekomst op zijn minst twijfelachtig. Zolang de paarden in leven bleven en hij ze van dienst kon zijn, had hij ook reden van bestaan. Hij was nog steeds niet over het verlies van Piper heen.

'Ik moet er niet aan denken,' zei hij steeds weer hoofdschuddend. 'Dat was een superpaard, hoe je het ook bekijkt.'

'Hij had dit allemaal toch niet overleefd.'

'Misschien niet, meneer, maar we zouden voor hem hebben gezorgd,' was Betts' bizarre logica. 'Ik moet er niet aan denken hoe die verrekte inboorlingen hem zullen behandelen.'

'Misschien is hij door onze eigen mensen opgevangen. De Zware was daar ook.'

'Hij hoorde niet bij de Zware Cavalerie, meneer, ze konden hem niet gebruiken.'

Dat was ook waar. Toen de Zware arriveerde konden Harry en Betts alleen maar hopen dat Piper er niet bij was, want hun vertraagde tocht vanuit Varna was verschrikkelijk geweest. Betts ging naar de haven om naar de aankomst van het eerste contingent Zware Cavalerie te kijken. Hij kwam krijtwit en met opeengeklemde lippen terug. Met het aanbreken van de herfst waren de stormwinden erger dan ooit, en op een bepaald schip was de overbevrachting benedendeks zo groot dat tweederde van de paarden was gestorven of afgemaakt. Op een ander schip was een compleet dek ingestort, waardoor de paarden van de officieren boven op die van de manschappen in het ruim eronder waren neergestort, wat een vreselijke verwarring en een slachting had veroorzaakt.

'Heeft u thuis paarden, meneer?' vroeg Betts. Toen Harry antwoordde dat er koets- en werkpaarden waren, voegde hij er op sombere toon aan toe: 'Daar zijn ze het beste af.'

De tweede linie werd gevormd door het 11e Huzaren. Voor hen uit reden rechts en links het 13e Lichte Dragonders en het 17e Lansiers, en daar weer achter het 8e Huzaren en het 4e Lichte Dragonders, met van elk regiment twee formaties. Helemaal vooraan zat hun brigadecommandant hooghartig en roerloos in het zadel van zijn grote vos met witte sokken. De prikkelbare kapitein Nolan, die zich nog niet zo lang daarvoor langs de voorkant van de Sapouneklif naar beneden had gespoed met het bevel aan te vallen, reed in de frontlinie links van Cardigan, en zijn paard bokte en danste net als zijn berijder in wat voor het overige een bizarre oase van rust was.

Harry wierp een blik op Fyefield naast hem. Zijn profiel stond ondoorgrondelijk, maar op zijn voorhoofd glom een laagje zweet. Op de hals van zijn paard, Constant, vertoonde de ruige vacht diverse kleine littekens.

Fyefield voelde Harry's blik op hem rusten en mompelde: 'We hebben hier lang op gewacht. Laten we hopen dat we het er goed vanaf brengen.'

En nog leven om het applaus in ontvangst te kunnen nemen, dacht Harry. Hij voelde het geritsel van de kostbare brieven tussen zijn tuniek en zijn hart, en de zwarte veer die opgeborgen zat in zijn sabeltas. Nog leven.

Het was twintig over elf toen de trompet het sein 'marcheren' blies.

Het werd juist en passend geacht het oogstfeest thuis op de gebruikelijke manier te vieren, want dat zou meneer Latimer zo hebben gewild. Zowel zijn weduwe als de jonge mevrouw Latimer steunden deze opvatting. Niet dat ze onder vier ogen niet over de kwestie van mening verschilden.

'Je bent toch zeker niet van plan te gaan?' Maria's wenkbrauwen schoten de hoogte in.

'Zeker wel,' antwoordde Rachel. 'Ik ga deelnemen aan de Mickelmas Jacht op 29 september als dat iets bijdraagt.'

'De baby komt als hij er klaar voor is.' Maria preekte geduld, hetgeen verwonderlijk was voor iemand die zelf uitgesproken ongeduldig van aard was. 'Je kunt er niets aan doen.'

Hoewel Rachel wist dat het waar was, en haar best deed de situatie luchtig op te vatten was ze doodsbenauwd dat er iets mis zou gaan. Ze was boven de dertig en had nog nooit een kind gebaard. Ook had ze geen naaste bloedverwante die ze in vertrouwen kon nemen, en dus wist ze niet wat ze ervan kon verwachten. Ze was inmiddels twee weken over tijd, en het onbeweeglijke gewicht binnen in haar begon onheilspellend aan te voelen.

'Alles is in orde,' had de dokter gezegd, dezelfde dr. Jaynes die Maria tijdens Percy's ziekte een idioot had genoemd, maar die ze Rachel nu als buitengewoon kundig aanbeval. 'U hoeft zich nergens zorgen over te maken.'

'Maar het beweegt helemaal niet meer.'

'Dat komt doordat het een mooi, groot kind is en er geen ruimte meer is om te bewegen. Het hoofdje is ingedaald. We moeten gewoon wachten tot de natuur haar gang gaat.'

Zijn vaderlijke meervoudsvorm maakte Rachel woedend. 'We?'

'Ik gebruikte dat woord uit medeleven.'

'Dat is niet nodig.'

'Dan wordt het "u". Maar weest u alstublieft gerust.'

Dat was ze niet. Toen ze Bens moeder tegenkwam die meehielp de schuur klaar te maken voor de oogst, nam Rachel haar terzijde en vroeg: 'Mevrouw Bartlemas, mag ik u iets heel persoonlijks vragen?'

Mevrouw Bartlemas keek behoedzaam om zich heen. 'Gaat u gang, m'vrouw.'

'U hebt een groot, gezond gezin. Is het normaal dat een zwangerschap zo ver over tijd is als de mijne?'

'O, is dat alles!' Dit was een terrein waarop mevrouw Bartlemas zelfvertrouwen en ervaring in overvloed had. 'Normaal, zoals u het stelt, bestaat niet. Ze zijn voordat ze geboren worden net zo verschillend als daarna. Sommigen komen zomaar pardoes, anderen treuzelen, en weer anderen geven alleen maar problemen. Ziet ernaar uit dat u daar een dromer hebt zitten.'

'Dat hoop ik dan maar. Denkt u...' Ze aarzelde en mevrouw Bartlemas hield haar hoofd scheef om haar aan te moedigen. 'Denkt u dat dat betekent dat ik een zware bevalling krijg?'

'Hemel nee! Integendeel, hoe meer het er klaar voor is, des te sneller zal het komen.'

Nog iets dat de ervaring mevrouw Bartlemas had geleerd was de noodzaak en de waarde van de aperte leugen.

Ze marcheerden voorwaarts over zwaar doorploegde grond. De stolp van stilte die hen leek in te sluiten was nu vol gekraak van leer, het gerinkel van bitten en sporen en het zachte gedender van hoeven. Een paar paarden stapten opzij en verbraken het ritme, opgewonden door de geluiden. De terrier draafde heen en weer langs het 8e, vol uitbundige energie op deze mooie ochtend.

Op de hellingen en kliffen aan weerszijden zag de dichte massa bewapende mannen, die nog steeds niet vuurden, eruit als bomen of struiken, als een deel van het landschap. Hier en daar flitste de zon op een geweerloop, alsof de vijand een waarschuwingssignaal overbracht. Tijdens de mars verlieten ze het geploegde stuk grond en kwamen op een bebouwde akker, waarbij ze soms over vertrapte wijnstokken liepen die al door de eerste linie waren vermorzeld. Clemmie bleef haken met haar been en struikelde, waardoor hij onmiddellijk over zijn hele lijf zweette van schrik. Tot dan toe had Harry er geen erg in gehad hoe bang hij was.

Tegen de tweede week van oktober was het kampement van de Lichte Brigade naar het noorden en westen verplaatst, naar een plek rechts van Raglans hoofdkwartier op Sapoune Heights. Maar als de opperbevelhebber had gedacht zijn ontevreden cavalerie een genoegen te doen door hen in een opvallende positie te plaatsen, had hij het mis. De eer was op z'n minst twijfelachtig. Ze vielen dan wel op, maar in het kamp, en dus niet meer in het zadel, waren ze ook pijnlijk kwetsbaar. Iedereen was het erover eens dat ze niet in zo'n onbeschermde positie geplaatst hadden mogen worden.

Ook leek de bijnaam 'toeschouwers', die nu algemeen voor de Lichten werd gebruikt, dubbel onjuist omdat ze in veel opzichten de hardst werkende legerdivisie waren. De taken van bevoorraden, bewaken, verkennen en patrouilleren leken hun toe te vallen, en naarmate de nachten langer en onaangenamer werden, raakten ze in een zenuwenoorlog met de vijand verzeild.

De Russen waren nu massaal langs de rivier de Tsjernaja verzameld, aan de noordoostelijke zijde van het brede stroomgebied dat door het rif van de Causeway Heights in twee 'dalen' werd gedeeld, zo dichtbij in feite dat een nachtpatrouille op gelijke afstand duidelijk de kookvuren van beide legers kon onderscheiden. Schildwachten en ruiterwachten waren begrijpelijkerwijs opgewonden. Talloze keren werd er een nachtelijk strijdsignaal gegeven, waarbij paraatheid van de cavalerie was vereist. In de regel vond het in de kleine uurtjes plaats, om een uur voor zonsopgang te worden gevolgd door de normale oefening die twee uur of langer kon duren, met slechts een karig ontbijt in het vooruitzicht.

Er heerste nog steeds cholera. De manschappen raakten verder verzwakt door de kou en het slechte eten. Dat alles bij elkaar maakte hen steeds vatbaarder voor allerlei soorten infecties. Tussen de kampen en de haven trok een onafgebroken stroom zieken naar de hospitaalschepen. De muziekkorpsen werden voorlopig buiten dienst gesteld, zodat de leden dienst konden doen als brancardier en tijdelijk hospitaalsoldaat. Zonder muziek werden de kampen sombere, naargeestige oorden; er was zelfs geen bugelspeler om de moed erin te houden. Om nog eens zout in de wond te wrijven klonk er uit de Turkse kampen dag en nacht wilde fluitmuziek die allerlei verdorven activiteiten suggereerden die de Britten niet waren toegestaan.

Harry schreef aan Rachel: *'Je kunt je voorstellen hoe we ons voelen als we het vrolijke kabaal uit de bashi-bazouks horen – het is vreselijk irritant! Maar ik moet zeggen dat we ook een zeker respect hebben voor die kerels, die toch vooral dapper hebben gevochten toen het nodig was, en die door de meerderheid van onze officieren (die beter zouden moeten weten) met minachting worden behandeld. Zij hebben in materieel opzicht bijzonder weinig om zich op te verheugen. Naast een enorme vechtlust moeten ze ook over een bijzonder opgewekte mentaliteit beschikken. Wij missen onze muziek en beseffen nu we het zonder moeten doen pas hoe inspirerend en hartverwarmend ze is. Zoals ik ook Engeland mis, en Bells, en mijn dierbaren...'*

Hier onthield Harry er zich zoals gewoonlijk van duidelijker en persoonlijk gewag te maken van zijn gevoelens. Maar terwijl hij zijn brief nog niet af had, kreeg hij die van Rachel met het nieuws van zijn vaders dood.

Hij was er kapot van. Hij was verslagen van verdriet om zijn vader, met wie hij een onuitgesproken band voelde, van wie hij niet alleen bloedverwant, maar ook zielsverwant was, en die was gestorven met zoveel dat niet was uitgesproken tussen hen. Hij werd ook gekweld door wroeging dat hij, God moge het hem vergeven, de afgelopen weken zo weinig aan hem had gedacht.

En bij alle ellende was er, als een onuitroeibare Engelse wilde bloem, zijn liefde voor Rachel, die Percy en Maria had bijgestaan en zich van alle taken had geweten die hij, hun zoon, eigenlijk had moeten uitvoeren. En die hem met zoveel eenvoudig begrip en oprechtheid had geschreven dat het was alsof hij haar rustige stem hoorde. Hij had gehuild, om zijn vader, om zijn moeder, en ook om Rachel. Om Hugo, al eerder overleden. Maar vooral, wist hij, om zichzelf.

Rachel zou de muziek nooit vergeten. Paget en zijn makkers speelden de sterren van de hemel, de schuur trilde op zijn grondvesten van het denderende ritme van de horlepijp, de *reel* en de polka, en het lieflijke deinen van de wals en de *twostep*. De muziek volgde Corrie Bartlemas en haar toen ze door de heldere avond de paar honderd meter naar Bells aflegden.

Nu en dan stonden de beide vrouwen gearmd stil, en de damp van hun adem vermengde zich.

'Tijd zat,' zei Corrie de ene keer. En de volgende: 'Steun maar op mij.' Verplichte conversatie was niet meer nodig.

Toen ze de beschutting van de schuur verlieten en om de hoek van het huis kwamen, waar de lucht zich in volle glorie boven hen uitstrekte stond Corrie uit eigen beweging stil. 'Kijk die sterren eens.' Rachel keek naar boven. Er lag troost in de kalme, verre schittering, net als in de stugge geslotenheid van haar metgezel. Beiden hadden zoveel gezien van deze ervaring, die zo gewoon en toch zo uniek was. 'Ze hebben het wel over de muziek van de sterren, nietwaar?' mompelde Corrie. 'Ik vraag me af wat voor muziek dat is... droevig, denk ik.'

Toen ze de deur openmaakten stond Cato hen op te wachten. Hij kwam stijf overeind en waggelde met afhangende kop en traag kwispelende staart naar Rachel toe om haar te begroeten.

'Hij weet het,' zei Corrie. Ze aaide hem. 'Hij weet het precies. Ze zijn geweldig, die dieren.'

Er kwam een nieuwe wee opzetten, die aanhield en weer wegtrok. Rachel zakte neer in de leunstoel met de hoge rug. Nu ze in het huis terug was werd ze bang, wat ze buiten niet was geweest. Hier lag de last van de verwachtingen en een familiegeschiedenis die niet de hare was. De jonge Hugo grinnikte haar zorgeloos toe vanaf het familieportret dat ze zo dikwijls had bewonderd. Ze voelde zich verlaten en verloren.

'Corrie... Wat moet ik doen?'

'Niks, lieverd, helemaal niks. Doe waar je zin in hebt.'

'Komt de dokter?'

'Ja, Little is hem gaan roepen. Maar je bent niet ziek. Je krijgt een kind.'

'Maar het doet pijn.'

'Ja, dat doet 't.'

'Hoeveel erger zal het worden?'

De grote leugen moest nu wat worden afgezwakt. Corrie koos haar woorden met zorg. 'Het wordt erger, maar dat komt doordat je baby telkens dichterbij komt.'

Rachel greep haar hand. 'Je gaat toch niet weg?'

'Nee, daar hoef je niet bang voor te zijn.'

'En jouw gezin?'

'Dan is naar het bal, hij brengt ze naar huis. Mercy is daar ook, zelfs al zal Ben het niet wagen haar last te bezorgen.'

Ze bleven een poosje in de hal, met de deur open; de muziek zweefde naar binnen. Rachel ging in de leunstoel zitten, Corrie streek neer op de kist ernaast. Ze hield haar hand vast en beklopte die van tijd tot tijd op het ritme van de muziek. Cato lag voor hen met geduldig geloken ogen naar hen te staren. Toen zijn vrouwtje hijgde sloeg hij bemoedigend met zijn staart op de grond. Het werd koud, en Corrie stond op om de voordeur dicht te doen. Intussen begonnen de fiedelaars in de schuur met iets snels en vurigs. Ze hoorden de juichkreten en bijval van de dansers die met hernieuwd enthousiasme de vloer betraden. De volgende twee weeën kwamen korter op elkaar. Ze gingen naar boven, op eerbiedige afstand gevolgd door Cato. Hij stond stil als zij het deden, wachtte, liep verder. Corrie maakte het vuur in de slaapkamer aan terwijl Rachel haar kleren uittrok. De hond strekte zich met een behaaglijke zucht voor de bleke vlammetjes uit.

Rachel vroeg of het raam open kon, maar Corrie protesteerde: 'Dan gaat alle warmte eruit.'

'Ik heb het warm genoeg. En ik wil de muziek horen.'

Dat was om acht uur. De dokter kwam niet, maar ze kregen het samen voor elkaar.

Vlak voor middernacht speelde Paget in zijn eentje een laatste, weemoedige wals, een dans voor geliefden. Net op dat moment werd Rachels baby geboren en naast haar op het kussen gelegd. Mollig en roze, met grote, donkere ogen en dik, zwart haar, dat toen het opdroogde in grappige krulletjes sprong.

'Wat is ze mooi!'

'Wat had je dan verwacht?' lachte Corrie. Ze begon met opruimen.

'Dat het een monster zou zijn?'

'Ze heeft Hugo's haar...'

'Ja, een mooie kop met haar. En ik zal je vertellen waarom ze de belle of the ball is.' Corrie rolde een laken om haar onderarmen. 'Hoe langer ze wachten des te mooier ze zijn.'

'Hoezo?'

'Omdat ze dan helemaal af zijn.'

'Denk je eens in, Corrie, niemand weet nog dat ze er is, alleen jij en ik. Is dat niet leuk?'

'Nog even een geheimpje.'

'Dan moeten we het Maria laten weten...' Rachel raakte haar dochters wang aan, de huid was zo teer als lucht. 'En je moet het Ben vertellen, en hem vragen te komen.'

'Alles op z'n tijd.' Corrie kwam naar het hoofdeinde van het bed en stond naar hen te kijken. 'En hoe ga je haar noemen?'

Het oogstfeest was voorbij. De dokter kwam toen de laatste feestgangers de schuur verlieten en aan de wandeling naar huis begonnen, omlaag langs de lange, sterverlichte heuvel, onder het witte paard dat naar de maan opsprong. Belle Latimer sliep, terwijl haar moeder bloedde.

Na tweehonderd meter gingen ze over in draf, en opende de Russische artillerie het vuur. Het was een zaak van collectieve trots om onder het schieten tempo te houden. Het oefenterrein kon ze geen moed aanleren, maar had ze de discipline bijgebracht die dapperheid mogelijk maakte. Het eerste salvo granaten ontplofte om de frontlinie heen. Een minuut daarna kwam er een paard met woest rollende ogen door de gelederen terug gestormd, doodsbang voor zijn heen en weer zwaaiende, bloedende last. Harry ving een kort, verschrikkelijk beeld op van de officier die nog rechtop in het zadel zat, met verwilderde blik, de borst tot het hart opengereten en zijn jas verschroeid. De lege zwaardarm stak omhoog in een gruwelijke parodie op de aanval. 'Nolan!' schreeuwde Hector. 'Hij heeft eindelijk gekregen wat hij wilde!'

Met deze glimp van de glorie die nog moest komen draafden ze verder.

Harry had direct zijn moeder geschreven en zat vreemd genoeg om woorden verlegen. Zijn van harte gemeende zinnen die zijn verdriet en medeleven moesten uitdrukken leken stijf en ontoereikend; hij hoopte alleen maar dat ze het oprechte gevoel zou bespeuren dat ze bevatten. Per slot van rekening was, ondanks de tekortkomingen in zijn eigen relatie met zijn vader, die van Maria rijk en bloeiend geweest. Haar verdriet zou niet zoals het zijne overschaduwd worden door wroeging.

Toen hij aan zijn brief aan Rachel begon kon hij echter niet snel genoeg schrijven.

We hebben hier meer dood dan leven, zo erg dat het bijna geen betekenis meer heeft, en toch heeft je brief me de betekenis van de dood onthuld. Het harde, onherroepelijke feit dat ik mijn vader nooit meer zal zien en ook niet de kans heb gehad de dingen te zeggen die misschien tussen vader en zoon gezegd had moeten worden is bijna meer dan ik kan verdragen. Het herinnert me aan alle ouders en echtgenotes van de mannen die hier zijn omgekomen. Ik schaam me om het te zeggen en ik kan het alleen aan jou kwijt. Jij zult het begrijpen en het me niet kwalijk nemen, maar voor ons, onder deze omstandigheden, is een dode gewoon de zoveelste die is gegaan, naar wat wel een beter oord moet zijn. We benijden ze bijna. Maar voor de mensen thuis is hij hun

unieke, geliefde zoon, broer of echtgenoot, wiens foto op de plank staat,
wiens kinderstreken ze hebben bestraft en overwinningen ze hebben
bejubeld, of wiens hartstocht ze hebben gedeeld.

Jij zegt dat je heel gauw een prettiger brief hoopt te schrijven, en
dus bewaar ik mijn brief tot dan. Je bent zo voortdurend in mijn ge-
dachten, meer dan je ooit zult weten. Meer dan wat ook wil ik horen
dat alles goed met je is. Ik wilde dat ik kon zeggen dat deze gevoelens
louter uit dankbaarheid bestaan voor je vriendelijkheid voor mijn
ouders, en uit natuurlijke genegenheid voor de vrouw van mijn mijn
lieve broer. Maar, Rachel, dat is niet zo. We zijn hier aan wat soms het
einde van de wereld lijkt, vanwaar we misschien niet zullen terugke-
ren. De enige zegen die de dood van mijn vader heeft meegebracht is
het besef dat jij deze dingen, als ik ze niet zeg of schrijf, nooit zult
weten. Ik hou van je, ik heb altijd van je gehouden. Je gezicht, je stem,
de manier waarop je denkt, en hoe je die gedachten uitdrukt, wat er in
je hart leeft... Ik heb het gevoel dat ik je ken zoals ik mezelf ken. Het
klinkt misschien verwaand, maar denk niet dat ik arrogant ben. Ik zeg
het in alle nederigheid en uit liefde. Ik verlang naar je. Ik weet dat het
vanwege Hugo niet hoort, en toch kan ik er niets aan doen. Als het
niet door Hugo was, van wie we allebei hielden, had ik je nooit leren
kennen.

Ik zal deze brief ergens veilig opbergen, en ik hoop dat hij de vol-
gende keer dat ik hem tevoorschijn haal, om je hopelijk vreugdevolle
tijding te beantwoorden, niet al te dwaas zal lijken, want het is de
meest serieuze die ooit heb geschreven.

Hij borg de onafgemaakte brief, met de andere brieven van thuis, in
zijn hutkoffer, en pakte hem zorgvuldig in om hem te beschermen
tegen de overige inhoud – vuile kleren en gebarsten laarzen, en biscuits, chocolade en rum die hij bewaarde voor slechte tijden.

Door al het valse alarm waren de wachten 's nachts paniekerig.
Het ochtendlicht onthulde dikwijls de zoveelste ongelukkige dode
koe die per abuis voor een Russische scherpschutter was aangezien.
En het werd kouder, vooral 's nachts, bij het ochtendgloren en in de
schemering. De mannen gebruikten alles wat ze aan kleding hadden
of te pakken konden krijgen, inclusief schapenleren vesten die ze
van de Turken hadden gestolen en bontjassen uit weggeworpen
Russische tassen, zodat het een groot deel van de tijd niet mogelijk
was om officier van soldaat, de ene nationaliteit van de andere, of
vriend en vijand van elkaar te onderscheiden.

Het vijandelijke vuur was nu onvoorstelbaar hevig. Het daverde onophoudelijk op de beide onbeschermde flanken. En ze reden nog

steeds in draf. Fyefield werd geraakt; Harry hoorde de doffe, natte inslag en voelde een fijne sproeiregen van Hectors bloed in zijn nek. Achter hem hoorde hij een man schreeuwen: 'Vuile klootzakken!' en het standje. 'Let op je woorden, jongen, je zult je schepper gauw genoeg aanschouwen!'

Ze reden door het wijde, ondiepe bekken in het midden van de vallei. Het vuur leek nu van alle kanten te komen, met rookslierten, kanongebulder en het gekraak van geweerschoten, het geschreeuw van de manschappen en de kreten van de paarden, en het gedender van hoeven als strijdrossen zonder berijder wanhopig probeerden zich weer in beschutting van de gelederen in te voegen. Ze wrongen en duwden om een plaats in de kudde te veroveren. Een in paniek geraakte, met bloed bespatte schimmel stond op zijn eigen ingewanden te trappelen tot hij in elkaar zakte en omviel, kermend in doodsnood.

Harry voelde meer dan hij het zag dat de grond omhoog liep. Een machtig geschreeuw, galmend en luid, van vreugde of vrees, misschien wel allebei, weerklonk uit de verte. De frontlinie had de kanonnen gezien.

Rachels bloedingen hielden ten slotte op, maar net op tijd. Dokter Jaynes, die op de proef was gesteld, deelde Maria in niet mis te verstane bewoordingen mee dat haar schoondochter had kunnen sterven.

'Ze is op het nippertje aan de dood ontsnapt, en dat ze nog leeft is me een groot raadsel. In feite een wonder.'

Maria, die zelf halfdood van angst was geweest, was even scherp. 'Voor een intelligente vrouw was het erg dom om zo lang te wachten voordat ze u liet roepen.'

'Dat had geen enkel verschil gemaakt.' De arts zei het heel zakelijk, hij was uiteindelijk gaan begrijpen hoe hij Maria moest aanpakken. 'Uw nieuwe kleindochter was een bijzonder grote baby...'

'Groter dan mijn jongens!' Maria zei het zowel bewonderend als kwaad.

'...en Rachel is geen jong meisje meer. Ze begon pas een uur na de bevalling te bloeden. De vrouw die bij haar was heeft het uitstekend gedaan.'

'Ze had ook niet naar het oogstfeest moeten gaan,' snoof Maria.

'Er was geen enkele reden waarom niet. Ze heeft me verzekerd dat ze niet zou dansen, alleen maar kijken. U bent er zelf ook een poosje geweest,' bracht hij haar vriendelijk in herinnering, 'en ik weet zeker dat u haar niet zou hebben toegestaan het leven van uw kleinkind of het hare in gevaar te brengen.'

'Nee, natuurlijk niet, maar ik ben vroeg weggegaan. Ik ben dol op dansen,' voegde ze eraan toe alsof er een excuus werd verwacht, 'maar weduwen mogen zich niet amuseren.'

'En ik moet ervandoor.' De dokter stond op. 'In elk geval komt ze er weer helemaal bovenop, maar ze moet rust houden. Eten en slapen, slapen en eten, dat is het voorschrift. Ik bel morgen.'

Toen hij weg was ging Maria naar boven om te kijken hoe het met Rachel was. Haar gezicht zag zo wit als een doek, als een potloodtekening op het witte linnen van de kussensloop, met alleen haar haren en de donkere kringen om haar ogen en haar mond om het vorm te geven. Belle lag in haar wieg pruttelende en knorrende geluidjes te maken, slechts licht in slaap nadat de vroedvrouw haar uiterste best had gedaan. Mevrouw Bartlemas verliet discreet de kamer. Toen Maria naast haar bed ging zitten was ze verrast hoe sterk en vastbesloten de blik was die Rachel haar zond.

'Hoe is met Belle?'

'Met haar spijsvertering bezig. Hoe maak je het, liefje? Je ziet er al beter uit.'

'Alsjeblieft, Maria, ik heb in de spiegel gekeken.'

'Ik zei niet dat je er goed uitziet, maar beter.'

Rachel sloot even haar ogen als blijk van erkentelijkheid voor het bruuske antwoord. 'Wil jij Harry schrijven, om hem te vertellen dat hij een nichtje heeft?'

'Natuurlijk.'

'Ik heb hem beloofd dat ik het direct zou laten weten. En alles duurt zo lang...'

'Dan zal ik het direct doen. Onmiddellijk! Nu ik weet dat jij in elk geval niet doodgaat.'

Er zweefde een glimlach om rachels bleke lippen. 'Het spijt me dat ik zoveel paniek en onrust heb gezaaid.'

'Het is niets,' zei Maria en ze stond op. Met haar lange vingers streek ze als bij toeval over die van Rachel. 'En trouwens, het was de schuld van mijn kleindochter.'

Als het bevel tot de aanval al was geblazen hoorden ze het in elk geval niet. Maar dat hoefde ook niet, want de Lansiers van de frontlinie waren overgegaan in galop en haastten zich voorwaarts in de richting van de ijzeren monden van het Russische geschut om te ontkomen aan de vernietigende executie van weerszijden. Cardigan was genoodzaakt ze bij te houden om voorop te kunnen blijven. Het ene eskader na het andere volgde. De aanval was begonnen, en werd aangevuurd door kreten van de rivaliserende regimenten: 'Kom op, jongens! Kom op, *Deaths*! Zorg dat de kolbakken ons niet inhalen!'

De tweede linie bestormde de heuvel. De grond daalde licht en werd toen vlak. De paarden vlogen nu vooruit. Als een pijl uit een boog schoten ze op topsnelheid over het hoogste punt van hun baan op hun doel af. En raakten het in den blinde, want het vuur bleef van alle kanten komen. Harry zag dat Clemmie onder hem begon te zwoegen en ploeteren en haar zwakte overwon, om in een voortdenderende machine te veranderen – haar benen gingen zo snel dat ze nauwelijks de grond raakten. Het geflits en gebulder van de kanonnen voor hen sloeg twee cavaleristen in hun vaart neer. Ze werden naar achteren geworpen als een schreeuwend kluwen ledematen, leer en wapens. Vlees spleet glinsterend rood open. De voorste linie was verdwenen, uitgewist alsof hij nooit had bestaan. Clemmie sprong over de eerste gewonde heen en dook als een haas opzij om de tweede te ontwijken. Als reactie op de kreten 'Sluiten! Sluit de gelederen!' weken de rijen uiteen. De cavaleristen reden om de gevallenen heen als een rivier die om wrakhout heen spoelt. Voor hen uit vormde het geschut een kolkende, vuurspuwende rookmuur. Met een overweldigende schok kwamen ze tussen de kanonnen terecht toen het laatste salvo werd afgevuurd.

Harry maaide met zijn sabel in het rond om zijn lijf te redden. Door het kabaal heen hoorde hij een spookachtig gehuil als van een vos. Toen pas besefte hij dat het van hem afkomstig was.

Op de vroege ochtend van 25 oktober had er al twee keer een treffen met de vijand plaatsgevonden, dat beide keren resulteerde in een overwinning voor de Britten. Een overwinning die, dat moet worden gezegd, meer te danken was aan moed en initiatief dan aan enige briljante strategie, maar waarbij de Lichten tot hun verontwaardiging nogmaals vanaf de zijlijn hadden moeten toekijken.

De heldhaftige opstelling van de Highlanders, die een volhardende koppigheid tentoonspreidden die uitliep op louter bluf, werd algemeen toegejuicht en bewonderd. Maar de Schotten hadden dan ook een aanvoerder aan wiens oordeel ze, letterlijk, hun leven toevertrouwden. Ze gingen voor hem door het vuur. Diverse jonge cavalerieofficieren die terecht vonden dat Campbell er een van de oude stempel was en ten onrechte dat hij een obstakel was, hadden regelmatig het lef hem van hun mening op de hoogte te stellen. Met een kop als vuur waren ze afgedropen. En dat het kleine Schotse contingent op gedisciplineerde wijze duizenden Russische cavaleristen had teruggedreven deed alle kritiek verstommen.

Nauwelijks een uur daarna moesten de Lichten echter weer een kans op een overwinning zien komen en gaan. Terwijl de zware cavalerie op heldhaftige wijze de heuvel op stormde om de vijandelijke cavalerie aan te vallen die vanuit het noordwesten naderde, trok de brigade onder Cardigan onder een rechte hoek op de actie af. Toen de beide zijden in de aanval gingen was er de volmaakte gelegenheid voor het soort snelle, beslissende flankaanval waarvoor de Lichte Cavalerie was bedoeld. En weer voelde Harry, net als bij de Alma, dat primitieve bruisen van zijn bloed, de vonk van verwachting dat ze dit keer nu echt zouden kunnen inzetten.

Maar er kwam geen bevel. Lord Cardigan scheen order te hebben gekregen pas op de plaats te maken. Zelfs deze door de hemel gezonden gelegenheid, die algemeen als een klassieke opening voor de cavalerie werd beschouwd, kon hem niet verleiden zijn eigen initiatief boven zijn orders te laten prevaleren. De Zwaren maakten de dag zonder bijstand van de Lichten, behalve van een paar ongedisciplineerde heethoofden die het niet langer pikten en uit de gelederen braken om zich in het strijdgewoel te mengen.

Er volgde een hergroepering, in een feestelijke stemming. De poging van de vijand om het leger van hun bevoorradingsbron in Balaklava af te snijden was gedwarsboomd. De minderheid had de meerderheid verslagen. Met elan en *esprit de corps* was de dag binnengehaald. De sterkste had gezegevierd.

De Lichten stonden op de plaats rust. Velen stegen af en stonden te roken en te kletsen en hun kostbare voedsel- en rumrantsoen te ruilen in de zon. De paarden lieten het hoofd laag hangen en snuffelden hoopvol aan het schaarse gras.

Harry had een knoop van zijn jas losgemaakt en wilde een ongeopende brief van zijn moeder tevoorschijn halen, maar op dat moment kregen ze een dringend bevel dat steeds heftiger werd naarmate het langs de commandoketen van de ene officier naar de andere werd doorgegeven, om hun rookwaar uit te maken, hun ontbijt in de steek te laten, op te stijgen en zich in het gelid op te stellen.

Hun diensten schenen weer nodig te zijn.

Plotseling braken ze door. Als een levend kanon schoten ze uit het strijdgewoel tevoorschijn.

Toen ze tussen de kanonnen uit kwamen schreeuwde hij nog steeds, en nu werden ze geconfronteerd met een massale aanval, waarbij de voorhoede het tegen een grote menigte Russische cavaleristen moest opnemen. Gough, die iets voor hem uit reed, dreef zijn zwaard tot het handvat in de hals van een Russisch soldaat, maar kreeg het er niet meer uit doordat zijn hand met Harry's zakdoek aan het handvat was gebonden. Door het gewicht van zijn slachtoffer werd hij uit het zadel getrokken. Het bloed uit de halsslagader spoot over hem heen terwijl hij viel. Zijn paard steigerde achterwaarts in Harry's richting. Hij zag zich genoodzaakt het met zijn sabel af te weren, waarbij hij het in de schouder verwondde.

Hij bleef met zijn sabel rondmaaien, om zijn hoofd heen, naar achteren en naar voren, en liet alle techniek en voorschriften varen in een poging zichzelf te redden. In het begin zag hij niemand waar hij opaf kon gaan in de deinende massa vlees en staal, maar toen hoorde hij links van hem '8e! Sluiten! Hierheen!' Hij zag kolonel Shawcross, met zijn sigaar nog tussen zijn tanden geklemd en een bebloed gezicht. Weldra had een kluit van hen zich om Shawcross gegroepeerd, met het gezicht naar de massa. Mannen van beide kanten graaiden naar de teugels van loslopende paarden en hesen zich erop. De slager, opvallend in zijn witte, met rood bespatte abattoirkiel, onthoofdde een kozak, tilde het hoofd aan de punt van zijn zwaard op en smeet het in het gezicht van een aanstormende ruiter.

Tweeënhalve kilometer verderop waren de toeschouwers, die door hun veldkijkers en verrekijkers keken, getuige van een nieuwe spookachtige stilte toen de laatste cavaleristen in de kokende rookwolken verdwenen. Met hun verdwijning haperde de beschieting vanaf de heuvels en verstomde.

Mercy Bartlemas stak haar hoofd om de deur.
'Hier is Ben voor u, m'vrouw.'
'Zeg maar dat hij binnen kan komen.'
Ben kwam de slaapkamer in en bleef onzeker staan, toen Cato hem kwam begroeten. 'Dank je, Mercy.'
'Ik wacht in de keuken. Hoe is het met je, Ben?'
Hij knikte. Zijn zus zond hem een scherpe waarschuwende blik toen ze de deur dichtdeed.
Rachel glimlachte hem toe. 'Ze ligt hier in haar wiegje. Kom maar kijken.'
Hij kwam naar voren en keek. Eerst leek het niet meer dan een gebaar van beleefde gehoorzaamheid, maar toen zag ze dat zijn belangstelling werd gewekt. Hij boog zich voorover en hield zijn hoofd scheef om Belles gezichtje te kunnen zien.
'U noemt haar Belle?'
'Ja, vind je het een mooie naam?'
'Maakt me niet uit. Maar mijn vader vindt het niet mooi.'
'Waarom niet?'
'Hij zegt dat het net een naam uit het variététheater is.'
'Ja, daar heeft hij wel gelijk in. Maar ik heb niets tegen het theater. Ik heb haar Belle genoemd omdat het "mooi" betekent, en dat is ze.'
'En het klinkt alsof het huis van haar is,' opperde Ben.

'Daar had ik nog niet aan gedacht,' zei Rachel. 'Het is waar.'
Hij tuurde weer. 'Mag ik haar aanraken?'
'Je mag haar vasthouden als je wilt.'
'Ik weet niet...' Hij tuitte zijn lippen. 'Goed dan.'
Hij ging op de rand van het bed zitten en hield uiterst behoedzaam het bundeltje vast dat Belle was en boog zijn hoofd om de vingertjes van het roze handje te kussen dat als een zeester uit haar omslagdoek stak. Rachel voelde dat de tranen haar in de ogen sprongen omdat de kus zo ongekunsteld was, een eenvoudige, instinctieve, dierlijke reactie. Na een minuut schoof hij weer van het bed af en legde de baby terug in haar wieg.
'Wordt u weer beter?' vroeg hij.
Ze wist direct dat het een afscheid was.
'Zeker. Ik ben binnenkort weer op, en dan moet je me helpen haar mee uit wandelen te nemen.'
'Kan ik wat voor u doen?'
'Je kunt...' even was ze om woorden verlegen 'Je kunt Cato gezelschap houden.'
Ben leek te weten wat hij wilde. Hij knikte en liep naar de deur.
'Dag!'
'Dag Ben, tot gauw.'
Toen hij weg was ging ze rechtop zitten en keek naar Belle, die haar bijna het leven had gekost. Ze wist dat ze niet alleen omwille van Hugo van haar dochter hield, niet alleen omdat ze zijn erfenis was. Ze hield van Belle om haarzelf, en omdat ze net als Ben een toekomst had.

Er heerste een vreselijke verwarring. Clemmie verslapte, en Harry, die vreesde dat ze midden in het bloedbad in elkaar zou zakken, gebruikte zijn sporen en de platte kant van zijn sabel om haar overeind en in beweging te houden. De grond was bezaaid met gebroken tuig, geronnen bloed, lichamen en diverse ledematen van de gewonden. Loslopende paarden daverden verdwaasd in het rond, gehinderd door wapperende teugels en loshangende zadels, of hadden stuiptrekkingen van doodsnood, met gebroken ledematen en opengereten buik. Een rende meelijwekkend in kringetjes rond, terwijl zijn verbrijzelde achterbeen in het rond sleepte. Een man op de grond die beide benen kwijt was schreeuwde: 'Rij niet over me heen. Om Gods wil, rij niet over me heen!' Een andere man lag onder zijn omgevallen paard en bedekte zijn hoofd tegen de in het rond vliegende hoeven, een gemakkelijk doelwit voor de lansiers.
Een korporaal die Harry herkende reed langs met zijn verbrijzelde

rechterarm langs zijn zij bungelend. Hij riep met schrille stem: 'Lastige klus, meneer – is de eer gered?' alvorens uit het zadel te vallen en te worden meegesleurd in de maalstroom van vechtenden. Zijn voet bleef in de stijgbeugel hangen. Ze trokken zich nu terug, hij hoorde de kreten: 'Sluiten!' en 'Terug, terug!' waarop de verspreide manschappen van de Lichte zich uit de menigte losmaakten. Harry gaf een ruk aan Clemmies hoofd en spoorde haar aan in een laatste poging terug naar de kanonnen te komen.

Lange tijd was alles dat er van het kamp te zien was alleen de rook, die aan de andere kant van de vallei opsteeg alsof er een herfstvuur brandde. Betts, die een pluk dor gras pakte, ging met zijn hand heen en weer, heen en weer over Derry's hals terwijl hij naar de rook staarde. Toen het vuren vanaf de heuvels weer begon ging het gerucht dat de Lichte Brigade op de terugtocht was.

Ze keerden door de rookslierten terug en kwamen in een hagel van kogels terecht. De bodem van de vallei lag bezaaid met dode mannen en paarden. Over een afstand van ongeveer honderd meter vonden ze struikelend en heen en weer rennend hun weg tussen die vreselijke obstakels door. Ze namen geen notitie meer van de afgerukte ledematen, de kreten om hulp en genade, de uitgestrekte handen en verkrampende lichamen. Het spervuur van kanonskogels, granaten en musketbeschieting was voor hen in hun uitgeputte toestand nog dodelijker, zonder de degelijke formatie van de regimenten om hen heen.

Nog honderd meter, en Harry zag de infanteriesoldaten, de Franse *Chasseurs d'Afrique*, die zich aan zijn rechterflank met de vijand bezighielden. Veiligheid en overleven leken plotseling binnen zijn bereik. Toen kwam er uit het niets een klap die hen beiden heen en weer deed slingeren, zo hevig dat hij niet wist of hij of Clemmie was geraakt. De merrie sprong als een kat voorwaarts en stortte zich onstuitbaar in de richting van een smalle doorgang aan de voet van de Woronzov-helling, de kloof die was afgezet met dicht verstrengeld struikgewas. Hij kreeg haar niet onder controle, maar bij het struikgewas weigerde ze en draaide zich abrupt om. Ze haastte zich terug langs dezelfde weg die ze waren gekomen. Harry boog zich voorover en rukte aan haar kinriem in de hoop haar hoofd door brute kracht te kunnen wenden. Maar nu voelde hij haar ongelijke gang. En op hetzelfde moment dat haar benen het begaven voelde hij een hete, natte explosie van pijn die hem de duisternis in zond.

20

You, the man I'm thinking of,
Yes, you, my missing other half.
You, the man I've learned to love,
Are you there?

Stella Carlyle, 'Are You There?'

Stella 1996

De conservator gaf Stella de knoop terug.

'Hij is Russisch,' zei hij. 'Maar desondanks een mooie vondst.'

'Zijn er nog bijzonderheden?'

'Hij is afkomstig van een regiment artillerie. Hetgeen logisch is als uw vriend hem in de Noordelijke Vallei heeft gevonden. Geschut aan hun rechterhand, geschut aan hun linkerkant... Prachtig, maar geen oorlog... Arme kerels, een mooi voorbeeld van de tot mislukken gedoemde theorie.'

'Zo klinkt het wel.' Ze stopte de knoop in haar tas en wees op de foto die tussen hen in op het bureau lag. 'En deze? Het is vast en zeker propaganda.'

'Eens kijken.' De conservator pakte de foto op en hield hem op armlengte. 'Ja en nee. De titel doet vermoeden dat het propaganda zou kunnen zijn, maar... ' Hij zette zijn bril hoog op zijn voorhoofd en tuurde aandachtig naar de foto. 'Het is in elk geval geen trucage.'

'Nee? U bedoelt dat dit geen fotomodellen zijn?'

'O, hemel, nee, dit is een oorspronkelijke foto, waarschijnlijk genomen in de Krim. Het was de eerste oorlog die uitgebreid werd gefotografeerd, maar het meeste dat hier terugkwam was wat in het algemeen portretfotografie werd genoemd. Er werd niet aan actiefotografie gedaan, en niet-geflatteerde slagveldscènes waren slecht voor het moreel. Maar deze moet de fotograaf om zo te zegen in de schoot zijn gevallen. Je kunt aan de toestand waarin het paard verkeert zien dat ze echt is. En in verrassend goede staat. Ze kan zelfs enige waarde hebben, maar daar heb je een specialist voor nodig, ik durf er mijn hoofd niet onder verwedden.' Hij zette zijn bril terug op

493

zijn neus en hield de foto op armlengte om een beter overzicht te krijgen. 'Een ontwikkelde smaak, maar natuurlijk in de lijn van de Victoriaanse traditie: dode held, dood paard, in de dood verenigd, overgegaan naar een beter oord... Dat soort dingen.' 'We weten niet of hij een held was.' 'Nee, dat is waar, maar de arme man heeft recht op zijn geheimen. En hoe zijn verhaal ook luidt, na zijn dood is hij goed benut.' 'In feite...' Stella draaide de foto naar zich toe om haar geheugen op te frissen, '...lijken ze geen van beiden een schrammetje te hebben.' 'Dat is waar,' zei de conservator. 'Niet voorzover we kunnen zien. Ik neem aan dat ze daarom die foto hebben gemaakt.'

Toen ze terug was belde ze Jamie om hem te vertellen dat hij gelijk had. Omdat zijn werkdag om vijf uur 's ochtends begon was hij thuis, en meestal sliep hij tot laat in de middag, dus had ze min of meer verwacht te moeten inspreken op zijn antwoordapparaat en ze was verrast dat hij antwoordde. Ze hoorde op de achtergrond een sportprogramma op de televisie.

'Stoor ik?'

'Nee, wacht even.' Het was even stil, ook het voetballawaai verstomde.

'Toch wel.'

'Nee, we hielden het toch voor gezien. Wat kan ik voor je doen?'

Ze herhaalde het commentaar van de curator. 'Voîlà,' zei hij. 'Respect! Fijn als je door deskundigen in het gelijk wordt gesteld.'

'Hij zei dat de foto zelfs waardevol kon zijn.'

'Echt waar? Vergeet je vrienden niet als je schatrijk wordt.'

'Ik pieker er niet over een van beide te verkopen.'

'Stella, je bent zo'n sentimenteel oudje.'

'Hou maar op. Goed, ik wil alleen...'

'Hoe gaat het met Robert?'

Hoewel, of misschien omdat ze de hele dag aan niets anders had gedacht antwoordde ze nogal stupide: 'Wie bedoel je?'

'Als jij dat niet weet, weet ik het ook niet. Robert. De man over wie je praat als je dronken bent.'

Ze merkte op dat hij zo aardig was niet te zeggen: ...als je met mijn vrienden neukt. 'Weet ik niet.'

'Ik neem aan dat hij degene is over wie we het vorig jaar tijdens die lunch hadden?'

'Klopt. Maar ik zie hem niet meer.'

'En dat is het probleem, toch?'

'Het is iets gecompliceerder dan dat.'

'Zeker, maar zelfs de langste reis begint met een eenvoudig – shit!

Moet je nou kijken! Geweldig, wat een giller! Een gelijkmaker, niet te geloven!'

Hoe de goede raad ook was bedoeld, hij was goed. Dat wist ze, omdat het dezelfde raad was die ze zichzelf had gegeven. Schrijf niet het hele scenario, loop niet vooruit op de ontknoping, maar zet een klein stapje. Neem contact op. Het probleem was dat, terwijl het richting Jamie een kleine stap was geweest, het een flinke schrede was naar waar haar belang lag: een enorme sprong over een gapende kloof. Alles dat aan beide kanten moest worden doorgeworsteld, ontrafeld, opgehelderd, uitgelegd. Ze konden niet gewoon teruggaan naar waar ze waren gebleven, er was te veel gebeurd, en dat beangstigde haar ook. Zelfs als ze haar standpunt kon verklaren, hoe zou hij dan reageren? Ze kende hem alleen als ongeëvenaard succesvol in zijn beroep, knap, rijk, vol zelfvertrouwen, op de top van zijn kunnen. Zou hij met dit aureool, en met zijn voorbije huwelijk, een ander mens zijn? De gedachte aan een deemoedige, gelouterde en zich rechtvaardigende Robert stond haar tegen. God weet dat ze met genoeg mannen had geslapen, niet omdat ze ze bewonderde of respecteerde, maar gewoon omdat ze beschikbaar waren. Ze was verliefd geworden op Robert om wie hij was en om een van die dingen was die zijzelf wilde zijn: een eersteklas professional.

Derek en zij waren met de repetities voor hun voorstelling in de Parade on the Park begonnen. Het was deels een manier om haar weer aan het schrijven te krijgen, want ze hadden minstens zes nieuwe nummers nodig. Hij kwam 's morgens naar haar huis, om een uur of half elf, en ze gingen door tot ze uitgeblust waren en hun werk onderbraken voor een lunch in de pub. Als zij een idee voor een melodie of een liedje had lieten ze het tussen hen op en neer gaan om te kijken of er vaart in zat. Derek was een volkomen onzelfzuchtig musicus; hij erkende haar als de creatieve motor en volgde geduldig al haar grillen, pogingen en blokkades. Hij joeg haar nooit op en straalde altijd uit dat het uiteindelijk goed zou komen.

De ochtend na haar gesprek met Jamie was het proces tijdelijk gestagneerd. Ze pakten al vroeg een biertje om tijd te winnen. Derek zat op de pianokruk, haaks op de piano, met zijn handen op zijn knieën rustend, het flesje in zijn ene hand en een sigaret in de andere.

'Jackman,' zei ze, 'waarom ben ik niet op jou verliefd geworden?'

'Omdat je een respectabele dame bent en ik een gelukkig getrouwd man.'

'Nog afgezien daarvan.'

'Hetgeen ik zoals bekend is van tijd tot tijd doe... Maar, hoe kom je daar zo op?'

'Omdat we zo'n fantastisch team zijn.'

'Dat komt omdat we niets met elkaar hebben.'

Er viel een stilte, waarin ze moest toegeven dat hij gelijk had. Toen zei ze: 'Die man... die man om wie ik geef...' Derek trok een zuur gezicht door de rook heen. 'Nou ja, die man dus. Hij zit in de problemen en ik wil hem zien. Ten eerste is dat echter tegen alle regels, en ten tweede kan het op een complete ramp uitlopen, en ten derde... vergeet het maar, de nachtmerrie is nog niet voorbij.'

'Pak de telefoon, meisje.'

'Ik weet niet waar hij is.'

'Hij werkt toch?'

'Ja, maar misschien is hij daar niet...' Een vreemd, beschermend instinct weerhield haar ervan te zeggen waarom.

'Dan weten zij wel waar hij is. Doe het nu, nu ik er ben.'

'Nee.'

'Doe het nu, ja? Voor mij.' Hij boog zich naar voren. 'Ik wil naar een voorstelling kunnen.'

'Goed, goed!'

Het duurde nog drie dagen voordat ze de receptie van het ziekenhuis belde en vroeg om te worden doorverbonden met de afdeling Oogheelkunde.

'Mag ik vragen waarvoor?'

'Ik probeer iemand te pakken te krijgen.'

'Is het in verband met een afspraak?'

Ze overwoog dat dat inderdaad het geval was. 'Ja.'

'Wat is uw patiëntennummer?'

Verdorie. 'Dat heb ik niet bij me.'

'Naam?'

'Stella Carlyle.'

'Postcode?'

Ze realiseerde zich dat ze werd opgezocht in een computer en hing op.

De middag daarop reed ze naar het ziekenhuis, meldde zich bij de receptie en vroeg naar de afdeling Oogheelkunde.

'Dat is afdeling C, hier de trap op of met de lift naar de eerste etage, dan linksaf en door de dubbele deuren.'

'Bedankt.'

'Maar er is vanmiddag geen spreekuur.'

'Juist ja, dus er is niemand aanwezig?'

'Nee,' zei de vrouw geduldig. 'Kan ik u ergens mee van dienst zijn?'

Stella, onaangenaam getroffen, hield een snibbig antwoord in. 'Ik probeer dr. Vitelio te pakken te krijgen.'

'Meneer Vitelio is momenteel niet aanwezig, hij heeft vakantie genomen.'

'O. Is hij er morgen weer?'

'Nee, misschien over een paar weken.'

'Heeft dat te maken met het onderzoek?' De stem van de receptioniste kreeg een ijzige ondertoon. 'Afhankelijk van de uitkomst van een onderzoek, dat is juist.'

'Komt hij hier helemaal niet meer? Ik bedoel, als ik een briefje achterlaat...'

'Bent u van de pers?'

'Absoluut niet. Ik ben een kennis.' De receptioniste legde een blokje en een ballpoint op de balie voor haar. 'Als u uw naam achterlaat zal ik het hem geven als hij mocht komen.' Toen Stella zich omdraaide voegde ze eraan toe: 'Maar als ik u was zou ik intussen rustig doorgaan met ademhalen en er niet te veel op rekenen.'

Het vreemde was dat het leek alsof ze haar adem inhield. Elke dag raakte ze meer opgedraaid door spanning en verwachting en worstelde ze zich door de dag heen, om met een diepe zucht in bed in slaap te vallen, soms huilend van frustratie, maar zich vastklampend aan de hoop dat er morgen...

Ze was bijna vergeten hoe het was, te wachten zonder weten wat er zou gebeuren. Het gevoel dat elke keer als er geen post was en elke minuut dat er niet gebeld werd, elke flauwekul-fax of stompzinnige e-mail een belediging was, en erger dan dat: een klap in haar gezicht, een steek. Een deur die dichtgesmeten werd.

De repetities hielpen, maar ze schreef niets. Derek noch zij roerden het onderwerp Robert aan.

Het weekend na haar vergeefse bezoek aan het ziekenhuis ging ze haar ouders opzoeken. Toen ze haar moeder belde was Mary enorm enthousiast.

'Natuurlijk! Kom vooral! George heeft me alles verteld over de heerlijke tijd die ze in Italië hebben gehad; het was zo jammer dat wij niet konden komen. Blijf je slapen?'

'Weet je zeker dat het niet te lastig is?'

'Lieverd, helemaal niet.'

'Hoe is het met paps?'

'Meestal nogal van slag. Wees gewaarschuwd.'

Ze dacht dat ze dat was, maar toch was het een schok. In sommige opzichten was het nu gemakkelijker doordat hij de onzichtbare grens tussen de buitenwereld en zijn unieke, niet in de pas lopende wereldje had overgestoken. Er waren niet meer van die kwellende pogingen, het geestelijke gesukkel en de halfbegrepen gesprekken. Geen schemering. Waar Andrew nu was, was zonneklaar voor hem, en het had geen zin te proberen hem terug te halen. Net als een slaapwandelaar kon je hem alleen maar gezelschap houden en zijn arm vasthouden bij het lopen.

Toen ze vrijdagsavonds aankwam lag hij al in bed, en Mary legde uit dat dat het normale patroon was.

'Hij krijgt 's avonds slaap en gaat meestal tussen zeven en acht uur naar boven, maar de kleine uurtjes zijn nogal onrustig.'

'Kun je hem niet wakkerhouden, zodat hij tegelijk met jou slaapt?'

'Daar heb ik wel aan gedacht, maar hoe? We voeren geen gesprekken meer, ik kan hem geestelijk niet meer bereiken of zijn aandacht trekken, dus behalve hem met een stok porren... En trouwens, dit is mijn tijd. Het betekent dat jij en ik in alle rust kunnen eten. Het mes snijdt aan twee kanten.'

Dat was nog een verschil, bedacht Stella: dat haar moeder ook die grens was overgestoken. Ze was even liefhebbend en zorgzaam naar Andrew toe als ze altijd was geweest, maar tussen Stella en haar werd niet langer gedaan alsof. De kwestie was nu gewoon bespreekbaar. Mary was op het punt gekomen dat ze in de wereld was achtergelaten die haar echtgenoot niet langer bewoonde. Het was droevig, maar het betekende dat Stella voor het eerst van haar volwassen leven als vriendin en gelijke met haar moeder kon praten, zonder de onzichtbare barrière van het volmaakt gelukkige huwelijk. Mary's kracht als moeder lag in het feit dat ze altijd in de eerste plaats echtgenote was geweest. Maar nu was het accent verschoven.

Na het eten gingen ze met een staartje Nieuw-Zeelandse sauvignon naar de serre. Mary had een intercom geïnstalleerd, en ze konden Andrew horen ademhalen. Nu en dan veranderde het ritme en de diepte van de ademhaling, alsof hij droomde.

'Heb je wel hulp?' vroeg Stella.

'Ja, ik krijg grote, sterke meiden van de thuiszorg die hem elke week in bad komen doen. En er is een aardige vrouw, ik vergeet haar officiële titel altijd, die me elke ochtend belt om te informeren of ik het nog aankan. Ik kan tegen haar aanpraten, en dat helpt.'

Stella zei deemoedig: 'Je zou ook met mij kunnen praten.'

'Lieverd, dat weet ik wel, maar daar zijn we geen van tweeën mee geholpen. Ik zou me een zeurpiet voelen, en jij zou ermee zitten dat je niet weet wat je moet doen...'

Stella liet haar hoofd in haar handen rusten. 'Ik zou meer moeten doen. Ik voel me vreselijk.'

'Niet doen! Niet doen, anders kan ik je niets meer vertellen. Als er iets was dat je kon doen, zou ik het heus wel vragen. Voor de rest is het beste dat je kunt doen de ster zijn waar we allebei zo trots op zijn.' 'Nauwelijks een ster. Ik kan op het ogenblik zelfs niet eens schrijven.' 'Hoe vaak heb ik dat al gehoord? Het komt wel weer.' 'Ik wou dat ik jouw vertrouwen had.' 'Kom op.' Mary schonk het restje uit de fles in Stella's glas. 'Het is niet direct vertrouwen, maar je weet toch dat ik je al zo lang heb gevolgd. Jouw liedjes zijn van jou, is het niet? Je zingt je leven, of je gevoelens over het leven. En stel dat die gevoelens even moeten bezinken voordat je ze in liedjes kunt omzetten.' 'Je hebt volkomen gelijk.' Stella wist niet waarom ze zo verbaasd was over de juistheid van die conclusie. 'Maar het wachten wordt er niet gemakkelijker door.' Ze keek haar moeder recht aan. 'Heb ik je ooit verteld dat je mijn heldin bent?' 'Nee, goddank niet.' 'Nu, dan zeg ik het bij deze. Jij en paps. Ik rotzooi maar aan en doe alsof ik modern ben, maar ik benijd jullie om wat je hebt. Wat jullie hebben bereikt.' 'Bedoel je ons huwelijk?' 'Zoiets.' Met moeite bracht ze zich ertoe de grote woorden uit te spreken die ze zo gemakkelijk had kunnen zingen: 'Meer dan dat, jullie liefde voor elkaar. Zo hoort liefde te zijn. In een ideale wereld.'

Mary wendde zich af, zodat haar profiel naar Stella was toegekeerd, kwetsbaar, met het zichtbaar verslapte weefsel en de gekreukelde huid van de oude dag. 'Zet Andrew desnoods op een voetstuk, maar doe me een plezier en laat mij maar op mijn eigen voeten staan.'

Stella zei plagerig: 'Vertel me niet dat je op het punt staat iets schokkends te onthullen?'

'Nee... maar Andrew is niet de enige man van wie ik heb gehouden. En ook niet de man van wie ik het meest heb gehouden.'

Stella hield haar adem in. 'Vind je dat niet schokkend?'

'Het spijt me.'

'Nee, nee, mams, ik bekritiseer je niet. Jezus, ik zou niet durven... Ik zeg alleen dat ik op dit moment je egoïstische, kleine dochter ben en dat ik geschokt ben.'

'Het is ontzettend lang geleden. In een ander leven.' Mary keek haar weer aan en glimlachte. 'Geschiedenis, zoals men zegt.'

'Nou, prima toch. Maar laat ik je zeggen dat ik blij ben dat je paps hebt uitgekozen om kinderen mee te krijgen.'

Mary gaf geen antwoord, maar Stella dacht dat ze een glimp van tranen in de glimlach ontwaarde. De lucht was zwanger van de dingen die gezegd moesten worden. Ineens klonk er een fladderend geluid door de intercom en Mary stond op en ging naar de slaapkamer.

Stella bleef zitten, de klap nog verwerkend terwijl ze naar het intieme geluid van kalmeren, kussens opschudden, instoppen en de zachte smak van een kus luisterde: geluiden uit haar kindertijd. Haar moeder kwam terug, opgewekt en praktisch. 'Vals alarm. Het is nog geen tijd om wakker te worden.'

Stella viel haar bij. 'Heus, mams, wil je niet dat ik een poosje kom logeren? Om de last te delen?'

'Niet om de last te delen, nee. Je weet dat ik het heerlijk vind als je wilt komen omdat je het graag wilt.' Stella merkte dat ze niet 'we' zei. 'Maar we hebben een methode en routine. En er is meer professionele hulp die ik kan bellen als het nodig is. In godsnaam, Andrew is geen invalide, hij kan de alledaagse dingen nog steeds zelf doen, het is alleen de kunst hem ze op de juiste tijd en plaats te laten doen!'

Om halfelf gingen ze naar bed. Stella vroeg zich af hoe het moest zijn om een tweepersoonsbed te delen met een man van wie je hield, maar die een vreemde was geworden. Ze had mensen horen zeggen dat het net zo was met een huwelijk dat strandde. Maar de ander zou ten minste nog dezelfde taal spreken, hetzelfde referentiekader hebben en de herinnering aan een gedeeld verleden. In de kamer van haar ouders, waar de intercom was afgezet, heerste nu rust.

Die duurde niet lang. Na een halfuur begon het: het gemompel, gekraak, het geklik van het licht dat werd aangedaan en het lopen van de kraan; haar moeders gedempte stem en die van haar vader, beurtelings klaaglijk en schril. Bezorgd dat haar moeder zou denken dat ze sliep en moeite deed haar niet te storen, kwam Stella uit bed en deed de deur open.

Haar ouders stonden hand in hand in de gang, Andrew in zijn paisley pyjama en Mary in haar ruime, lichtblauwe t-shirt, beiden blootsvoets. Het leek wel een stel kinderen die op het punt stonden aan een sprookjestocht te beginnen.

'Je hoeft niet zachtjes te doen,' zei Stella, 'ik sliep niet.' Ze liep op hen toe en gaf haar vader een kus. 'Dag, paps.'

'Kun je me zeggen hoe laat het is?'

Ze keek op haar horloge. 'Vijf over elf?'

'Hebben we tegen de jongens gezegd hoe laat ze moeten komen?'

'Ja.' Mary klonk gedecideerd. 'Later.'

'Ik wil aangekleed zijn als ze komen.'

'Dat komt voor elkaar, maak je geen zorgen.'

'Wat heb ik nu aan?' Hij trok met zijn vinger en duim aan zijn pyjamasje en keek ernaar. 'Wat is dit?'

'Je pyjama.'

'Ik wil mijn pyjama niet aan als de jongens komen.'

'Natuurlijk niet.' Mary pakte zijn hand en gaf er een bemoedigend kneepje in. 'Laten we teruggaan naar onze kamer, dan nemen we een beslissing.'

Stella zei: 'Kan ik iets doen? Wat moet ik doen?'

Andrew wierp haar een zorgelijke blik toe. 'Wil je de jongens zeggen wanneer ze moeten komen?'

'Ja.'

'Ik wil ze hier niet hebben voordat ik aangekleed ben.'

'Dat begrijp ik.'

Mary mimede 'bedankt' en leidde hem weg. De slaapkamerdeur ging achter hen dicht. Dat was echter slechts het begin van een lange nacht van consternatie en rondspoken. Stella wist door op haar horloge te kijken dat zijzelf enige rust had gehad, zij het met onderbrekingen, maar toen de eerste vogels achter het grijze raam kwetterden was haar laatste gedachte voordat ze in een paar uur durende, op bewusteloosheid lijkende slaap viel, dat haar moeder het grootste deel van de nacht op moest zijn geweest.

Niettemin stond Mary die ochtend in de keuken, aangekleed, haar haar gedaan en opgemaakt; het brood stond in het rooster te wachten en de cafetière stond klaar bij de fluitketel. Stella, nog in haar ochtendjas, voelde zich beschaamd.

'Mam, hoe krijg je het vredesnaam voor elkaar?'

'Met moeite.' Mary gaf haar een kus. 'En oefening.

'Waar is paps trouwens?'

'Ik heb hem zijn ontbijt op bed gegeven. Daarna knapt hij een uiltje voordat we weer beginnen.'

'Je bent toch voor mij opgestaan?'

'Ik zou graag ja zeggen, maar het is nee.' Mary zette de cafetière op tafel. 'Ik moet echt die moeite nemen, het is het enige dat me op de been houdt.' Ze glimlachte om te doen alsof het een grapje was terwijl het de volle waarheid was.

Stella ging aan tafel zitten en duwde de stamper in de koffiepot.

'Krijg je eigenlijk nog wel rust?'

'Niet veel, maar op onze leeftijd heb je niet veel nodig. Niet zoveel slaap in elk geval. Ik heb de kunst van het dutjes doen gecultiveerd. Net zoals een paard dat onder een boom staat te slapen, een onduidelijke toestand.'

'Doe dan in elk geval vandaag een dutje, terwijl ik me met paps bezig houd.'

'Ik zie wel.'

'En laat me jullie mee uit lunchen nemen.'

'Dat zou enig zijn... maar ik waarschuw je dat het vermoeiend is.'

'Dan zijn we ten minste met ons tweeën.'

De lunch in de pub was vermoeiend, hoewel voor Stella misschien niet op de manier die haar moeder had bedoeld. Er waren de misverstanden, geloop, geknoei, vreemde, onsamenhangende vragen en opmerkingen die tot volslagen vreemden werden gericht. Nee, het kwam niet door de praktische problemen die ze het hoofd moesten bieden dat ze zich zo verward voelde, maar meer door een kinderlijk gevoel van schaamte. Voor het eerst in jaren vroeg ze zich af wat de mensen zouden denken, en betrapte zich erop dat ze dat erg vond. Het was niet dat de mensen niet aardig en tolerant waren, nee, dat was juist het probleem. Toen het voorbij was merkte dat ze last had van hun veronderstelde medelijden, hun verdraagzaamheid en zelfgenoegzaamheid; hun opluchting dat het moment voorbij was, en dat zij er niets mee te maken hadden. De opmerkingen die ze zachtjes tegen elkaar zouden maken.

Toen Andrew naar de wc wilde zei ze dat ze met hem mee zou gaan en besefte toen dat er een probleem was.

'Welke?'

'O, de heren.'

'Kan ik daar naar binnen?'

'Nee, hij redt zich wel. Zet hem maar bij de deur af en als het te lang duurt steek je je hoofd om de deur. Als er een aardige man is kun je hem om hulp vragen. Geen tijd voor valse trots.'

'Ik begrijp het.'

'En Stella, lieverd, let even op zijn gulp als hij naar buiten komt.'

Gelukkig kwam haar vader tegelijk met een aardige oude heer naar buiten die in het voorbijgaan zei dat 'alles piekfijn in orde' was.

Andrew fronste zijn wenkbrauwen. 'Het is geen baddag.'

Ze besloot dat het tijd was de bal terug te spelen. 'O nee?'

'Ben ik in bad geweest?'

'Nee. Op welke dag is het baddag?'

'Ik kan het je niet vertellen.'

Ze gaf het op.

Toen ze naar de bungalow teruggingen was ze dan ook nogal ontmoedigd toen Mary op haar eerdere aanbod terugkwam.

'Misschien leg ik mijn hoofd even neer, een halfuurtje maar. Weet je zeker dat je het aankunt?'

'Natuurlijk! Is er nog iets wat ik weten moet?'

'Ik geloof het niet... Hij is dol op muziek, als er wat is.'

'Ik zie wel.'

Stella ging naar haar vader in de woonkamer en gaf zichzelf een standje wegens haar lichte weerzin en ongerustheid. Hij zat met zijn handen op zijn knieën en tikte met zijn vingers een ritme dat hij in zijn hoofd had, maar hij staarde naar zijn handen alsof ze aan een ander toebehoorden.

'Paps...' Ze boog zich naar hem toe en probeerde zijn blik te vangen. 'Paps, zal ik iets voor je halen?'

Nog steeds tikkend antwoordde hij opgewekt: 'Ik heb wel zin in chocolade.'

'Goed idee, ik ook. Waar vind ik die?'

'Op het buffet, op het buffet, bij het glinsterende water van de grote zee.'

Er was geen buffet, maar in de keukenkast vond ze een grote reep met vruchten en noten en nam die mee. Ze haalde de wikkel eraf, brak wat blokjes af en hield hem die voor.

'Alsjeblieft.'

'Wat is dat?'

'Chocolade. Met vruchten en noten.'

'Daar heb ik geen zin in.'

'Goed.' Ze legde de blokjes naast hem neer. 'Maar als je van gedachten verandert ligt het hier.' Ze brak een stukje voor zichzelf af en dacht: als ik dit de hele dag moest doen werd ik een honderdtwintig kilo wegende, kettingrokende, agressieve alcoholiste. Haar bewondering voor haar moeders uithoudingsvermogen en kracht nam met de minuut toe.

De vingers bleven trommelen, en vielen toen stil. 'Hoe gaat dit ook weer?'

'Wat?'

'Dit.' Hij trommelde weer en neuriede er onwelluidend bij.

'Hoe gaan de woorden?'

Dat was gewaagd, maar hij leek haar niet te horen en ging door met neuriën, dat meer op een reeks gesnik en gepuf leek op het ritme van zijn vingers.

Er schoot haar iets te binnen, en ze legde haar eigen vingers op tafel en trommelde terwijl ze de woorden zong: 'By the shining big-sea water, Daughter of the moon Nacomis...'

'Ga door, ik vind het wel, je hebt me op het spoor gebracht.'

Opgetogen door dat succesje en bang het kwijt te raken zocht ze op de boekenplanken en vond Longfellow. Toen ging ze in kleermakerszit voor haar vaders stoel op de grond zitten en begon. Hij tikte, zij las. Hij staarde naar wat het ook was dat hij zag, en glimlachte.

Toen Mary om vier uur binnenkwam, met duizend excuses, waren ze nog bezig, behalve dat Stella op de grond lag. Mary zei niets, maar ging thee zetten. Toen ze terugkwam met het theeblad had Stella een excuus om op te houden.

'Lekker geslapen?'
'Heerlijk. Als een roos.'
'Fijn zo. En wij hebben ons ook prima vermaakt.'
'Dat zie ik.' Ze keek een beetje treurig. 'Dat herinnert me eraan hoe egoïstisch en fantasieloos ik ben geworden.'
'Mams,' zei Stella, 'alsjeblieft. Dit is nieuw voor mij. Ik begrijp niet hoe je zelfs maar de helft van wat je doet voor elkaar krijgt.'
Mary slaakte een zucht. 'Afgezien van de onthullingen, ik hou van hem, weet je...'
'Natuurlijk!'
'Dat is het ellendige.' Ze boog zich naar hem toe en streelde de gerimpelde, dooraderde rug van zijn hand. 'En ik zou bijna wensen dat het niet zo was. Liefde is zo'n strenge meesteres.'
De dag daarop gingen ze bij George en Brian op Bells lunchen. In de keuken hoorde George bij een gin-tonic met chips haar zuster uit.
'Wat vind je van ze?'
'Fantastisch, gezien de omstandigheden. Ik begrijp niet hoe mams het klaarspeelt, ze is verdorie een echte supervrouw.'
'Indrukwekkend, niet? Maar volgens ons nadert het tijdstip dat er iets moet gebeuren met rasse schreden.'
'Hoe bedoel je, een tehuis?'
'Het klinkt vreselijk als je het zo botweg zegt, maar ik denk dat ik dat bedoel. Anders gaat ze er aan onderdoor.'
'Maar als ze het nu zo wil, dan is dat toch haar beslissing?'
'Dat klinkt vreselijk volwassen.'
'Ik bedoel dat de beslissing aan haar is, niet aan ons. En ook om op haar eigen manier en haar eigen tijd aan te geven wanneer het zover is. In die tussentijd moet ze het gevoel hebben dat ze de juiste, liefdevolste weg heeft gekozen. Ze heeft onze steun nodig.'
'Allemachtig, Stella.' George klotste rode wijn in de braadpan en wierp haar zus een zijdelingse blik toe. 'Eerst Italië en nu dit... Als ik niet beter wist zou ik denken dat je nog eens een degelijke vrouw wordt.'

Op de rit terug naar de stad bedacht Stella dat ze goddank verre van een degelijke vrouw was – ze was een loslopende vrouw die onverwacht de kracht van de liefde had ervaren. En ze ondervond dat de liefde, zoals haar moeder al zei, een strenge meesteres was.
Terwijl de zomer uitdoofde en overging in augustus had Robert nog steeds geen contact opgenomen, maar ze schreef liedjes. Dat was voornamelijk te danken aan de vaste, onherroepelijke dwang van de deadline – hun twee weken in de Parade on the Park begonnen de tweede helft van de maand – maar ook omdat de koppige artieste in

haar zich niet liet kisten. Het werd een erekwestie voor haar dat ze dit seizoen zou slagen. Ze wilde haar ervaringen licht en verblindend uitdragen, als juwelen, en haar publiek bestoken met heftige emoties en fantastische melodieën. Ze neersabelen waar ze zaten. Derek was in zijn nopjes met haar resultaten. 'Je doet het prima, meisje, het was de moeite van het afwachten waard. Dit programma zal ze de adem en hun eetlust benemen.'

'Laten we het hopen.'

'Je ziet er trouwens geweldig uit.'

'Bedankt.'

Van dat laatste was ze niet zo zeker. Als ze in de spiegel keek vond ze dat ze er zorgwekkend veel ouder uitzag. Ze had nooit enige aanspraak gemaakt op schoonheid, en besteedde maar heel weinig zorg aan zichzelf. Ze deed niet aan sport of gym, had geen dieet en liet zich niet verwennen op een gezondheidsboerderij; ze rookte, dronk en ging met Jan en alleman naar bed. Ze had haar haar zo dikwijls geverfd dat ze bijna de oorspronkelijke kleur was vergeten; ze droeg kleren die ze leuk vond, gaf de voorkeur aan een bril boven contactlenzen en droeg alleen make-up op de bühne.

Wat ze in de spiegel zag was niet zozeer het fysieke aspect van het ouder worden, dat had haar niet eens kunnen schelen. Het was iets minder tastbaars: een blik in de ogen, de stand van de lippen. Het was – en hier bespeurde ze de kiem van een liedje – alsof het pantser van haar ziel af was.

Op een avond ging ze zo ver dat ze Robert thuis belde, de enige keer dat ze dat ooit had gedaan. Ze zorgde er wel voor dat ze eerst de nummerherkenning blokkeerde. Er werd direct opgenomen, ze nam aan dat de telefoon op een bureau stond.

'Ja?'

'Mag ik alstublieft meneer Vitelio van u?'

'Met wie spreek ik?'

Ze was niet zozeer uit het veld geslagen door die vraag als wel door de implicatie dat Robert misschien thuis was.

'Sarah Jones, ik ben een collega.'

'Een ogenblik.'

Er werd een hand op de hoorn gelegd, wat een eeuwigheid leek te duren maar hooguit dertig seconden was. Op een gegeven moment moest de hand zijn verschoven, want ze hoorde een vrouwenstem zeggen: '...je hoeft alleen maar...' voordat het geluid weer onderdrukt werd.

Daarna: 'Blijft u aan de lijn, ik verbind u door.'

Ze bleef aan de lijn tot ze zijn stem hoorde. Toen hing ze op.

Natuurlijk, zei ze bij zichzelf, was hij daar nog. Zelfs al was hij weggegaan dan zou hij teruggekomen zijn, en zou zij hem teruggenomen hebben. Wat voor problemen en meningsverschillen ze ook hadden, die sterke, kalme vrouw van hem was degene die de wisselvalligheden van zijn leven met hem had gedeeld, en die er voor hem zou zijn als het nodig was. Zij, Stella, had dat niet.

'Zij was het, of niet?'
'Ik heb geen idee,' antwoordde hij. 'Ze heeft opgehangen.' Sian trok een wenkbrauw op. 'Ik weet het echt niet.'
Ze stond in de deuropening naar de studeerkamer, haar vingers verstrengeld voor haar alsof ze zich moest verdedigen. 'Heb je alles?'
'Ik dacht het wel.'
Hij pakte de kist met boeken en gaf een knikje naar de doos folders en papieren. 'Daar kom ik nog voor terug.'
'Ik draag ze wel.'
'Doe geen moeite.'
Ze pakte ze op. 'Kom mee.'
Hij was misschien een halfuur in het huis geweest, en zij had niets over het onderzoek gezegd. Maar toen hij de doos van haar aanpakte en in de kofferbak zette zei ze: 'Het spijt me dat je zo'n rottijd hebt.'
'Mijn eigen stomme schuld.' Wat moest hij anders zeggen? 'Dit zal ook wel weer voorbijgaan.'
Ze onthield zich van verder commentaar. Hij sloot de achterklep en gaf er een klap op. 'Nou dan.'
'Robert, wil je iets aan de telefoon doen? Doorschakelen of iets dergelijks? Ik wil niet meer gebeld worden.'
'Ik zal mijn best doen.'
'Graag. En denk aan de post.' Ze stak haar hand op en draaide zich om zonder hem aan te kijken. 'Het beste.'
Toen hij wegreed bedacht hij: natuurlijk was zij het. Natuurlijk was het Stella. Zo'n impulsieve, roekeloze daad van doodsverachting was echt iets voor haar. Hij voelde een steek van pijn door zijn hart gaan. Voor het eerst van zijn leven voelde hij zich volslagen verloren, reddeloos. Het onderzoek, het einde van zijn huwelijk, zijn scheiding van Stella, vooral Stella, had hem met een verschrikkelijk soort vrijheid opgezadeld waar hij zich geen raad mee wist. Hij ving even een glimp van zijn gezicht op in de achteruitkijkspiegel en schrok zich wezenloos: het was het gespannen, angstige, boze gezicht van een man van middelbare leeftijd die zelf zijn ergste vijand was.
Hij stopte en bleef even zitten met zijn armen om het stuur geklemd, en haalde diep adem. Zijn adem kwam raspend, alsof alle

scherpe kanten en ruwe hoeken van zijn leven in zijn longen bleven steken. Het was tijd, besloot hij, om schoon schip te maken.

Stella probeerde het niet nog eens. Er daalde een weemoedige rust over haar neer. Ze was nog nooit zo dankbaar geweest voor de aard en eisen van haar werk. Naarmate de datum van de voorstelling dichterbij kwam stond ze zich niet toe verder vooruit te denken. Dat was prima; al het andere moest maar wachten.

Ze kocht een jurk die zo anders was dan alle vorige dat ze George uitnodigde om bij haar in de stad te komen lunchen.

'Heb je me helemaal hierheen laten komen om mijn mening te vragen over een jurk?'

'Niet je mening, ik heb hem al gekocht.'

'En als ik hem nou niet mooi vind?'

'Dan lieg je maar.'

'Dat is duidelijke taal. Trek hem dan aan.'

'Goed, maar je moet je voorstellen...'

'Vertrouw mij nu maar.'

Stella trok een grimas en ging de jurk aantrekken. Het was een nauwe, zwarte koker met een hoge hals, blote schouders en een rugsplit van de nek tot aan de taille. Tegen het zwart schitterde iets van ragfijn zilver. Boven die sobere, absolute schoonheid stak Stella's huid ivoorbleek af, en haar bos felrode haren leken verrassend en exotisch als een cactusbloem.

'Sorry,' zei George.

'Wat?'

'Noem me ouderwets, maar ik kan niet liegen.'

Robert was voor de duur van het onderzoek geschorst. Gedurende die periode werd hij volledig doorbetaald, hetgeen hij als vernederend ervaarde. Een calvinistisch trekje in hem had hem ervan weerhouden zijn werk als roeping te betitelen. Maar nu merkte hij dat het hem tegenstond geld te krijgen voor niet verrichte arbeid. Het leek het werk zelf te verlagen, terug te brengen tot het niveau van een product.

Intussen was hij in de gelegenheid een klein appartement nabij het British Museum te huren om af te kicken. Tijd nemen om na te denken was, merkte hij, iets dat hij het grootste deel van zijn volwassen leven had vermeden. Zakelijk bezien wist hij dat het met het onderzoek alle kanten op kon. Als pluspunten had hij zijn uitstekende staat van dienst, zijn ervaring en een carrière die een non-conformistisch tintje had, maar tot dan toe niet beduimeld was door formele klachten. Tegen hem pleitten onbeschoftheid, beroepstrots en politieke correctheid. Dat hij onbeschoft was geweest klopte, maar dat was op zichzelf geen halsmisdaad, en zijn bekwaamheid stond voor zover hij wist niet ter discussie. Zijn collega's zouden hem als het erop aankwam steunen; de verpleegkundigen waren ambivalenter, daar kon hij niets tegen doen. De moeder van de patiënt zou koortsachtig opgewonden zijn door de hele affaire; die zou voor haar en haar medestanders wel het karakter van een kruistocht hebben aangenomen. De gedachte matte hem af. Al die poppenkast, en waarvoor? Voor wie had het enig nut? In geen geval voor de patiënt, die nog steeds behandeld werd en voor wie de prognose op lange termijn behoorlijk gunstig was. Het probleem was dat hoe hij dat afschuwelijke mens van Stuart ook had genoemd, hij het destijds nog meende ook, en hij zou het nu desgevraagd nog steeds menen. Op dat punt voelde hij geen berouw.

Hij dwong zich het ergst denkbare scenario onder ogen te zien: dat hij zijn baan kwijtraakte. Nog afgezien van de financiële consequenties die afschrikwekkend waren, was het een ondraaglijk vooruitzicht niet meer te kunnen doen waarvoor hij was opgeleid en waar hij geschikt voor was: hij was sneller, beter en had een vastere hand dan wie ook in zijn vak. Als hij aan de kant werd gezet was dat niet alleen kwetsend, maar ook een misdadige verspilling van talent.

Hij vroeg zich af waarom Stella had gebeld – uit medeleven, uit leedvermaak, om hem te polsen? Te vragen om een ontmoeting? Of misschien vleide hij zichzelf alleen maar en wist ze er allemaal niets vanaf. Ze was niet bepaald iemand die op de hoogte bleef van de actualiteit. Er konden dagen voorbijgaan zonder dat ze een krant opensloeg. En waarom zou het haar iets kunnen schelen? Ze had hem maandenlang doodgezwegen... Waarschijnlijk was zij het helemaal niet geweest aan de telefoon, maar de een of andere nieuwsgierige journaliste die op een nieuwtje uit was, maar zich op het laatste moment bedacht had.

In elk geval was de gedachte dat ze hem in zijn huidige staat van onzekerheid zou zien onverdraaglijk. Hoe ze verder ook over hem dacht, ze kende hem als een succesvol medicus. Hij had zich volkomen met zijn beroep geïdentificeerd, zijn vermogen om levens te veranderen. Zonder dat beroep was hij niets waard. Wat de uitkomst van het onderzoek ook zou zijn, hij moest zich heroriënteren, om zijn evenwicht en zelfrespect te herwinnen.

Jamie belde. 'Er komt iets van mij in de uitzending van woensdag, misschien vind je het leuk.'

Ze keek, maar ze vond het niet leuk. Het onderwerp werd op rellerige toon door jeugdige presentatoren aangekondigd en luidde:

'Hoe grof kun je zijn en nog net de dans ontspringen?' Het begon met het geval van de medisch specialist die de moeder van zijn cliënt 'een gevaar voor de medische behandeling' had genoemd. Hierover werden veel grove grappen gemaakt, en een van de wildere vrouwelijke presentatoren werd de straat op gestuurd om met mensen in discussie te gaan, de vuilbekkende band The Antichrist en de schrijver van een modern etiquetteboek te interviewen, en een herhaalde uitnodiging aan de kijkers om hun favoriete beledigingen in te sturen.

Jamie belde weer. 'En, wat vond je?'

'Niet mijn smaak. Maar jullie programma is ook niet voor mij bedoeld.'

'Nee, maar ik was er blij mee, het was een mooie kans.'

Het was duidelijk dat hij niet het minste idee had van haar connectie met het onderwerp, en ze ging het hem ook niet vertellen.

'Gefeliciteerd,' zei ze. 'Stelling bewezen.'

'Eh... welke stelling?'

'Grofheid is niet slim en ook niet grappig.'

'Je maakt een geintje, hè?'

'Ik ben bloedserieus.'

'Sorry dat ik je heb lastiggevallen.'

Het verschil tussen theater- en restaurantpubliek zat hem niet alleen in het aantal, maar ook in het karakter. Met Sorority had Stella wel voor minder mensen opgetreden, en op talloze plekken waar eten en drinken werd geserveerd, maar in die tijd was het eten en drinken een teken van de lage status van de groep. Als je de mensen zover kreeg dat ze even opkeken van hun frieten werd je wellicht teruggevraagd.

In de Parade on the Park vormde de welgestelde clientèle met hamburgers van vijftig gulden en vijfsterrenpizza's op zichzelf al een aanbeveling, het uiterlijke, zichtbare teken dat Stella en Derek iets betekenden. Het stadse gedruis van chic dineren, snel heen en weer glijdende kelners en het geglinster van het smetteloze tafelgerei noopten Derek bij binnenkomst tot het mompelen van: 'Nou, meisje, nu is het onze beurt.'

Het verschil was dat Stella het speciale genoegen ontdekte van het entertainen van een klein, ontvankelijk publiek. In veel opzichten leek het minder op het Loch Ailmay Hotel en meer op haar geïmproviseerde optreden in de Harbour Light. Ze zong voor bekeerlingen. Ze voelde de warme, sympathieke golf van wereldwijze waardering die op het eerste rondje applaus meekwam. Ze hoefde deze mensen alleen maar te geven wat ze wensten en verwachtten, en dat kon ze. De liedjes die ze voor dit optreden had geschreven waren geestig, weemoedig en ironisch. Net zoals die ondefinieerbare uitdrukking in haar ogen die ze voor ouder worden hield; haar geestigheid was ontdaan van het bijtende sarcasme, er was iets onzekers voor in de plaats gekomen, iets twijfelends, een vervaging van de contouren die de laatste strofe van elk lied als een vraag in de geest achterliet. Aanvankelijk was het een intuïtieve, onbedoelde ontwikkeling geweest. Maar de professional in haar, die het opmerkte, had het geanalyseerd en de elementen herkend.

Ze kon het effect van haar liedjes aflezen aan de manier waarop de gezichten hun obligate, menselijke uitdrukking verloren en ingekeerd raakten; hun gedachten en gevoelens werden door haar bepaald, en niet door de mensen om hen heen. In de grote, lage eetzaal van de Parade on the Park hoefde ze haar stem niet te forceren. Derek was inmiddels zo volmaakt op haar ingespeeld dat zijn begeleiding, altijd al onberispelijk, nu ook natuurlijk klonk, alsof haar stem de reeks noten als een ragfijne shawl achter haar aan liet zweven.

Ze droeg de zwarte japon, met strakke, zwarte enkellaarsjes, dramatisch opgemaakte ogen, nauwelijks aangezette lippen en geen sieraden. Haar kapsel was wild en wanordelijk, met een enkele zwarte veer erin als bij een dappere Indiaanse krijger.

Er gebeurde iets dat ze niet kon verklaren, maar het deerde haar niet. Als derde en laatste toegift kozen ze: 'Are You There?' en bij de laatste, smachtende regel verviel haar stem tot een gefluister en brak toen af. Derek liet de piano ook wegsterven. Het had kunnen doorgaan voor een berekende *coup de théâtre*.

Tegen zijn gewoonte in gaf Derek geen commentaar op deze misstap.

Op die zwoele nazomeravonden had Robert de gewoonte ontwikkeld te gaan wandelen. Hij vertrok meestal rond zes uur, zonder idee in welke richting hij zou gaan, en pauzeerde na een uur bij een kroeg voor een whisky en soms een broodje, waarna hij de rest van zijn tocht bepaalde, afhankelijk van het weer, de plek en zijn stemming. Hij liep naar Regent's Park, om de buitenste ring heen en langs de binnenste terug, dicht langs de sprookjesachtige buitenkant van de dierentuin in de schemering, en door naar Primrose Hill, waar hij de zon naar beneden zag zakken boven de stad, terwijl de mensen met hun honden de lagere helling bevolkten. Hij zwierf door de straten, helemaal tot Islington, en volgde het kanaal, kreeg vanaf een boot zicht op de New Labour-nieuwbouw, doorkruiste Soho en vond dat het triest en veranderd was. Hij trok door het achterland van het West End naar Hyde Park, tot aan Kensington Gardens, waar de rolschaatsende jeugd als stadszwaluwen rondzwierden en zwenkten en de armen op banken neerstreken, terwijl de rijken puffend en zwetend hun rondjes jogden.

Na de verstikkend lange dagen van routine en administratief werk, met de geestdodende uitstapjes naar de televisieprogramma's overdag, de zenuwslopende geobsedeerdheid door het nieuws van de radio, de televisie en de kranten, en de merkwaardige mengeling van verveling en rusteloosheid bracht de verdovende, anonieme drukte van Londen hem tot rust. Het was zowel een manier om zich af te leiden als zich te verbergen. Toen hij aan zijn wandelingen begon werd hij overweldigd door het hectische gedruis in de straten, maar naarmate hij er zich langer en verder in begaf was het een troost er deel van uit te maken, als een mier in de mierenhoop.

Zijn verschijnen voor de onderzoekscommissie was vermoedelijk goed verlopen. Hij wist dat simpele bescheidenheid bij zo'n gelegenheid de beste troef was om te spelen, maar dat was niet zijn sterkste kant. Hij was zelfs banger over te komen als een schijnheilige gluiperd dan als een arrogante klootzak. Hij beantwoordde de vragen zo kortaf als nog net beleefd was, en koos voor een zakelijk spijtige toon zonder overdreven berouw te tonen. Toen de vaderlijke figuur van de BMC, de onderzoekscommissie, hem zoetsappig vroeg hoe zijn gedrag achteraf bezien op hem overkwam, liet hij zich verleiden te antwoorden dat hij wijsheid achteraf flauwekul vond, hetgeen een droog glimlachje ten gevolge had. De meeste hoofden werden discreet naar het notitieblok gedraaid. Over het geheel genomen was hij er echter zeker van dat hij hen weliswaar niet voor zich had ingenomen, maar hun aandacht en respect had gewonnen. Meer kon hij niet doen.

Met nog twee dagen te gaan voordat er uitspraak zou worden gedaan belde Seppi om te zeggen dat hij in de stad was voor een beurs en dat hij hem uitnodigde voor een etentje. Ze gingen naar een Frans restaurant in de buurt van het Victoria & Albert Museum. Seppi was weer zijn kwieke, welvarende, opgewekte zelf. Natalie was een stuk opgeknapt en de prognose was bemoedigend; de zaken gingen goed en de handelsbeurs vormde een amusant uitstapje. Maar zijn natuurlijke neiging om feest te vieren werd getemperd door de bezorgdheid om zijn broer.

'Laten we champagne nemen. Ik trakteer, je moet opgevrolijkt worden.'

'Gek genoeg ben ik best vrolijk,' zei Robert. 'Maar ik verveel me een ongeluk.' Met die onnadenkende opmerking besefte hij hoe duidelijk en afdoende hij zijn prioriteiten had gesteld. Seppi haastte zich erop in te gaan en maakte met zijn hand een breed wegwuivend gebaar.

'Vergeet dat gedoe met je werk nou even. Je bent een goed medicus, het komt wel in orde. Hoe gaat het met Sian? We kunnen gewoon niet geloven dat dit is gebeurd.'

'Nu, het is dus gebeurd.' Robert slaagde er niet in het ongeduld uit zijn stem te houden. 'Geloof het maar gerust.'

'Maar waarom?' Seppi liet de vraag in de lucht hangen terwijl de champagne werd ontkurkt en uitgeschonken. 'Waarom, Roberto? Waarom zoveel goede jaren weggooien in dit late stadium van je leven?'

Robert kon niet tegen zijn broer zeggen dat hij zich met zijn eigen zaken moest bemoeien. Familie was een gemeenschappelijke zaak.

'We waren niet gelukkig, kunnen we het daarbij laten?'

'Wie is er voortdurend gelukkig? Waar is het "in voor- en tegenspoed" gebleven?'

'We waren de oorzaak van elkaars ongelukkigheid.'

'Dat is het huwelijk. Zet je eroverheen.'

'Seppi...' Robert wendde zijn blik af, met gesloten ogen, en keek toen weer naar zijn broer. 'Bespaar me je huis-tuin-en-keukenfilosofie. Alsjeblieft.'

'Je lijkt me nu ook niet erg gelukkig, als ik het mag zeggen.'

'Is dat zo gek, met dat verrekte onderzoek dat me boven het hoofd hangt? Het een of andere idiote wijf kan mijn carrière naar de knoppen helpen, ik ben nou niet bepaald in de wolken!'

'Goed, goed. En is er een ander?'

'Ja, maar het schijnt uit te zijn.'

'Was zij de oorzaak?'

'Niet echt.'

'Natuurlijk wel! Jij bent zo'n dwaas, Roberto.' Het was een vermaning, maar Seppi's stem klonk vriendelijk. 'Kijk eens naar jezelf.'

'Dat heb ik gedaan.' Plotseling vermoeid wreef Robert met zijn handen over zijn gezicht. 'En als je dat plezier doet: wat ik zie bevalt me niet.'

Seppi pakte het menu op. 'Je bent nog steeds hetzelfde als vroeger, een slimme, onpraktische klootzak. Zij is ergens aan het doorgaan met haar leven, terwijl jij zit te mokken. Misschien denkt ze af en toe aan je, wie weet. Laten we bestellen.'

Daarna volgde het diner met het geijkte patroon, en ontstond er – mede door de rode wijn – een genoeglijke sfeer van broederlijke eensgezindheid. Buiten op het trottoir, terwijl een taxi geduldig stond te ronken bij de stoeprand, omhelsden ze elkaar. Ze stonden zachtjes heen en weer te wiegen, als dansers.

Seppi gaf Robert een klapje op zijn rug. 'Kom ons eens opzoeken, ja? We zijn er altijd, Moira vindt het enig om je te zien.'

'Dank je, dat doe ik misschien wel.'

'En veel succes met alles.'

'Bedankt.'

Ze lieten elkaar los, nog met hun handen op elkaars schouders. Seppi schudde zijn broer zachtjes door elkaar. 'Ik zit op je te vitten omdat ik van je hou.'

'Dat weet ik.'

Seppi stapte in de taxi, ging zitten en leunde met zijn hand op het portier naar buiten. 'Als je niet terug kunt, ga dan vooruit. En zet die trots opzij, Roberto, die is niet de moeite waard!'

Toen Robert over de Kensington Gore naar het park liep overpeinsde hij de waarde van trots. De recente gebeurtenissen leken hem totaal van de zijne te hebben beroofd. Hij had horen zeggen, en het misschien zelf ook wel eens gezegd, dat anderen je op de waarde schatten die je jezelf toekende. Als dat het geval was, bedacht hij grimmig, kon hij maar beter zorgen dat hij het laatste restje overeind hield, anders zag het er somber voor hem uit.

Hij liep door het park. Het was middernacht, maar uit de helle straatverlichting vandaan en in de volle maan werd de ruimte in dit stukje platteland in de stad luisterrijk verlicht. Het leek er doodstil, maar zinderde van geheimzinnig, nachtelijk geritsel. Het was makkelijk voor te stellen dat deze en soortgelijke plekken honderd jaar geleden de grootste seksmarkt van Londen vormde. Het er gonsde van de clandestiene betrekkingen, zowel persoonlijke als zakelijke, terwijl het op de paden wemelde van het prostitutieverkeer. Een enorm groot publiek, geheim in het hechte weefsel van de Victoriaanse moraal.

Het was er nog steeds, de seks, maar meer in de vorm van paartjes die uit vrije keuze of uit noodzaak van het park gebruik maakten. Minder clandestien, maar heimelijker. Wat was er juist in een tijd van een zogeheten individualistische moraal en een ratjetoe aan principes? Ondanks, of dankzij zijn katholieke opvoeding had Robert een afkeer van geïnstitutionaliseerde religie, terwijl Sian een kerkgangster van de bloedeloze Anglicaanse soort was. Nu had hij echter wel om goddelijke tussenkomst willen smeken, om een lichtstraal uit de hemel en een sonore stem die hem zei wat hij moest doen: de eenvoudige uitweg van een atheïst. En, bracht hij zich in herinnering, niet eens een realistische, omdat hij aannam dat hij een vrije keuze had. De waarheid was dat hij ondervond hoe het was om aan anderen te zijn overgeleverd. Het was een vernederende ervaring.

Hij stak de brug over en hield de westkant van de Serpentine aan in de richting van Bayswater Road. Het water was zijdeachtig glad, hoewel hij nu en dan het zachte geplons van dieren bij de oever hoorde. Bij het standbeeld van Peter Pan stopte hij en ging op de stenen rand aan de voet van het beeldje zitten. Een menigte uitgesneden schepseltjes, konijnen, vlinders, vogels en elfjes zaten op een kluitje bij elkaar ter hoogte van zijn schouder. Hij vroeg zich af hoeveel tienduizenden aanrakende, strelende kinderhanden er nodig waren voordat de details van het beeldje waren weggesleten, en de jongen die nooit volwassen werd boven op een knobbelige bronzen uitwas zou staan die nog het meest op een termietennest leek... Hij stak een sigaartje op en rookte genietend. Langzaam blies hij de rook weer uit. Toen de eerste geurige rookflard verdwenen was zag hij de vrouw aan de andere kant. Ze stond op het pad, geflankeerd door een donkere massa bomen en struiken die langs de andere oever groeiden. Haar silhouet stak duidelijk af tegen het bleke, maanverlichte gras.

Gezien zijn overpeinzingen over de geschiedenis van het park was het begrijpelijk dat hij dacht een geestverschijning te zien. Robert tuurde naar de lange, hooggesloten donkere kleren en de keurige zwarte laarzen... het excentrieke kapsel... de zwierige, elegante veer... haar stille, witte gezicht. Even stond de tijd stil.

Hij kwam overeind, trapte de sigaar uit en liep naar de andere kant van het pad, naar het water toe. Hij wist met absolute zekerheid dat de vrouw hem recht aankeek, niet zomaar over het water staarde, maar hem aan dezelfde nauwgezette inspectie onderwierp. De lucht leek zich om hen te sluiten, en hen in hun droomachtige toestand van elkaar af te snijden. Vanwege de kleine, maar onoverbrugbare afstand tussen hen in had Robert het gevoel dat hij als hij zich bewoog de betovering zou verbreken. Hij wilde roepen, maar zijn keel leek dichtgeslibd door de zware, elektrisch geladen stilte.

De vrouw bewoog. Hij zag dat ze een ragfijne, zwarte sjaal droeg. Om die te verschikken spreidde ze hem als vleugels met haar dunne, witte armen uit, alvorens hem weer om te slaan. De armen, het gebaar, een bepaalde manier om haar hoofd te neigen en de glanzende plukken piekig haar benamen hem de adem.

Stella, dacht hij, *are you there?*

Tot de man zich bewoog zag ze alleen het rode puntje van zijn sigaret in het donker onder het standbeeld. Een zwerver, nam ze aan. Ze wandelde hier dikwijls als ze voor de voorstelling de tijd wilde doden, er hing een sfeer van nachtelijke verbroedering waarvan ze deel uitmaakte.

Maar toen hij naar voren liep naar de waterkant wist ze dat hij haar gadesloeg. Er hing iets dringends, iets geconcentreerds, een schok van herkenning in de lucht. Uit zijn houding bleek dat hij haar niet alleen zag, maar haar ook opzettelijk aanstaarde. Ze stond aan de grond genageld. Zijn blik viel als een zacht net over haar heen en hield haar vast. Ineens had ze het koud. Huiverend haalde ze adem, maakte haar sjaal los en trok hem vast om haar borstkas heen. Om de herinnering aan Robert heen.

Een seconde daarna gleed een eenzame zwaan door het donkere wateroppervlak tussen hen in. De wijder wordende v van zijn kielzog werd vager en loste op waar hij de beide oevers raakte en ze met elkaar verbond.

21

The water is wide,
I cannot get o'er,
And neither have I wings to fly...

Engels volksliedje

Spencer 1997

Na de reünie in 1961 had Spencer gezegd dat hij nooit meer terugkwam, maar dit was anders. Dit keer was het een heel ander soort pelgrimage, die hij maakte op verzoek van zijn moeder. Niemand anders dan Caroline had hem kunnen overhalen van gedachten te veranderen, zelfs Hannah niet. En ze had hem nog wel van gene zijde van het graf beïnvloed. Hij had haar half beloofd haar een keer met vakantie mee naar Engeland te nemen. Maar ze had er nooit op aangedrongen, en toen ze ziek werd ging ze zo schrikbarend snel achteruit dat het wel duidelijk was dat zo'n reis nooit zou plaatsvinden. Na de dood van Caroline probeerde hij het plan uit zijn hoofd te zetten. Bij zijn vijfenzeventigste verjaardag, toen hij niet langer kon ontkennen dat hij oud was, was hij genoodzaakt de balans op te maken. Daar lagen Carolines wensen nog in het debetvakje. Hij stelde Hannah voor samen te gaan als onderdeel van een langere reis door Europa.

'Europa moeten we een keer doen,' zei ze. 'Maar het onderdeel Engeland is helemaal van jou.'

'Niet echt, ik zou het voor mijn moeder doen.'

'Van jou en van haar. Hoe dan ook.'

Spencer drong niet aan. Ze was niet gek, ze vermoedde een verboden gebied. Ze behandelde het verleden, en vooral de oorlog, met een reserve die deels uit discretie, deels uit zelfbescherming voortkwam. Hij maakte zich niet wijs dat hij de enige was met geheimen; hij wist nog steeds zo goed als niets over bepaalde jaren uit het leven van zijn vrouw, en de baby die ze verloren had. Ze hadden hun leven weer opgebouwd. Het verleden opgraven had weinig zin.

Ten slotte ging hij alleen, en dat voelde goed.

Hij ging een dag naar Church Norton, maar alleen om te zien wat de bevolking met het geld had gedaan. Door de jaren heen had hij alle pogingen om hem terug te halen weerstaan, eerst door allerlei smoesjes en spijtbetuigingen aan te voeren, en de laatste tijd door de uitnodigingen in de vuilnisbak te deponeren. Het was voorbij, niet alleen de oorlog, maar ook de daaruit voortkomende ontmoeting met Rosemary. Ze hadden elkaar sindsdien zelfs niet geschreven. Wat er was gebeurd was een goed, passend afscheid geweest.

Het was een koele, grillige Engelse zomerdag met hoge wolken, vlagen bleek zonlicht en nu en dan een regenbuitje dat meekwam op de wind. Maar ze hadden prima werk verricht met het monument: de propeller van een P-51 was op een fraai stenen drieluik gemonteerd waarop de ordetekens van de diverse vliegbrigades waren afgebeeld, geflankeerd door vlaggenmasten. Hij was geroerd toen hij zag dat het perkje bij het hek met zorg was onderhouden en vol bloemen stond. De afvalbak was boordevol. Hij pakte een colablikje op dat ernaast was gevallen, stopte het er weer in en veegde zijn handen af aan het gras. Achter het hek stond een kleine sokkel met in reliëf de plattegrond van het vliegveld zoals het tijdens de oorlog was, met de aanduiding U BENT HIER om de bezoekers te helpen zich te oriënteren. Verder zag alles er nog net zo uit als bij zijn vorige bezoek: dezelfde startbanen, nog steeds intact, de wachtruimten die vol stro en suikerbieten lagen, een mooie, nieuwe schuur, en de munitieopslag onder aan de heuvel die zo goed als vergaan was. Het bakstenen geraamte was met klimmende winde overwoekerd en werd opgefleurd door wilgenroosjes, madeliefjes en paardebloemen.

Hij hoorde het geronk van een machine en zag een tractor in de richting van de nieuwe schuur rijden, waar toegang tot de weg was. Hij voelde zich nogal in de gaten lopen met zijn honkbaljack en -pet, overduidelijk een Yank in dit rustieke Engelse landschap. Inderdaad hield de tractor bij de kruising stil. De bestuurder zette de motor af, liep langzaam op hem toe, met zijn gezicht naar de grond zoals Engelsen zo vaak deden om te laten zien dat ze weliswaar jouw kant opkwamen, maar je niet in verlegenheid zouden brengen door te vroeg oogcontact.

Spencer besloot zijn kans te wagen.

'Goedemorgen! Ik kwam eens naar dit mooie monument kijken.'

'Hoe maakt u het?' De tractorrijder, een man van midden veertig, stak zijn hand uit en ze schudden elkaar de hand. 'Neem me niet kwalijk dat ik het vraag, maar heeft u hier iets mee van doen?'

'Ik was hier in de oorlog, ja.'

De man knikte, hij was geen uitbundig type, en herhaalde zijn knik in de richting van de propeller. 'Hebt u gevlogen?'

'Dat klopt.'

'Goeie klus.'

Spencer herkende dat als een soort Brits idioom dat het monument, het vliegtuig, hemzelf, de oorlog en deze toevallige ontmoeting omvatte, maar het leek hem specifieker en hij reageerde zoals van hem werd verwacht.

'Nou en of.'

'Logeert u hier ergens?'

'Nee, nee, ik kwam gewoon langs.'

De man keek langs hem heen naar de overvolle afvalbak, en zoog afkeurend op zijn tanden. 'O, jee, dat geeft geen erg goede indruk van het moderne dorp, nietwaar? Ik vrees dat deze parkeerplaats een soort ontmoetingsplaats is voor vrijende paartjes, als u begrijpt wat ik bedoel.'

'Hoezo, zoiets als een vrijerslaantje?'

'Precies. Niet erg passend, maar niets aan te doen.'

Toen ze elkaar nogmaals de hand hadden geschud en de man was teruggegaan naar zijn tractor realiseerde Spencer zich dat hij juist heel erg te spreken was over de vrijende paartjes. In gedachten wenste hij ze veel geluk. Per slot van rekening hadden de Yanks toen ze hier waren maar twee dingen in hun hoofd: de oorlog winnen en achter de meiden aan. Het was heel toepasselijk dat nu het ene voorbij was, het andere in de schaduw van de Mustang onverdroten door zou gaan.

Het andere dorp, het eigenlijke doel van zijn reis, leverde problemen op. Niet alleen kende hij het niet persoonlijk, maar wat hij ervan kende was afkomstig uit Carolines fantasie. Het was het volmaakte Engelse dorp waarover haar vriendin Cissy haar had verteld. De plek waar Cissy en diverse generaties voor haar waren geboren en getogen. Spencer had zich voorbereid op een teleurstelling. Een plek waaraan zoveel hoop, herinneringen en, om het grof te zeggen, fantasie waren opgehangen moest wel op een teleurstelling uitdraaien.

Hij had wat aantekeningen gemaakt die gebaseerd waren op wat hij zich kon herinneren. Nadat hij een kamer had gereserveerd in de pub liet hij zijn auto op de parkeerplaats staan. Hij ging er voor de lunch opuit om een indruk te krijgen.

Het was bizar, alsof hij in een film speelde die hij al vele malen zelf had gezien. Er was veel nieuwbouw, maar het hart, het oude centrum van Fort Mayden waarover hij zo vaak had horen praten, was precies zoals Caroline het had beschreven. Het was heel goed voor te stellen dat Cissy, een plattelandsmeisje dat in een kleurloos stadshuis werkte, die plek had geïdealiseerd, en die had overdreven tegen haar verrukte gehoor van een eenzaam klein meisje. Maar toch, hoe ongelooflijk ook, hier was het allemaal aanwezig, de mijlpalen die door het vernis van de moderniteit schenen als het verborgen patroon in een puzzelboek voor kinderen. Hij was verrukt de hoofdstraat te zien met de ongelijke daken en schoorstenen, en de huizen die gebouwd waren uit dat speciale mengsel van honingkleurige steen die hij als typisch voor de streek herkende. De pub het Witte Paard met dat bijzondere uithangbord, een pegasus met grote gevleugelde hoeven en briesende neusgaten. De rijtjeshuizen een eindje van de rivier, waarvan de voordeur alleen bereikbaar was via een eigen bruggetje, de sierlijke toren van de parochiekerk van St.-Catherine, met de met hondenoren gedecoreerde hoeken. Bij de kerk werd hij ergens aan herinnerd. Hij keek naar boven naar de heuvel die ten noorden van het dorp lag. In het westen zag hij de kruinen van de bomen die de plek van het grote huis moesten markeren, maar in het oosten zag hij niets van 'de kleine, sprookjesachtige kerk' die zijn moeder had genoemd. Hij besloot na de lunch die kant op te wandelen, of misschien rijden, om te kijken wat zich daar bevond.

Een tikje onbehaaglijk – hij voelde zich nooit erg op zijn gemak op plekken van georganiseerde aanbidding – ging hij naar de St.-Catherine en trof die gelukkig leeg aan. Hij legde een munt op de houten collecteschaal bij het wijwaterbakje en pakte een paar prentbriefkaarten van het rek die hij in zijn borstzak stak. Daarna liep hij op zijn gemak door de zijpaden en bestudeerde de gedenkplaten en gegraveerde opschriften op de muren.

Hij vond waarnaar hij zocht op de muur van het priesterkoor, achter de koorbanken: een hele reeks Latimers, ieder met een eigen lofrede, sommigen in versvorm en vele strofen lang. Hij ging ze zorgvuldig na en vond 'HENRY FELIX LATIMER, KAPITEIN 8E HUZAREN, GEVALLEN IN DE HELDHAFTIGE AANVAL TIJDENS DE SLAG VAN BALAKLAVA, OKTOBER 1854. GELIEFDE ZOON EN DAPPER OFFICIER VAN DE KONINGIN. MOGE HIJ IN VREDE RUSTEN, EEN GOEDE, TROUWE DIENSTKNECHT.' Een stukje daarnaast en wat lager was een eenvoudige stenen plak bevestigd met de naam 'COLIN JOHN BARTLEMAS, SOLDAAT, 8E HUZAREN, STALKNECHT VAN BOVENGENOEMDE. OVERLEDEN IN DIENST VAN ZIJN LAND IN VARNA, BULGARIJE, JUNI 1854.'

Spencer keek wat schaapachtig rond om te zien of er niemand aanwezig was en nam een foto van de Latimerinscriptie met de twee oorlogsachtige engelen, en van de eenvoudiger steen daaronder. Toen, in een opwelling, deed hij een stap naar achteren en nam nog een foto van de hele muur. Daarna ging hij naar buiten, naar het kerkhof.

Hier duurde het niet lang voordat hij de graven van de Latimers vond, waaronder het opvallende dubbele graf van Maria en Percy, VERENIGD IN DE DOOD, voor het geval dat aan iemands aandacht mocht ontsnappen, en opgesierd met nog meer engelen met trompetten en een paar stevige engeltjes voorzien van guirlandes waarmee ze hun kuisheid bedekten. De plek was gemaaid en gewied, maar niet op een persoonlijke manier verzorgd voor zover hij kon zien; voornamelijk, veronderstelde hij, doordat het meest recente graf het grote dubbele was, en er daarna kennelijk geen Latimers meer waren. De familie Bartlemas leek het daarentegen nog goed te doen, en de laatste die de pijp aan Maarten had gegeven was Barry Bartlemas, 1921-1995, GELIEFD EN NODE GEMIST, die nog een geperforeerde urn vol rozen met bruine randjes had.

Spencer nam daar ook een foto van. Daarna ging hij naar de gelagkamer van het Vliegende Paard om de lunch te gebruiken. Hij was aangenaam verrast door het uitgebreide, gevarieerde menu, en de aanwezigheid van Budweiser uit de koeler, maar in een Engelse stemming bestelde hij biefstuk met niertjespastei en een pint bier. Het was er doordeweeks rustig. Terwijl hij op zijn eten zat te wachten raakte hij in gesprek met de man achter de bar.

'U bent ver van huis.'

'Dat mag je wel zeggen,' gaf Spencer toe. 'Ik kom uit Wyoming.'

'Wat ze het cowboyland noemen?'

'Precies. Het mooiste land ter wereld. Wilt u wat van mij drinken?'

'Dank u, meneer, ik neem een kleintje.'

'Vertel eens...' Spencer keek toe hoe de barkeeper zijn glas vulde. 'Zijn er hier nog Latimers?'

'Latimers.' De man nam een flinke slok, veegde zijn bovenlip af en kneep zijn ogen toe. 'Het zegt me wel iets, maar ik weet het niet. Ik ken niemand van die naam.'

'Er liggen er nogal wat begraven op het kerkhof. Hebben ze in het grote huis gewoond of zo? Een soort landadel?'

'Kan zijn. U hebt gelijk.' Hij wees met zijn vinger. 'Maar er zijn er geen meer, zolang we ons kunnen kan heugen. Bells is tegenwoordig een kunstencentrum – pottenbakkers, schilders, dichters. Houdt ze het hele jaar door bezig, mensen die in hun vakantie niet meer zonder een beetje bijscholing kunnen. Voor mij hoeft het niet, geef mij maar zon en zand, en daar is er genoeg van.'

'Is het geopend? Ik bedoel, kun je er rondkijken?'

'Ik zou niet weten waarom niet. Een paar van de bijgebouwen zijn verbouwd tot woonhuizen, maar het hoofdgebouw is een openbare ruimte.'

'Misschien doe ik dat wel...' Spencer besloot van de gelegenheid te profiteren. 'En mensen van de naam Bartlemas? Wonen er daar nog van in de omgeving?'

De waard grinnikte en knikte bevestigend. 'Dat mag je wel zeggen. Het is net als met ratten, je struikelt er altijd wel over een in dit dorp.'

'Niet stuk te krijgen, hè?'

'Ja. Gemeenteraad, cricketclub, *jeu de boules* hier in deze uithoek. Het wemelt hier van die knakkers.'

'Is dat zo? Mijn moeder – ze was Engelse – heeft iemand gekend die Cissy Bartlemas heette.'

'Cissy, ja, in een aanleunwoning, maar nog steeds vitaal.'

Spencer hield zijn adem in. 'Wilt u zeggen dat ze nog leeft?'

'Nou en of.'

'Maar dan moet ze toch stokoud zijn?'

'Heeft in april een telegram van Hare Majesteit gekregen.'

'En ze woont nog steeds zelfstandig?'

'Met een beetje hulp van vrienden en een boel van de familie en de Sociale Dienst. Nee, ze maakt het prima, Cissy heeft ze nog steeds allemaal op een rij.'

'Denk je dat ze het goed vindt als ik bij haar op bezoek ga?'

De waard grinnikte laconiek. 'Als je van zoete sherry houdt...'

Als Spencer haar leeftijd niet had geweten had hij die nooit geraden. Cissy Bartlemas was mager en gerimpeld, en haar sneeuwwitte haar werd dun, maar haar ogen stonden helder en haar stem klonk vast. Ze droeg een oude, wijde plooirok die onder haar oksels leek te beginnen, en een gebloemde blouse. Aan haar voeten droeg ze te ere van het mooie weer korte witte sokken en tamelijk stoere sandalen van gaatjesleer. Het stukje been dat hij zag tussen de rok en de sokken was verrassend glad en aantrekkelijk. Een opgewekt meisje op gymschoenen en in een blauw uniform vroeg of hij thee wilde, en toen hij aarzelde zei Cissy: 'Nou, ik in elk geval wel, dus zet het water maar op.'

Hij streek op de bank neer. Op zijn leeftijd was het ongewoon zich zoveel jonger dan een ander te voelen; hij wist niet zo goed wat hij met de situatie aan moest, maar Cissy des te beter.

'En, wat kan ik voor u doen, meneer American?'

'Spencer.'

'Meneer Spencer.'

'Nee, het is nogal verwarrend, ik heet Spencer McColl.'

'Meneer McColl dan.'

Hij gaf het op. 'Goed, ik val maar met de deur in huis. Mijn moeder heeft u gekend.'

'En hoe heet uw moeder?'

'Caroline Wells.' Hij voegde er voorlopig geen details bij, hij wilde zien hoe ze reageerde op het noemen van die naam.

'Kleine Carolina, ja.'

Hij kon zijn oren niet geloven. 'Herinnert u zich haar nog?'

'Carolina, natuurlijk.'

Het leek wat te gemakkelijk, maar misschien was dit het beroemde vermogen van echt oude mensen om zich het verre verleden te herinneren. Hij boog zich voorover, met een glimlach en een frons: hij wilde beleefd zijn, maar haar ook controleren.

'Wanneer hebt u haar gekend?'

'Voor de oorlog, toen ik in Oxford in de huishouding werkte.'

'De Eerste Wereldoorlog.'

'De Grote Oorlog,' beaamde ze, alsof er maar een de moeite van vermelden waard was.

Niet te geloven, ze was het echt. Over de honderd en zo scherp als een scheermes. Hij voelde zijn frons wegtrekken en de glimlach zich verbreden.

'Vertel eens. Mijn moeder heeft zoveel over u verteld, jullie vriendschap heeft veel voor haar betekend.'

'We waren allebei eenzaam, ziet u, eenzaam. Ik kwam uit een warm, liefdevol gezin, maar daar was ik ver vandaan. Zij was thuis, maar daar heerste helemaal geen liefdevolle sfeer.'

Die opmerking deed Spencers ogen prikken. Hij realiseerde zich dat hij dat altijd had geweten, hoewel zijn moeder het nooit met zoveel woorden had gezegd.

'Hoe oud was u toen?' vroeg hij. Hij deed geen pogingen meer die vraag voorzichtig in te kleden.

'Heel jong, eens kijken...'

Op dat moment kwam de verzorgster met het theeblad en zei: 'Cissy, weet je nog dat je neef laatst langskwam en dat jullie het erover hadden? Hij zei dat je zestien was toen je in de huishouding ging werken.'

'Zestien? Ja, dat zou kunnen kloppen.'

'Lieve hemel, toen was u nog maar een kind.' Spencer was verbaasd.

'Nee hoor, ik was een hardwerkend meisje dat zich kon redden.'

De verzorgster glimlachte toegeeflijk naar Spencer. 'Zo is het maar net. Melk en suiker?'

Toen de thee ingeschonken was drong het tot hem door dat er maar weinig leeftijdsverschil tussen de meisjes geweest was; zijn moeder was negen of tien geweest toen ze ontsnapte en de steeds smallere trappen naar zolder oprende om over Barton Wood en de kleine regenvijver uit te kijken naar een gelukkig thuis dat ze niet eens kende. En nu was ze dood, weggekwijnd in een verpleegtehuis, terwijl Cissy, het stevige dienstmeisje, nog onder haar eigen dak woonde. Hij had het gevoel dat het patroon van zijn leven stevig door elkaar was geschud; of het verleden een duwtje tegen het heden gaf en er recht doorheen dreigde te denderen.

De verzorgster zette Cissy's mok en een bord met twee chocolade-koekjes op het tafeltje naast haar. Voor hem deed ze hetzelfde, hoe-wel hij zijn hand opstak om voor de koekjes te bedanken.

'Goed,' zei het meisje, 'nu je toch gezelschap hebt ga ik even langs meneer Murchy, en dan kom ik op de terugweg weer hiernaartoe. Della komt om halfzes je eten brengen, goed?'

'Ja, ga maar. Deze heer zorgt wel voor me.'

Spencer moest er nogal verschrikt hebben uitgezien, want het meisje zei: 'Ze heeft een akelig gevoel voor humor, nietwaar, Cissy?' en knipoogde tegen hem toen ze vertrok.

Met enige huiver wachtte hij tot Cissy de beker oppakte en haar lange, trillende lippen naar voren stak om een slok te nemen. Toen ze hem neerzette en een koekje in haar thee sopte merkte hij op: 'Ik geloof dat er nog veel familie van u in deze buurt is?'

'O ja...' Ze nam een hap van het geweekte koekje en slikte het door.

'In het dorp en op het kerkhof.'

'Ja, ik heb rondgekeken bij de kerk. Ik zag dat een van uw voor-ouders is omgekomen in de Krimoorlog.'

'Dat was mijn oom. Colin, de broer van mijn vader. Mijn broer en hij verzorgden de paarden op Bells.'

'En de naam van uw vader was...'

'Ben Bartlemas.'

'Nooit van gehoord.'

'Hij was een deugniet, het zwarte schaap. Hij is weggelopen met Belle Latimer.'

'O ja? Greep te hoog, nietwaar?'

'Het is maar hoe je het bekijkt,' zei Cissy op scherpe toon, die aan-gaf dat ze verschoond wenste te blijven van zijn commentaar.

Hij liet het passeren. 'En wat is er verder gebeurd?'

'Ze had binnen de kortste keren genoeg van hem. Van hem, en van alles, en vertrok naar Italië. Het brak haar moeders hart en mijn vaders geest. Ze zeggen dat hij met zijn staart tussen zijn benen naar Fort Mayden terugkwam, waarna hij met mijn moeder is getrouwd. Vanaf die tijd deed hij keurig wat er van hem werd verwacht.'

'Een prachtig verhaal,' zei Spencer.

Cissy bromde iets.

'En de moeder?'

'Rachel Latimer. Ze was weduwe, en ze bleef dus alleen achter.'

Ze kneep haar lippen afkeurend op elkaar. 'Werd daar in haar eentje oud en koud. Maar ik heb gehoord dat het voordien een kouwe kikker was.'

'Dat kun je haar nauwelijks kwalijk nemen.'

'Zei ik dat?'

Hij nam die vraag als retorisch op. 'En Bells is het grote huis op de heuvel?'

'Een mooi huis. Prachtig. Maar er zijn geen Latimers meer, ziet u... Een bende Bartelmuizen, maar geen enkele Latimer.'

'Jullie zijn een taai ras, jullie...' Hij waagde het erop: 'Bartelmuizen.'

Ze reageerde niet, maar zei: 'U wilt zeker wel een kijkje gaan nemen.'

Het kon een vraag zijn, een vaststelling of een suggestie.

'Ja,' zei hij, 'zeker. Dat ga ik doen.'

Hij reed de drie kilometer naar de hoofdweg, draaide het pad in en reed over de lange oprit. Hij parkeerde voor het grote huis. De openstaande voordeur onthulde een receptieruimte met een balie, prikborden en een tafel die vol folders lag. Hij hoorde gemompel in de andere vertrekken en zacht gelach. Hij ging naar de balie en legde aan de receptioniste uit dat hij geen toekomstige klant was, maar een kijkje in de tuinen wilde nemen.

'Ga gerust uw gang,' antwoordde ze hartelijk. 'Wilt u het huis ook zien? We hebben dit weekend een groep, maar ze zijn momenteel allemaal met een workshop bezig.'

'Nee, nee, dank u. Ik heb net gehoord dat het hier heel mooi was, en ik heb een ver familielid, dus...'

'U bent toch geen verloren gewaande Latimer uit Amerika?'

'Nee, het is veel gewoner. Een lang verhaal.'

'Alstublieft.' Ze zwaaide met een lange, gebiedende hand. 'Doe alsof u thuis bent. De schuur en de stallen zijn bewoond, maar de mensen zijn erg tolerant.'

'Dank u.' Hij draaide zich om om weg te lopen, maar dacht ineens ergens aan. 'Weet u misschien of er hier ergens een klein kerkje is?'

'Dat was er. Het is vervallen, maar de moeite van een bezoek waard. Een betoverende plek.'

'Betoverend... echt waar?'

'Ik waarschuw u dat er geen weg naartoe loopt en het een hele klim is. Maar als u Bells verlaat door het hek bij het stalerf...' Ze wees gedecideerd met haar rechterarm, '...ziet u het bordje van het ruiterpad en dat moet u gewoon blijven volgen. Het uitzicht is prachtig.'

'Bedankt, misschien doe ik dat.'

Hij deed op zijn gemak de ronde over het terrein, wilde zich niet te veel inspannen voor als hij daarna de klim naar de heuveltop wilde ondernemen. Hij stak het brede gazon over, waar een badmintonnet stond en een stel croquetbogen, en betrad het bos. Tussen de bomen stootte hij zijn voet tegen een verdwaald stuk steen dat uit de grond stak. Het was zo onverwacht dat hij het lange gras uiteen trok om beter te kijken, in de veronderstelling dat het een restant van een afgebroken huis was, maar het bleek een losse kei te zijn, zoiets als een mijlsteen, bedekt met korstmos.

Hij nam een voetpad en sloeg linksaf. Toen hij op de heuvelkam uitkwam keek hij uit over de vallei en het dorp bij het Witte Paard aan de overkant. Het was een fraai uitzicht, waar de schaduw van wolken overheen rimpelde. Hij bleef staan om op adem te komen en het in zich op te nemen. Daarna liep hij over de heuvelrand naar het huis terug, nam een poortje aan de zijkant en ging langs de achterkant door een meer officiële tuin met grindpaden. Aan de andere kant van het huis lag een parkeerterrein dat werd begrensd door het huis, een draadhek en de blinde achtermuur van een schuur. Hij liep om de schuur heen en kwam bij een traliehek bij de kruising met de hoofdweg met een bordje waarop te lezen stond: VOETPAD NAAR OLD CHURCH HILL. Naast het hek was een overstap, en de woorden van de receptioniste indachtig stak hij over.

De renovatie van de bijgebouwen was mooi gedaan, met de oude pomp en het stijgblok nog op hun plaats, en de twee paardentroggen gevuld met hanggeraniums. De schuur leek dicht en stil, maar de deur van het stalhuis stond open. Een grote, chocoladekleurige labrador draafde naar buiten en liep kwispelstaartend om hem heen, gevolgd door een meisje van een jaar of vier.

Spencer hield van kinderen op dezelfde manier als hij van volwassenen hield: van sommigen wel en van anderen niet.

'Hallo,' zei hij. 'Is het goed als ik door jullie voortuin heen loop?'

'Dat mag,' antwoordde ze. Een aardige, hoogzwangere vrouw van wie hij veronderstelde dat het haar moeder was voegde zich bij haar.

'Goedemorgen!' zei hij tegen de moeder. 'Klopt dat, mag ik hierdoorheen?'

'Zeker. U ziet het voetpadbordje aan de andere kant.'

'Dank u wel.'

'Het is hier prachtig, echt betoverend.'

'Dat heb ik vaker gehoord.'

'Veel succes!'

Even dacht hij dat de hond hem achterna zou komen, net als Tallulah op Buck's, maar toen hij bij de overstap aan de andere kant kwam ging het dier naar de zonnige deuropening terug.

De receptioniste had gelijk: het was een lange klim, en een zware voor een man van zijn leeftijd. Maar hij legde hem in etappes af, hield elke honderd meter even pauze, maar probeerde niet om te kijken. Het uitzicht wilde hij voor het laatst bewaren.

Het kerkje was een ruïne; met zijn de plompe contouren en de verspreid liggende graven leek het een patrijs met jongen in het lange gras met wilde zomerbloemen. Er stond hier wat wind, die met lange vlagen langs de heuvel en tussen de bogen en de staande stenen door streek. Spencer ging zitten. Hij leunde met zijn rug tegen een van de scheefgezakte graven, dat warm was door de middagzon. Vanaf dit punt gezien leek het dorp een klein kluitje oude daken, en het Witte Paard sprong van hem weg. Hij moest denken aan een gezang dat ze tijdens de oorlog altijd zongen. Hij had er tot dan toe niet meer aan gedacht en wist niet eens dat het zich in zijn geheugen had genesteld. 'Voordat de orde van de heuvels bestond, of de aarde werd opgebouwd...' Het leek hem dat deze kleine Engelse heuvels en het dal ertussenin die orde vertegenwoordigden, die was geschapen door Gods wil of door de ontwrichting van de aardkorst en die nu de merktekens droeg van menselijke inspanning, oude en nieuwe. Morgen, met de lange, eentonige transatlantische vlucht in het vooruitzicht, zou hij langs de andere kant naar boven klimmen om het paard van dichtbij te bekijken.

Hij dommelde even in en werd wakker omdat het kouder was geworden. De lucht was bewolkt en de wind werd koud en stormachtig. Moeizaam kwam hij overeind, hij was blij dat niemand hem zag. Hij ging op zijn knieën zitten, waarbij hij de grafsteen gebruikte om zich op te hijsen. Toen zag hij dat er nog een Latimer lag: HUGO, GELIEFD ECHTGENOOT VAN RACHEL, 1830-1854, nog een Victoriaans leven dat door het een of ander al jong was afgebroken. Arme Rachel. Intussen stelde Spencer zich voor hoe de begrafenisstoet de slingerende weg de heuvel op had afgelegd – hoe hadden ze het in vredesnaam voor elkaar gekregen? Ze moest veel van hem hebben gehouden.

Hij keerde op zijn schreden terug en begon langzaam aan de afdaling om zijn knieën te sparen. Bij de eerste bocht, toen hij even stilstond om op adem te komen, keek hij om. Tot zijn verbazing zag hij het silhouet van een vrouw op het kerkhof, een jeugdig, hippie-achtig figuurtje met lange haren en een wapperende rok die door de wind werd gegeseld. Hij hoopte bij God dat ze hem een paar minuten daarvoor niet had zien stuntelen.

Hij vervolgde zijn weg en toen hij weer omkeek was ze verdwenen.

ONTWAKEND

1854-1998

De fotograaf had tot dusver zijn best gedaan. Hij wenste oprecht de mensen en plaatsen van die bizarre oorlog vast te leggen, maar niet op een manier die de mensen thuis onnodig verdriet zou bezorgen. Dus op plekken waar een roemrijke overwinning of een heldhaftige nederlaag had plaatsgevonden wachtte hij tot de doden en gewonden waren weggehaald. De tekst kon beschrijven wat er was gebeurd, en het aantal doden, gewonden en vermisten noemen, maar het te zien krijgen zou een te grote schok zijn.

Toch waren de gebeurtenissen van die dag zo krankzinnig dat zelfs mensen als hij, die er getuige van waren geweest, het nauwelijks konden geloven. Hij wist niet meer of wat er had plaatsgevonden heldhaftigheid of pure dwaasheid was, of beide, en ook niet hoe het nieuws in Engeland zou worden ontvangen. De glorie, het elan, de stompzinnigheid, het bloedbad – het raasde nog door zijn hoofd.

Daarom wilde hij deze foto nemen, om die verschrikkelijke beelden uit zijn geest tot rust te brengen. De jonge officier die blootshoofds naast zijn paard lag, alsof ze rustig lagen te slapen in een Engels weiland: een uitbeelding van de verspilling door de oorlog, en van de vrede van hen die in de kracht van hun leven waren weggerukt. Een symbool van vertrouwen, geloof, rust zelfs, na de schokkende waanzin van de dag.

Hij liep niet meteen naar de stille figuren aan de andere kant, om het van uit een andere hoek te belichten. Hij wilde de afzichtelijke verwondingen niet zien waaraan ze waren bezweken. Vanaf hier leken ze onbeschadigd. Stil en doelgericht, met een soort eerbiedige buiging, klom hij uit de wagen en stelde zijn camera op.

Toen hij klaar was liet hij ze achter zoals hij ze had aangetroffen, alsof ze werkelijk in slaap waren. In de verte luidden de klokken van Sebastopol om een grootse overwinning te verkondigen.

Eerst krabbelde de merrie op, toen het veulen.

Ze zagen het wankelend zijn best doen; het dreigde door zijn spillebenen te zakken. Zijn wilde hoofdje zocht vertwijfeld bij zijn moeder naar voedsel. Toen hij haar tepel te pakken had likte de merrie teder de kleverige vloeistof van zijn vacht. Die hing in slierten aan het toefje staart van het veulen. Een kraai streek op tien meter afstand neer, en richtte zijn koude zwarte ogen op de dampende placenta.

Robert nam Stella's met bloed bevlekte handen in de zijne.

'Kijk ons nou.'

'Bloedig, maar ongebroken.'

'Dat zou ik ook denken.'

Ze voelde zich doortrokken van een pure, gelukzalige uitputting. De zon scheen warm op hun rug. Haar handen werden omvat door de zijne en behoorden haar niet meer toe. Langzaam liet ze haar hoofd tegen zijn schouder zakken. De kraai vloog op en wiekte weg. Ze hoorden het zachte, fanatieke zuigen van het veulen.

Een voor een begonnen de klokken van de zeven dorpskerken te beieren, en het Witte Paard sprong jubelend op naar de zon.

09W02041/ T5/ 9789047502791